LA
DISSERTATION
LITTÉRAIRE
GÉNÉRALE

A. CHASSANG

Agrégé des Lettres,
Professeur de Première au Lycée,
chargé d'un cours de Propédeutique
à la Faculté des Lettres de Nancy.

CH. SENNINGER

Ancien élève de l'École Normale Supérieure,
Professeur de Lettres Supérieures au Lycée,
chargé d'un cours de C. A. P. E. S.
à la Faculté des Lettres de Lille.

LA DISSERTATION LITTÉRAIRE GÉNÉRALE

Classes supérieures de Lettres et Enseignement Supérieur

LIBRAIRIE HACHETTE

79, Boulevard Saint-Germain, Paris VIe

PRÉFACE

Voici un livre qui vient à son heure et qui, malgré l'apparence, a peu de prédécesseurs. Il est aussi nouveau par l'objet qu'il se propose et le public qu'il vise que par l'esprit qui l'anime.

Laissant derrière lui l'armée des candidats au Baccalauréat et leurs tourments élémentaires, il veut répondre aux besoins précis et graves de groupes nombreux d'étudiants qui hantent ou se préparent à hanter les Facultés des Lettres : tous ceux qui ont à faire la preuve d'aptitudes littéraires, de culture, de méthode et de goût, sans avoir à justifier de la connaissance approfondie d'un programme déterminé. On aura reconnu, au début des études supérieures, les « propédeutes » et les « cagneux »; à leur terme, les candidats à maints concours de recrutement.

Les dissertations qu'ils ont à faire portent toujours sur la littérature, puisque c'est leur partie; mais elles sont générales, puisque nulle liste d'auteurs, d'œuvres ou de questions n'en limite le champ. Elles invitent donc à explorer de haut le paysage littéraire. Elles mettent en cause les genres, les écoles, les tendances, les grandes lois de la création littéraire. C'est là une matière complexe et chatoyante, qui se nuance sans arrêt au gré des éclairages; mais ce n'est pas une matière indéfinie. MM. Chassang et Senninger ont eu l'idée heureuse de dresser un répertoire systématique des sujets de ce type, qui épouvantent les novices et déconcertent souvent les étudiants chevronnés, et d'en organiser l'étude.

Les dissertations littéraires « générales » sont à la fois un piège et une charité. Une charité, puisqu'elles dispensent des forages de l'érudition, puisqu'elles n'acculent jamais à des aveux d'ignorance, laissant à chacun le droit de recourir à ses auteurs préférés, de choisir ses exemples et son terrain de bataille. Mais un piège, si l'on croyait qu'elles consistent à faire quelque chose avec rien. On ne disserte pas du vide, ni dans le vide. Seul un esprit bien nourri et formé, qui de ses connaissances dominées a su faire une culture, peut s'y exercer avec fruit. Ces dissertations décèlent donc aisément l'indigent, le désarmé, le maladroit, le malingre qui se paie de mots ou devient grandiloquent, le naïf qui fait parade de confidences inopportunes, le faux-habile qui se croit déjà essayiste, le philosophe égaré dans la littérature, le psittaciste, que sais-je encore! Elles jettent un jour cru sur les divers défauts d'esprit. C'est dire qu'elles sont un excellent révélateur des qualités. On comprend *que les professeurs y tiennent et que les étudiants les redoutent. Voilà pourquoi la tentative de MM. Chassang et Senninger est aussi généreuse qu'opportune.*

Leur souci principal a été de guider, de soutenir, d'apprendre à travailler. Ils savent bien que le meilleur maître est celui qui considère les étudiants comme des apprentis : qui mesure les difficultés, qui suit les efforts, explique les échecs, rectifie les gestes, éduque l'exigence critique vis-à-vis de soi et donne toujours l'exemple. L'enseignement littéraire sacrifie souvent l'efficacité au brillant; il ne peut que gagner à imiter la probité qui est de règle à l'atelier. Le présent manuel se recommande surtout par cette probité.

On y trouvera des conseils généraux sur l'art d'écrire, formulés avec une sobre pertinence; des conseils particuliers sur l'art de disserter, et une sorte d'étude clinique des dangers qui guettent la dissertation littéraire générale. On y trouvera surtout des séries de sujets; des réflexions critiques sur ces sujets; des plans, tantôt schématiques, tantôt étoffés, et des devoirs entièrement rédigés. A toutes les pages de ce manuel, l'intention est la même : montrer comment l' « on s'y prend », stimuler l'activité de l'esprit, l'armer de vigueur et de critique. Quand ils traitent de bout en bout un sujet, les auteurs ne prétendent pas proposer une doctrine ni offrir un modèle à admirer; ils se contentent de présenter un exemple, provoquant ainsi à l'imitation ou à la discussion.

Ce livre est largement ouvert aux curiosités contemporaines. Sans évincer systématiquement les maîtres d'autrefois ou les critiques d'hier, il recourt souvent aux écrivains d'aujourd'hui. Il est moderne sans sacrifier à un modernisme de mauvais aloi.

Il aidera les étudiants, surtout ceux qui travaillent seuls. Il secourra les professeurs, même et surtout s'ils ont çà et là des réserves ou des objections à formuler. Sans doute certains sujets, trop défrichés ici, ne pourront plus guère être proposés en devoirs ou aux examens. Mais il suffit de peu de chose pour changer l'esprit d'un sujet; et que de suggestions pour des sujets nouveaux! quelle mise en train de l'esprit! quel appel à l'émulation!

Stimulant les maîtres, épaulant les étudiants, le manuel de MM. Chassang et Senninger devrait servir efficacement les études françaises à la dernière, à la plus importante de leurs étapes.

Roger PONS
Inspecteur Général
de l'Instruction publique.

LA DISSERTATION LITTÉRAIRE
GÉNÉRALE

INTRODUCTION GÉNÉRALE

I. BUT DE L'OUVRAGE

IL EXISTE de si nombreux manuels de dissertation française, riches de conseils et d'exemples intéressants, qu'il peut paraître parfaitement inutile d'en présenter un nouveau. La multiplication de ces corrigés n'a que trop tendance à inciter à la paresse intellectuelle de jeunes esprits souvent convaincus qu'il suffit d'imiter ces « modèles » tout faits pour obtenir une bonne note. De plus, la vie de l'esprit risque de prendre en ces exercices, qui s'inspirent forcément d'une rhétorique un peu rigide et froide, je ne sais quelle allure figée et stéréotypée tout à fait différente de la continuelle « maturation » qu'est la culture littéraire. Loin de la classe ou du cours qui rend à l'exercice de correction du devoir français son sens de pensée critique et de perpétuel approfondissement, le « corrigé » apparaît trop souvent comme une sorte de perfection abstraite et plus ou moins formelle.

Et pourtant le corrigé est un mal nécessaire : non seulement il est d'une honnêteté élémentaire de montrer à des apprentis la réalisation de ce qu'on attend d'eux, mais pédagogiquement la réflexion intelligente d'un élève sur un « corrigé » établi par un professeur est, nous semble-t-il, des plus fructueuses. Il faut reconnaître en effet que la dissertation est avant tout une « technique » et que, comme toute technique, elle s'acquiert par une alternance d'exercices pratiques et d'étude de modèles théoriques.

Or nous voyons, à mesure que la pédagogie moderne tend à demander davantage au goût et moins à l'érudition, se développer un genre de dissertation littéraire assez particulier, qui n'était jusqu'ici guère en honneur qu'aux concours des E. N. S. du Second Degré. Ce genre de dissertation, qui tient à la fois de la philosophie et de la littérature, de l'essai artistique et de la composition française, de la discussion abstraite et de l'étude historique, et que pour la commodité de l'expression nous appellerons la *dissertation littéraire générale*, est à peu près le seul qui soit actuellement proposé aux épreuves écrites des Certificats d'Aptitude à l'Enseignement du Second Degré et dans les examens de

Propédeutique passés dans les Facultés. Au baccalauréat, il est maintenant sinon obligatoire, du moins habituel, qu'un des trois sujets soit un sujet général : ce sujet général est le plus souvent littéraire et porte sur des questions aussi déconcertantes pour un non-initié que les lois du théâtre, la création romanesque, les tendances de telle ou telle école littéraire, etc.[1]

Sans doute, dans l'idée de ceux qui proposent de tels sujets, s'agit-il de soulager l'effort du candidat en délivrant celui-ci de la hantise d'un programme. Mais dans la pratique il est avéré que ce candidat est souvent beaucoup plus embarrassé pour les traiter que pour traiter les sujets qui concernent un auteur. Tous les professeurs de Propédeutique et de Cagne connaissent bien l'espèce d'effroi qui s'empare des étudiants au début de l'année devant des énoncés qui leur semblent d'une nouveauté et d'un vague inquiétants. Or, bien que les correcteurs fassent toujours preuve de la plus grande compréhension, ils n'acceptent pas n'importe quoi! Depuis des années une doctrine assez précise, non étroite sans doute, mais faite d'exigences rationnelles, s'est formée principalement dans les Cagnes et a trouvé, depuis l'institution par les Facultés d'une année propédeutique, un terrain naturel d'expansion : à en juger par les quelques corrigés parus, elle semble admise par le plus grand nombre de professeurs.

Pourtant cette doctrine n'a guère été expressément révélée et portée à la connaissance des étudiants : ces derniers trouvent évidemment dans leurs Maîtres des guides irremplaçables, mais si l'un d'eux, obligé de travailler seul et loin d'un grand centre, nous demande s'il existe actuellement une méthode pour se préparer à cet exercice qui lui semble si ingrat, nous ne pouvons guère lui signaler que des corrigés épars dans des revues[2] ou des manuels[3]

---

1. Si nous avons retenu un assez grand nombre de sujets donnés au baccalauréat, nous les avons traités sans jamais nous astreindre à tenir compte du niveau de cet examen : tel d'entre eux conviendrait aussi bien au C. A. P. E. S. Néanmoins, quoique notre ouvrage s'adresse avant tout aux étudiants de l'Enseignement Supérieur, les élèves de Première (du moins les meilleurs en « Lettres ») pourront assez facilement s'assimiler nos études et y puiser bien des idées et des connaissances générales : nous espérons que les unes et les autres leur seront des plus utiles pour leurs épreuves de français aussi bien que pour leur culture. Cf. Première partie, ch. II, sujet proposé n° 22, et page 394, note 1.

2. Voir en particulier : *L'Année propédeutique* (Centre d'Édition d'Enseignement Supérieur) — *L'École,* classes du Second Cycle, enseignement littéraire (Éditions de l'École) — *Les Humanités,* classes de lettres (Hatier) — *L'Information littéraire* (Baillière et fils). Dans *La Revue universitaire* (Colin), d'excellents énoncés de sujets sont proposés, notamment par notre collègue P. Cabanis, à qui nous devons quelques citations.

3. Nous rappelons parmi les recueils, publiés en général avant tout pour les élèves de 1ʳᵉ, ceux de MM. : *Bouviolle* (Hachette) — *Mornet* (Larousse) — *Thoraval* (Colin) — *Toinet* (L'École) — *Maugis* (Langlois). Ces recueils sont, pour des mérites divers, de très bons guides pour le candidat qui veut s'exercer à la dissertation consacrée à un *sujet portant sur un écrivain particulier* (la plupart font aussi place à des explications de textes). Ils admettent, à l'occasion, quelques sujets généraux, et les derniers auteurs que nous citons en poussent alors l'étude assez loin, mais non d'une façon systématique, qui les écarterait de leur propos. Enfin l'étudiant aura intérêt à connaître l'originale et claire collection : *Expliquez-moi* (tel écrivain ou telle œuvre) *par la dissertation* (Foucher).

qui ne répondent qu'incomplètement à son attente. Ces manuels sont en effet à peu près tous destinés avant tout à des élèves de Première, même s'ils se haussent parfois au niveau de la Première Supérieure, telle l'excellente *Méthode française* de MM. Crouzet et Desjardins (classes de 2e, 1re et 1re supérieure, librairie Didier). Le livre qui se rapprocherait peut-être le plus de notre dessein serait celui de M. Hervier (*Dissertations littéraires*, librairie Cro-ville), mais ses intéressantes études s'adressent particulièrement aux étudiants qui abordent la Faculté des Lettres. Quant au très bon livre de M. Huisman (*L'art de la dissertation*, Société d'Édition d'Enseignement Supérieur), il est spécialement composé pour les étudiants de Propédeutique et de Licence de philosophie. Pour nous, notre dessein est à la fois plus vaste et plus délimité : d'un point de vue strictement littéraire, nous avons voulu pré-senter une méthode assez souple pour être utilisée du Baccalauréat au C. A. P. E. S., en passant par la Propédeutique, les Cagnes et les Concours des E. N. S. et pour effleurer parfois des sujets de Licence ou d'Agrégation. Sans prétendre, ce qui serait absurde, traiter tous les sujets, nous avons essayé de faire un assez vaste tour d'horizon des *questions littéraires générales* usuellement soulevées aux examens et d'en offrir, pour ainsi dire, une « Somme ». Bref, très modestement, sans nous flatter de rien inventer, mais en nous efforçant de clarifier des principes généralement admis, nous avons tenté de répondre à ce qui nous paraît à l'heure actuelle un évident besoin.

Nous demandons au lecteur de ne pas voir ici des formules conventionnelles de modestie : nous ne faisons dans le présent ouvrage que rendre au public d'étudiants ce que bien des maîtres éminents nous ont prêté et ce qu'auraient pu faire aussi bien que nous nos collègues de Lettres, si cela avait été leur propos. Nous devons à tout le monde, car il nous était évidemment impossible « d'inventer » toutes les idées que nous utilisons : le plus souvent, nous avons seulement voulu apprendre à l'étudiant comment se servir, en vue des dissertations qu'il aura à traiter lui-même, des ouvrages cités dans la bibliographie générale ou au cours de telle ou telle de nos études, ouvrages auxquels nous avons beau-coup emprunté. Chaque fois que notre emprunt a été plus direct, nous avons tenu à le préciser par une référence : ce n'est pas du tout pour dispenser celui qui nous lira de se reporter à notre « source », mais au contraire pour qu'il le fasse, nous contrôle, élargisse son enquête et rende à chacun ce qui lui est dû. Il nous arrive souvent du reste, quand nous faisons appel à tel ou tel document, à tel ou tel ouvrage, d'en simplifier les conclusions, de les résumer un peu partiellement peut-être pour les besoins de notre démonstration. Mais là encore c'est la loi du genre : nous prions notre lecteur de bien vouloir considérer notre objectif et de se rappeler que nous ne lui offrons pas un livre d'histoire littéraire, mais un «livre d'exercices». La dissertation vise beaucoup plus à une sûre technique qu'à l'originalité intégrale ou à la rigueur scientifique absolue. Pour cette technique elle-même, nous espérons bien n'être pas originaux et ne présenter qu'une synthèse, point trop déformée par notre interprétation personnelle. Notre ambition est seulement, en définitive, de montrer aux étudiants que le genre avec lequel ils doivent se familiariser n'est pas un genre d'un flou vertigineux, et qu'on peut arriver à des réalisations précises en partant des principes que nous leur soumettons.

II. DE LA DISSERTATION LITTÉRAIRE CONSACRÉE A UN SUJET GÉNÉRAL

Bien que l'étudiant éprouve d'ordinaire quelque appréhension quand il aborde la dissertation littéraire générale, il lui arrive assez souvent aussi de ne pas voir exactement où en est la difficulté. Il situe surtout celle-ci dans le caractère extrêmement vague de la formule à discuter. Par exemple, le débutant qui doit commenter la thèse de Renan : « La vraie admiration est historique... » est facilement embarrassé par l'apparence assez terne de ces quelques mots derrière lesquels il ne sent pas un problème capital de la critique (doit-on admirer une œuvre avec ou sans la connaissance historique du milieu qui l'a vue naître?). Encore moins sentira-t-il que la question est un aspect de ce « scientisme » qui envahissait le xixe siècle et il sera dès lors tout à fait désarmé pour une discussion, parce qu'il ne saura pas avec qui et quoi discuter. Aussi doit-il *se persuader que la dissertation littéraire générale est difficile, non parce qu'elle est vague, mais parce que, derrière un vague apparent, il faut retrouver des précisions concrètes et vivantes.* Ces précisions ne relèvent pas de l'imagination. L'apprenti doit donc d'abord se cultiver : il ne doit plus se contenter, comme pour le baccalauréat, de notions sommaires sur toute la littérature, sur les principaux auteurs, sur les principales œuvres, mais il doit connaître les grands problèmes et leurs solutions essentielles à travers la littérature. Si doué qu'il soit, il n'inventera pas ces questions et ces réponses. Faute de cette culture il pourra, en mettant les choses au mieux, faire un excellent « essai », fin et personnel, mais souvent à contresens, parce qu'il n'aura pas su déceler l'allusion, et, en tout cas, sans rapport avec une dissertation.

A ce propos, on répète peut-être trop aux candidats à un

examen de lettres qu'ils doivent être personnels, sincères et vivants. Pour suivre ce conseil, ils livrent dans leurs copies leurs réactions à l'état brut, des impressions vives et sans nuances. Naturellement, comme ces embryons informes ne ressemblent en rien à une dissertation, leurs auteurs ont une mauvaise note et sont alors convaincus d'avoir été dupés : ils risquent, ou de se décourager, ou, ce qui est plus grave encore, de devenir des sophistes qui ne croient plus à la sincérité et au caractère vital des travaux littéraires. Il serait peut-être plus honnête de dire *qu'il n'y a pas de dissertation possible* (qu'il n'y a d'ailleurs aucun travail possible en français) *sans une culture doublée d'une technique* (culture générale et technique de l'exercice demandé); que la sincérité, sans autre précision, est un mot qui n'a pas grand sens; que, dans une dissertation, *une opinion personnelle n'a pas de valeur par son intensité brutale, mais seulement par la force de la démonstration, par la finesse des nuances, par la richesse des allusions concrètes* qu'on devine derrière elle. Ainsi la dissertation est l'aboutissement d'un travail préalable, dont une bonne partie s'apprend comme un métier.

Il convient donc d'examiner de plus près la culture impliquée par la dissertation littéraire générale et la technique qu'elle exige.

Il faut absolument :

1º Se familiariser avec les grands problèmes.

2º Raisonner sur des faits.

3º Ne pas perdre de vue l'orientation générale.

4º Donner à la dissertation un mouvement continu.

1. Se familiariser avec les grands problèmes.

Un très mauvais réflexe des étudiants devant un sujet, réflexe bien connu des correcteurs, consiste à se dire : « Quelle chance! ça, c'est *le* problème de l'art et de la morale, et je l'ai entendu traiter dans l'année »; et là-dessus le candidat y va de *la* dissertation sur l'art et la morale, celle qu'il était prêt à servir sur n'importe quel sujet qui, de près ou de loin, lui semblerait se rapprocher de cette question!

Il va de soi que ce réflexe est dangereux; encore n'est-il pas totalement à proscrire et il pourrait être intelligemment utilisé. Il est bien évident, en effet, que la culture exigée d'un « Propédeute » ou d'un « Cagneux » n'est pas indéfinie. La plupart des sujets généraux d'esthétique littéraire portent sur les lois de l'art, les lois de la création, les lois des genres, les caractéristiques des grandes Doctrines et des grandes Écoles. On a assez vite fait, non pas, bien sûr, le tour des sujets, mais le tour des thèmes possibles de réflexion. La connaissance même de ces thèmes éclairera un sujet. Celui qui ignore tout des rapports de la morale et de l'art risque de mal comprendre ce mot de Gide que nous étudierons (cf. sujet traité n° 9) : « C'est avec de beaux sentiments qu'on fait de la mauvaise littérature. » Ne connaissant pas l'acuité de ce problème chez les très grands artistes, il risque de laisser échapper le sens exact de l'expression « beaux sentiments ». Aussi sera-t-il bon d'avoir réfléchi sur ces principaux thèmes, d'avoir étudié les principales réponses apportées par les grands écrivains. On constatera à ce propos que de très nombreux sujets sont relatifs aux conditions de la création plus qu'à l'œuvre une fois réalisée. Au fond, la plupart de ces thèmes sont la monnaie du problème suivant : *à quelles conditions peut-on créer une œuvre littéraire valable?* autrement dit : que vise l'artiste quand il crée, l'art lui-même ou un but étranger à l'art? quel compte tient-il de la vérité objective? des règles? comment utilise-t-il sa vie personnelle? comment veut-il toucher la sensibilité? qu'est-ce que sa création doit à la société de son temps? etc. D'autres sujets concernent des problèmes plus spéciaux, que les Écoles se sont particulièrement posés, tel celui-ci, si cher aux Romantiques : l'art peut-il être reproduction de la vie? Certains enfin sont consacrés aux genres et aux rapports que ces genres entretiennent entre eux : quelle· est l'essence du théâtre, le discours ou le spectacle? quels sont les rapports de la tragédie et de la comédie? du théâtre et du roman? Ces thèmes, pourtant assez nombreux, ne sont pas illimités et tout candidat à un examen comprenant une dissertation littéraire générale doit avoir pour ainsi dire comme une idée de tout sujet, quel qu'il soit, que l'on pourrait lui proposer. Un bon Cagneux, un bon étudiant de Propédeutique *ne peuvent être vraiment surpris par aucun sujet général.*

Bien entendu, il ne s'agit pas de faire l'éloge du devoir banal et passe-partout. Nous ne cesserons, notamment dans les remarques qui précèdent nos exercices, d'insister sur le caractère propre, spécifique, irréductible de toute formule à commenter. Nous sommes souvent amenés à une *véritable explication de texte préliminaire* et nous considérons que nous n'avons jamais trouvé à l'état pur un grand thème esthétique. Nous soulignerons maintes fois que c'est *la formule du sujet* (généralement une citation de grand auteur) que nous avons à étudier et rien d'autre qui puisse s'y identifier.

Il n'en reste pas moins vrai que c'est peut-être décourager inutilement un apprenti que de lui faire croire qu'il aura, pour tout sujet *nouveau*, à *inventer* des idées *nouvelles*. Il nous semble possible de lui suggérer, avec toute la prudence nécessaire, que plus d'un développement peut se retrouver d'une dissertation à une autre, à condition de l'*orienter différemment* (comme nous tentons de le faire chaque fois qu'au lieu de nous contenter de renvoyer d'un sujet à un autre, nous développons de propos délibéré les mêmes idées dans des sujets différents), de le *repenser* dans le mouvement particulier au devoir qu'on a à traiter ; bref, à condition de *posséder une bonne technique de la dissertation.*

C'est celle-ci que nous allons essayer maintenant d'expliquer. Bien entendu, nous ne pouvons pas tout dire et, comme nous venons de le préciser, il n'y a que des cas particuliers ; malgré tout, trois conseils nous semblent fondamentaux : toujours raisonner sur des faits, ne pas perdre de vue l'orientation générale, donner à la dissertation un mouvement continu.

2. Raisonner sur des faits.

Ce conseil est celui qui surprend le plus le débutant, car l'appellation même de *sujet général* semble autoriser libéralement aux raisonnements abstraits, à la discussion théorique. En réalité la dissertation littéraire générale ne peut en aucune façon être confondue avec une dissertation philosophique d'esthétique. Sans doute l'une et l'autre peuvent-elles traiter de problèmes analogues, sans doute même sera-t-il bon que l'étudiant ait lu quelques « Esthétiques » particulièrement importantes. Mais alors que *la dissertation philosophique raisonne dans l'abstrait* (certes avec des exemples, mais des exemples qui, au lieu d'être l'essentiel du devoir, ne font qu'illustrer la démonstration), la *dissertation littéraire argumente le plus possible dans le concret,* même et surtout dans les sujets qui touchent à l'esthétique.

Il faut bien l'avouer, cette règle est dans une certaine mesure une loi du genre et cette loi n'est peut-être pas entièrement dépourvue d'arbitraire. Nous avons vu quelquefois (rarement à vrai dire) d'assez bons devoirs discuter de façon purement théorique un problème d'esthétique littéraire. On est du reste embarrassé pour les juger, car ce n'est pas tout à fait la « règle du jeu ». Mais généralement les meilleures copies sont pleines d'exemples, et ceci se comprend assez bien : pour raisonner dans l'abstrait pur, il faut être très sûr de soi. Valéry, dans ses articles d'esthétique, discute parfois pendant des pages sans un exemple. Camus, Sartre posent des problèmes littéraires de façon bien abstraite. Mais ils sont Valéry, Camus, Sartre et, d'autre part, ils ne font pas de dissertation ! Aussi se trouvera-t-on bien de se méfier de certains essais modernes : excellente lecture pour fortifier les idées, ils sont d'assez dangereux maîtres à rédiger une dissertation.

Il y a plus : l'argumentation qui repose sur des exemples a plus de chance d'accrocher la vie, réelle et concrète, que l'argumentation théorique; elle a plus de chances de donner l'impression d'engagement au sein des choses, et *c'est cet engagement qui est proprement littéraire.* Dès la position même du sujet, on doit être dans le concret, on doit éviter de considérer la pensée à discuter comme un impersonnel et éternel problème; on doit se persuader qu'une phrase n'a pas le même sens sous la plume de Corneille ou sous la plume de Voltaire, à l'époque romantique ou à l'époque moderne. Ainsi, il n'est pas indifférent que ce soit Renan qui ait écrit : « La vraie admiration est historique », et qu'il l'ait écrit dans *L'Avenir de la Science,* en 1848, car c'est alors un témoignage de cette invasion de la science dans le domaine humain et critique qui va donner à la deuxième moitié du xixe siècle une tonalité particulière. On pourrait multiplier les exemples; en tout cas on constatera que, chaque fois qu'il est possible, nous situons historiquement la phrase à commenter et que, lorsque l'exercice l'exige, c'est là l'objet même de la première partie[1].

Bien entendu, cette utilisation de l'exemple est assez délicate. Les étudiants à qui on la recommande ont tendance à étaler indiscrètement des connaissances prises souvent dans des manuels. Supposons qu'il s'agisse du mot que nous venons de citer : il n'y a vraiment pas lieu de raconter tout ce que l'on sait de Renan, de *L'Avenir de la Science,* ni même tout ce que l'on sait sur le positivisme au xixe siècle. Il ne faut dire, naturellement, *que ce qui éclaire le sujet,* ou plus exactement *ce qui donne à un mot théorique un peu vague sa portée précise, son sens* au moment de l'histoire des idées où il a été prononcé, bref *ce qui l'enracine dans le concret humain.*

De même, dans le cours du développement, l'exemple doit être utilisé de façon assez subtile : nous précisons d'abord *qu'il ne saurait être question de faire un catalogue d'exemples,* d'accumuler des exemples. *L'exemple doit toujours être au service d'une idée,* idée qui est elle-même reliée explicitement à ce qu'on veut démontrer. Nous insistons sur ce point : beaucoup de débutants qui ont compris qu'il fallait raisonner sur des faits vont, pour

---

1. Quand nous recommandons de raisonner sur des faits, nous pensons avant tout aux faits que fournit l'histoire littéraire. On pourra constater que, dans nos plans, il nous arrive parfois de nous référer à d'autres arts (voir notamment les sujets traités nos 29 et 30), mais que nous évitons autant que possible d'appuyer nos développements sur ceux-ci et que l'objet de notre étude est avant tout la chose littéraire. Il nous paraît en effet assez hasardeux de recommander à des étudiants, qui n'ont déjà pas toujours des vues très nettes sur l'esthétique des genres littéraires, d'éclairer systématiquement ces derniers par les vues souvent encore plus obscures qu'ils peuvent avoir sur les arts plastiques et musicaux. Un point de comparaison, de-ci, de-là, une analogie en passant nous semblent à peu près tout ce que l'on peut encourager. L'un des auteurs de ce livre eut, en donnant le premier devoir d'une année scolaire, « le malheur » de dire à ses étudiants de Propédeutique qu'ils pouvaient raisonner sur d'autres arts que la littérature : plus de la moitié des copies qui lui furent remises parlaient à peu près exclusivement d'art cinématographique! Tel est exactement le danger : oublier que le fond des travaux de Lettres est l'art littéraire.

ainsi dire, jusqu'à ne plus raisonner du tout et se contentent d'aligner des exemples. Outre que cette méthode est facile, elle est contraire à l'harmonie générale de la dissertation : quand on commence à entasser des exemples, il n'y a aucune raison de s'arrêter.

Même si on a compris que chaque exemple est l'illustration d'une idée, il serait naïf d'imaginer une dissertation comme une suite de couples : « idée-exemple ». En effet l'*exemple doit être plus que cité, il doit être analysé.* Les dissertations qui arrivent à analyser les exemples ne sont pas loin de la réussite. *Qu'appelons-nous analyser l'exemple?* Ce n'est pas, bien entendu, l'expliquer longuement comme on fait pour une pièce, ce n'est pas non plus en présenter les divers éléments, *c'est en dégager ce qui est utile à ce qu'on veut prouver.* Pour prouver que le classicisme est « l'art de la litote » (cf. le sujet traité n° 20) il ne suffit pas de citer quelques vers de Racine où l'on croit trouver des litotes, il faut, de plus et surtout, en étudier quelques expressions qui semblent particulièrement révélatrices. C'est là un cas d'analyse élémentaire; il en est d'autres plus subtiles que l'habitude apprendra à manier.

3. Ne pas perdre de vue l'orientation générale.

La question de l'exemple nous a menés au cœur même de la technique de la dissertation : *il est nécessaire de ne jamais perdre de vue une orientation générale unique.* Qu'est-ce qu'un exemple bien utilisé? Nous venons de le voir : c'est un exemple *orienté.* La dissertation est comme un univers où *rien n'est libre,* un univers *asservi,* un monde d'où tout ce qui ne sert pas à la discussion d'un problème fondamental doit être exclu, où le développement *autonome* est la plus grave faute que l'on puisse imaginer. Sans doute cette règle n'est-elle point spéciale à la dissertation littéraire générale. Mais on se rend compte facilement qu'elle y est bien plus impérieuse. Le sujet précis peut, à la rigueur, contenir des développements relativement autonomes : si on nous donne à disserter sur « le sentiment de la nature chez Rousseau », nous pouvons *décrire* ce sentiment et, bien qu'il soit peut-être meilleur de tout subordonner à une prise de position (par exemple : la nature chez Rousseau n'est-elle pas une permanente projection d'un état d'âme de l'auteur?), une dissertation purement descriptive n'est peut-être pas sans valeur (le plan sera alors un pur classement sans unité vraiment profonde, mais il sera passable). En revanche, dans le sujet général, la nécessité de l'orientation répond à la loi même du genre : là, plus que jamais, il s'agit de poser un problème, de le discuter et de le résoudre. On ne peut rigoureusement rien décrire, rien raconter, *il faut que tout soit argument,* il faut que tout prouve, réfute, élargisse, nuance, il faut que tout développement puisse être accroché au problème traité par un lien logique et *ce lien doit être explicite.* Il nous est souvent arrivé de qualifier d'un « hors du sujet » des développements dont l'étudiant venait ensuite nous expliquer le rapport qu'ils avaient, selon lui, avec le sujet! Mais à notre avis, même si ce rapport pouvait à la rigueur exister, le développement n'en devait pas moins être considéré comme parasite, parce que le lien était artificiel ou échappait à la simple lecture.

Ce point nous semble tout à fait important : tout développement auquel manque « l'agrafe » qui le relie clairement au sujet, tout développement dont nous ne savons pas s'il prouve, réfute, élargit, nuance, est un développement autonome et rompt l'unité de la dissertation. Le lien au sujet, que nous appelons l'agrafe, ne doit pas pouvoir échapper, même à un lecteur légèrement inattentif. Pourquoi, surtout tant qu'on se sent l'échine faible, ne pas user discrètement des mots de liaison du français, dont la désaffection progressive traduit une dissociation de l'armature logique de notre langue? Le nombre en pourra diminuer à mesure que la « composition » gagnera en vigueur, mais, heureusement placés, ils garderont toujours une efficacité non négligeable.

Ainsi ce qu'on appelait autrefois, en un terme un peu trop statique, « l'idée directrice » d'une dissertation (et que nous préférons appeler l'*orientation générale d'une dissertation vers un problème fondamental*) est vraiment la grande loi du genre; elle permet de résoudre, par simple bon sens, presque tous les problèmes que posent les détails du travail : technique de l'introduction et de la conclusion, transitions, organisation du paragraphe.

En effet, qu'est-ce que l'INTRODUCTION, si ce n'est la position d'un problème, et plus particulièrement la position nette du problème esthétique qui nous occupe? Sans doute, s'il suffisait de formuler géométriquement le problème, il n'y faudrait que quelques lignes, et pratiquement l'introduction doit être plus étoffée (encore que la brièveté et la convenance au seul sujet à traiter soient ses qualités essentielles). Mais tout ce qu'on y ajoute ne fait qu'enrichir la position du problème fondamental et on doit amener ce problème, non pas en l'englobant dans un problème plus général et plus vague, en le diluant dans le banal (le plus grand problème de tous les temps...; de tout temps, il y a eu des écrivains...; de tout temps la critique...; etc.), mais en faisant remonter ce problème peut-être un peu particulier et un peu technique à un intérêt plus humain et plus large, strictement différent pour chaque cas. Ensuite il faut formuler le problème en termes précis, mais d'une façon complète. Pour cela on s'aidera de la citation à commenter, en la reproduisant intégralement si elle est brève, ou bien en la découpant habilement si elle est longue, de façon à en détacher et à en rapprocher les termes qui posent le mieux le problème que nous croyons y voir.

Enfin il est usuel, bien que cela ne s'impose pas d'une façon absolue, de suggérer les mouvements divers du devoir. Il ne s'agit pas, bien entendu, de « faire d'annonces », car dans une dissertation on n'annonce jamais didactiquement et pesamment la marche que l'on va suivre, mais il s'agit, conformément au grand principe de l'orientation unique du devoir, de laisser pressentir dès l'introduction les liens profonds qui unissent chaque grande partie au problème à traiter. Ainsi l'introduction, malgré des fonctions en apparence différentes (d'abord amener le sujet, ensuite préciser sa nature et sa portée, parfois enfin insinuer souplement les grandes lignes du développement), a, en fait, *une unité profonde :* elle doit *poser un problème,* mais de façon riche et humaine, en montrer l'intérêt et les nuances autant que la rigueur intellectuelle.

De même la conclusion, véritable terreur des apprentis (ils s'imaginent qu'on leur demande quelques mots supplémentaires vers la fin, par simple formalité), devient relativement aisée si l'on songe qu'elle n'est autre que le but ultime de cette orientation du devoir. Le problème posé par l'introduction, discuté dans les diverses parties du développement, doit trouver ici sa solution. La règle de la conclusion est donc très simple : quels que soient les apports qu'on ait cru faire dans le cours du devoir, il ne faut pas oublier de *formuler en quelques phrases très nettes* (ce qui ne veut pas dire forcément péremptoires et dogmatiques) *la solution que l'on propose.* Beaucoup d'étudiants remettent des travaux décevants, parce qu'ils laissent ignorer cette solution qu'ils ont pourtant dans l'esprit. Mais pas plus que l'introduction n'était la position toute sèche et toute géométrique d'un problème, pas davantage la conclusion ne sera une solution brutale et sans appel. Elle sera pleine des nuances que six ou sept pages de développement permettent d'apporter. Et surtout elle montrera les tenants et les aboutissants de la question posée. Autant on aura soigneusement évité les digressions dans le cours du devoir, autant on aura intérêt à montrer en conclusion que le problème posé n'est pas isolé, qu'il en soulève beaucoup d'autres, bref à faire sentir la complexité de toute étude critique. La conclusion gagnera à être brillante, un peu étoffée; elle est, dans une certaine mesure, ainsi que l'introduction, ce qu'on appelle « un morceau de bravoure ». Mais, encore une fois, elle n'est pas un inutile ornement, elle n'a de sens que comme terme extrême de cette orientation générale du devoir. Toutefois on pourrait dire qu'elle doit pousser cette orientation un peu plus loin, presque hors du sujet et, en quelque sorte, renvoyer à des questions plus générales la question précise qui a été discutée.

Dans le cours même du devoir, bien des petits problèmes sont résolus si l'on pense constamment à cette orientation générale. Par exemple l'apprenti est très souvent embarrassé par ce qu'il appelle les TRANSITIONS. Or s'il a bien compris le principe de l'orientation du devoir, il comprendra aussi qu'*il n'y a pas, à proprement parler, de transition,* en ce sens qu'on ne demande jamais de mettre un plâtrage entre deux idées, comme un crépi sur une façade. Ce qu'on appelle d'un terme fort inexact « la transition » est en fait le rappel de l'idée directrice à propos d'une idée nouvelle qu'on introduit. Si on étudie les transitions que nous proposons dans nos corrigés, on s'apercevra que nous nous efforçons de les rendre logiques plus que rhétoriques. La transition n'est pas autre chose que ce qui doit épargner au lecteur de se poser la question : « *Quid refert?* Quelle importance cela a-t-il par rapport au sujet? »

Enfin, c'est encore l'orientation générale du devoir qui va nous permettre de poser et de résoudre le problème de la CELLULE ÉLÉMENTAIRE DE LA DISSERTATION, le problème du PARAGRAPHE. Une dissertation ne doit, en aucun cas, se présenter comme une suite de grands développements massifs. Sans doute nous verrons que, pour la commodité du mouvement logique, nous serons amenés à distinguer des parties, mais ces parties n'auraient en elles-mêmes aucune allure de dissertation si elles ne reposaient sur des éléments qu'on appelle « paragraphes »[1]. Qu'est-ce donc qu'un paragraphe? C'est le plus petit ensemble de phrases orienté vers le sujet, mais susceptible d'être détaché des autres idées, parce qu'il forme en soi un argument complet. Il comprendra donc normalement une « agrafe » montrant son lien au sujet, une idée, un ou deux exemples analysés à la lumière de cette idée et (ce qu'on oublie trop souvent) une petite conclusion partielle faisant le rapide bilan de l'acquisition logique et appelant d'autres arguments. Bien entendu, comme nous l'avons montré à propos du couple « idée-exemple », il ne saurait être question de simplement juxtaposer ces quatre éléments idéaux du paragraphe, et la plus grande souplesse est nécessaire. Il n'en reste pas moins vrai que le paragraphe est l'élément de base de la dissertation et que les deux grandes règles fondamen-

---

1. « Les rapports des idées accessoires à l'idée principale : celles-là doivent affluer à celle-ci, comme les ruisseaux aux rivières et les rivières aux fleuves » (Sully-Prudhomme : *Journal intime*).

tales de l'*orientation générale* et du *raisonnement concret* imposent de lui donner ce schéma presque toujours observé dans les modèles que nous avons pu avoir sous les yeux. Pratiquement le paragraphe correspond à l'alinéa et il ne faut aller à la ligne que lorsqu'on change de paragraphe (c'est-à-dire, en somme, d'argument, au sens complet du terme), et il faut y aller chaque fois qu'on change de paragraphe : une seule idée par « paragraphe-alinéa », mais un seul « paragraphe-alinéa » pour chaque idée!

4. Donner à la dissertation un mouvement continu.

Ainsi la dissertation nous apparaît, pour l'instant, comme un agglomérat de paragraphes, c'est-à-dire d'arguments présentés en vue d'une orientation générale et suivant une technique particulière. Il nous reste à nous demander si nous pouvons nous contenter de juxtaposer nos paragraphes et même s'il est suffisant de les classer. Bref il nous reste à parler de ce qu'on appelle d'un terme assez dangereux le « plan », de ce que nous préférons appeler : le **mouvement de la dissertation**.

En effet, quand on corrige des copies d'examen, on est amené à constater que dans beaucoup d'entre elles, où les arguments sont présentés de façon assez habile, où il règne même un ordre satisfaisant, l'ensemble donne l'impression de ne pas « avancer », de ne pas être poussé par un mouvement unique et sans rupture. Tout y est bien centré sur une idée directrice que l'on voit sans trop de mal, mais l'ensemble est, pour ainsi dire, statique et ne donne pas l'impression de partir d'un point pour arriver à un autre; sans même parler évidemment des « naïfs » qui font de purs catalogues ou un exposé chronologique de la question en commençant à Homère, certaines copies offrent parfois une progression formelle assez nette, mais qui ne satisfait pas vraiment parce que ces copies ne traduisent pas un mouvement profond de l'esprit. Ainsi en arrivons-nous à formuler ce qui est la règle d'or du « plan » : *ne pas être un simple découpage,* un simple classement, mais *traduire un mouvement profond* de l'esprit, être en quelque sorte l'équivalent rhétorique d'un processus logique, bref apparaître comme *une émanation de la vie même de l'esprit.* Aussi est-il impossible de donner des conseils généraux sur l'art de faire un plan. Autant prétendre enseigner l'art de penser! Tout au plus peut-on signaler quelques mouvements familiers à l'esprit, mais ils ne constitueront en aucune façon des plans passe-partout, ou, du moins, ils n'en deviendront que si on veut les appliquer formellement à n'importe quel sujet.

On constatera souvent que nos plans semblent bâtis sur le fameux modèle : « thèse, antithèse, synthèse ». Mais, quand nous procédons ainsi, ce n'est pas parce qu'après avoir examiné une opinion, il nous semble formellement nécessaire d'examiner la position contraire (c'est ce que fait souvent le candidat qui, essayant d'appliquer le plan : « thèse, antithèse, synthèse », le justifie avec une touchante bonne volonté par des transitions de ce genre : « examinons d'abord la position de l'auteur... »; « examinons maintenant la position contraire... »; « voyons enfin s'il n'y aurait pas moyen de les combiner... »), c'est parce que l'insuffisance de la position que nous étudions nous amène, presque dialectiquement, à envisager la position contraire. De même, si après l'examen de la thèse et de l'antithèse nous tentons une synthèse, ce n'est pas parce que nous voulons, *mollement, verbalement, formellement, concilier les inconciliables,* c'est parce que le mouvement naturel de l'esprit, quand il se trouve en présence d'une contradiction, est de la résoudre en cherchant un autre point de vue, d'où elle s'éclaire et parfois s'efface. Ce n'est donc pas une sophistique des « plans » tout faits que nous voulons réhabiliter, mais la *connaissance des mouvements naturels de l'esprit, bref la dialectique.* Le but de ce livre est peut-être là : suggérer à des jeunes gens sans expérience de la pensée que celle-ci est non pas affirmation brutale, mais mouvement rationnel et leur apprendre que toute opinion sincère est permise, à condition *que cette opinion soit présentée au terme d'un mouvement qui a montré l'insuffisance des autres opinions;* bref, que ce qui satisfait l'esprit, ce n'est ni une pensée isolée, ni une suite de pensées, mais une sorte « de force qui va », d'élan par lequel chaque pensée paraît accrocher le réel mieux que la précédente.

● *Conclusion.*

Faire une dissertation littéraire générale réclame une vaste culture et une large maturité. Nous l'avons vu à propos des grands thèmes d'esthétique, nous le voyons maintenant à propos des mécanismes de l'esprit qui fonctionnent dans la composition : il faut, avant d'aborder cet exercice, non seulement beaucoup connaître, mais aussi avoir beaucoup réfléchi sur ce que l'on connaît, non seulement avoir beaucoup lu, mais aussi avoir dominé et repensé ses lectures. Inutile de manipuler cet ouvrage sans culture, impossible d'y trouver des « recettes ». Il y a là tout au plus un guide pour faire son expérience. Celle-ci doit être multiple : expérience des lois de l'art et de la création, réflexion sur le mouvement de la pensée, approfondissement du concret et de ses enseignements. Rien de tout cela, nous ne pouvons le donner. Chacun de nous ne peut l'acquérir que seul, avec des livres, du temps et beaucoup « d'esprit », comme on disait au xviie siècle.

III. QUELQUES CONSEILS PRATIQUES

Des généralités que nous venons d'expliquer, on peut déduire quelques conseils pratiques importants :

1. *L'utilisation des lectures et le problème des citations.*

Nous donnons plus loin une bibliographie suffisante pour faire le tour des principales questions qu'il est indispensable d'étudier en vue de traiter une dissertation littéraire générale. Nous précisons bien que nulle part dans les livres cités on ne trouve tout traités les sujets que nous proposons ou qu'on propose habituellement aux divers examens. En d'autres termes, la consultation des ouvrages indiqués ne peut jamais fournir, pas plus qu'un jour d'examen les souvenirs qu'on en aurait gardés, des développements tout faits pour un sujet quel qu'il soit. Cela s'explique facilement par la loi de l'orientation unique : l'ouvrage que vous consultez (ou dont vous avez des réminiscences) avait, selon toute probabilité, une autre orientation que le travail qui vous est proposé. Il faut donc que les matériaux qui vous sont ainsi offerts soient orientés différemment et pour cela repensés dans le sens du problème qui vous préoccupe. Aussi on conçoit aisément que les citations — tant recherchées par les débutants — soient plutôt à proscrire. Il ne faut surtout pas abuser des citations de critiques, non seulement parce que ce sont vos opinions qu'on vous demande et non celles d'un autre, mais surtout parce qu'il y a toutes chances pour que le critique ait eu d'autres préoccupations que les vôtres en rédigeant son texte et qu'ainsi son texte, introduit dans le vôtre, y constitue un développement autonome. On pourra constater que nous ne nous astreignons pas toujours à respecter ce principe dans les corrigés que nous proposons. C'est que, plus d'une fois, nous avons pensé rendre grand service à notre lecteur en lui faisant connaître l'opinion de tel critique spécialisé. Mais, dans les conditions ordinaires d'un *devoir* universitaire, nous estimons qu'il est tout à fait préférable (hormis quelques « formules » suggestives) de ne pas trop citer littéralement les critiques, surtout quand la citation est d'une certaine longueur. Pour nous, bien que notre dessein soit avant tout de donner une méthode, nous avons cru pouvoir quelquefois, par souci d'information et de documentation, passer outre à cette règle. On peut citer de grands auteurs, mais à condition que la citation soit courte et caractéristique; qu'elle soit traitée comme un exemple, c'est-à-dire analysée et non jetée à la face du lecteur, sans qu'il sache trop ce qu'elle prouve; qu'elle constitue un argument comme tout le reste dans la dissertation.

2. L'équilibre général d'une copie.

A propos du mouvement du devoir, nous avons dit qu'on ne peut guère donner de règles ou de « recettes » de composition. Encore y a-t-il des habitudes qu'il faut respecter. En effet ces habitudes ont souvent une certaine valeur logique : notamment, il ne faut pas composer en plus de trois ou quatre parties. Dans une conférence pédagogique (reproduite dans *L'Information littéraire* de juillet-octobre 1949, p. 157), M. l'Inspecteur général A. Cart faisait l'éloge des trois points et on doit reconnaître que, dans bien des sujets, le mouvement de l'esprit s'accommode aisément de trois parties. Ce n'est pas sans raison que la dialectique a souvent été considérée comme ternaire et c'est certainement la preuve d'un esprit confus que de se disperser en six ou sept points[1]! De même il est bon que ces parties soient à peu près équilibrées et comportent un nombre sensiblement égal de paragraphes, eux-mêmes de proportions à peu près semblables. Bien entendu, il ne faut pas voir en ces indications un tyrannique lit de Procuste, mais il nous a toujours paru révélateur d'un esprit mal fait de faire succéder un paragraphe de trois ou quatre lignes à un paragraphe d'une page : il est bon d'assurer à l'ensemble du travail un équilibre presque sensible à la vue et nous avons assez souvent constaté que les meilleures copies étaient les plus harmonieuses à regarder, jusque dans la disposition architecturale des masses. A ce propos, il est tout à fait indiqué de sauter une ligne entre l'exorde et la première partie, entre les diverses parties du développement, entre la dernière partie et la conclusion. C'est un fâcheux excès de zèle que de sauter cette ligne ailleurs, et de même qu'il est indispensable de distinguer nettement les paragraphes à l'intérieur des parties, il n'est pas usuel de le faire au cours d'une introduction et d'une conclusion. En tout cas, que les étudiants se persuadent bien que rien n'est plus contraire à l'esprit de la dissertation et à toutes les lois que nous en avons dégagées que ces copies qui sont de véritables dentelles d'alinéas ou inversement ces pavés massifs et énormes où rien ne vient soulager l'effort du lecteur pour savoir si, oui ou non, on en a fini avec tel ou tel développement.

---

1. Naturellement nous ne prétendons pas que s'impose partout et toujours la composition tripartite. Si en général nos plans sont ternaires, c'est parce qu'il nous semble que la plupart du temps une troisième partie suffit pour prendre quelque hauteur sur le sujet et l'éclairer en essayant de le dominer. Mais si, pour une raison ou pour une autre, la troisième partie n'a pas suffi à apporter cette lumière complémentaire sur le problème, il est tout à fait légitime d'avoir recours à une quatrième partie (voir, par exemple, les sujets traités nᵒˢ 36 et 54). Toutefois, nous préférons inviter l'étudiant à se méfier, au moins tant qu'il n'aura pas acquis une incontestable maîtrise, des devoirs « à rallonge » où, faute d'avoir su penser son plan comme un tout, on a des remords vers la fin et on croit utile d'ajouter des parties supplémentaires.

3. L'entraînement à l'examen.

Comment s'entraîner à présenter des copies aussi poussées
dans leur équilibre et leur mouvement logique? Ici nous nous
heurtons peut-être à une des questions les plus délicates, celle
de la méthode de travail : faut-il préparer à loisir la dissertation
en faisant des lectures préliminaires, en se livrant à des réflexions
fréquentes, en mûrissant longuement un plan, en polissant
son style jusqu'à en supprimer toutes les négligences? ou bien
faut-il se dire qu'on ne dispose à l'examen que d'un temps fort
limité (quatre heures à l'examen de Propédeutique, six heures
aux concours de la rue d'Ulm et de Sèvres, six heures au
C. A. P. E. S.) et ne consacrer à son travail que le temps qu'on
retrouverait à l'examen? Les deux méthodes sont très discutées.
La première a l'avantage de faire du sujet proposé un véritable
centre de lectures et de recherches pendant trois semaines ou
un mois et d'apprendre à préparer un travail à travers une bibliographie, d'amener à réfléchir jusqu'à maturation complète de
la pensée et aussi d'aider à acquérir du style par d'incessantes
corrections. Mais elle a l'inconvénient de faire oublier que les
examens se jouent avant tout « contre la montre » et que rien
ne sert d'écrire d'excellents travaux à tête reposée si l'on n'est
pas un peu improvisateur. La seconde méthode (ne travailler
que dans le temps de l'examen) n'a pas ces désavantages, mais
elle n'assure pas des progrès de fond, elle développe simplement
des réflexes et un peu « la technique », sans que l'étudiant augmente son bagage d'idées générales. L'inconvénient en est très
grave dans les sujets qui nous intéressent, où certains candidats
n'ont que trop tendance à se contenter d'un stock fort mince de
vues esthétiques générales. Il faut bien se dire que c'est parce
qu'on aura fait dans l'année de nombreuses dissertations en y
mettant des heures, en creusant la documentation, en essayant
plusieurs plans et en gardant le meilleur, en retouchant sans
cesse son style, qu'on sera capable, le jour de l'examen, de
se passer de documentation, de découvrir du premier coup un
plan valable et d'écrire, sans trop de retouches, en un style correct. En effet, à l'examen, non seulement il n'est pas question
d'avoir sous la main des livres, mais il n'est pas bon de trop
tâtonner pour « bâtir » un plan et surtout il n'est guère possible
de « faire un brouillon » : ce jour-là, il faut presque vivre sur des
réflexes, réagir devant le sujet sans trop hésiter sur son sens exact,
sans passer par trop de plans avant d'arriver au bon et disposer
d'emblée d'un style que de nombreux exercices auront formé.
On voit souvent des candidats trahir leur inexpérience du travail
qui leur est demandé en griffonnant un brouillon complet, ce qui

double le temps matériel nécessaire à l'écriture. En fait il faudrait être capable d'arriver en une heure ou deux heures à un plan très détaillé, et ensuite d'écrire lentement, mais directement sur la copie, un devoir dont l'armature est trouvée et auquel il reste à assurer une rédaction ferme et précise. Pratiquement on se trouvera bien, en cours d'année, de prendre tout son temps pour les premiers travaux, ensuite on pourra parfois rédiger dans le temps prescrit un devoir longuement préparé auparavant, et enfin on se placera dans les conditions exactes de l'examen pour le dernier ou les deux derniers devoirs. Ainsi on ne sera pas surpris par les conditions matérielles de l'épreuve, et, d'autre part, on ne se contentera pas de répéter indéfiniment dans des devoirs superficiels les mêmes idées.

4. Le problème du style.

Dans tous ces conseils nous n'avons pas parlé du style — volontairement. En effet la stylistique demanderait un ouvrage spécial plutôt que quelques conseils en passant. Nous nous bornerons à quelques indications relatives à la dissertation littéraire générale.

1. Tout d'abord, sous prétexte que la dissertation porte sur des questions d'art, on ne se croira pas autorisé au « beau style » : bien écrire, ce n'est surtout pas crier toujours et partout son admiration en un style chargé d'épithètes excessives et banalement émotives. Bien des candidats, quand on leur demande de parler de poésie, essaient de s'exprimer eux-mêmes en un style « poétique » et tendant vers le « sublime ». Au contraire, plus le sujet risque de nous toucher de près, plus il est nécessaire de garder son sang-froid, de rester dans le ton de l'exposé et de l'analyse, de faire servir le style à l' « orientation » du devoir. Dans une dissertation d'esthétique le bon style est celui qui, intensément réuni à la composition, contribue à l'élan du paragraphe en donnant une impression d'analyse de plus en plus poussée : très souvent, quand on a acquis une suffisante maîtrise, il éclate dans une formule finale qui doit être, non un trait oratoire, mais l'aboutissement logique d'une précision qui se cherche. Mais on s'engagera avec prudence et modestie dans cette voie; et mieux vaudrait, à tout prendre, ne pas s'y engager du tout que de risquer la vaine enflure et le ridicule naïf.

2. En somme, il y a dans la dissertation, comme dans tout genre littéraire, un *ton* à trouver et qu'il faut observer sous peine de commettre une véritable dissonance artistique : on n'écrit pas comme on parle et il y a une langue de la critique littéraire qui n'est ni celle de l'élégie ni celle du roman ou de tout autre genre. Ce ton, qui est beaucoup plus affaire de culture et de don personnel que de théorie, est d'ailleurs plus **facile** à définir dans ce qu'il n'est pas que dans ce qu'il est. On peut poser en principe qu'il ne doit être ni vulgaire ni familier, mais qu'il ne doit pas être non plus oratoire ni pathétique. Il ne tolère pas la mise en scène de l'auteur (il faut même éviter des expressions comme : « Je pense que... », « Je me souviens d'avoir vu cette pièce... ») ni l'attendrissante confidence personnelle. Et, malgré toutes ces interdictions, le style de la dissertation, surtout celui de la dissertation générale, ne doit pas être terne, monotone, plat : c'est peut-être lui qui révèle le plus sûrement l'expérience ou l'inexpérience de l'auteur d'une copie. Tout correcteur, au bout d'une quinzaine de lignes, éprouve déjà une impression **favorable** ou **défavorable**, qui est uniquement due au *ton* et que la suite vient très rarement infirmer : il y a des styles qui donnent l'impression de mordre dans le réel, d'accrocher des problèmes concrets, d'autres qui broient du vide et qui semblent tourner sur eux-mêmes.

3. Enfin on doit, bien entendu, éliminer les fautes. Nous ne faisons pas un manuel de grammaire et nous nous bornerons à signaler les offenses au bon goût qui choquent particulièrement les lecteurs avertis, et les diverses défaillances que l'étudiant tolère d'autant plus volontiers dans les devoirs qu'elles ont fâcheusement envahi le langage de la radio et des journaux.

a) Il faut éviter :

● de se complaire à des phrases sans verbe : ce procédé est vite lassant si on en abuse, tout autant que la fausse élégance de *parce que* employé absolument (Ex. : *bon parce qu'intelligent!*).

● de répéter le même mot à des intervalles trop rapprochés. Sans doute la crainte de cette répétition a l'inconvénient d'induire à l'impropriété, quand par peur de répéter un mot qui en réalité est le seul juste[1], on se contente d'un terme approximatif, pourvu qu'il soit différent. Néanmoins, puisque de nombreux correcteurs sont hostiles à la répétition, on veillera en général à l'éviter, mais sans oublier que la reprise du même mot peut être excellente par l'effet qu'elle produit et qu'elle est inévitable quand il s'agit du thème essentiel qui fait l'objet du développement. Par exemple, comment pourrait-il être répréhensible d'utiliser, aussi souvent qu'il est nécessaire, *lyrique, lyrisme...* dans une dissertation sur le lyrisme ou la poésie lyrique?

---

1. « Quand dans un discours se trouvent des mots répétés, et qu'essayant de les corriger, on les trouve si propres qu'on gâterait le discours, il les faut laisser, c'en est la marque. » (Pascal, *Pensées* : Édition Brunschvicg, I, 48.)

● d'user (et c'est ce qu'il y a de plus délicat, tant l'erreur a ici de séduction) de vulgarités et de **trivialités**; d'expressions savantes, philosophiques, scientifiques (ou se croyant telles); de termes pédants ou « précieux »; d'archaïsmes et de néologismes, etc. : ce sont autant d'atteintes à cette unité de ton dont nous avons souligné l'impérieuse nécessité. Par exemple, on s'interdira d'employer : *rater* dans le sens de *manquer*, *réaliser* dans le sens de *comprendre*, *solutionner* dans le sens de *résoudre*, *révolutionner* dans le sens de *bouleverser*, *extérioriser ses sentiments* dans le sens *d'exprimer ses sentiments;* et bien d'autres expressions très dangereuses parce qu'elles ont l'air savant et sont en réalité populaires, parce qu'elles attirent d'autant plus qu'elles gardent pour beaucoup une apparence bizarre ou mystérieuse. Ainsi il est pénible dans une analyse relative à la poésie d'entendre parler de l'*aboulie* de Verlaine ou du caractère *transcendant* de tels poèmes de Valéry!

b) Il faut proscrire :

● l'emploi du défini (*nous*) et de l'indéfini (*on*) dans la même phrase et, à plus forte raison, dans la même proposition pour désigner les mêmes personnes (Ex. : *on* est content que les gens *nous* aident!).

● l'emploi d'un participe ou d'un infinitif en tête de phrase pour renvoyer à autre chose que le sujet de la principale (Ex. : *revenant* de voyage, de nombreuses *impressions* s'accumulaient en lui!).

● l'emploi de *des* à la place de *de* devant un adjectif précédant un nom, quand adjectif et nom ne forment pas une seule expression consacrée par l'usage.

c) Il faut se rappeler que :

● l'on écrit avec un accent circonflexe : il *paraît*, il *plaît*... et leurs composés. De même il faut un accent circonflexe à la troisième personne du singulier du subjonctif imparfait (j'aurais aimé qu'il *eût* réussi et qu'il *fût* félicité), mais la même personne au passé simple et au passé antérieur de l'indicatif n'en prend pas (quand il *eut* réussi, il *fut* félicité).

● *soi-disant* (invariable) se dit pour les personnes, *prétendu* (variable) se dit pour les choses.

● l'expression *au point de vue* (ou *du point de vue*) est suivie soit d'un complément de nom introduit par la préposition *de*, soit d'un adjectif épithète : lui juxtaposer un substantif est incorrect.

● l'on ne peut faire dépendre un seul complément de deux verbes que si ces deux verbes admettent la même construction; sinon, il faut faire dépendre le complément d'un seul verbe et le remplacer près de l'autre par un pronom. Par exemple, on ne dira pas : *s'apercevoir et admirer la subtilité,* mais *s'apercevoir de la subtilité et l'admirer.*

d) Il faut savoir une fois pour toutes :

qu'on ne dit pas :	mais qu'on dit :
être en but à.	être en butte à
poursuivre un but . .	viser un but
dans le but de	en vue de, pour, dans l'intention de
il s'en rappelle. . . .	il se le rappelle, il s'en souvient
se baser sur	se fonder, fonder un raisonnement sur
malgré que	bien que, quoique (suivis du subjonctif)
préférer que.	préférer une chose à une autre, une chose plutôt qu'une autre.

e) Il faut noter enfin que notre syntaxe soumet la concordance des temps à des règles précises et que, si l'on ne veut pas appliquer ces dernières, il convient, quand on écrit, d'employer une tournure où elles n'aient pas à intervenir.

Tels sont quelques-uns des points sur lesquels les correcteurs sont le plus souvent provoqués[1]. Il en est bien d'autres et chacun se doit de compléter son « sottisier ».

Personne ne peut éviter toutes les incorrections et les écrivains les plus connus n'en sont pas exempts[2]. Et ce ne sont certes pas des modèles de style que nous prétendons donner, prétention qui serait, à tous points de vue, vouée à un échec certain! Nous avons seulement tenté de montrer comment, selon nous, on peut *discuter* un énoncé, *trouver* des idées et les *organiser* en vue de traiter tel ou tel sujet de dissertation littéraire générale, tentative qui n'est pas soumise aux mêmes contraintes qu'une copie entièrement rédigée. Nous sommes persuadés que lorsque les candidats sauront réussir cette *discussion,* cette *invention* et cette *disposition,* ils réussiront vite à écrire, d'abord avec correction et clarté (ce qui peut suffire), ensuite (du moins pour certains) avec vigueur et personnalité.

---

1. Peut-être l'une des manies les plus crispantes est-elle celle qui consiste à appeler Corneille et Racine des *tragédiens* (*acteurs* qui *jouent* la tragédie) et non des *tragiques* (*auteurs* qui *écrivent* des tragédies), seule appellation qui leur convienne. Pareillement il ne faut pas oublier qu'on doit dire de Molière qu'il est un *comique,* si l'on veut étudier *l'auteur* de comédies (ce qui est à peu près toujours le cas) et que si on le qualifie de *comédien,* c'est que l'on veut étudier ses talents d'*acteur.*

2. Cf. : René GEORGIN, *Pour un meilleur français,* Ed. A. Bonne, 1951.

IV. BIBLIOGRAPHIE GÉNÉRALE

Remarques préliminaires.

1. *On ne se croira pas obligé, bien entendu, de lire tous les livres énumérés ci-dessous, ni même de les consulter tous. Il importe seulement de savoir où s'adresser pour vérifier des faits, acquérir des connaissances, découvrir des perspectives capables d'aiguiser l'esprit critique : on ne saurait tout découvrir par soi-même, mais il ne faut accepter aucune opinion sans la soumettre à son propre jugement.*

2. *Nous ne précisons la date de parution que pour les ouvrages dont la publication a eu une importance historique ou qui ne sont pas réédités. Pour les études courantes, qui sont souvent rééditées, on préférera toujours l'édition la plus récente :* tel sera le cas, par exemple, pour la collection A. Colin et la collection *Que sais-je?* (Presses Universitaires de France, édit.) qui offrent de sobres et sûres initiations à d'importants problèmes.

3. *Nous n'indiquons ici que des ouvrages de critique ou des textes de théories littéraires.* Il va de soi cependant que les « Propédeutes », les « Cagneux », les « Capésiens » liront et méditeront *avant tout* les grandes œuvres de notre littérature : c'est par celles-ci qu'ils doivent commencer, c'est à celles-ci qu'ils doivent toujours revenir. *C'eût été leur faire injure et perdre de vue notre propos que de prétendre dresser, dans notre bibliographie, la liste de ces œuvres essentielles. Nous ferons seulement observer à l'étudiant de lettres, par souci d'alléger sa tâche, que leur nombre n'est pas illimité, qu'il ne doit pas se perdre dans les « ouvrages du second rayon » et que si l'on est en droit d'attendre de lui une connaissance directe, personnelle, mûrie du théâtre de Corneille par exemple, aucun professeur ne lui fera grief de n'avoir que des notions assez vagues sur le théâtre de Rotrou (hormis le cas, bien entendu, où il aurait à son programme : « La tragédie française au XVIIe siècle », mais nous rappelons que la dissertation à laquelle nous entendons préparer ne comporte, en principe, aucun programme).*

I. Manuels généraux.

1. BOUVIER (E.) et JOURDA (P.): *Guide de l'étudiant en littérature française.* P. U. F. (Indispensable.)

2. ABRY (E.), AUDIC (C.) et CROUZET (P.) : *Histoire illustrée de la littérature française,* H. Didier. (Notamment les pages consacrées aux « théories littéraires » des principaux auteurs.)

BRAUNSCHVIG (M.) : *Notre littérature étudiée dans les textes,* Colin, 3 vol. (Textes bien groupés pour étudier les grands courants littéraires. Abondantes indications bibliographiques.)

CASTEX (P.) et SURER (P.) : *Manuel des études littéraires françaises,* Hachette. (Lucide et très clair.)

DES GRANGES (Ch.-M.) : *Histoire de la littérature française des origines à nos jours,* Hatier. (De fort bonnes analyses, mais seule est valable la 43e éd. revue par J. BOUDOUT, 1948.)

LAGARDE (A.) et MICHARD (L.) : *Les grands auteurs français,* Bordas, 5 vol. (Des textes bien choisis, encadrés d'études sobres et sûres.)

3. BÉDIER (J.) et HAZARD (P.) : *Histoire de la littérature française*, Larousse, 2ᵉ éd. 1948, 2 vol. (Études amples et sûres dues à des spécialistes.)

CALVET (J.) : *Histoire de la littérature*, De Gigord, 8 vol. (Chaque période est traitée par un critique ou un professeur qualifié.)

GRENTE Mgr (G.) : *Dictionnaire des Lettres françaises* (publié sous la direction de...) 2 vol. parus, le *XVIᵉ siècle* et le *XVIIᵉ siècle*, Fayard, 1951 et 1954. (Excellents répertoires, très sûrs et très complets.)

JASINSKI (R.) : *Histoire de la littérature française*, Hatier-Boivin, 2 vol. (Fécondes vues générales; mention de nombreux écrivains secondaires.)

LANSON (G.) : *Histoire de la littérature française*, remaniée et complétée pour la période 1850-1950 par P. TUFFRAU, Hachette, 1952. (Très personnel, très riche d'idées.)

4. VAN TIEGHEM (Ph.) : *Petite histoire des grandes doctrines littéraires en France*, de la Pléiade au Surréalisme, P. U. F. (Capital pour l'étude des grandes « Écoles ».)

VIAL (F.) et DENISE : *Idées et doctrines littéraires*, Delagrave, 4 vol. (Recueil de jugements critiques et de vues théoriques, dispensant de se reporter à des textes qu'il est souvent difficile de se procurer.)

5. CRESSOT (M.) : *Le style et ses techniques*, P. U. F. (Vues très pénétrantes et suggestives.)

GRAMMONT (M.) : *Petit traité de versification française*, Colin.

6. CROUZET (P.) et DESJARDINS (J.) : *Méthode française et exercices illustrés*, classes de 1ʳᵉ et 1ʳᵉ supérieure, Didier. (D'excellentes directives et des exercices très stimulants.)

7. GUYARD (M.-F.) : *La littérature comparée*, coll. Que sais-je? (Initiation très claire à des problèmes que les étudiants n'ont que trop tendance à négliger.)

NAVARRE (Ch.) : *Les grands écrivains étrangers et leur influence sur la littérature française*, Didier. (Morceaux choisis illustrés accompagnés d'« études comparées ».)

II. Études d'ensemble traitant d'une période ou de problèmes généraux.

1. XVIᵉ siècle :

CHAMARD (H.) : *Histoire de la Pléiade*, Didier, 4 vol. (Travail vaste et solide.)

PLATTARD (J.) : *La Renaissance des lettres en France*, coll. A. Colin.

SAULNIER (V.-L.) : *La littérature de la Renaissance*, coll. Que Sais-je?

VILLEY (P.) : *Les sources d'idées au XVIᵉ siècle*, Plon. (Important.)

2. XVIIᵉ siècle :

ADAM (A.) *Histoire de la littérature française au XVIIᵉ siècle*, Domat-Monchrétien, 4 vol. parus. (Très neuf et d'une rare pénétration.)

BAILLY (A.) : *L'Ecole classique française*, coll. A. Colin.

BENAC (H.) : *Le classicisme*, Hachette. (La doctrine par les textes.)

BENICHOU (P.) : *Morales du grand siècle*, Gallimard, 1948.

BRAY (R.) : *La formation de la doctrine classique en France*, Droz, 1931.

CART (A.) : *La Poésie française au XVIIᵉ siècle*, Hatier-Boivin. (Bonnes études et choix de textes.)

LANSON (G.) : *Choix de lettres du XVIIᵉ siècle*, Hachette.

MAGENDIE (M.) : *La politesse mondaine et les théories de l'honnêteté en France au XVIIᵉ siècle*, P. U. F., 1925.

MORNET (D.) : *Histoire de la littérature française classique, 1660-1700*, ses caractères véritables, ses aspects inconnus, Colin.

PEYRE (H.) : *Qu'est-ce que le classicisme?* Droz, 1935.

SAINTE-BEUVE : *Port-Royal*, 1840-1859. (Sans aucun doute le chef-d'œuvre de la critique française : à lire en entier.)

SAULNIER (V.-L.) : *La littérature française du siècle classique*, coll. Que sais-je?

SCHERER (J.) : *La dramaturgie classique en France*, Nizet, 1952. (Très précis et très complet; conclusion fondamentale.)

3. XVIIIᵉ siècle :

HAZARD (P.) : *La crise de la conscience européenne, 1660-1715*, Hatier-Boivin, 3 vol. — *La pensée européenne au XVIIIᵉ siècle*, Hatier-Boivin, 1 vol. (Quatre volumes d'études magistrales.)

LANSON (G.) et NAVES (R.) : *Extraits des philosophes du XVIIIᵉ siècle*, Hachette.

LANSON (G.) : *Choix de lettres du XVIII*. *siècle*, Hachette.

MORNET (D.) : *La pensée française au XVIII*e *siècle*, coll. A. Colin. — *Les origines intellectuelles de la Révolution française*, coll. A. Colin. — *Le romantisme en France au XVIII*e *siècle*, Hachette. (Les ouvrages de cet auteur se fondent sur une érudition très étendue.)

ROUSTAN (D.) : *Les philosophes et la société française au XVIII*e *siècle*, Hachette, 2e éd. 1926.

SAULNIER (V.-L.) : *La littérature du siècle philosophique*, coll. Que sais je?

TRAHARD (P.) : *Les maîtres de la sensibilité française au XVIII*e *siècle*, Hatier-Boivin, 4 vol.

4. XIXe **siècle :**

a) SAINTE-BEUVE : *Chateaubriand et son groupe littéraire*, 1848-1849.

THIBAUDET (A.) : *Histoire de la littérature française de 1789 à nos jours.* (Très subjectif, mais très vivant; bon modèle pour la rédaction des dissertations.)

b) GIRAUD (J.) : *L'époque romantique française*, coll. A. Colin.

LASSERRE (P.) : *Le romantisme français*, essai sur la révolution dans les sentiments et les idées au XIXe siècle, Mercure de France, 1907. (Très partisan.)

MARTINO (P.) : *L'Époque romantique en France*, Hatier-Boivin.

MICHAUD (G.) et VAN TIEGHEM (Ph.) : *Le Romantisme*, l'histoire, la doctrine, les œuvres, Hachette. (Instrument de travail très pratique.)

SAULNIER (V.-L.) : *La littérature du siècle romantique*, coll. Que sais-je?

VAN TIEGHEM (Ph.) : *Le romantisme français*, coll. Que sais-je?

VAN TIEGHEM (P.) : *Le romantisme dans la littérature européenne*, A. Michel. (Très ample synthèse.)

c) COGNY (P.) : *Le Naturalisme*, coll. Que sais-je?

MARTINO (P.) : *Le Naturalisme français*, coll. A. Colin.

SOURIAU (M.) : *Histoire du Parnasse*, Spes.

VINCENT (F.) : *Les Parnassiens, esthétique de l'Ecole, les œuvres et les hommes*, Beauchesne, 1934.

d) MARTINO (P.) : *Parnasse et symbolisme*, coll. A. Colin.

MICHAUD (G.) : *Le message poétique du symbolisme*, Nizet, 3 vol., 1947.

(Indispensable pour l'étude de la doctrine symboliste.)

RAYMOND (M.) : *De Baudelaire au surréalisme*, J. Corti.

SCHMIDT (A.-M.) : *La littérature symboliste*, coll. Que sais-je?

e) DUPLESSIS (Y.) : *Le surréalisme*, coll. Que sais-je?

NADEAU (M.) : *Histoire du Surréalisme*, — *Documents surréalistes*, Le Seuil, 2 vol.

f) CLANCIER (G.-E.) : *Panorama critique de Rimbaud au surréalisme*, P. Seghers, 1953.

CLOUARD (H.) : *Histoire de la littérature française du symbolisme à nos jours*, A. Michel, 1947-49, 2 vol. (Très fouillé.)

GIRARD (M.) : *Guide illustré de la littérature française moderne, de 1918 à 1949*, Seghers, 1949. (Répertoire utile et pratique; mais quelques erreurs de dates.)

LALOU (R.) : *Histoire de la littérature française contemporaine de 1870 à nos jours*, P. U. F., 2 vol.

MAGNY (C.-E.) : *Histoire du roman français depuis 1918*, Le Seuil, 1950.

PICON (G.) : *Panorama de la nouvelle littérature française*, Gallimard, 1949. (C'est à la librairie Gallimard que renvoient les références N. R. F. et Bibliothèque de la Pléiade.)

ROUSSELOT (J.) : *Panorama critique des nouveaux poètes français*, P Seghers, 1952. (Études et textes.)

5. A propos des genres et de diverses idées générales :

BENDA (J.) : *La France byzantine*, Gallimard, 1945 — *Du style d'idées, Réflexions sur la pensée, sa nature, ses réalisations, sa valeur morale*, Gallimard, 1948. (Critique très « mordant ».)

BREMOND (H.) : *La Poésie pure*, Grasset, 1926.

BOURGET (P.)   *Pages et Nouvelles pages de critique et de doctrine*, Plon.

BRUNETIERE (F.) : *L'évolution de la critique*, Hachette, 1880.

CAILLOIS (R.) : *Puissances du roman*, Gallimard, 1942. — *Les impostures de la poésie*, Gallimard, 1945.

CAMUS (A.) : *L'Homme révolté*, Gallimard, 1951.

CARLONI (J.-C.) et FILLOUX (J.-C.) : *La critique littéraire*, coll. Que sais-je?

CHATEAU (R.) : *Introduction à la littérature*, Publications Chateaubriand. (Vues d'un philosophe sur l'esthétique littéraire, avec un bon choix de citations d'Alain et d'Hegel.)

CLAUDEL (P.) : *Positions et propositions*, Gallimard, 1928.

DEBIDOUR (A.) : *Saveur des lettres, problèmes littéraires*, Plon, 1946.

GERMAIN (F.) : *L'art de commenter une épopée, une tragédie, une comédie, un roman, une poésie lyrique*, Foucher. (Les fascicules parus sont excellents.)

GIRAUD (V.) : *La Critique littéraire*, Aubier, 1945. (Le problème, les théories, les méthodes.)

GOUHIER (H.) : *Le théâtre et l'existence*, Aubier, 1952.

GUTMANN (R.-A.) : *Introduction à la lecture des poètes français*, Flammarion, 1946.

HYTIER (J.) : *Les arts de littérature*, drame, poésie, roman, Charlot, 1945. *Le plaisir poétique*, P. U. F., 1943.

JAMATI (G.) : *Théâtre et vie intérieure*, Flammarion, 1952.

LANSON (G.) : *Esquisse d'une histoire de la tragédie française*, Champion, nouvelle éd., 1927.

MAULNIER (Th.) : *Introduction à la poésie française*, Gallimard, 1939. (Partial et un peu irritant, mais stimulant et profitable.)

MAURIAC (F.) : *Le romancier et ses personnages*, Corrêa, 1933. (Subjectif et rapide, mais bien des vues très fécondes.)

MAUROIS (A.) : *Aspects de la biographie*, Grasset, 1930. (Très bonne étude théorique d'un genre par un auteur qui s'est illustré dans ce genre.)

MAURRAS (Ch.) : *Prologue d'un essai sur la critique*, La Porte Étroite, 1932. (Paru d'abord dans *La Revue encyclopédique Larousse*, 1896.)

PICON (G.) : *Introduction à une esthétique de la littérature*, Gallimard (T. I. *L'écrivain et son ombre*, 1953. T. II, *L'œuvre et son lecteur*.)

POMMIER (J.) : *Questions de critique et d'Histoire littéraire*, Droz. (L'idée de génération, l'idée de genre, les servitudes de l'esprit.)

THIBAUDET (A.) : *Physiologie de la critique*, Éditions de la « Nouvelle Revue Critique », 1930. — *Réflexions sur la littérature*, N. R. F., 1938. — *Réflexions sur le roman*, N. R. F., 1938.

TOUCHARD (P.-A.) : *Dionysos*, Le Seuil, Nouvelle éd., 1949. — *L'amateur de théâtre, ou la règle du jeu*, Le Seuil, 1952.

TRAHARD (P.) : *Le mystère poétique*, Boivin, 1940.

WALTZ (R.) : *La création poétique* essai d'analyse, Flammarion, 1952.

III. Ouvrages susceptibles, à des titres divers, de stimuler particulièrement le sens critique.

1. ARISTOTE : *Rhétorique, Poétique.*

PLATON : *Le Banquet, Hippias Majeur, Gorgias, Ion, Phèdre....*

CICÉRON : *De l'Orateur.*

HORACE : *Epître aux Pisons (Art Poétique).*

QUINTILIEN : *L'Institution Oratoire.*

SÉNÈQUE : *Lettres à Lucilius* (cf. *Lettres* 2, 48, ...)

TACITE : *Dialogue des Orateurs.*

On pourra lire de bonnes traductions de ces ouvrages dans la Collection des *Belles-Lettres* (coll. Budé) ou, à défaut, dans la collection des Classiques Garnier.

2. DU BELLAY : *Défense et Illustration de la langue française*, 1549.

RONSARD : *Abrégé de l'Art Poétique français*, 1565.

3. AUBIGNAC (l'abbé d') : *La pratique du théâtre*, 1657 (cf. éd. MARTINO, Champion, 1927).

BOILEAU : *Art Poétique*, 1674 (cf. éd. Bénac, Classiques « France », Hachette).

— *Epître IX*, 1675. — *Lettre à Maucroix d'avril 1695.*

CHAPELAIN : *Opuscules critiques.* (Cf. éd. Hunter, Droz, 1937.)

CORNEILLE : *Discours de l'utilité et des parties du poème dramatique, Discours de la tragédie, Discours des trois unités*, 1660.

DESCARTES : *Traité des passions*, 1650.

FÉNELON : *Lettre à l'Académie française*, 1716.

MALHERBE : *Commentaire sur Desportes.* (Cf. Brunot : *La doctrine de Malherbe d'après son « Commentaire sur Desportes »*, Masson, 1912.)

RACINE : *Préfaces des tragédies.*

4. BUFFON : *Discours de réception à l'Académie française*, 1753. (Connu sous le nom de : *Discours sur le style.*)

DIDEROT : *Discours sur la poésie dramatique*, 1758. — *Paradoxe sur le comédien*, 1773. (Revu en 1778, publié en 1830.)

DU BOS (Abbé) : *Réflexions critiques sur la poésie et la peinture* (1719 et 1734).

Encyclopédie : Beaucoup d'articles importants. (Prendre comme guide : Rocafort : *Les doctrines littéraires de l' « Encyclopédie », thèse Bordeaux, 1890.*)

LA MOTTE-HOUDARD : *Discours sur la poésie*, 1707. — *Réflexions sur la critique*, 1715. — *Suite de réflexions sur la tragédie*, 1730.

ROUSSEAU : *Lettre à d'Alembert sur les spectacles*, 1758.

VOLTAIRE : *Nombreuses références.* Prendre comme guide : Lanson et Naves : *Voltaire, extraits en prose*, Hachette. (Index analytique très utile.)

5. BAUDELAIRE : *Curiosités esthétiques*, 1869. — *L'Art romantique*, 1869.

CHATEAUBRIAND : Préface d'*Atala*, 1801. *Génie du Christianisme*, 1802.

GAUTIER (Th.) : Préface d'*Albertus*, 1832. — Préface de *Mademoiselle de Maupin*, 1835.

HUGO (V.) : Préfaces des drames et notamment : *Préface de Cromwell*, 1827. (Se reporter, à ce propos, à *La Dramaturgie* de Lessing et au *Cours de littérature dramatique* de Schlegel.) — *William Shakespeare*, 1864.

LAMARTINE : Préface des *Recueillements*, 1839.

LECONTE DE LISLE : Préface des *Poèmes antiques*, 1852. — Préface des *Poèmes et Poésies*, 1855, Lemerre éd.

MALLARMÉ : *Propos sur la Poésie*, recueillis et annotés par H. Mondor, éd. du Rocher, 1945. On trouvera réunis tous ses textes critiques dans le volume de ses *Œuvres complètes* publié dans la Bibliothèque de la Pléiade.

MAUPASSANT : Préface de *Pierre et Jean*, 1887, A. Michel. (Étude sur le roman.)

RENAN : *Feuilles détachées*, 1892. — *L'Avenir de la Science*, 1890, composé dès 1848. Œuvres éditées chez Calmann-Lévy.

SAINTE-BEUVE : *Causeries du Lundi* (**cf.** notamment : article du 21 octobre 1850, intitulé « *Qu'est-ce qu'un classique?* » — article du 12 avril 1858, intitulé « *De la tradition en littérature* »). — *Lettre au Directeur du Moniteur*, du 20 février 1860 (sur la morale et l'art).

STAEL (Mme de) : *Essai sur les fictions*, 1795. *De la littérature considérée dans ses rapports avec les institutions sociales*, 1800. — *De l'Allemagne*, 1810.

STENDHAL : *Racine et Shakespeare*, 1823-1825.

SULLY-PRUDHOMME : *Réflexions sur l'art des vers*, 1892, Lemerre, éd.

TAINE : *Philosophie de l'art*, 1881. — Introduction de l'*Histoire de la littérature anglaise*, 1864, Hachette, éd.

VIGNY : *Journal d'un Poète* (posthume). — *Préfaces diverses* (de *Cinq-Mars*, *d'Othello*....)

ZOLA (E.) : *Le roman expérimental*, 1880. Les œuvres de Zola sont éditées chez Fasquelle.

6. Trois auteurs à « fréquenter » assidûment :

ALAIN : *Système des Beaux-Arts*, N. R. F., 1920. — *Propos sur l'Esthétique*, Stock, 1923. — *Idées*, Hartmann, 1932. — *Propos de littérature*, Hartmann, 1934, etc.

GIDE (A.) : *Prétextes*, 1903. — *Nouveaux Prétextes*, 1911. — *Incidences*, 1924. — *Journal*, 1889-1949, etc. Les œuvres de Gide sont éditées chez Gallimard.

VALÉRY (P.) : *Variétés*, 1924-1944, 5 vol. — *Rhumbs*, 1926. — *Autres Rhumbs*, 1927 et 1934, etc. Les œuvres de Valéry sont éditées chez Gallimard.

Et deux auteurs qui s'imposent par leur forte personnalité :

MALRAUX (A.) : *La Psychologie de l'Art*, Skira, 1947-49. Édition complétée et refondue dans *Les Voix du Silence*, Gallimard, 1951.

SARTRE (J.-P.) : *Situations*, II, N.R.F., 1948. (Notamment l'essai : *Qu'est-ce que la littérature?* publié d'abord en 1947 dans la revue *Les Temps Modernes*.)

IV. Les revues.

Il est indispensable, pour qui veut se tenir au courant, de parcourir régulièrement quelques revues :

1. Revues d'une inspiration plus ou moins « universitaire » :

L'Année propédeutique. — *XVIIe siècle* (Bulletin de la « Société d'Études du XVIIe siècle ») — *L'Information littéraire* (Articles très sûrs, dissertations avec corrigés) — *La Revue des Sciences humaines* (Excellents numéros spéciaux, par exemple sur le Romantisme, le Naturalisme, etc.) — *La Revue d'Histoire littéraire de la France* (Minutieuses mises au point de problèmes d'histoire littéraire. Bibliographies très utiles.) — *Revue de littérature comparée* — *Revue Universitaire*.

2. Revues d'inspiration plus « mondaine » :

a) Revues rejoignant souvent nos préoccupations :

Les Cahiers du Sud (numéros spéciaux très intéressants) — *Critique* — *Le Mercure de France* — *La Revue d'Histoire du Théâtre* — *Roman.*

On y ajoutera les hebdomadaires : *Le Figaro Littéraire* — *Les Lettres Françaises* — *Les Nouvelles Littéraires.*

b) Revues offrant de non négligeables « divertissements » : *Esprit* — *Etudes* — *Europe* — *Hommes et Mondes* — *Monde Nouveau* — *La Nef* — *La Nouvelle Revue Critique* — *La Nouvelle Nouvelle Revue Française* — *La Revue d'Esthétique* — *La Revue de Paris* — *La Revue des Deux Mondes* — *La Table Ronde* — *Les Temps Modernes.*

V. Bibliographie.

N. B. Les ouvrages que nous avons énumérés ci-dessus constituent un choix relativement restreint et subjectif. Les étudiants peuvent déjà y trouver des indications étendues pour élargir leur enquête; **certains auront** cependant le désir de **consulter** une documentation plus vaste sur un problème précis ou de se tenir au courant de ce qui paraît.

a) Pour avoir des références bibliographiques nombreuses, on consultera :

LANSON (G.) : *Manuel bibliographique de la littérature française moderne,* Hachette, nouvelle éd., 1939.

A compléter par : GIRAUD (J.) : *Manuel de bibliographie littéraire pour les XVIᵉ, XVIIᵉ et XVIIIᵉ siècles français,* 1921-1935, Vrin, 1939. (Classement par époques, matières, auteurs.)

TALVART (H.) et PLACE (J.) : *Bibliographie des auteurs modernes de langue française,* 1801-1951, éd. de « La Chronique des Lettres françaises », aux Horizons de France. (En cours de parution : énumération des ouvrages de chaque auteur, avec renseignements sur l'édition originale, et des études à consulter. Suit l'ordre alphabétique des auteurs. Très complet, mais quelques erreurs inévitables.)

THIEME (H.-P.) : *Guide bibliographique de la littérature française de 1830 à 1930,* Droz, 1933, 3 vol.

A compléter par : DREHER et ROLLI : même titre, Droz, 1948, pour la période 1930-1938. (Énumération des auteurs par lettre alphabétique.)

VAN TIEGHEM (P.) : *Répertoire chronologique des littératures modernes,* Droz, 1935. (Énumération année par année des œuvres parues dans la plupart des pays. Très utile pour les synchronismes.)

VARILLON (F.) et HOLSTEIN (H.) : *Bibliographie élémentaire de la littérature française,* De Gigord, 1936.

b) Pour être immédiatement au courant de ce qui paraît, il faut se reporter à :

— *La Bibliographie de la France* (Hebdomadaire : répertoire par matière.)

— *Biblio* (Mensuel : répertoire alphabétique de tous les ouvrages parus en langue française dans le monde entier.)

— *Le Bulletin critique du livre français* (Mensuel. Très maniable : classement par matières et notice succincte sur chaque ouvrage. Sommaire des principales revues).

N. B. — On se tiendra facilement au courant des sujets proposés chaque année à la Propédeutique grâce aux *Annales* éditées par la Librairie Vuibert. De son côté, *La Revue Universitaire* reproduit les sujets proposés aux concours des E. N. S., aux C. A. et aux Agrégations littéraires. Enfin on aura grand profit à lire les rapports rédigés chaque année par les jurys de ces concours et publiés par le Centre National de Documentation Pédagogique.

PREMIÈRE PARTIE

DE L'ŒUVRE LITTÉRAIRE : LE LECTEUR, L'AUTEUR

$$\boxed{1}$$

INTRODUCTION. — *UN SUJET D'ENSEMBLE :*
Qu'est-ce qu'un « événement littéraire »?

RÉFLEXIONS PRÉLIMINAIRES _____

1. *Attention à ces sujets qui se présentent comme une simple définition à donner d'un concept (qu'est-ce qu'une « tragédie », qu'est-ce qu'une « école littéraire »? qu'est-ce qu'un « genre »? etc...). Non seulement on ne doit pas énumérer purement et simplement un certain nombre de traits caractéristiques de ce concept (se contenter de dire que l'événement littéraire est ceci..., est cela...), mais encore on doit organiser tous les éléments d'une réponse autour d'un problème, d'une difficulté que soulève le concept en question.*

2. *Par exemple ici, la difficulté n'est pas de trouver un certain nombre de traits communs aux divers événements littéraires, mais de savoir si cette notion d'événement littéraire, chère aux manuels, chère aux critiques, est parfaitement définie et si elle n'offre pas divers dangers quand on l'utilise pour faire l'histoire de la littérature.*

3. *Le devoir devra donc être bâti autour des ambiguïtés dont s'accompagne cette notion : par exemple, on s'apercevra que l'événement littéraire est tour à tour vision d'actualité et vision de postérité des faits littéraires; on se demandera s'il est rupture ou continuité, s'il désigne les chefs-d'œuvre ou simplement les œuvres les plus voyantes, etc.... Ainsi, loin d'être une énumération, le plan sera la critique d'une notion, de ses avantages et de ses limites.*

PLAN DÉVELOPPÉ ────────────────────────────

Introduction.

L'histoire littéraire ne met pas sur le même plan touces les œuvres du passé : non seulement certaînes lui paraissent meilleures que d'autres, mais encore il semble que certains faits (qui ne sont pas nécessairement des livres, mais qui, d'une façon générale, concernent la littérature) ont une importance plus grande que d'autres dans l'évolution littéraire. On dira que la fondation de l'Académie française (1635), que la première représentation du *Cid* (1636), que le début du règne personnel de Louis XIV (1661), que les campagnes du *Globe* à partir de 1824, que la Préface de *Cromwell* (1827), que l'ouverture du Cénacle de la rue Notre-Dame-des-Champs (1827), que la bataille d'*Hernani* (1830) sont des *événements* littéraires; notion incontestablement commode, soit pour présenter l'évolution d'un genre, soit pour dresser le tableau des lettres à une époque déterminée, etc.... Pouvons-nous donner un contenu sans équivoque à cette notion essentiellement pratique? Il est sûr que ce n'est pas une pure convention de présentation : il y a bien, de temps en temps, dans la vie littéraire, de ces faits significatifs que le public baptise « événements ». Mais seront-ils tous retenus par la postérité comme tels? En réalité, il semble qu'il faille attendre pour juger de leur résonance profonde et que cette résonance n'est pas nécessairement liée à la valeur intrinsèque de l'événement littéraire, mais à un heureux concours de circonstances qui le place dans telle ou telle suite. Nous marquerons donc soigneusement les limites d'une notion fortement unie à l'histoire.

I. *L'événement littéraire comme rupture.*

L'événement littéraire est toujours une surprise éclatante pour ceux qui en sont témoins et un chef-d'œuvre méconnu ne saurait en constituer un. (Stendhal n'est pas un « événement littéraire », parce que son influence ne s'impose que lentement et difficilement, ni Saint-Simon, le mémorialiste, parce que ses *Mémoires*, inconnus de son vivant, n'ont rien bouleversé en leur temps.)

1. L'événement littéraire **est toujours plus ou moins un scandale**, avec l'aspect double de tout scandale, admiration violente des uns, indignation des autres; matériellement, son auteur a souvent des ennuis, qui ne sont que l'envers de l'admiration qu'on lui porte :

> « En vain contre « Le Cid » *un ministre se ligue,*
> *Tout Paris* pour Chimène a les yeux de Rodrigue. »

Que l'on songe à Flaubert (*Madame Bovary*), à Baudelaire (*Les Fleurs du Mal*) : ils ont pour eux la jeunesse qui se reconnaît dans leur œuvre, mais la bourgeoisie leur intente des procès! Ce caractère éclatant est indispensable; autrement il y a influence, lente pénétration, mais pas événement : Bergson fut à sa date un événement littéraire, parce que son enseignement attirait au Collège de France une foule brillante; mais non Spinoza, bien qu'il fût très représentatif de la pensée classique, parce qu'il ne s'imposa pas brusquement aux yeux du public.

2. L'événement littéraire **implique une position critique....**

Mais l'événement littéraire n'est pas seulement un scandale sans lendemain, il suppose aussi un certain nombre de *principes* critiques et esthétiques par lesquels il modifie le cours de la littérature. C'est évident quand il consiste en un manifeste : *Défense et Illustration* (1549), Préface de *Cromwell* (1827), etc., mais c'est vrai aussi pour des œuvres en apparence éloignées de toute préoccupation doctrinale; au moins doivent-elles offrir au public la possibilité d'en dégager des vues esthétiques neuves et fécondes : ainsi *Les Fleurs du Mal* de Baudelaire ne forment sans doute pas un recueil de pensées critiques, mais impliquent toute une esthétique nouvelle où, précisément, le public vit un événement littéraire. Même la fondation de l'Académie française ou la prise du pouvoir personnel par Louis XIV répondent à des préoccupations critiques d'ordre et de discipline. En somme, le public doit toujours avoir l'impression que « cela va changer » et par conséquent qu'il est en présence d'un programme de nouveautés.

3. ... une position critique, **mais mise en valeur par la propagande.**

C'est pourquoi l'événement littéraire n'est pas toujours l'œuvre ou l'action littérairement la meilleure, mais celle qu'une habile propagande met le mieux en valeur; non certes qu'il faille le réduire aux proportions d'une grossière affaire commerciale, mais force est bien de reconnaître qu'il ne résulte pas toujours d'une création originale. La Préface de *Cromwell* est pleine d'idées empruntées à Schlegel et à Stendhal, et les érudits nous révèlent que, loin d'être en avance sur les idées du temps, elle est même plutôt timide dans ses innovations. Mais elle a su donner une allure brillante, une portée un peu tapageuse à des théories qui chez Stendhal, par exemple, s'exprimaient plus discrètement. Le même Hugo fait un événement littéraire de son *Hernani*, alors que Vigny, qui savait moins bien organiser sa « réclame », n'y réussit pas pour son intéressante représentation du *More de Venise*. S'il y a peut-être des chefs-d'œuvre qui passent inaperçus du public, il est contradictoire en soi de parler d'événements littéraires méconnus. Aussi beaucoup de ceux-ci sont dus à la scène, qui assure l'éclat immédiat (La *Cléopâtre captive* de Jodelle (1552), *Le Cid* (1636), *Andromaque* (1667), *Le Mariage de Figaro* (1784), *Hernani* (1830), *Les Burgraves* (1843), *Les Corbeaux* de Becque (1882), etc.). Est-ce à dire que l'éclat d'une œuvre soit une condition suffisante?

II. *L'événement littéraire comme continuité.*

Il y a beaucoup de faux événements littéraires, c'est-à-dire d'événements que la postérité ne retient pas comme tels : le *Timocrate* de Thomas Corneille (1656) fut représenté quatre-vingt-six fois, les *Chansons* de Béranger furent considérées comme la découverte d'un genre nouveau, d'un genre national et populaire; les *Messéniennes* (1818) de Casimir Delavigne eurent autant de succès que deux ans plus tard les *Méditations* de Lamartine. Or la postérité en a décidé différemment; un véritable événement littéraire doit pouvoir être replacé dans un certain courant où il marque un progrès décisif et, autant qu'en rupture, il est en continuité avec ce qui le précède.

1. L'événement littéraire comme réponse à une question.

L'événement littéraire vient fréquemment après une époque d'épuisement et l'impression de nouveauté qu'il donne résulte souvent moins d'une rupture que d'une reprise de fécondité. A la fin du xve siècle on s'imagine (à tort ou à raison, peu importe) que la lyrique médiévale est épuisée : la *Défense et Illustration* est un événement littéraire parce qu'elle répond à l'attente d'un renouvellement. De même au début du xixe siècle, la tragédie néo-classique se traîne, genre totalement exsangue : la Préface de *Cromwell* éclate comme en réponse à cette question ambiante : « Que va devenir le théâtre? » En un autre sens, l'événement littéraire peut satisfaire aux aspirations d'une génération qui n'a pas trouvé son artiste pour l'exprimer : les *Méditations* de Lamartine (1820), *Les Fleurs du Mal* de Baudelaire (1857) libèrent littéralement des générations de jeunes gens qui n'avaient pas encore entendu leur voix dans la littérature. En ce domaine il faut bien admettre que joue une heureuse coïncidence : font événement littéraire « les œuvres dont la beauté répond à quelque question anxieuse » comme le remarque Gide, reléguant au second plan ces « réponses qui suivent après que la question n'est plus posée; ce sont œuvres qui ne répondent plus à rien » (*Nouveaux Prétextes*, p. 215). En somme, autant que d'un scandale, l'événement littéraire est souvent le fruit d'une attente.

2. L'événement littéraire doit rencontrer une certaine diffusion.

Tombant dans une atmosphère préparée, dans une atmosphère qui l'appelle, l'événement littéraire ne se comporte pas comme une balle qui rebondit contre un mur, mais plutôt comme un liquide dans une substance poreuse; il ne fait pas simplement choc (indispensable certes), il se répand, se diffuse, retentit longuement dans une génération. *Les Fleurs du Mal*, après avoir créé le scandale que l'on sait, ne livrent que très lentement leur vrai visage : manifeste romantique et parnassien pour les contemporains, elles apparaissent peu à peu comme un témoignage sur les inquiétudes de l'âme moderne; en se diffusant, elles livrent leur vrai secret qui est spirituel, presque métaphysique. De même, les contemporains ne virent peut-être dans *Le Cid* qu'une œuvre brillante et chevaleresque, mais à la longue on comprit mieux la beauté du drame moral et les subtilités du système cornélien.

3. L'événement littéraire **comme point de départ.**

C'est qu'un véritable événement littéraire doit toujours être une source : et c'est pourquoi seule la postérité, c'est-à-dire l'histoire littéraire, peut le consacrer comme tel. Sans aller jusqu'à dire qu'il doit toujours être l'origine d'une nouvelle école, encore faut-il qu'il soit d'une très grande influence. Les *Chansons* de Béranger n'ont guère d'imitateurs, elles n'ouvrent aucune voie nouvelle. Au contraire, *Les Fleurs du Mal* sont un véritable réservoir d'inspiration pour des générations de poètes, et les manifestes par lesquels un écrivain prend la tête d'un mouvement témoignent par là de leur fécondité. Bref, si seule l'actualité salue les événements littéraires, c'est la postérité seule qui les consacre.

III. *Équivoques et dangers de la notion d'événement littéraire.*

En définitive, la notion d'événement littéraire est-elle parfaitement claire et peut-on louer sans réserve une œuvre d'être un événement littéraire?

1. Différence de perspective entre les contemporains et la postérité.

Jusqu'à présent nous avons montré comment actualité et postérité se complètent pour l'indispensable consécration. Mais il y a des cas où elles s'opposent; très souvent la postérité reproche aux contemporains leur manque de discernement et leurs erreurs : pour Taine, Stendhal est le grand événement littéraire du roman romantique; pour les historiens actuels de la littérature, Rimbaud et Mallarmé sont les grands événements littéraires du symbolisme, alors que les contemporains auraient plutôt mis en avant Verlaine. Qu'on ne dise pas seulement qu'il s'agit là de ces inévitables reclassements de valeur par lesquels la postérité corrige les jugements des contemporains; il s'agit bien d'une redistribution de l'importance respective de ces trois poètes dans les nouveautés qu'apportait le mouvement symboliste. Il n'est pas question en effet de dire que Verlaine est un « mauvais poète », alors que Mallarmé et Rimbaud sont de « bons poètes », mais simplement de se demander lequel parmi ces trois grands poètes a le plus ouvert de voies nouvelles, a le mieux répondu à ce besoin de renouvellement de la poésie qu'on éprouvait vers les années 1870-1885. Dans cette perspective nous aurions tendance aujourd'hui à considérer l'œuvre de Verlaine comme un événement littéraire moins important que l'œuvre de Rimbaud ou de Mallarmé. Dans certains cas-limites, la postérité recrée totalement un événement littéraire; par exemple, la poésie de Sainte-Beuve,

longtemps méconnue, qui en tout cas n'a pas fait figure d'événement pour les contemporains, prend presque cette figure aujour-
d'hui, parce que nous la replaçons dans tout un courant de poésie
intimiste essentiel à nos yeux. C'est là une sorte d'illusion historique par laquelle il nous semble difficile qu'ait passé inaperçu
un événement riche d'avenir. Evidemment dans ce dernier cas,
on parlera plutôt d'œuvre de précurseur que d'événement littéraire; encore avons-nous du mal à croire qu'un Lautréamont
par exemple ait été méconnu de ses contemporains quand le
mouvement surréaliste se réclame si ardemment de lui. Ici on
voit toute l'équivoque de la notion : *Les Chants de Maldoror* (1869)
sont-ils oui ou non un événement littéraire?

2. Un événement littéraire **est-il toujours un chef-d'œuvre?**

Il faudrait avoir le courage de reconnaître qu'un événement
littéraire n'est pas nécessairement un chef-d'œuvre, et que tout
chef-d'œuvre n'est pas nécessairement un événement littéraire.
Le *Génie du Christianisme,* qu'on ne lit plus guère aujourd'hui,
réunit toutes les conditions nécessaires pour être un événement
littéraire; mais les œuvres de Nerval ne peuvent guère prétendre
au titre. Parler d'événement littéraire n'est point porter un
jugement critique, mais un jugement historique : tel est exactement le danger de cette notion en vertu de laquelle on maintient
quelquefois aux programmes des examens des œuvres mortes.
En réalité, les œuvres qui ont constitué des événements littéraires
sont souvent encombrantes, elles occupent le devant de la scène,
elles ont, comme dirait Thibaudet, une « grosse situation », mais
d'autres, qui ont plus de « présence », sont plus vivantes, nous
parlent davantage et pourtant on les étudie moins : situation d'un
Balzac, présence d'un Stendhal; situation d'un Hugo, présence
d'un Baudelaire; situation d'un Th. Gautier, présence d'un Nerval.

3. **Conséquence critique : histoire et vie littéraire.**

Ainsi le problème de l'événement littéraire débouche sur une
question plus générale, sur l'éternelle confusion du jugement historique et du jugement critique. Juger une œuvre d'après son
importance comme événement littéraire, ce serait précisément faire
preuve de cette illusion déterministe et scientiste qui considère
comme la plus grande œuvre celle qui exprime le mieux son temps,
ce serait s'en tenir à la doctrine de Taine, simplifiée et mal
comprise. L'erreur serait d'étudier sur le même plan les grands
événements littéraires et les grandes œuvres sans voir que la
même méthode ne peut leur être indistinctement appliquée :
l'admiration historique convient aux grands événements littéraires, l'admiration critique aux chefs-d'œuvre. *Émaux et Camées*
(1852), voilà un grand événement littéraire où l'on peut étudier
un idéal esthétique et plastique, important dans un courant qui
relie le romantisme au Parnasse. *Les Chimères* (1854), voilà un
recueil de poèmes où se révèlent un art et une âme tout à fait
personnels.

Conclusion.

La notion d'événement littéraire est utile, mais elle reste liée aux difficultés mêmes de l'histoire littéraire. Il est incontestable que l'évolution de celle-ci est marquée de dates significatives qui ne répondent pas toujours du reste à des œuvres littéraires, mais parfois à des créations favorables à la littérature (Salons, Journaux, etc...). Pourrait-il exister une histoire littéraire sans événements littéraires, une histoire qui ne serait qu'une pure suite de chefs-d'œuvre et de tendances? Théoriquement ce ne serait pas impossible, mais il faut avouer qu'une littérature mondaine et sociale comme la nôtre favorise ces coups d'éclat que sont les événements littéraires, qu'une littérature critique et volontiers théoricienne comme la littérature française appelle ces manifestes, ces œuvres pleines de principes esthétiques qui constituent par excellence des événements littéraires. Toutefois, avec la multiplicité croissante des couches sociales, avec un public qui devient moins homogène, la notion d'événement littéraire se perd un peu actuellement : ce qui « fait » événement littéraire pour les uns, le « fait »-il pour les autres? Mallarmé, qui « faisait » événement littéraire pour un petit groupe de fidèles, pour une « petite chapelle », semblait simplement un phénomène burlesque à la masse du public. Mais jusqu'au xixe siècle, il faut bien reconnaître que notre littérature est pleine d'événements littéraires, car elle est volontiers mondaine et critique et s'adresse à un public délimité qui les *attend*. Pour nous, nous n'oublierons pas les dangers de cette notion et nous ne confondrons pas l'éclat historique, brillamment collectif, et la rencontre individuelle et personnelle que nous faisons avec un chef-d'œuvre, ce qui est au fond pour nous le seul « événement littéraire » qui compte.

Chapitre Premier

LA CULTURE LITTÉRAIRE

2

SUJET

Au moment où vous commencez à vous orienter vers une spécialisation littéraire, vous réfléchirez au conseil que donnait Voltaire à une jeune correspondante qui le consultait sur le choix de ses lectures :

« Je vous invite à ne lire que des ouvrages depuis longtemps en possession des suffrages du public et dont la réputation n'est point équivoque. Il y en a peu, mais on profite bien davantage en les lisant qu'avec tous les mauvais petits livres dont nous sommes inondés. »

(Lettre du 20 juin 1756, citée par Lanson dans *Choix de Lettres du XVIIIe siècle*, p. 136.)

(Baccalauréat.)

RÉFLEXIONS PRÉLIMINAIRES

1. *Se méfier des sujets de ce genre, en apparence très faciles : en effet, ils sont ordinairement doublés de plusieurs autres qui, sans poser de la même manière le même problème, sont très voisins ou qui, plutôt, peuvent être considérés comme des aspects secondaires de la question principale. Ici par exemple, plusieurs directions fausses ou plusieurs fautes possibles « d'accent tonique » : le problème du succès (immédiat ou à retardement), les raisons qui font la valeur d'une grande œuvre, le choix des lectures sous son aspect le plus vaste, etc....*

2. *Voltaire prend une position très précise, qu'en langage moderne on pourrait résumer ainsi : la culture littéraire est avant tout la connaissance des grands auteurs du passé. En d'autres termes, et pour des raisons qui lui sont propres et qu'il y aura lieu d'indiquer, il pense que la littérature n'est pas instrument de culture sous son aspect de jaillissement actuel et engagé dans des circonstances particulières, mais sous son aspect définitif de chef-d'œuvre consacré.*

3. *Bien entendu, cette position implique un certain nombre d'autres positions critiques qu'il nous faudra déceler et qui seront les nuances du sujet. (Mais, encore une fois, elles ne sont pas le sujet et c'est une faute grave que de les majorer.) Par exemple, Voltaire considère le temps et l'avis universel des hommes comme un « critère » infaillible de valeur; il voit en l'œuvre d'art une espèce de chef-d'œuvre en soi et en quelque sorte universellement valable (ce qui est évidemment une position classique); inversement, quand l'œuvre paraît, loin que cette parution soit un moment privilégié, celui où l'œuvre a toute sa force vivante, ce n'est en quelque sorte que son premier essai sur toute une série de générations. Ce n'est donc pas du concret et du présent que la littérature tire sa valeur.*

4. *Enfin le problème est avant tout celui des rapports d'un homme, qui cherche à se cultiver, avec les écrivains (« lire des ouvrages »), et il débouche sur un autre, essentiel, qui est celui des rapports de la « modernité » et de l'universalité dans la valeur culturelle d'un ouvrage de l'esprit (voir là-dessus l'article de Baudelaire sur Constantin Guys dans* L'Art romantique*); problème très important parce qu'il engage d'une façon sincère notre conception de la culture : est-elle avant tout contemplation sans cesse reprise et approfondie de quelques chefs-d'œuvre (« il y a en a peu ») dont nous retenons surtout l'universalité? ou bien, au contraire, devons-nous regarder ces dernières œuvres avec l'intérêt un peu distant et dégagé que nous accordons aux pièces de musée et demander surtout à la littérature d'être une prise de conscience de la nouveauté du monde où nous vivons, de ce que Baudelaire appelle la « modernité »? Il ne s'agit pas là, bien entendu, d'un simple snobisme, mais d'une question qui engage les conceptions mêmes de la culture, d'autant plus que Voltaire s'exprime avec un dédain méprisant et choquant parce qu'il est trop absolu à l'égard des « nouveautés » (« tous les mauvais petits livres »).*

5. *Ne pas oublier, ici moins que jamais, une partie historique. Non qu'il faille rappeler toute l'œuvre de Voltaire à propos de la citation, mais il convient de parler au moins de son éducation, de son goût et du contraste fondamental qu'il y a entre les deux grandes parties de son œuvre : celle qu'il considérait vraiment comme de la littérature (tragédies, épopées, poésie lyrique) et par laquelle il cherchait les suffrages du public et celle qu'il considérait comme une action, une lutte (contes, pamphlets, « fusées volantes ») et dont il serait précisément étonné d'apprendre que c'est pour nous la partie la plus vivante de sa production littéraire et la meilleure.*

6. *Pour montrer qu'il est aisé d'organiser de manière différente les idées qui concernent un problème littéraire et pour souligner le fait que nous ne prétendrons jamais proposer le « plan » idéal, mais seulement un des « plans » possibles, nous présentons deux études sur ce sujet. On verra facilement jusqu'à quel point elles diffèrent, aussi bien pour l'esprit que pour l'organisation et pour le niveau.*

PREMIÈRE ÉTUDE ─────────────────────

Position et portée du sujet : Un conseil de Voltaire sur la lecture considérée comme un moyen de culture : il y insiste sur la nécessité de ne s'adresser qu'aux grands auteurs du passé, dont la solide valeur est établie depuis longtemps, et de négliger « les mauvais petits livres » qui nous inondent chaque jour.

I. Les « circonstances » du conseil.

1. Le correspondant : une adolescente, qui se pique d'écrire des vers et dont il s'agit de former le *goût*, ce qui suppose le choix de certains modèles et la mise en garde contre certains défauts.

2. L'auteur : conseil un peu étonnant de la part de quelqu'un qui fut si « actuel » (cf. l'œuvre polémique de Voltaire).

Conseil qui s'explique quand on connaît l'étroitesse du goût de Voltaire, qui reste fidèle à l'idéal du xviie siècle en le corrigeant d'après ses préférences personnelles et en le nuançant d'après les tendances de son temps. Si, théoriquement, il s'efforce au libéralisme, en pratique seuls trouvent pleinement grâce à ses yeux Horace et Virgile, Boileau et Racine (pour goûter pleinement son « Il y en a peu », lire *Candide*, ch. xxv : *Visite chez le seigneur Pococurante, noble vénitien*).

3. Le « critère » retenu : les « classiques » consacrés par le temps (cf. Boileau, *Réflexions critiques sur Longin, Réflexion VII*) et non les « ouvrages équivoques », c'est-à-dire non encore sortis vainqueurs de l'épreuve du temps. On rencontre la même prudence chez tous les directeurs de conscience littéraires (cf. Quintilien; Sénèque : « Semper probatos lege = Lis toujours les auteurs éprouvés », *Lettres à Lucilius*, II).

Voltaire dit d'ailleurs : « davantage de profit », après « ne... que » : le glissement de l'idée est à retenir; il suggère que, du moins pour certains lecteurs, la lecture des auteurs « équivoques » peut ne pas être exempte de tout profit!

II. Le profit qu'on peut espérer des auteurs consacrés par le temps.

Vague de l'expression : « On profite »; sans doute = contact fécond avec ce qui, au-delà des modes et des caprices fugitifs, est *permanent* et *réussi artistiquement*. On peut espérer :

1. Saisir un point de perfection, dans une direction donnée de la littérature (par exemple, la tragédie...) :
a) *point de perfection*, après lequel seule la décadence est possible. Il ne convient donc pas ici de songer à l'imitation, comme

Voltaire le suggère et comme il l'a fait lui-même (cf. ses tragédies qui restent, malgré de timides innovations, esclaves de la technique racinienne);

b) point de perfection, qui a été atteint exceptionnellement par un auteur *doué,* réalisant un *équilibre harmonieux* entre les diverses facultés (d'où chez lui une adaptation parfaite de la forme et du fond). Ici la leçon est éminemment profitable, pour apprendre à s'exprimer avec clarté et simplicité, avec aisance et naturel, qualités suprêmes pour Voltaire, qui y insiste au cours de sa lettre.

2. **Prendre un point de comparaison,** pour la solution de certains grands problèmes, l'étude de certaines grandes questions, en se référant :

a) à des « *types* » littéraires, chargés d'humanité, plus vivants que des êtres de chair (Molière et Tartuffe...);

b) à des « *mythes* » poétiques éternels, incarnant une passion, sans cesse renouvelés, revivifiés par le génie (Racine et Phèdre...);

c) à un « *examen* » lucide des tourments qui assiègent un jour ou l'autre tout être qui sent et qui pense : sens de la vie, destinée de l'homme, conflits moraux de toute sorte (Pascal et les *Pensées*...).

Transition. La *perfection* seule a permis à la mise en œuvre d'une matière toujours à la disposition de tous d'intéresser la postérité (le permanent) après avoir intéressé les contemporains (le momentané). Dans ce cas, plaisir (qui double le profit) d'engager avec les « auteurs consacrés par le temps » cette *promenade* dont parle Sainte-Beuve, où chacun (lecteur et auteur) est tour à tour guide et touriste.... Mais encore faut-il trouver un partenaire à son goût....

III. La nécessité de lire des ouvrages dont « la réputation est encore équivoque ».

Être de son temps; mais intelligemment, « scientifiquement » (n'est-ce pas un *savant* qui disait : « Il faut lire les auteurs présents, afin de rester en communion de pensées et de sentiments avec les hommes de nos jours »?).

1. **Les « classiques » ont été « actuels » :**

Molière a le dessein « de peindre les mœurs de *son* siècle »; La Bruyère intitule son livre « *Les Caractères* ou Les mœurs de *ce* siècle », etc... (cf. les théories de Taine, qu'il a poussées à leurs conséquences extrêmes, mais qui, dans leur principe, sont d'une évidence éclatante).

En effet on n'écrit pas « dans le vide » et on est forcément l'homme d'un moment donné, avant d'entrer dans le Panthéon littéraire. Selon le conseil de Voltaire, qu'aurait-on lu au xviie siècle, hormis les Grecs et les Latins? qui aurait lu Voltaire lui-même, et quelle influence aurait-il pu espérer de ses écrits?

2. Le lecteur doit être « actuel » :

a) Si grands que soient « les Anciens », ils ne peuvent répondre
à toutes les formes d'inquiétude de tous les lecteurs successifs.
Même Molière ou Racine seraient dépaysés, s'ils revenaient brusquement parmi nous, sans « initiation ».

Donc, désir légitime de voir traiter « à la moderne » les problèmes
qui nous obsèdent : il se peut même que tel auteur, qui sera vite
oublié (justement pour ce motif!), nous fournisse *momentanément*
la solution la plus satisfaisante et soit, pour un bout de *promenade*,
le compagnon rêvé pour nous entretenir de nos aspirations intellectuelles, morales ou autres....

b) Encore faut-il choisir ce compagnon, et ce choix est chargé de
risques (déception, rancœur, perversion de l'esprit...).

D'où la nécessité de nous méfier des pièges qui nous sont tendus :
publicité, snobisme (le livre *qu'il faut* avoir lu), paresse intellectuelle....

Pour trouver, peu à peu et à mesure que nous vivons, *les partenaires* au contact desquels nous profiterons le plus, le meilleur
moyen, c'est peut-être justement de *lire* (art si difficile!) d'abord
à fond les auteurs qui satisfont aux conditions posées par Voltaire.

Ils sont, d'ailleurs, beaucoup plus nombreux à notre époque
que de son temps. Espérons même qu'ils le sont assez pour nous
apprendre à aller, dans notre choix parmi « l'actuel », vers ceux
qu'on lira aussi longtemps qu'il y aura des lecteurs. Mais n'ayons
pas trop d'illusions sur ce point....

DEUXIÈME ÉTUDE ————————————————

Introduction.

A quiconque a entrepris cette tâche mal déterminée qu'on appelle
« se cultiver », une assez grave alternative se pose d'emblée :
faut-il se restreindre à quelques grands auteurs du passé dont
l'œuvre consacrée sera inlassablement méditée pour en épuiser
toutes les ressources durables? Faut-il, au contraire, essayer
de suivre le mouvement sans cesse renouvelé de la littérature
dans sa force productive de tous les jours? On aimerait sans
doute ne sacrifier aucun de ces deux objectifs, mais, faute de temps,
il faut bien choisir. Il est curieux de constater que l'homme de
l'actualité par excellence que fut Voltaire prend brutalement
parti pour les grands chefs-d'œuvre du passé : il nous invite
« à ne lire que des ouvrages depuis longtemps en possession des
suffrages du public et dont la réputation n'est point équivoque ».
Et il justifie son invitation : « Il y en a peu, mais on profite bien
davantage en les lisant qu'avec tous les mauvais petits livres
dont nous sommes inondés. » Mot tranchant, dogmatique et dont
l'étroitesse même nous rappelle une autre étroitesse : celle du

goût de Voltaire, du goût néo-classique qui l'explique largement. Mot profond du reste, car il n'y a pas de culture sans un refus résolu de l'éphémère, mais un peu choquant par ce qu'il implique de figé et d'admiration un peu conventionnelle. La culture littéraire n'est-elle pas autre chose que la visite quelque peu détachée que nous rendons à un musée?

I. *Le goût de Voltaire.*

Formé par les Jésuites dans l'admiration exclusive des Anciens et des Classiques, Voltaire se complaisait comme critique à prononcer des exclusives : *ne lire que* des ouvrages, il y en a *peu.* Impossible d'imaginer un temple plus fermé que son *Temple du goût :* quelques tragédies de Racine, quelques épîtres de Boileau, quelques oraisons funèbres de Bossuet (et encore à condition d'en supprimer les familiarités), voilà — ou presque — toutes les divinités qui l'habitent. En fait, l'esthétique qu'il adoptait, celle du classicisme mais purifiée à l'extrême, constitue en quelque sorte la raison profonde du conseil qu'il donne.

1. Suivant cette conception, le chef-d'œuvre est quasi éternel ou plus précisément il échappe au temps, et l'œuvre qui paraît n'est tout au plus qu'une candidate à cette durée qui sera sa véritable consécration : que *Phèdre* ait reçu un bon accueil ne pourra jamais être aux yeux de Racine la preuve de la valeur de cette tragédie : « Je laisse, déclare-t-il, au lecteur et au temps à décider de son véritable prix. » En d'autres termes, la réputation vraie ne saurait être le pur produit de la nouveauté même acclamée, même si elle répond aux besoins d'un moment. Il faut attendre pour espérer l'accès à un Parnasse qui met sur le même plan, et sans tenir compte des époques, l'*Iliade*, l'*Enéide*, *Andromaque* et (Voltaire l'espérait du moins) *La Henriade.*

2. C'est ce qui explique qu'un ouvrage doive être depuis longtemps en possession des suffrages du public; non pas que le temps ait par lui-même un pouvoir d'améliorer les œuvres, non pas même que le public ait en lui-même le pouvoir de *faire* le succès, mais de nombreuses générations de lecteurs et leur approbation universelle apportent des chances de plus en plus fortes de pouvoir prononcer l'admission définitive du chef-d'œuvre à ce Parnasse sur lequel le Temps n'a aucune prise.

3. En quoi, dès lors, une pareille œuvre sera-t-elle plus profitable? Voltaire ne nous le précise pas ici, mais nous nous en doutons bien par le ton même de sa phrase. Une certaine universalité, liée à la perfection de la forme et à la vérité humaine, en fera un parfait instrument de culture. Du reste, il écrit dans la même lettre : « Les bons auteurs... pensent avec bon sens, s'expriment avec clarté.... Si vous voulez que je vous cite des hommes, voyez avec quelle clarté, quelle simplicité notre Racine s'exprime tou-

jours. Chacun croit, en le lisant, qu'il dirait en prose tout ce que
Racine a dit en vers. Croyez que tout ce qui ne sera pas aussi
clair, aussi simple, aussi élégant, ne vaudra rien du tout. » Dans
cette perspective la culture est la reconnaissance-d'un certain
nombre de produits parfaits de l'esprit humain : et il serait aussi
absurde de se cultiver à l'aide de la nouveauté, de ce que Voltaire
appelle « les mauvais petits livres dont nous sommes inondés »,
que de s'adresser à une ébauche ou à une présomption d'ébauche
pour avoir l'idée d'une statue parfaite. La position de Voltaire
est étroitement, mais profondément classique, elle repose sur la
croyance qu'il existe des œuvres « idéales » de l'esprit humain
indépendamment de son histoire. Bref, dans la querelle des Anciens
et des Modernes Voltaire n'hésite pas, il prend parti pour les
Anciens parce que, à quelque moment que ce soit de l'histoire,
si l'on est en présence du « chef-d'œuvre en soi », il faut le saluer
et l'étudier comme une sorte de perfection qui, par définition,
ne se peut dépasser, comme une sorte d'archétype qui ne peut
se remplacer.

II. *La culture littéraire refuse l'éphémère.*

Sans doute le mouvement du monde, qui s'est infiniment précipité
depuis le classicisme et surtout depuis Voltaire, nous rend toutes
ces idées bien lointaines. Nourris de romantisme, nous avons
toujours tendance à considérer le chef-d'œuvre plutôt dans son
élan historique que dans sa valeur éternelle, à mêler l'efficacité
actuelle à la valeur littéraire. Et pourtant quiconque veut se
cultiver, quiconque veut « profiter » en lisant ne sent-il pas en lui
comme un profond besoin de valeurs indépendantes des circonstances et du sol glissant de l'histoire?

1. En effet, si une œuvre est considérée comme le modèle incompa-
rable d'un genre, si par exemple les tragédies de Racine nous
semblent les types achevés de la tragédie classique, ce n'est
évidemment pas seulement parce qu'elles comblent exactement
l'appel d'un moment historique. D'autres, comme Quinault, le
comblaient aussi bien. C'est plutôt parce qu'en amenant un genre
à sa perfection, Racine l'a, pour ainsi dire, dégagé de l'histoire :
ce tragique à l'état pur qu'on trouve chez lui, cette souveraine
et humaine présence du Destin, qu'est-ce d'autre que l'accomplissement du genre? et si nous relisons Racine, n'est-ce pas
parce que, après une suite d'ébauches qui, elles, relèvent de
l'histoire, il a trouvé un point d'équilibre qui semble échapper à
celle-ci?

2. De même, pourquoi avons-nous l'impression que les caractères
tracés dans ces ouvrages « depuis longtemps en possession des
suffrages du public » sont, en quelque sorte, définitivement
valables? On répond d'habitude que c'est parce qu'ils sont uni-
versels. Mais le mot est dangereux, car il implique comme une

pâle image générale de l'avare, de l'hypocrite, etc.... Plus exactement, c'est parce que le portrait, partant bien entendu d'une
histoire précise, se laisse charger de tout ce que les époques ultérieures voudront y voir. Pourquoi Julien Sorel ou Rastignac
nous sont-ils plus présents, bien plus intimes que Napoléon ou
Talleyrand? C'est précisément parce qu'ils se laissent plus facilement prendre comme références éternelles : dans le flot mouvant
des individus réels, de telles références nous sont indispensables
pour connaître l'homme, et la lecture peut seule nous les fournir.

3. Au-delà de l'équilibre des genres, au-delà de la richesse de la
   psychologie, les grandes œuvres répondent aussi à notre besoin
   d'éternité en nous offrant des types de problèmes, d'inquiétudes,
   d'angoisse éternels. Même si l'angoisse de tel écrivain n'est pas
   tout à fait la nôtre, là encore elle est une référence à laquelle nous
   nous accrochons. C'est l'idée de Baudelaire dans son poème
   « Les Phares » et cet écho même est « pour les cœurs mortels un
   divin opium ».

   Bref, en prêtant un sens plus large au mot de Voltaire, nous pouvons dire qu'il nous rappelle que la culture, avant d'être une
   frénétique poursuite de l'actualité, est la reconnaissance de quelques points d'équilibre, de quelques références humaines par
   rapport auxquels nous nous ordonnons. Elle est donc bien d'une
   certaine façon la lecture des ouvrages qui sont « depuis longtemps
   en possession des suffrages du public ».

III. La culture n'est pas non plus une visite de musée.

Et pourtant nous sommes un peu déçus de nous sentir ainsi
contraints par Voltaire à parcourir un peu froidement, presque
objectivement, le musée des grands chefs-d'œuvre du passé.

1. Voltaire ne tend-il pas, en effet, à nous interdire le choix? La vraie
   culture lui paraît en quelque sorte la même pour tout le monde :
   qu'elle soit avant tout rencontre, révélation de soi-même à soi-
   même dans des espèces de coups de foudre littéraires semble lui
   échapper totalement. Sa conception un peu scolaire laisse donc
   de côté l'influence pour ne conduire qu'à l'imitation. Aussi bien
   son erreur sera-t-elle d'avoir vu dans les classiques des modèles
   à imiter comme on imite un modèle de dissertation, plus que des
   maîtres dont la première leçon est qu'il ne faut pas leur ressembler. Il oublie ici combien la culture est une présence d'esprit
   à esprit et combien les effets de cette présence sont imprévisibles.

2. De même, sous prétexte que les grands écrivains sont devenus
   éternels, ne tend-il pas à nous placer et à se placer lui-même trop
   vite dans une admiration et une imitation d'éternité? Autrement
   dit, il méconnaît cette grande dualité que Baudelaire mettra

en évidence à propos de Constantin Guys (*Art romantique*) :
toute œuvre d'art doit allier la « modernité » du prétexte à l'éternité des résonances. Voltaire lui-même, écrivant ses tragédies,
s'est efforcé d'éveiller chez le spectateur des résonances éternelles comme celles qu'il percevait chez les grands classiques.
Mais ceux-ci étaient partis d'une « modernité » qu'ils n'avaient
jamais tenté d'éviter. Il est usuel de faire remarquer que les
princes et les princesses de Racine parlent comme les courtisans
de Louis XIV, et que Molière, tout en s'élevant à la comédie
de caractères, fait avant tout une comédie de mœurs. Si bien
que ces écrivains, considérés comme des modèles d'un genre,
n'ont jamais cherché à esquiver leur époque. Si nous n'avions pas
le droit de connaître les petits auteurs et les petites œuvres si
représentatives de leur temps, notre culture nous mettrait seulement en présence de quelques grands monuments isolés de notre
littérature.

3. Aussi un esprit épris de culture ne peut-il être qu'épris de « modernité » : si être cultivé, c'est avant tout, suivant le mot de Valéry,
établir la « situation de l'esprit », savoir où nous en sommes
dans l'histoire générale et dans le concret de notre histoire particulière est essentiellement attitude d'homme cultivé. Transposée
dans le passé, cette attitude nous amènera à une conscience aiguë
de la nouveauté que fut chaque œuvre au moment créateur. Et
ainsi la littérature sera vie jaillissante et non contemplation figée.

Conclusion.

Modernité! cette idée, Voltaire n'aurait-il pas dû, à propos de
la lecture, la mettre davantage en évidence? Nous en appellerons
du Voltaire de ce jugement, du Voltaire des tragédies et de *La
Henriade,* au Voltaire dont on a dit qu'il avait porté en lui tout
son siècle. Sans doute sa leçon reste valable en ce sens qu'il ne
suffit pas qu'une œuvre soit moderne et efficace pour être une
œuvre d'art. Mais si la culture est autre chose que l'admiration
de réussites parfaites, si elle est conscience de la place qu'occupe
l'esprit, qu'occupe notre esprit dans l'histoire et dans le monde,
il est incontestable que son affirmation est terriblement partielle.
Admettre comme un axiome que tous les livres contemporains
sont « de mauvais petits livres », c'est de la polémique et non
opinion sereine; ce n'est pas davantage conseil suffisant pour
guider dans le choix de ses lectures quiconque veut « profiter »
en lisant, c'est-à-dire se cultiver.

$$\boxed{3}$$

SUJET

Que pensez-vous de cette opinion de Marcel Proust :
« La lecture est au seuil de la vie spirituelle : elle peut
nous y introduire; elle ne la constitue pas »?

REMARQUES POUR UN PLAN ―――――――――――――

1. Comme le précédent, ce sujet porte sur les rapports de la lecture
et de la culture. Proust entend sans doute par « vie spirituelle »,
non pas vie méditative et intérieure, mais vie de l'esprit, vie
intellectuelle d'un homme cultivé. Quels sont les rapports entre
cette vie de l'esprit et la lecture? telle est la question.

2. Mais à la différence du sujet précédent, celui-ci ne nous engage
pas sur la question du choix des lectures : devons-nous la soulever? Évidemment le choix même de la lecture prouve déjà un
certain accès à la vie de l'esprit : à lire *Phèdre* on prouve qu'on
sent mieux où est l'essentiel de la culture qu'à lire le « Reader's
Digest ». Toutefois il serait maladroit, nous semble-t-il, de se
laisser entraîner trop loin dans ce sens, car on aboutirait à la
dissertation banale : « Lisons de *bons* livres, nous nous cultive-
rons. »

3. Il est plus intéressant de penser que Proust pose comme hypothèse
qu'on est en face de bons livres et que le choix a été fait. Sans
donc nous perdre en lieux communs sur le problème du choix,
nous irons tout de suite à l'essentiel, à la *question théorique* et
non pratique : la lecture d'un livre, même bon, est-elle nécessairement un moment de la vie de l'esprit? Proust le nie nettement,
sans en donner les raisons, du moins dans le texte que nous avons
à expliquer. A nous de les dégager.

4. Pour ceci nous remarquons que cette pensée se veut quelque peu
paradoxale, qu'elle réagit contre un lieu commun volontiers
pédagogique et mondain : « Lisez pour vous former l'esprit »;
ce même lieu commun par lequel on signalera dans une nécrologie
que M. Untel, homme d'affaires distingué, aimait à se former
l'esprit par des lectures à ses moments perdus. Proust s'insurge
contre ce lieu commun parce que celui-ci a l'air d'identifier la
vie intellectuelle à quelques connaissances glanées au hasard
des livres et des loisirs. Plus sérieusement ce sera l'erreur de
« l'Autodidacte » dont parle Sartre dans *La Nausée* et qui lit toute

la bibliothèque de Bouville par ordre alphabétique, faisant ainsi de la culture une somme de connaissances et non une Connaissance plus authentique.

5. Dès lors le mouvement de la dissertation se fera sur l'opposition de deux façons de lire, ou plus exactement de deux attitudes en face des livres (le devoir porte finalement sur une question *d'attitude intellectuelle*) : d'une part, l'attitude de l'ignorant naïf, mais de bonne volonté, qui croit que la vie spirituelle *est* dans les livres et que ceux-ci la livreront comme une tirelire qu'on casse livre ses richesses (il croit que la lecture constitue la vie spirituelle, alors que, dit Proust, « elle ne la constitue pas »; — montrer dans une première partie *pourquoi* elle ne la constitue pas); d'autre part, l'attitude de l'expert, du connaisseur, du lettré qui sait qu'aucun livre ne *contient* la culture et que pourtant elle se dégage des livres pour qui sait leur demander l'essentiel (la lecture « peut nous y introduire », dit Proust; — montrer dans une seconde partie *comment* elle nous offre cette chance).

6. Cette notion d'un « *essentiel* » à dégager des livres devra dominer le débat. En un certain sens la lecture est un risque pour la vie spirituelle et Proust le laisse entendre : souvent l'homme qui a lu s'est noyé dans des détails qui le détournent d'un *essentiel* qu'il aurait peut-être découvert par la vie intérieure, l'expérience ou une autre méthode. Le docteur Pangloss de Voltaire est l'imbécile qui a tout lu, mais n'a retenu de tout que le détail, alors que Candide, assez rebelle à la lecture, acquiert par bon sens et observation une sorte de pessimisme actif qui lui révèle, pense Voltaire, l'*essentiel* de l'homme.

7. Cela ne veut pas dire, bien entendu, qu'il y ait opposition entre lecture et vie spirituelle. C'est souvent à force de lire des livres où nous ne voyons que détails que nous y trouvons un essentiel qui nous concerne, nous, hommes, qui nous mène à plus d'humain. C'est peut-être à force d'avoir lu *Phèdre* pour y puiser des renseignements sur la langue galante du xviie siècle, sur le mécanisme tragique à l'époque classique, ou même sur la mythologie que nous finirons par ne plus voir tous ces détails et par entendre résonner en nous quelques accords qui nous sont aussi essentiels qu'un trait de notre caractère. Malheureusement l'on n'est jamais sûr d'arriver à ce stade, rien n'est jamais promis, on n'a jamais qu'une chance, qu'une possibilité (« *peut* nous introduire »), car toute l'érudition du monde « ne fait pas un atome d'esprit littéraire, lequel est d'un autre ordre » (J. Desjardins, *L'Information Littéraire*, 1949, n° 3, page 122).

SUJETS PROPOSÉS

1. « ... Mais enfin le temps vient que l'on sait lire, — événement capital —, le troisième événement capital de notre vie. Le premier fut d'apprendre à voir; le second, d'apprendre à marcher; le troisième est celui-ci, la lecture, et nous voici en possession du trésor de l'esprit universel. Bientôt nous sommes captifs de la lecture, enchaînés par la facilité qu'elle nous offre de connaître, d'épouser sans effort quantité de destins extraordinaires, d'éprouver des sensations puissantes par l'esprit, de courir des aventures prodigieuses et sans conséquence, d'agir sans agir, de former enfin des pensées plus belles et plus profondes que les nôtres et qui ne coûtent presque rien; — et, en somme, d'ajouter une infinité d'émotions, d'expériences fictives, de remarques qui ne sont pas de nous, à ce que nous sommes et à ce que nous pouvons être... » (P. Valéry, *Variété IV.*)

2. « Rien n'est plus commun que les bonnes choses : il n'est question que de les discerner; et il est certain qu'elles sont toutes naturelles et à notre portée, et même connues de tout le monde. Mais on ne sait pas les distinguer. Ceci est universel. Ce n'est pas dans les choses extraordinaires et bizarres que se trouve l'excellence de quelque genre que ce soit. On s'élève pour y arriver, et on s'en éloigne : il faut le plus souvent s'abaisser. Les meilleurs livres sont ceux que ceux qui les lisent croient qu'ils auraient pu faire. La nature, qui seule est bonne, est toute familière et commune. » (Pascal, *De l'Esprit géométrique* — Texte proposé au Concours Général, Classe de Première, 1947.)

3. Que pensez-vous de ce propos d'Alain :
« Il est chimérique de vouloir former les jeunes esprits autrement que par les anciens livres. Plus les livres sont jeunes et plus on y choisit, plus on y cherche ce qui plaît, et des thèses pour les passions; ce n'est point discipline. »

4. « Le Français lit beaucoup, mais il ne lit que les livres nouveaux, ou plutôt il les parcourt, moins pour les lire que pour dire qu'il les a lus. » (Rousseau, *La Nouvelle Héloïse.*)

5. « Je hais les livres : ils n'apprennent qu'à parler de ce qu'on ne sait pas. » (Rousseau, *Émile.*)

6. « Que mon livre t'enseigne à t'intéresser plus à toi qu'à lui-même, puis à tout le reste plus qu'à toi. » (A. Gide.)

7. A. Gide affirme que sa « désinstruction fut lente et difficile ». Quelles réflexions vous suggère cet aveu fait par un homme si cultivé?

8. « Les livres les plus utiles sont ceux dont les lecteurs font eux-mêmes la moitié. » (Voltaire.)

9. Vous développerez cet éloge du livre que fait Francis de Miomandre : « Aucune puissance de persuasion n'est pareille à celle du livre. L'orateur le plus éloquent n'entraîne qu'un instant la foule, qu'il domine par le prestige inanalysable de sa voix, de son regard.... Mais le livre, modeste et muet, qui n'exige rien, qui se laisse abandonner. mutiler, oublier, le livre a toujours le dernier mot. » (Bac.)

10. «Les mathématiciens, comme j'en connais, que les lettres amusent, et qui vont au théâtre ou prennent un livre pour se récréer, sont plus dans le vrai que ces littérateurs, comme j'en connais aussi, qui ne *lisent* pas, mais *dépouillent*, et croient faire assez de convertir en fiches tout l'imprimé dont ils s'emparent. La littérature est destinée à nous fournir un plaisir, mais un plaisir intellectuel, attaché au jeu de nos facultés intellectuelles, et dont ces facultés sortent fortifiées, assouplies, enrichies. Et ainsi la littérature est un instrument de culture intérieure : voilà son véritable office. » (Lanson, *Histoire de la Littérature française*, Avant-Propos, Hachette, édit.)

Remarques sur les sujets proposés à la fin des chapitres

1. Nous avons tenu à proposer un certain nombre de sujets sous forme d'une simple *citation :* chaque maître pourra ainsi les *orienter* comme il l'entendra. Peut-être voudra-t-on considérer aussi qu'il y a là une source non négligeable de renseignements et d'idées.

2. La plupart de ces sujets ont été donnés à des examens ou à des concours. Ils peuvent être l'objet de travaux d'un niveau très différent : tout dépend du degré de culture, de la maturité d'esprit, de *l'art* qu'on exige du candidat. On peut, d'autre part, demander qu'une question d'esthétique littéraire soit débattue à propos d'un seul auteur, d'une seule œuvre, ou à propos de plusieurs auteurs, de plusieurs œuvres, soit qu'on fixe des limites en *posant* le sujet, soit qu'on laisse à l'étudiant la liberté de les fixer lui-même. On constatera en outre qu'il peut être très utile, pour traiter un devoir portant sur un programme précis, d'être rompu au genre de dissertations auquel est consacré le présent ouvrage (cf. par ex. sujet traité, n° 58; III⁰ partie, chap. XIV, sujets proposés n° 12 et n° 37, etc.).

3. Le nombre des sujets retenus tient compte de la fréquence dans les examens du problème qu'ils concernent : certains thèmes (par exemple, la *Préciosité*) sont très rarement proposés ou ne sont guère proposés qu'en rapport avec un autre thème (par exemple, pour le *Réalisme* on se reportera à la *Création littéraire* et au *Roman*). Au contraire, certaines questions ont constamment la préférence des examinateurs (par exemple, la *Poésie*, le *Théâtre*). Toutefois, nous n'avons pas cru devoir frapper d'ostracisme des questions qui n'ont pas encore acquis droit de cité aux examens (par exemple, le *Surréalisme*). Quand la liste est longue, les sujets sont groupés en très larges centres d'intérêt et ces centres d'intérêt sont séparés par un signe typographique ou annoncés par un titre.

4. *Sens des abréviations:*
C. A. P. E. S. = Certificat d'Aptitude au Professorat de l'Enseignement Secondaire.
C. E. L. G. = Certificat d'Études Littéraires Générales (Propédeutique).
E. N. S. = École Normale Supérieure.
Bac. = Baccalauréat.

5. L'indication « sujet n° », ou « sujet traité n° » renvoie au sujet traité qui porte le n° correspondant. L'indication « sujet proposé n° » renvoie à la liste des sujets proposés à la fin du chapitre où se trouve cette indication (quand il s'agit d'un autre chapitre, la référence le précise).

Chapitre II

LA CRÉATION LITTÉRAIRE

$$\boxed{4}$$

SUJET

« Dans toutes les littératures, les auteurs subjectifs ont été nombreux. Et c'est une vérité élémentaire de dire qu'en un sens tout écrivain est subjectif, quels que puissent être ses efforts pour éliminer le coefficient personnel dans la peinture qu'il fait des choses et de l'homme. Mais il n'est pas moins vrai que les différences à cet égard sont infiniment graduées, et que les termes extrêmes de l'échelle en arrivent à représenter deux fonctions de l'écrivain qui sont presque sans commune mesure. Ces différences sont dues tantôt à la mode, tantôt au tempérament de l'auteur. Il y a des époques où même de très grands esprits ne jugent pas les particularités de leur personne assez intéressantes pour retenir un seul instant l'attention du public. Il y en a d'autres où le moindre gribouilleur estime que ses maux d'estomac doivent être fidèlement transmis à la postérité. » (Jules Romains, *Les Nouvelles Littéraires*, jeudi 27 janvier 1949.)

Commentez en empruntant vos exemples à l'histoire de notre littérature.

RÉFLEXIONS PRÉLIMINAIRES _____

1. *La page proposée, toute en nuances, n'appelle pas la discussion, pas plus que n'y invite la manière dont le sujet est posé* (commentez...).

2. *Une rapide analyse de cette page révèle qu'elle renferme :*
   — *une* constatation : *les écrivains subjectifs sont nombreux partout et de tout temps;*
   — *une* thèse : *tout écrivain reste fatalement subjectif, quels que soient ses efforts pour être objectif;*
   — *et sa* correction : *toutefois la part de « coefficient personnel » varie infiniment d'un auteur à l'autre;*

— *une* explication : *cette variation est due tantôt à la* « *mode* » *(école? atmosphère?) tantôt au tempérament; les deux pouvant s'ajouter et agir simultanément, ou se contrarier;*

— *et sa* conséquence : « *modestie* » *des grands esprits à certaines époques;* « *fatuité* » *des gribouilleurs à certaines autres.*

3. *L'énoncé lui-même suggère plusieurs* « *plans* » :

A) *Le mot* « *époque* » *attire vers l'ordre chronologique, lequel aurait :*

a) un intérêt : *il permettrait de passer en revue (en montrant l'évolution du goût et de l'inspiration sous l'influence de la* mode *atténuée ou accentuée par le* tempérament*) les grandes écoles littéraires;*

b) un inconvénient : *il risquerait presque fatalement d'aboutir à de courts* « *essais* » *juxtaposés, à une* « *revue* » *longue et décousue, négation même d'une composition solide autour d'une idée directrice.*

B) *La définition nuancée du mot* « *subjectif* » *ouvre des possibilités; on pourrait songer à étudier successivement :*

a) le rôle du « moi » au sens strict du terme *(l'élément biographique est primordial :* « *l'œuvre, c'est, avant tout, ce qui est arrivé à l'auteur, plus ou moins transfiguré par la sensibilité ou l'imagination* »*). L'auteur se confesse :*

— *soit directement en se mettant plus ou moins en scène (Lamartine et Le Lac...);*

— *soit indirectement, grâce à un personnage créé plus ou moins à son image (Chateaubriand et René...);*

b) le rôle du « moi » au sens large du terme *(l'auteur obéit à son tempérament, mais l'élément biographique n'intervient qu'à titre secondaire ou n'intervient pas : la* « *subjectivité opère dans l'éternel* »*, J. Romains). L'auteur :*

— *prête son cœur à un autre (Musset...),*

— *expose ses idées (philosophes du XVIIIe siècle...),*

— *marque l'œuvre de son talent (Racine, Molière...);*

c) l'explication; *ce rôle plus ou moins important joué par le* « *moi* » *peut s'expliquer par :*

— *le genre choisi,*

— *le tempérament de l'écrivain,*

— *l'atmosphère du moment.*

4. *Peut-être, enfin, peut-on, sans espérer tout dire, combiner ces perspectives en organisant le développement autour de certaines expressions contenues dans l'énoncé :* « *les différences sont infiniment graduées* », « *les termes extrêmes de l'échelle* »...*. Il sera bon d'emprunter des faits aux mouvements littéraires essentiels (« Il y a des époques »), en insistant sur certains et en se contentant, pour les autres, de quelques allusions.*

5. *Ce sujet et le suivant ont bien des points communs : nous avons tenu à leur consacrer des études autonomes et dissemblables, pour offrir la matière d'un fécond exercice de* « *différenciation* ».

PLAN DÉTAILLÉ ────────────────────

Introduction.

L'importance prise de nos jours par l'histoire littéraire est considérable : ne lui sacrifions pas la connaissance directe de l'œuvre, mais demandons-lui au besoin des renseignements qui nous permettront de mieux apprécier celle-ci. Il y a intérêt notamment à connaître la vie de l'auteur, s'il est vrai que tout écrivain est plus ou moins subjectif, comme l'affirme J. Romains; ce dernier précise d'ailleurs que les degrés sont infinis entre ceux qui prennent avec complaisance leur propre « moi » comme thème d'inspiration et ceux qui visent à l'objectivité : et il attribue soit à la « mode » soit au « tempérament » cette diversité dont notre littérature permet de montrer toute l'étendue.

I. L'un des termes extrêmes de l'échelle.

Le « moi » de l'écrivain est pris comme thème littéraire. On pense, bien sûr, aux Romantiques.

Restriction : J. Romains ne peut viser les auteurs de *Mémoires*, de *Confessions*, dont le but même est de se raconter, ce qui est d'une subjectivité évidente : de telles œuvres ont pullulé, des *Essais* de Montaigne au *Journal* de Gide. L'histoire littéraire et parfois l'histoire tout court les retiennent, mais pas forcément la littérature, qui les dédaigne s'ils ne sont que des « gribouilleurs ».

1. L'utilisation du « Moi ».

a) *directement* : surtout dans la poésie lyrique, qui devient volontiers élégie personnelle « pour exprimer les troubles de l'âme » (Sainte-Beuve) et qui recherche la sincérité de la confidence, le pathétique des aveux (*Les Nuits, Pauca meae*, etc...).

b) *indirectement* : en particulier dans le roman. « On ne peint bien que son propre cœur, dit Chateaubriand, en l'attribuant à un autre et la meilleure partie du génie se compose de souvenirs » (cf. *Adolphe* de B. Constant; *Corinne* de Mme de Staël; *Indiana* et *Lélia* de G. Sand; *Volupté* de Sainte-Beuve; *Louis Lambert* de Balzac, etc...).

2. Les limites de cette inspiration.

a) Nous retrouvons souvent l'auteur dans l'œuvre, parce que nous savons par ailleurs ce qui le concerne : la liaison de Lamartine avec Mme Charles n'a été révélée au public que vers la fin du XIXe siècle, mais *Les Méditations* étaient appréciées dès 1820. Les indiscrétions des critiques sont parfois déplaisantes (cf. Sand et Musset). Déjà B. Constant protestait contre cette tendance à identifier sans nuances le héros d'un roman avec son créateur (cf. *Information littéraire*, janvier-février 1950, p. 34).

b) Si ce « Moi » a parfois un caractère d'exception agaçant (mal du siècle, désespoir grandiloquent, propension à se considérer comme le nombril du monde...) cela n'apparaît que rarement chez les « grands esprits » : ceux-ci visent à la peinture universelle du sentiment et leur peine, leur amour sont semblables à la peine, à l'amour de tous ceux qui souffrent et qui aiment (cf. la discrétion de Vigny, le mot bien connu de Hugo : « Insensé qui crois que je ne suis pas toi »).

c) La littérature d'inspiration égoïste ne les absorbe pas entièrement ni incessamment : ils évoluent vite, notamment Lamartine et Hugo, vers la littérature d'inspiration morale ou sociale (cf. Lamartine : *Recueillements poétiques*, A M. Félix Guillemardet).

3. Les causes.

a) *Les bouleversements sociaux.* Révolution et Empire ont exalté de jeunes enthousiasmes, puis les ont laissés désemparés, d'où ce « mal du Siècle » qui porte chacun à se regarder comme exceptionnellement atteint et comme digne d'un intérêt particulier aux yeux des autres, également touchés et dont il prétend chanter le mal. « Je ne parlerais pas si j'étais seul malade ».(Musset).

b) *Rôle de l'imagination et de la sensibilité.* Aussi tend-on à donner la première place à l'imagination et à la sensibilité, qui font les grands poètes, mais qui tolèrent difficilement les exigences de la raison. Une preuve en est dans le choix des précurseurs que l'on se cherche : Ronsard et la Pléiade, Rousseau et les préromantiques étrangers.

Le courant est assez fort pour que des genres qui admettent peu la subjectivité (comme le *roman*, puisque ceux qui font de l'autobiographie n'en écrivent qu'un ou se redisent) ou qui répugnent à l'admettre (comme le *théâtre*, puisque le dramaturge doit créer des êtres détachés de soi, « qu'il doit être les autres », selon le mot de Hugo) en soient saturés. Et c'est sans doute là une des causes de l'échec des romantiques dans le drame.

Ces excès ne tardent pas à susciter une violente réaction : on passe, sans transition, à l'autre « terme extrême ».

II. L'autre terme extrême de l'échelle.

L'impersonnalité est proposée comme idéal. On pense, bien sûr, au réalisme pour la prose, au Parnasse pour la poésie : « L'artiste ne doit pas plus apparaître dans son œuvre que Dieu dans la nature.... Il doit s'arranger de façon à faire croire à la postérité qu'il n'a pas vécu » (Flaubert).

1. Les causes.

a) *Réaction* contre le romantisme sentimental : les confidences de Musset et de Lamartine passent pour une extension impudente et exaspérante de la personnalité. On clame désormais son dégoût devant « ceux qui vendent leur ivresse ou leur mal » (cf. Leconte de Lisle, *Les Montreurs*).

b) *Changement de la « mode »* : l'intelligence aspire à dominer la sensibilité. On assiste au développement de la philosophie positiviste, laquelle exige une observation méticuleuse des faits et croit au Progrès par la Science.

2. Les conséquences.

a) *Le thème d'inspiration* devient donc le *réel;* soit celui du passé, reconstitué grâce à d'érudites recherches (*Salammbô* de Flaubert, *Les Trophées* de Heredia), soit celui du présent (tous les naturalistes). Ce qui paraît mériter l'attention, ce n'est pas un individu particulier, mais les hommes, les civilisations, les classes sociales, la vie de chaque jour, etc....

b) *Le but qu'on se propose*, qu'il s'agisse de la prose de Flaubert ou du vers des poètes de l'Art pour l'Art, c'est la recherche passionnée de la Beauté, de la perfection formelle par un « travail atroce » (Flaubert). La Poésie doit se suffire à elle-même, l'Art n'a d'autre fin que lui-même et il doit, sans aucun souci d'utilité sordide, viser à l'impassibilité (cf. Gautier : Préface d'*Albertus*).

3. Les limites.

Les réalisations sont assez différentes des théories.

a) L'écrivain n'est jamais totalement *absent* de son œuvre. « Je m'efforce tant que je peux de cacher le sanctuaire de mon âme : peine inutile, hélas! les rayons percent au-dehors ».... « Je me sens devenir de plus en plus sensible et émouvable » (Flaubert). *L'Éducation sentimentale* n'est pas seulement l'histoire d'une génération, mais aussi l'évocation nostalgique de la jeunesse de Flaubert. Dans les *Poèmes barbares* nombreux sont les souvenirs du pays natal et de l'enfance de L. de Lisle (cf. *Le Manchy*), etc....

b) Il n'est pas davantage *impassible*. Dans *Madame Bovary* transparaît tantôt la tendresse de Flaubert, tantôt son horreur du bourgeois; l'œuvre de son disciple Maupassant finit par être dominée par une obsession qui compromettra son équilibre mental (*Le Horla*). Dans l'âme de L. de Lisle se joue « un drame intellectuel poignant » et « il n'est pas besoin d'une érudition laborieuse pour déceler le frémissement intérieur et le pessimisme sous la forme tendue de ces poèmes impeccables » (Dulong-Clarac, *Les Poètes français du XIXe siècle et de la période contemporaine*, éd. Delalain, p. 344. Fécondes vues générales en tête de chaque chapitre).

● *Transition*. Néanmoins, l'excès d'objectivité parut lassant; d'où la réaction symboliste, qui réhabilite l'inspiration personnelle. Mais plutôt qu'il ne se livre, le poète cherche à « suggérer l'inexprimable », à traduire les « correspondances » de ses sensations les plus subtiles. Il y a là, sans doute, un des degrés de l'échelle dont parle J. Romains, mais le public sensible à cette forme d'art reste très restreint; et d'autres « écoles » ont cherché et réalisé un équilibre plus frappant et plus harmonieux.

III. La recherche de l'équilibre.

Le « moi » n'est pas systématiquement évité, ni recherché; il est, si on peut dire, « dosé » avec sûreté par de « très grands esprits ».

1. **Les philosophes du XVIIIᵉ siècle.** Ils représentent un aspect particulier de l'inspiration subjective : ils font de la littérature une « arme » (Mme de Staël) et on ne saurait apprécier justement leur œuvre sans connaître dans le détail leur vie bien remplie (Voltaire, Rousseau, Diderot...), et les luttes qu'ils soutiennent pour répandre leurs idées. Celles-ci envahissent même tous les genres et on est souvent gêné par cette constante et universelle « manie de prédication » (Brunetière) qui caractérise l'époque. Aussi faut-il remonter encore dans le temps pour trouver l'« équilibre » dans toute sa perfection.

2. **Les « classiques » du XVIIᵉ siècle.** « Le « moi » est haïssable » (Pascal), ce qui ne signifie pas qu'il est proscrit (l'est-il par Pascal lui-même?), mais que « de solides barrières s'opposent à son expansion déraisonnable. »

a) *L'acceptation de l'impersonnalité.* Les convenances sociales (« l'honnête homme » ne parle pas de lui-même, ce qui serait de mauvais goût), les idées religieuses et morales (croyance dans le péché originel, dans l'indignité de la nature humaine) s'accordent pour favoriser les théories littéraires qui visent à la peinture du vrai universel et vraisemblable au-delà des contingences personnelles et passagères.

Aussi voit-on l'élimination de la poésie lyrique (en dehors du grand lyrisme de l'*ode*) et le triomphe de la tragédie et de la comédie : la connaissance de la vie des auteurs n'ajoute rien d'essentiel à la connaissance des grandes réussites dramatiques de l'époque.

b) *La tolérance de la subjectivité.* Pourtant la puissance du « *tempérament* » fait craquer les cadres conventionnels : Molière ne nous livre-t-il pas son expérience de la vie?

Surtout le *genre* choisi joue un rôle prédominant : Madame de Sévigné et ses *Lettres*, Bossuet et l'*Oraison funèbre*, La Bruyère et *Les Caractères*. Comment expliquer de telles œuvres si on ignore tout de leur auteur?

C'est encore plus frappant si la *sensibilité* profonde du poète s'en mêle. Sans nous attarder au Boileau des *Satires* et des *Épîtres*, si personnel à tous points de vue, comment ne mettrions-nous pas en lumière le *génie* de La Fontaine? Il a réussi, malgré la *mode* du temps, à faire de la fable, genre jusqu'à lui *impersonnel*, un *poème personnel et lyrique!* Sans cesse le poète s'y dévoile de mille façons; et, sans rien savoir de lui, il est possible de tracer au moyen de l'œuvre, et sans que la confession cesse d'être discrète, un portrait détaillé et fidèle de son cœur et de son esprit.

Conclusion.

Tout cela ne signifie-t-il pas qu'un écrivain n'échappe pas à son temps? qu'il est en partie, si grande que soit son indépendance, asservi au genre qu'il a choisi et qui lui permet de parler de lui plus ou moins? Mais cela signifie aussi que, s'il a du génie, du « tempérament », il sait s'accommoder de la mode et du genre, dominer la première et adapter le second à ses possibilités.

$$\boxed{5}$$

SUJET

Que pensez-vous de cette opinion d'Oscar Wilde : « Un artiste doit créer de belles choses, mais sans rien y mettre de sa propre vie »?

Étayez votre discussion d'exemples puisés dans la littérature française.

(Baccalauréat.)

RÉFLEXIONS PRÉLIMINAIRES ─────────────

1. *Ne pas confondre ce problème avec celui des rapports de l'œuvre et de la biographie. Le point de vue d'Oscar Wilde n'est pas un point de vue de critique constatant qu'une œuvre est ou n'est pas influencée par la vie de son auteur, c'est un conseil de créateur précisant le domaine où un artiste peut puiser des matériaux pour son inspiration. En somme, Wilde est ici un législateur (doit) et non un érudit qui se préoccupe des sources.*

2. *On se placera donc autant que possible, pour discuter la question, au moment de la création en face des exigences de l'art : on raisonnera sur les cas où un artiste a délibérément mis quelque chose de sa vie dans ses écrits (Rousseau, Chateaubriand, etc...) et sur ceux où, non moins délibérément, il s'est efforcé d'en effacer les traces personnelles (Flaubert, les Parnassiens, etc...). On se demandera s'il ne faut pas poser, de façon plus nuancée que ne semble le faire Wilde, les rapports de la vie de l'auteur et de la création de l'œuvre.*

3. *Enfin, sans être obligé de parler longuement d'Oscar Wilde, on ne peut pas, néanmoins, ignorer que sa vie (1856-1900) a été très agitée et ne pas être étonné de le voir prononcer une aussi nette séparation entre l'art et la vie. Mais, malgré le bruit de sa vie privée, Wilde n'aimait pas beaucoup la laisser paraître dans ses œuvres; selon Gide (Prétextes, In Memoriam, Oscar Wilde, p. 279), il s'exprimait volontiers par contes allégoriques et il est difficile d'imaginer un genre qui sépare plus l'art de la vie : il prétendait penser en conte comme d'autres pensent en marbre ou en peinture. Cet homme à la vie si bruyante avait en horreur l'exhibition artistique.*

PLAN ————————————————————————————————————

Introduction.

Il nous paraît aujourd'hui à peu près évident que la vie d'un auteur laisse dans son art de nombreuses traces. Nous imaginons même volontiers la création littéraire comme la transposition d'expériences vécues. Le processus idéal est pour nous celui de Lamartine aimant Madame Charles et tirant de cet amour les *Méditations*, celui de Musset aimant George Sand, puis se brouillant avec elle et écrivant les *Nuits*. Bref, tout art nous semble être plus ou moins une émanation de la vie personnelle de l'auteur. Déjà contre cette attitude profondément romantique l'esthétique parnassienne avait violemment réagi. Il est assez étrange de voir cette condamnation reprise par un esthète anglais de la fin du XIXᵉ siècle, Oscar Wilde, qui affirme catégoriquement : « Un artiste doit créer de belles choses, mais sans rien y mettre de sa propre vie. » Cette constatation nous surprend un peu, vu la vie agitée et bruyante qu'a menée son auteur. Ce n'est certes pas par pudeur parnassienne que Wilde prétend imposer cette séparation de l'art et de la vie; c'est sans doute par souci de réaction violente, par agacement contre les abus du XIXᵉ siècle et c'est peut-être aussi par respect de l'art et de ses nécessités techniques primordiales. Il nous faudra donc examiner ce que Wilde dénonce, à quelles conceptions il nous conduit, quitte à nous demander si l'opposition qu'il arrête n'est pas un peu simpliste et si elle ne doit pas être nuancée.

I. Ce que Wilde dénonce.

Toute une lignée d'écrivains, postérité de Rousseau, veut faire de la littérature un vaste instrument d'exhibition personnelle : la littérature devant être avant tout vivante, il leur semble que rien n'est plus vivant que leur propre vie.

1. **Le goût de la confidence.** « Cette inimitable saveur, Que tu ne trouves qu'à toi-même » (Valéry : *Charmes, Ébauche d'un serpent*), telle est la source des *Confessions* de Rousseau, des *Mémoires d'outre-tombe* de Chateaubriand, d'une foule d'écrits qui cherchent à « expliquer l'inexplicable cœur » (Rousseau) de leur auteur. Sans doute y a-t-il bien des nuances; sans doute un Chateaubriand, gentilhomme du XVIIIᵉ siècle, garde-t-il la tenue, la réserve et les masques de la bienséance; sans doute le lyrisme romantique pense-t-il qu'à travers l'aventure singulière du poète on peut retrouver l'aventure humaine en général; il n'en reste pas moins vrai que chaque écrivain est dorénavant autorisé à croire qu'il porte en lui des trésors bien rares qu'il ne faut pas laisser perdre, mais révéler aux autres hommes.

2. Le goût de l'anecdote. Ce n'est pas d'ailleurs à proprement parler la sensibilité, le cœur quand il déborde que dénonce Oscar Wilde; c'est plutôt le détail biographique, l'anecdote : « sa propre vie », dit-il, c'est-à-dire la vie de chacun d'entre nous dans ce qu'elle a historiquement d'unique. En somme, il condamne l'œuvre de circonstance, *Les Regrets* de du Bellay par exemple, et surtout l'attitude du romantique qui se plaint d'un malheur précis et bien particulier : Hugo a tort de nous raconter ses deuils de famille.

3. Le goût de la plainte. Le danger le plus grand de cette attitude est peut-être pour Wilde l'attitude élégiaque; lui qui disait : « Pas le bonheur! Le plaisir! il faut vouloir toujours le plus tragique! » (Gide, *ibid.*, p. 283), il n'aime pas les gens qui se plaignent. Il a voulu faire de sa vie une œuvre d'art, et de son œuvre littéraire une autre œuvre d'art bien séparée de la première. Il livrait sa pensée le plus souvent sous la forme de contes, de contes symboliques notamment, soucieux qu'il était d'élaboration artistique : il méprisait ces écrivains qui vivent mal pour bien écrire et qui étalent par vanité littéraire et par faiblesse les occasions de leur souffrance.

II. L'art pur.

En revanche, il ne nous propose guère de solution positive et la formule reste un peu énigmatique : que sont ces « belles choses » qui ne doivent rien à la vie de leur auteur? Oscar Wilde semble se faire le défenseur de tous les écrivains pour qui l'art est une sorte de domaine pur, indépendant des circonstances qui lui donnent naissance.

1. Le culte de la pudeur. Chez les uns cette position est une simple question de *pudeur*. Le cas le plus typique est celui d'écrivains comme Stendhal, Mérimée, Leconte de Lisle, Flaubert qui auraient peut-être livré aux lecteurs leur propre vie, mais qui sont vite découragés par l'ironie ou les railleries qui accablent leurs essais de confidences; ils se font donc de la défiance une véritable loi et ils cherchent d'une façon presque maniaque à se masquer : Stendhal multiplie les pseudonymes, Mérimée publie son théâtre sous le nom de Clara Gazul, Baudelaire met sur son vrai visage une série de déguisements destinés à leurrer « le bourgeois ».

2. Le culte de la Beauté. Sur un plan plus esthétique le refus d'utiliser sa propre vie est généralement lié au *culte de la Beauté* pure : on peut poser en principe que toutes les Écoles qui visent une beauté éternelle, formelle et pour ainsi dire plastique, recommandent ce refus. Alexandrins, Parnassiens, Symbolistes, tous ces amants d'une esthétique très élaborée, vouent à la Beauté un culte qu'aucune aventure personnelle ne doit souiller : en effet cette Beauté qui « jamais ne pleure et jamais ne rit » (Baudelaire,

La Beauté) s'accommode mal d'un « reflet des désordres humains » (Valéry, *Fragments du Narcisse*). Elle hait « le mouvement qui déplace les lignes », elle demande au poète « d'austères études » et non la facile exhibition de sa vie privée.

3. **Le culte du « métier ».** Ainsi l'art apparaît-il non plus comme un exutoire pour une vie trop riche, mais comme le fruit d'un travail, d'un métier. Cette conception est surtout chère aux classiques qui, en général, ne nous apprennent pas le détail de leur existence : pour Racine faire une tragédie, ce n'est pas raconter de près ou de loin ses amours avec la Champmeslé, c'est connaître les traditions d'un genre, méditer les lois des Doctes, tenir compte des goûts du public, essayer de composer une œuvre harmonieuse et cohérente, bref c'est procéder comme un spécialiste sans se soucier d'autobiographie. Giraudoux (article sur Racine dans le *Tableau de la littérature française*, publié à la N. R. F.) insiste sur ce point : dans Pyrrhus et Hermione il ne retrouve pas Racine et la Champmeslé, mais la peinture dramatique d'un sentiment qui ne doit rien aux aventures personnelles de l'auteur.

Bref il semble que le grand art, théâtre, épopée, roman de mœurs, soit toujours de l'art pur, indépendamment de la vie de son auteur. Par exemple, ce sont les romanciers du « second rayon » ou du moins les romanciers un peu stériles qui transposent leurs aventures dans un roman (Chateaubriand dans *René*, Sainte-Beuve dans *Volupté*, Benjamin Constant dans *Adolphe*, etc...); pour les « grands » l'idéal est de tirer d'eux-mêmes des êtres qui ne doivent rien à la vie de leur créateur : un Balzac crée des héros qui ne vivent pas comme lui.

III. *L'art et la vie.*

Et pourtant peut-on couper le Beau, si pur, si techniquement parfait soit-il, de toute racine vitale? Devons-nous suivre Oscar Wilde dans une séparation peut-être un peu simpliste?

1. **La solution symboliste.** Un exemple particulièrement intéressant est celui de l'évolution du « moi » dans la poésie lyrique au XIXᵉ siècle. Les Romantiques, on le sait, étalent abondamment leur vie privée, les Parnassiens évitent d'en parler; entre ces deux attitudes extrêmes, les Symbolistes proposent une solution « humaine » : approfondir le « moi » poétique, éviter le « moi » de surface, celui des petites aventures individuelles et atteindre le « moi » essentiel, celui qui relève presque de la métaphysique.

2. **La solution baudelairienne.** Telle est très exactement la position de Baudelaire; il dénonce (*Art romantique*, article sur Th. Gautier) ce qu'il appelle les principales hérésies poétiques et parmi celles-ci l'hérésie de la passion, celle qui consiste pour un poète à raconter dans son œuvre des aventures passionnelles. Le « moi » brut et non élaboré ne lui semble pas matière poétique; ce qu'il veut,

c'est une « alchimie du moi », comme celle qu'il s'efforce de réaliser dans *Les Fleurs du Mal*, où sans cesse transparaît la vie du poète sans que pourtant il la raconte jamais. « Tu m'as donné ta boue et j'en ai fait de l'or », dit Baudelaire : telle est la formule de l'alchimie poétique quand elle utilise la vie privée.

3. La solution des grands créateurs. Au fond, Wilde a peut-être une conception simpliste de la façon dont un auteur met sa propre vie dans son œuvre. Les grands auteurs sont, en général, ceux qui donnent une impression de vécu sans pourtant faire de place à l'anecdote individuelle (Rabelais, Corneille,. Balzac, etc...). De ce point de vue la véritable critique serait peut-être la psychanalyse qui en repérant des thèmes et des associations d'idées essaie de déterminer des rapports profonds entre l'écrit et le « moi » de son auteur.

Conclusion.

Wilde a raison de dénoncer un abus agaçant et d'attirer l'attention sur la nécessité de la technique et du culte de la Beauté : il ne suffit pas d'avoir une vie intéressante pour faire une œuvre intéressante. Mais l'erreur de Wilde est de vouloir créer des œuvres artificielles : il risque de couper l'art de la vie. En fait, toute grande œuvre a des racines dans la réalité la plus vivante, mais le rapport entre l'art et la vie de l'artiste est moins simple que ne l'avaient cru les romantiques et surtout Sainte-Beuve. Ces rapports sont mystérieusement élaborés par une alchimie qui est le propre de chaque écrivain. Et c'est cette mystérieuse alchimie qui rend si difficile cet autre problème où Sainte-Beuve s'est heurté : qu'est-ce qu'un écrivain vraiment sincère?

$$\boxed{6}$$

SUJET

A. de Musset écrivait, dans un article publié le 1er novembre 1838, dans la *Revue des Deux Mondes*, sous le titre *De la tragédie, à propos de Mademoiselle Rachel* : « Si les règles étaient des entraves inventées à plaisir pour augmenter la difficulté, mettre un auteur à la torture et l'obliger à des tours de force, ce serait une puérilité si sotte qu'il n'est guère probable que des esprits comme Sophocle, Euripide, Corneille s'y fussent prêtés. Les règles ne sont que le résultat des calculs que l'on a faits sur les moyens d'arriver au but que se propose l'art. Loin d'être des entraves ce sont des armes, des recettes, des secrets, des leviers. Un architecte se sert de roues, de poulies, de charpentes; un poète se sert de règles, et plus elles seront exactement observées, énergiquement employées, plus l'effet sera grand, le résultat solide; gardez-vous donc bien de les affaiblir, si vous ne voulez vous affaiblir vous-même. »

Sans vous borner au problème de la tragédie, et en situant votre analyse dans un canton et à une époque de notre littérature choisis à votre gré, vous vous interrogerez sur le rôle des règles dans la création littéraire.   (E. N. S. 1946.)

RÉFLEXIONS PRÉLIMINAIRES ─────────────────

1. *« Mademoiselle Rachel » était une tragédienne de grand talent qui contribua à faire revivre la tragédie classique au théâtre et, en 1838, les goûts de Musset le portaient de plus en plus vers le « classicisme ». Toutefois la position du poète, qui se rallie à la théorie de la « règle-recette », de la « règle-calcul », ne constitue nullement une révolte contre la doctrine romantique : celle-ci proscrit les règles en tant qu'elles briment la liberté, mais non en tant qu'elles sont nécessaires à l'existence même de l'art. Cette position n'est d'ailleurs pas neuve : non seulement c'est celle d'un Guizot dans la* Vie de Shakespeare *(1821), mais encore c'est à peu de chose près celle que soutiennent les écrivains classiques quand, s'opposant aux « Doctes », ils prétendent que le but suprême de l'art est de plaire et que les règles ne sont jamais que des moyens pour y parvenir.*

2. *On distinguera donc les divers sens du mot* règle *(et pour cela on s'appuiera fermement sur l'histoire littéraire, sur des textes précis d'auteurs ou de critiques) et on évitera surtout de l'employer globalement sans préciser à quelle acception exacte on se réfère. Autrement, on tombera dans la discussion d'esthétique au sens le plus vague de ce terme.*

3. *On se documentera suffisamment en tout cas pour être capable de citer d'autres règles que celle des trois unités; on se rappellera qu'il en était de communes à tous les genres comme la « vraisemblance » ou la « bienséance ». Les réflexions qui suivent la citation de Musset invitent à ne pas se borner au problème de la tragédie et on notera par exemple que pour l'épopée le refus du « merveilleux chrétien » était une règle impérative, ainsi que l'unité d'action autour d'un personnage principal.*

4. *Le « plan » que nous proposons n'aborde pas le sujet tel qu'il a été imposé aux candidats, puisqu'il ne se restreint pas « à un canton et à une époque de notre littérature » et qu'il prétend seulement préciser le rôle que Musset et divers théoriciens ont attribué aux règles dans la création littéraire. Nous préférons en effet nous en tenir à des indications historiques générales, en laissant à l'étudiant le soin de les utiliser dans un secteur précis, « choisi à son gré » : cette restriction, qui ne serait pas dans la ligne de notre ouvrage et qui de notre part ne pourrait être qu'arbitraire, lui permettra de se livrer plus aisément à une analyse du rôle des règles dans la création proprement dite. Pour cette analyse, il ne suffira évidemment pas de répéter les points de vue généraux que nous rappelons.*

PLAN

Introduction.

Les règles des genres sont-elles : — des lois de la nature? — des lois de l'art? — des conventions arbitraires? — des « trucs », des recettes littéraires?

Pour l'auteur qui veut s'exprimer dans tel ou tel genre sont-elles : — une nécessité? — une aide? — une tyrannie? — une gêne?

Vers la fin de l'époque romantique, un auteur de la génération de 1830, dont l'attitude à l'égard du romantisme fut toujours assez ironique et critique, A. de Musset, répond : « Ce sont des armes, des recettes, des secrets, des leviers. » En somme, les règles transmettent et amplifient l'effort créateur, comme un levier transmet et amplifie la force : les affaiblir, c'est s'affaiblir soi-même, comme un architecte qui jetterait bas ses échafaudages sous prétexte qu'ils sont bien encombrants!

I. La position de Musset.

1. Il est **contre les règles tyranniques et conventionnelles** — auxquelles du reste les grands écrivains ne se sont jamais soumis — comme tendaient à le devenir celles de la tragédie à la fin du XVIIIe siècle et au début du XIXe siècle. Contre elles, on doit se révolter et il pense avec les romantiques que l'art doit chercher dans l'état actuel de la société les règles qui en découlent : à temps nouveaux, règles nouvelles (Voir Guizot, *Vie de Shakespeare*, 1821).

2. ... mais il est aussi **contre l'affranchissement de toute règle.**
Il ne va pas si loin que Hugo qui écrivait dans la Préface de
Cromwell : « Il n'y a ni règle ni modèle. » Il ne revendique pas la
liberté dans l'art. Il estime au contraire (ce qui est une idée
presque classique) que la liberté perdue au profit des règles est
récupérée en effets artistiques et il faut bien reconnaître que plus
d'un romantique est de son avis. Très peu sont partisans d'une
disparition absolue des règles, mais la plupart cherchent à les
retrouver dans la nature même de l'art ou du genre envisagé. Par
exemple, les unités de temps et de lieu sont purement arbitraires
et tyranniques dans un drame historique, mais l'unité d'action
est liée à la loi même du théâtre : sous le nom d'unité d'intérêt
ou d'unité d'impression, elle doit nécessairement subsister.

3. **Pour lui la règle est une « recette ».** Entre la tyrannie des règles
et l'absence de règles, la position de Musset, assez originale par
rapport à celle des autres romantiques, repose non pas tout à
fait sur la croyance en des lois de l'art ou de la nature, mais en
la conviction assez classique que l'œuvre d'art exige une technique spéciale et que l'artiste ne peut pas se passer de règles,
pas plus qu'un artisan de principes ou d'instruments professionnels. L'art est un métier. Sans doute les outils de l'artisan sont
bien lourds et encombrants, mais ils sont indispensables. Du reste
ils n'ont pas une valeur absolue et si, à l'aide d'outils différents,
on arrive à des buts identiques, qu'importe! La position de
Musset, tout en réclamant en faveur des règles, implique un léger
scepticisme; ce qui importe, c'est la fin à atteindre, l'effet artistique. Lui-même nous le dit avec son image de l'architecte qui
se sert de roues, de poulies et de charpentes, autant d'instruments
destinés à disparaître : seul le résultat compte. Telle était déjà
l'opinion un peu amusée et sceptique des artistes classiques
(Molière : « La grande règle de toutes les règles est de plaire. »
La Fontaine : « On ne considère en France que ce qui plaît, c'est
la grande règle. » Racine : « La principale règle est de plaire et de
toucher, toutes les autres ne sont faites que pour parvenir à cette
première »).

II. Les règles fondées en raison et en nature.

Tel n'est point l'avis des théoriciens du classicisme, des « Doctes ».
Le Père Rapin notamment est persuadé que cette primauté du
plaisir en esthétique est loin d'être certaine. Il parle de « la fausse
liberté de ce méchant principe », il ne pense même pas qu'on
puisse plaire sans les règles et, même si cela arrivait, ce ne serait
point la preuve nécessaire de la beauté de l'œuvre, car « la
beauté, feinte et masquée, fait sur la plupart des esprits un
effet que souvent la véritable beauté n'y saurait faire » (Nicole);
mais seules les règles fondées en raison et en nature permettent
d'atteindre la beauté profonde. La réflexion sur chaque genre
amène à en dégager *a priori* les règles.

1. Les règles fondées en raison. Malgré les références constantes à
Aristote ou à Horace, la plupart des théoriciens sont formels :
on peut déduire les règles de « la nature des choses morales, de la
vraisemblance des actions humaines et des événements de cette
vie, du rapport des images aux vérités et des autres circonstances
qui peuvent contribuer à réduire en art ce genre de poème »
(c'est-à-dire le théâtre), (Abbé d'Aubignac, *Pratique du théâtre,*
1657). Il ne s'agit point de la raison philosophique, mais d'une
sorte de bon sens, de jugement correct grâce auquel est saisi le
vrai universel des choses :

« Mais *nous, que la raison à ses règles engage,*
Nous voulons qu'avec art l'action se ménage,
Qu'en un lieu, qu'en un jour, un seul fait accompli
Tienne jusqu'à la fin le théâtre rempli »

dit Boileau (*Art Poétique*, III, vers 43-46); en d'autres termes,
l'organisation générale d'une tragédie est le fruit d'une réflexion
méthodique sur les exigences générales du genre; en l'occurrence,
les trois unités citées à titre d'exemple sont particulièrement
significatives : ce ne sont pas des conventions arbitraires, mais des
lois déduites de la raison.

2. Les règles fondées en nature. Mais cette réflexion qui fonde les
règles n'est pas pure réflexion abstraite sur l'essence du genre :
elle est en liaison aussi avec la nature et notamment la nature de
l'objet à reproduire et celle du public. Ainsi s'imposent la *vraisemblance* et les *bienséances :* la *vraisemblance* peut être *générale,*
c'est-à-dire conforme à l'idée qu'on se fait de l'homme, ou historique,
c'est-à-dire conforme à l'idée que se fait le public de l'époque du
passé qu'on lui représente; la *bienséance* doit être à la fois *interne*
et *externe,* c'est-à-dire d'une part établir d'étroites corrélations
entre ce que l'on a à peindre et le genre ou le ton que l'on adopte;
d'autre part ne perdre jamais de vue l'idée qu'a le public de l'honnêteté, de la décence, bref ce qu'il attend de l'auteur. (Voir des
citations du Père Rapin et de l'Abbé d'Aubignac dans l'ouvrage
de Bénac : *Le Classicisme*, pp. 12 à 20. Nous devons beaucoup
à cette étude à laquelle on devra se reporter pour approfondir
le problème ici discuté.)
Ainsi, de la nature même de ce qu'il faut peindre se dégage un
certain nombre de règles nécessaires pour qu'on puisse parler
d'œuvre d'art.

3. Mais les règles ne vont pas tarder à se durcir. Les « Doctes » prô-
naient donc des règles en liaison vivante avec la nature du genre
et de l'objet à peindre, mais très vite elles vont cesser d'être
réflexions profondes sur l'essence de l'art ou du modèle à reproduire, pour devenir des exclusives impérieuses à l'égard de tout
ce qui choque le bon goût. La bienséance notamment prend une
importance énorme, élimine tout ce qui est trop violent, trop brutal,
trop direct et elle n'est plus que respect de l'étiquette, du beau

langage, refus du mot direct. Ainsi s'ouvre progressivement la
porte à la tragédie et à l'épopée voltairiennes. C'est contre ces
règles figées dans le conformisme et une dignité ridicules que
les romantiques sont obligés de s'insurger cent ans plus tard.

III. *L'art et les règles.*

Leur révolte procède du sentiment aigu que la règle, inventée
à l'origine pour mieux répondre aux nécessités de l'art, s'est finalement retournée contre l'art qu'elle empêche d'exprimer librement ce qu'il veut.

1. **La liberté dans l'art.** Tel est le sens du fameux cri de guerre
romantique pour « la liberté dans l'art ». La règle, sans lien profond
ni avec les exigences des genres au début du XIXe siècle (notamment
avec le genre nouveau qu'on cherchait à imposer alors : le drame
historique) ni avec un public qui ne la réclamait plus, brimait la
liberté artistique parce qu'elle ne répondait plus à l'état de la
littérature moderne (cf. les fameuses remarques de Stendhal dans
Racine et Shakespeare (1823) : « Je dis que l'observation des deux
unités de lieu et de temps est habitude »). Or la littérature romantique est celle qui prend conscience des besoins nouveaux d'un
public nouveau et des « règles » nouvelles, si on peut ainsi les
nommer, que ce public appelle.

2. **La reconstitution des règles.** Aussi, sur des bases autres, les romantiques vont-ils reconstituer les règles; ils les fondent sur les lois
de la nature et les lois de l'art : « Il n'y a d'autres règles, dit Hugo
dans la Préface de *Cromwell*, que les lois générales de la nature
qui planent sur l'art tout entier; et les lois spéciales qui, pour
chaque composition, résultent des conditions d'existence propres
à chaque sujet. » C'est ainsi que la dramaturgie reçoit des règles
nouvelles : on prône l'unité d'intérêt autour d'un personnage
central, une étude de caractères et de situations en évolution
(au lieu de la crise classique), la couleur locale, l'union du sublime
et du grotesque, etc... (Voir Michaud et Van Tieghem, *Le Romantisme*, pp. 156 à 166).

3. **La tentation de la rhétorique.** Musset, lui, va à la fois plus loin et
moins loin, puisqu'il veut renouer avec cette rhétorique à laquelle
Hugo avait déclaré la guerre. En effet un ensemble de procédés
comme ceux qu'il recommande, qu'est-ce d'autre qu'une véritable
rhétorique? Les tropes, les tours qui rendaient le ton noble ou
oratoire (métonymies, anaphores, etc...) n'étaient pas bien différents de ces recettes « exactement observées, énergiquement
employées » qu'il préconise. On sait comment en poésie, il a souvent affaibli son génie par les tours de la langue néo-classique.
Au théâtre au contraire il s'est libéré beaucoup plus énergiquement
de toute entrave, puisqu'il a même renoncé à écrire pour la scène.
Sa conception, un peu pauvre, nous livre peut-être une des dif-

ficultés de son talent, pris entre l'absolue liberté de certaines de ses fantaisies et la servilité un peu excessive à la rhétorique et à ses « entraves » un peu désuètes.

Conclusion.

La réflexion de Musset, un peu décevante par elle-même, est au carrefour de nombreuses préoccupations et nous a permis de voir combien de sens différents recouvrait ce mot si débattu de *règle*. Peu d'écrivains en contestent la nécessité dans la création et la plupart les considèrent comme liées sous un aspect ou sous un autre à la nature même de l'art. Ce mot toutefois est un peu discrédité, par ce qu'il implique de discipline scolaire et en quelque sorte extérieure à la nature des choses.

$$\boxed{7}$$

SUJET

Expliquez et appréciez ces lignes de Paul Valéry : « On ne fait pas de la politique avec un bon cœur; mais davantage ce n'est pas avec des absences et des rêves que l'on impose à la parole de si rares et de si précieux ajustements. La véritable condition d'un véritable poète est ce qu'il y a de plus distinct de l'état de rêve. Je n'y vois que recherches volontaires, assouplissement des pensées, consentement de l'âme à des gênes exquises, et le triomphe perpétuel du sacrifice. »

(*Variété I*, p. 56.)

RÉFLEXIONS PRÉLIMINAIRES ⸺⸺⸺⸺⸺

1. *Le passage est tiré d'une « Variété » qui est bien connue, qui est même devenue classique* (Au sujet d' « Adonis »); *se référer à ce contexte précis peut apporter une aide utile, mais à la rigueur une explication des quelques lignes proposées, à condition qu'elle soit très serrée et soutenue par une certaine connaissance de Valéry, doit suffire pour les apprécier.*

2. *Essayons donc d'abord d'éclairer, de préciser, de définir les expressions et les termes essentiels, surtout ceux qui sont pris par l'auteur dans une acception particulière; rappelons-nous que Valéry restitue volontiers au mot son sens étymologique ou « classique ».*

● de la politique avec un bon cœur : *allusion à la politique des romantiques, qui repose plus sur de grands sentiments que sur une analyse précise des réalités; le texte est d'ailleurs implicitement orienté contre le Romantisme.*

● absences : *s'éclaire par « rêve » et a une double portée : d'une part, le texte étant consacré à La Fontaine, ce mot signifie les distractions, par exemple celles du fabuliste; d'autre part, il a un sens plus précis : l'absence de l'esprit, qui ne contrôle pas ses propres créations comme dans l'inspiration.*

● ajustements : *les ressources verbales qui rendent de façon juste, appropriée, l'inspiration rudimentaire sous sa forme non élaborée; Valéry pense ici à deux contraintes assez différentes : la propriété et l'exactitude du style d'une part, les nécessités prosodiques d'autre part.*

● véritable *(répété deux fois)* : *ce que Valéry étudie, c'est le poète au moment où il est vraiment poète* (poïeïn = créer); *autrement dit, il ne nie pas le rôle de l'inspiration, mais au moment où le poète est vraiment* poïètès *(créateur), il est alors un organisateur laborieux.*

● recherches volontaires : *non pas des recherches dans le monde extérieur, des recherches scientifiques; mais des recherches sur les ressources du langage. (Se rappeler le rôle que joue la purification du mot chez Mallarmé et chez Valéry : « Donner un sens plus pur aux mots de la tribu », écrit le premier dans le* Tombeau d'Edgar Poe.)

● assouplissement des pensées : *la formule ne suggère pas un art tout intellectuel et philosophique, une gymnastique intellectuelle ou une poésie philosophique; Valéry s'explique un peu plus loin là-dessus : la pensée, en se heurtant contre un obstacle réel, par exemple les exigences de la prosodie, s'améliore, s'affine, se connaît mieux elle-même. « Il faut essayer, Psyché, d'user toute votre facilité contre un obstacle. »*

● consentement de l'âme à des gênes exquises : *c'est presque du français étymologique. Le mot « âme » n'a aucune valeur métaphysique et se rapproche du latin* anima *(souffle, inspiration). « Gênes » a l'acception du XVIIe siècle (tortures). « Exquis » garde le contenu de* exquisitus *(recherché, raffiné). En somme, l'inspiration doit accepter de se soumettre à des tortures soigneusement choisies pour l'affiner.*

● le triomphe perpétuel du sacrifice : *non pas le labeur acharné de l'écrivain ou le sacrifice d'un Chatterton, mais le choix, commandé notamment par les contraintes de la métrique. « Celle-ci écarte de l'existence un infini de belles possibilités » (Valéry).*

3. *Cette explication minutieuse est évidemment indispensable pour concevoir le développement; mais doit-elle passer dans la rédaction définitive? Il serait très maladroit d'écrire : « Expliquons d'abord le texte de Valéry »; mais, vu les difficultés d'interprétation qu'offre ce texte, il est nécessaire, dans une première partie, de présenter une analyse de ses principales directions, en mêlant habilement des remarques sur le contexte (sinon le contexte proprement dit, du moins l'œuvre de Valéry dans son ensemble) à cette étude précise. En d'autres termes, nous retrouvons l'artifice par lequel on conseille habituellement de commencer les sujets généraux : préparer d'abord la discussion théo-*

rique, en se donnant des bases solides dans le texte proposé et dans l'histoire littéraire; bien entendu, renseignements historiques et explication s'éclairent mutuellement et s'amalgament en vue de la discussion qui va suivre.

4. *Ainsi, Valéry ne s'en prend pas à l'inspiration, aux dons, mais il entend en limiter les pouvoirs : ne pas perdre de vue cette idée essentielle pour éviter de s'égarer dans des considérations qui se rattachent sans doute au sujet, mais qui ne sont pas le sujet; ce serait se fourvoyer, par exemple, que de faire porter la discussion sur les rapports de l'intelligence et de l'émotion chez le lecteur de poésie ou sur les rapports de l'inspiration et du travail, points de vue trop larges, qui méconnaîtraient certains aspects de la pensée de Valéry. Celle-ci ne s'intéresse pas à la très banale exigence de propriété et de justesse, mais aborde une question très précise : au moment où l'auteur crée, n'a-t-il pas beaucoup plus affaire à une double et mutuelle élaboration de l'idée par les mots et des mots par l'idée qu'à une sorte de don des Dieux? n'a-t-il pas intérêt à lutter avec une matière qui lui résiste (en l'occurrence le langage rendu plus rigide et plus dur par les exigences métriques et prosodiques) plutôt que de s'abandonner à une liberté infinie? (cf. Variété I, pp. 62 et 63, la comparaison avec le sculpteur). Valéry se penche donc sur un problème bien plus nuancé que celui de l'exactitude ou que celui du travail : il pense que dans cette lutte contre une matière, idée et forme futures ne peuvent que gagner en précision et en rapports intimes. D'où l'importance chez Valéry de la notion d' « exercice en poésie ».*

5. *Des vues d'histoire littéraire trop simplistes ou même inexactes guettent un tel sujet : on est tenté notamment de retrouver la théorie de Valéry chez les Parnassiens et chez les Classiques. Mais pour les Parnassiens, les contraintes ont un but plastique; pour Boileau, si le travail est nécessaire, c'est pour découvrir la forme parfaitement adéquate à la pensée (il s'agit d'abord de penser et ensuite d'écrire ce qu'on a pensé : Art poétique, I, vers 153-154); pour Valéry, les contraintes modifient la pensée. Toutefois, parler des classiques se conçoit, car c'est précisément à eux que se réfère Valéry, et en particulier à La Fontaine : il se rencontre notamment avec eux dans l'idée que la littérature est un métier, une technique, qui a des règles strictes.*

6. *Faut-il parler des prosateurs? C'est très possible, car le « poète » ne désigne pas ici le « versificateur » mais le « créateur » qui lutte contre la matière. Néanmoins, on ne citera pas n'importe quel écrivain qui a travaillé avec acharnement. Ainsi Balzac convient mal parce que, malgré son labeur obstiné de correction, on peut douter qu'il ait visé les « ajustements » dont parle Valéry. Chateaubriand, Flaubert, tous les écrivains qui se sont opposé à eux-mêmes des obstacles, constituent des exemples satisfaisants, à condition de bien montrer qu'il y a chez eux un renoncement volontaire à la liberté, qu'il y a comme un souci de s'imposer à eux-mêmes une matière résistante, d'amener la prose à la maturité presque matérielle des grandes œuvres d'art.*

ESQUISSE D'UN PLAN _____

Introduction.

Il est usuel chez de nombreux théoriciens littéraires de présenter l'inspiration, et notamment l'inspiration poétique, comme un état passif. Depuis Platon (cf. l'*Ion*) on considère volontiers le poète comme un homme doué de deux qualités contradictoires : le don du rêve et de l'absence d'une part, d'autre part celui des « ajustements rares et précieux ». Valéry s'insurge contre cette légende : « On ne fait pas, affirme-t-il, de la politique avec un bon cœur; mais davantage ce n'est pas avec des absences et des rêves que l'on impose à la parole de si rares et de si précieux ajustements. La véritable condition d'un véritable poète est ce qu'il y a de plus distinct de l'état de rêve. Je n'y vois que recherches volontaires, assouplissement des pensées, consentement de l'âme à des gênes exquises, et le triomphe perpétuel du sacrifice. » Position assez nuancée qui demande à être précisée, parce qu'elle touche à une des idées essentielles de Valéry; position de créateur, parce qu'elle repose sur une analyse rigoureuse des conditions exactes de la création; et position dont l'histoire de la littérature met bien en évidence l'originalité.

I. Les préoccupations de Valéry.

1. La primauté de la conscience lucide et de « l'intellect » (« recherches volontaires », « ce n'est pas avec des absences et des rêves »).

2. Le problème des résistances, des obstacles. L'intelligence dans le vide n'est rien. Elle doit s'exercer sur une matière (« consentement de l'âme à des gênes exquises », « on impose à la parole »). Voir dans *Variété I*, pp. 62-63, l'image du sculpteur.

3. En effet, la création n'est ni une idée qui cherche à trouver sa forme, ni une forme qu'on travaille par pur plaisir. C'est une sorte « d'assouplissement des pensées », la pensée se précisant et s'améliorant dans ce combat salutaire.

II. La véritable condition d'un véritable poète.

Valéry parle en technicien des vers. Les « ajustements » auxquels il pense, les « gênes exquises » sont les impératifs de la prosodie et de la métrique. Nous pouvons étendre son affirmation à toutes les contraintes formelles qu'imposent une belle prose, un habile agencement scénique, etc....

1. Valéry part d'un phénomène bien connu des créateurs : l'inspiration (qu'il ne nie pas, mais dont il **réduit le rôle**) ne présente pas directement l'idée revêtue de sa forme. Elle ne présente même pas forcément l'idée. Elle présente plutôt un certain schéma dynamique à réaliser.

2. En somme, « les Dieux distribuent bien des cadeaux », comme le veut la théorie habituelle, mais ce sont des cadeaux où presque tout est à faire. Par exemple, Valéry prétend que, très souvent, un rythme, une sorte de schéma rythmique s'offre à lui, mais qu'il reste à tout écrire et même à trouver toutes les idées.

3. Cette exigence est analogue chez le prosateur. Montherlant nous décrit le labeur de ce dernier et il insiste sur l'élan rythmique dont l'obligation s'impose d'abord à l'écrivain : « Et la première phrase apparut, sûre de son élan, de sa courbe et de son but, heureuse de sa longueur promise, avec les anneaux coruscants de ses *qui* et de ses *que*, avec ses parenthèses, ses fautes de grammaire (voulues), ses virgules et ses points et virgules (il la scandait tout haut : « virgule... point et virgule... » : c'était la respiration du texte; si le texte n'avait pas bien respiré, il eût crevé, comme un vivant); apparut, enroula, déroula ses méandres, ses rugosités, ses mollesses et ses diaprures, avec une lenteur sacrée; et, quand elle eut bien promené les *qui* et les *que*, et les parenthèses, et les fautes de grammaire, et les virgules et les points et virgules, elle se souleva pour l'image finale, comme un roi-serpent, lourd de loisir, quand il s'est fait à loisir couler dans tous les sens, quoique toujours selon une pensée unique, lève au-dessus des pierres et darde sa tête brillante. » (*Les Jeunes Filles*, T. III : *Le Démon du Bien*, pp. 275-276. Gallimard, édit.)

III. L'originalité de Valéry.

Cette position est très nuancée et très originale.

1. Sans doute Valéry se réclame des classiques, puisque c'est à La Fontaine qu'il songe en écrivant cette page. Et pourtant, sa position n'est pas classique; en tout cas, elle n'est pas conforme à la théorie des classiques. Ceux-ci le disent sans équivoque : la pensée, l'idée est reine, et la forme doit obéir et s'adapter. (Voir toutes les inquiétudes de Boileau pour que le bon sens ne souffre pas de la rime, *Satire* 2, à Molière :

> « Maudit soit le premier, dont la verve insensée
> Dans les bornes d'un vers renferma sa pensée,
> Et, donnant à ses mots une étroite prison,
> Voulut avec la rime enchaîner la raison ! »)

Bossuet dit : « Ce qu'il y a de plus nécessaire pour former le style, c'est de bien comprendre la chose, de pénétrer le fond et la fin de tout. » Buffon écrira : « Plus on donnera de substance et de force aux pensées par la méditation, plus il sera facile ensuite de les réaliser par l'expression. »

2. On est de même tenté d'évoquer les exigences du Parnasse léguées partiellement au Symbolisme et par conséquent à Mallarmé et à son disciple le poète de *Charmes;* mais, au moins d'après les théoriciens, le but du Parnasse est assez différent : il ne se préoccupe pas « d'assouplissement des pensées », il vise un idéal plastique. Valéry se soucie aussi de la plastique (cf. son image du sculpteur), mais la poésie est plutôt pour lui « exercice de l'intellect ».

3. Inversement, peut-on voir chez les romantiques l'exacte antithèse de la position de Valéry? Là encore il convient d'apporter des nuances. Sans doute Valéry croit-il bien s'attaquer à eux dans le texte qui nous occupe. Les romantiques sont en général de remarquables techniciens (virtuosité de Hugo, parfaite aisance de Lamartine à manier les tropes de la poésie néo-classique, scrupules incessants de Vigny), mais les romantiques ont été souvent victimes de leur habileté, de leur virtuosité : souvent par conséquent il y a rupture entre la forme et le fond. Là où il faudrait être lyrique, ils sont souvent oratoires; là où il faudrait être intime, ils sont pittoresques et colorés. D'une façon générale il n'y a pas chez eux cet « ajustement » dont parle Valéry.

Conclusion.

Bien que Valéry croie se rattacher aux classiques et s'opposer aux romantiques, il est très original, parce qu'un des premiers il s'intéresse non pas à l'œuvre accomplie, ni aux règles qui peuvent la régir, mais au phénomène de la création, à ce qu'il appelle « l'acte même des Muses ». Son cours au Collège de France était un cours de poétique (conditions de la création). Renonçant dès lors à la distinction tout extérieure du fond et de la forme (distinction qui n'a aucun sens au moment créateur!), il découvre une loi fondamentale, et, semble-t-il, à peu près incontestable, de ce qu'on appelle sommairement l'inspiration.

8

SUJET

« Le grand talent en littérature est de créer, sur le papier, des êtres qui prennent place dans la mémoire du monde, comme des êtres créés par Dieu, et comme ayant eu une vraie vie sur la terre. » (Edmond et Jules de Goncourt, *Journal.*)

Vous expliquerez ces lignes et vous vous demanderez si on ne peut pas déterminer quelques-uns des procédés essentiels qui ont contribué à la création de ces êtres privilégiés.

RÉFLEXIONS PRÉLIMINAIRES

1. *Un piège assez dangereux est tendu au début du texte proposé : ce n'est pas une dissertation sur le* talent *en littérature, mais sur ce phénomène extrêmement curieux par lequel il existe un univers littéraire aussi vivant que l'autre et qui, plus que l'autre, constitue « la mémoire des hommes ». Sans doute le mot « talent » mérite qu'on lui fasse un sort, mais pour remarquer la nostalgie qu'il traduit, nostalgie de romanciers qui n'ont pas su être des démiurges, qui n'ont pas su imiter Dieu, nostalgie d'écrivains un peu tatillons et soigneux, qui ont voulu créer des êtres à coups de collections de documents et de notes d'après nature. Il n'est pas indifférent que le mot ait été prononcé par ces naturalistes appliqués qu'étaient les Goncourt.*

2. *Mais les expressions qui constituent le centre du sujet sont : « mémoire du monde » et « vraie vie sur la terre ». Si l'on y joint la question complémentaire qui nous engage à déterminer des* procédés *de création, on s'apercevra qu'on est invité :*

● *à inventorier un univers assez particulier, celui des êtres littéraires vivant d'une vie propre et en quelque sorte détachée de leur auteur ;*

● *à tenter d'expliquer quelques-unes des conditions qui commandent l'admission à cet univers enchanté. En somme, un inventaire suivi d'une explication, tel semble se présenter à nous le développement du sujet.*

3. *En effet, le premier soin sera de mettre un peu d'ordre dans ce monde où l'on nous introduit : une Andromaque n'a pas la même espèce de « vie sur la terre » qu'un Julien Sorel et celui-ci n'a pas la même vie qu'un Tartuffe. On ne saurait placer sur le même plan un mythe national comme Roland, une référence pour gens cultivés comme Madame Bovary et un « type » vraiment populaire comme Gavroche. Cet inventaire brisera-t-il l'unité du devoir ? Au prix de sacrifices, nous nous consacrerons surtout aux types vraiment populaires, à ceux dont E. et J. de Goncourt disent qu'ils sont entrés « dans la mémoire du monde ». En effet alors que les mythes ne proviennent que rarement d'une création artistique* ex nihilo, *que les références pour gens cultivés restent dans un univers assez étroit, seul le type littéraire est le pur produit de la littérature et parle à la mémoire de tous les hommes.*

4. *Dans la recherche des conditions d'accès à la mémoire du monde, il faudra procéder avec méthode et distinguer autant que possible ce que l'auteur a fait et le travail de la postérité. On s'apercevra que, souvent, leurs travaux ont été contradictoires : l'auteur n'hésitant pas à présenter une œuvre riche et moderne, la postérité simplifiant et chargeant la création de tous les possibles.*

5. *Enfin ce sujet demande beaucoup de modestie : nous ne trouverons pas la « recette » pour créer un être vivant dans la mémoire des hommes, mais tout au plus quelques coïncidences intéressantes.*

DÉVELOPPEMENT ───────────────────────

Introduction.

Que reste-t-il à n'importe lequel d'entre nous de ses lectures et de toute sa culture littéraire? Soyons sincères : nous oublions vite la date de naissance des auteurs, nous serions bien embarrassés de donner l'analyse exacte d'œuvres même célèbres, mais sur ce fond un peu désordonné de nos souvenirs, quelques visages se détachent, des êtres s'animent, nous ne les oublierons jamais, nous ne pouvons pas croire qu'ils n'aient jamais vécu : ces êtres littéraires, telle sa « sylphide » à Chateaubriand, nous sont plus présents que bien des mortels. On peut se demander si la grande ambition d'un écrivain n'est pas de contribuer à meubler la mémoire des hommes de quelques-uns de ces fantômes vivants; les Goncourt, au terme d'une longue œuvre romanesque, écrivaient avec quelque nostalgie : « Le grand talent en littérature est de créer, sur le papier, des êtres qui prennent place dans la mémoire du monde, comme des êtres créés par Dieu, et comme ayant eu une vraie vie sur la terre.» Ce mot n'est pas sans amertume : eux, les méticuleux naturalistes, n'ont pas su faire pénétrer une de leurs créatures dans ce glorieux royaume dont ils nous invitent avec un étonnement admiratif à contempler les richesses. Contemplons-les et peut-être saurons-nous déceler, non pas bien sûr les procédés que nous conseillerons à un auteur d'employer, tout au moins quelques traits communs aux êtres de ce royaume.

I. Les déceptions d'observateurs méticuleux.

1. Le mot est avant tout un mot de romancier : depuis Stendhal et Balzac, l'ambition du romancier est de concurrencer Dieu et l'état civil. Plus encore que le dramaturge, le romancier veut, à l'aide de toutes les magies de son art, soulevant le voile des consciences, expliquant lentement les genèses et les conséquences, décrivant, faisant parler, le romancier, disons-nous, veut faire vivant, contraindre pour ainsi dire un héros à se lever d'entre les pages de son livre et à nous apparaître comme le frère — plus singulier et plus significatif — des hommes que nous connaissons.

2. Les Goncourt ne manquent pas à la règle : leurs romans ont tous comme titre le nom d'un héros : depuis *Charles Demailly* (1860) jusqu'aux *Frères Zemganno* (1879), c'est avant tout un héros fondamental qu'il s'agit de faire vivre. Balzac appelait ses romans *La Peau de Chagrin* ou *Les Illusions perdues*, eux veulent avant tout susciter la vie d'un personnage, et pour cela ils n'épargnent rien, ni les collections minutieuses de documents ni les notes d'après nature sur la banlieue ou le Paris des faubourgs. Souvent les héros qu'ils peignent ont réellement vécu, ce sont souvent des cas psychologiques et pathologiques. Comment dès lors ne prendraient-ils pas place sur la terre, dans « la mémoire du monde »?

3. Or, l'œuvre tout entière des Goncourt est à peu près un échec; ils ont un succès d'estime et on garde d'eux le souvenir d'un style, d'une écriture, la fameuse écriture « artiste ». Mais de cet immense travail de documentation, de cette analyse psychologique ou médicale, pas un seul personnage ne se lève pour rejoindre le royaume des grands « types » littéraires, le royaume d'Andromaque, de Figaro ou de Julien Sorel. Vraiment, leur semble-t-il, il faut bien du talent pour créer *sur le papier* des êtres qui prennent place dans la mémoire du monde!

II. Mythes, références et types.

Ce royaume, lui, n'est pas sur le papier : il existe réellement, on y vit d'une vie intense et on s'y agite souvent avec frénésie. Peut-être ne devons-nous pas accueillir de la même façon toutes les créatures que nous y rencontrons.

1. Certaines doivent moins au papier et à la création que d'autres. Plus que des types, ce sont des mythes, mythes qui souvent hantent les écrivains plus que ceux-ci ne les créent : Andromaque, la mère et la veuve fidèle, aurait existé sans Racine, peut-être même sans Virgile, peut-être était-elle déjà un mythe au temps où Homère nous la présente dans les adieux à Hector. De même l'énigmatique auteur du Roland n'a-t-il sans doute point créé son héros, il a orchestré ce qui devait être déjà un mythe national et Roland semble vivre beaucoup plus dans la mémoire du monde comme héros de l'histoire que comme héros littéraire. En somme, peut-être nous faudra-t-il écarter ces personnages lointains, éternels et pourtant figés dans l'unique légende d'un malheur extraordinaire : les Tristan et Iseut, les Phèdre, les Iphigénie, bref tout ce monde de « tristesse majestueuse » qui ne doit pas à la littérature la vie, mais tout au plus quelques accords supplémentaires. Ils sont une ressource pour l'écrivain, non une création. Du reste, quand on les prend comme types, pense-t-on tellement à ce qu'en a fait l'écrivain? Malgré Molière qui fait de Don Juan un libertin, un incroyant, un « Don Juan » est avant tout un séducteur[1], conformément au mythe international que Molière reprenait.

2. Mais voici que viennent vers nous d'autres créatures qui sont vraiment les « enfants » des écrivains : un jour Rastignac a jailli du cerveau de Balzac et depuis Rastignac est pour tout homme cultivé l'ambitieux de la Restauration, bien plus réel que tous les ambitieux qui ont existé. Un jour Flaubert a conçu Madame Bovary

---

1. Le Don Juan de Molière n'est pas un séducteur : sans doute est-il « l'épouseur du genre humain ». Mais on l'avouera, un jeune seigneur, riche et beau comme lui, a d'autres atouts que cette banale promesse de mariage pour fléchir les cruelles. Il importe beaucoup plus qu'il viole un sacrement : car alors il est vraiment le grand seigneur méchant homme, l'impie qui ne croit en rien, le satanique. Malgré ces précautions, le mythe est plus fort que la création littéraire.

et toutes les petites bourgeoises qui se tournent la tête à lire des romans pâlissent devant cette sœur qui est allée au bout de son destin. La mémoire des gens cultivés est pleine de ces êtres familiers, des Céladon, des Chrysale, des Géronte, des Alceste, des Gil Blas, des Turcaret, des René, des Julien Sorel, des Vautrin, des M. Homais, tous héros qui nous persuadent que « nous connaîtrions bien mal l'homme si nous n'avions rien lu! ». Non point bien sûr que nous cherchions à reconnaître mécaniquement chez les vivants les types livresques, mais parce que ceux-ci fournissent des références plus vivantes et plus pures en quelque sorte que les vivants eux-mêmes. Telle est donc la mémoire des gens cultivés, mais cette mémoire est entraînée et assez accueillante.

3. Quand les Goncourt parlent de la mémoire du monde, ne pensent-ils pas à une autre mémoire, beaucoup plus étroite et beaucoup plus rebelle, mais aussi beaucoup plus flatteuse à forcer? Ces êtres créés par l'auteur comme par un Dieu, ne sont-ils pas en définitive les quelques héros de la littérature qui sont devenus des types populaires : Renard, Pathelin, Panurge, Gargantua, Tartuffe, Figaro, Jérôme Paturot[1], d'Artagnan, Joseph Prudhomme[2], Gavroche, Tartarin, Cyrano. Voilà véritablement, et au sens le plus large, la mémoire du monde. Ici nulle culture, nulle affectation de savoir. Ce n'est pas nous qui allons chercher ces types, ils s'imposent à nous avec le même encombrement qu'un monsieur gênant dans un compartiment de chemin de fer. Plus discrètement, mais plus efficacement peut-être, des figures plus tendres hantent ce royaume populaire du souvenir littéraire : les Manon, les Carmen, les Mimi Pinson, les Fleur-de-Marie sont des types divers de passionnées, plus présentes au souvenir que bien des grandes amoureuses de l'histoire.

III. Des héros qui ont été modernes et complexes.

Bien que l'univers littéraire comprenne en proportions à peu près égales, des mythes, des références de lettrés, des types populaires, il nous semble que ce sont ces derniers qui sont davantage dignes d'étude, parce que leur point de départ est strictement littéraire et leur métamorphose en type strictement naturelle. Nous sommes en présence d'un phénomène qu'il est impossible d'expliquer dans sa totalité : essayons pour le moins, au point de départ comme dans la métamorphose, de saisir quelques-uns de ses secrets.

---

1. *Jérôme Paturot à la recherche d'une position sociale* par Louis Reybaud (1843). Ici, comme pour Joseph Prudhomme, phénomène limite de mémoire populaire dans l'élaboration d'un type : le nom de l'auteur n'est jamais connu quand on cite le personnage. Celui-ci vit donc bien indépendamment de son créateur. De même, sont-ils très nombreux ceux qui savent que le fameux et fier Artaban est un héros du roman-fleuve de La Calprenède, *Cléopâtre?*

2. Type de petit bourgeois prétentieux dû à Henri Monnier (*Mémoires de Joseph Prudhomme*, 1857).

1. Paradoxe initial, ces héros promis à pareille immortalité ont été conçus par leur auteur comme des représentants historiques d'une époque qui les marqua profondément : depuis Pathelin, le prud'homme du xve siècle, et Panurge, l'écolier de la Renaissance, jusqu'à Joseph Prudhomme, le bourgeois « Louis-Phi-lippard », en passant par Tartuffe, l'homme de la Compagnie du Saint-Sacrement, et Figaro, le frondeur d'avant la Révolution, tous ces types sont avant tout des personnages représentatifs d'un temps. Peut-être n'est-ce un paradoxe qu'en apparence. En effet, pour survivre pendant des années, ils ont dû d'abord faire choc dans la conscience des masses. Avant d'être éternels, ils sont d'assez éblouissants souvenirs.

2. En d'autres termes, dès l'origine, ils ont été vivants. Autre paradoxe apparent, ces types, promis à tant de simplification, ont été d'abord complexes : une des meilleures preuves de leur complexité, c'est qu'ils sont presque tous un curieux mélange de « grotesque et de sublime »; parmi eux, à peu près aucun homme de bien, une bonne proportion de crapules ou d'aventu-riers, mais généralement avec d'étranges lueurs d'humanité et de camaraderie un peu populaire (Renard, Panurge, Figaro, Gavroche, Cyrano). Leur complexité va d'ailleurs souvent beaucoup plus loin que cette association un peu facile d'une morale élémentaire et d'une méchanceté comique, elle est souvent dans leur véritable signification, qui échappe bien des fois à l'historien de la littéra-ture : un Tartuffe, type si élémentaire au sens courant du mot, est un bien déconcertant personnage quand on se reporte à l'œuvre de Molière. De même Figaro, quel rôle étrange ne joue-t-il pas dans la maison du comte Almaviva?

IV. ... mais qui se prêtent à la simplification et à l'enrichis-sement.

Ainsi des héros représentatifs d'une époque et engagés dans toutes ses complexités sont devenus, par une surprenante alchimie, des personnages qui ont oublié leurs auteurs. Dans quel sens s'est fait cet oubli? Quelques faits nous semblent troublants.

1. Il est de lieu commun de remarquer que le type littéraire est simplifié autour d'une passion unique, mais il faut bien recon-naître que généralement l'auteur offrait à la postérité tous les éléments de cette simplification; les personnages devenus des types populaires étaient déjà orientés vers une tendance unique et surtout ils allaient jusqu'au bout de cette tendance : Tartuffe mène son hypocrisie jusqu'à la prison, Carmen meurt de sa pas-sion pour la liberté et Cyrano rend son dernier souffle, debout, en parlant de son panache. Ils n'en meurent pas tous, dira-t-on; en ce cas, ils recommencent obstinément : Renard recommence sans cesse ses tours, Panurge ses vols, Figaro ses intrigues, d'Arta-gnan ses duels et ses aventures, Tartarin ses vantardises.

2. Ainsi s'explique que les types littéraires soient presque toujours des actifs, nous dirions presque des « agités ». Leur vie est, en général, une quête perpétuelle : depuis toujours ils ont volontiers été des marins ou des brigands en quête d'aventures; Ulysse, Sindbad, les héros les plus populaires du monde méditerranéen, défendent toujours leur vie dans une agitation prodigieuse dont nous n'avons pas de raison d'apercevoir la fin. Car, notons-le bien, cette agitation n'a pour objet rien de moins que la lutte pour la vie. Comme le plus pauvre, ils luttent pour manger ou éviter la mort : Renard a faim, Pathelin a besoin d'argent, Tartuffe mange bien à la table de son hôte et défend sa pitance, Figaro a dû « déployer plus de science et de calculs pour subsister seulement qu'on n'en a mis depuis cent ans à gouverner toutes les Espagnes », Jérôme Paturot est obsédé par la recherche d'une position sociale, Gavroche est préoccupé de ravir un morceau de pain aux cygnes du Luxembourg, etc. En général, le monde où ils se démènent est sans préoccupation morale, ou du moins sa morale n'est pas tout à fait celle des honnêtes gens : c'est un univers où l'on pardonne le vol, non la trahison (Panurge est sympathique par sa loyauté à l'égard de ses amis et Tartuffe est odieux moins parce qu'il escroque un vieil imbécile que parce qu'il empêche deux jeunes gens aimables de se marier). Au fond, la morale est sentimentale dans cet univers : Manon et Carmen peuvent tout faire parce qu'elles sont auréolées de leur passion, de même d'Artagnan ou Cyrano ne sont pas de vulgaires assassins, parce qu'une certaine ardeur chevaleresque entraîne tout.

3. Héros simplifiés, héros agités, ces types littéraires sont-ils donc de simples caricatures?

Précisément non, et tout le mystère est là. En effet la transformation que la postérité fait subir à un type littéraire n'est pas uniquement simplification, mais peut-être consiste-t-elle surtout à substituer à la complexité voulue par l'auteur une autre complexité, variable avec les époques et peut-être même les individus. Comment se fait-il que Julie d'Etanges, malgré l'immense succès de *La Nouvelle Héloïse*, ne soit jamais devenue un type littéraire alors que Manon en est devenue un si vite et si aisément? Peut-être est-ce parce que nous connaissons trop bien Julie d'Etanges, que nous connaissons même ses théories en matière amoureuse et vertueuse, alors que Manon se laisse beaucoup plus aisément charger de nos préoccupations. Qu'on se rappelle ce que les générations successives ont vu dans le caractère de Pauline, de Polyeucte, de Phèdre.

Un détail symbolise bien l'ambiguïté fondamentale du type littéraire : que savons-nous de son physique? Nous ne lui attribuons pas, en général, un aspect précis, souvent même pas d'âge (quel est l'âge de Panurge, de Tartuffe, de Figaro?) et pourtant il nous est fourni sur lui un certain nombre de renseignements dont il serait impossible de ne pas tenir compte : Tartuffe est-il grand ou petit? distingué ou vulgaire? nous l'ignorons, mais il a « le teint frais et la bouche vermeille », il porte une haire; de même Cyrano est-il fort ou maigre, de teint coloré? nous sommes libres d'imaginer ce que nous voulons, mais il a l'accent gascon, un grand nez et sûrement il est vif. Ce dernier trait ne lui est pas particulier. Beaucoup de ces héros sont vifs et, plus que des détails, nous possédons sur eux une sorte de schéma dynamique (d'où notre déception à l'écran et même au théâtre lorsque nous voyons incarner un type littéraire : je ne sais pas si Figaro a vingt-cinq ans ou quarante, mais il ne me plaît pas qu'on ait choisi); en somme des détails, des manies de langue, des tics physiques qui frappent l'imagination et une grande complexité qu'on nous laisse le soin de tresser, voilà ce que nous offre le héros littéraire....

Conclusion.

Le problème suggéré par le texte des Goncourt reste à peu près entier : en effet bien des héros littéraires répondraient à ce schéma et ne sont pas pour autant devenus des types. Il est étrange, à ce propos, de constater que ce ne sont pas toujours les « enfants chéris » d'un auteur, ceux qu'il aurait voulu « pousser », qui sont devenus des types : Balzac aurait manifestement voulu « pousser » Lucien de Rubempré et de Marsay dont il parle sans cesse, mais c'est Rastignac qui est devenu un type. Peut-être est-ce parce qu'il faut laisser au héros dont on veut faire un type une marge d'autonomie, qu'il ne faut pas creuser trop avant l'analyse, qu'il ne faut pas dire trop; les grands romanciers d'analyse nous fournissent peu de types : pas un seul type dans Proust (des figures plutôt). Peut-être les Goncourt ont-ils une vue un peu littéraire et artificielle de la question : ils voient des types créés « sur le papier » et leur conception de la création semble manquer de souffle et de puissance.

SUJETS PROPOSÉS

Le « moi » dans la création littéraire :

1. « Ce que l'homme a fait de plus grand, il le doit au sentiment douloureux de l'incomplet de sa destinée. Les esprits médiocres sont, en général, assez satisfaits de la vie commune; ils arrondissent, pour ainsi dire, leur existence, et suppléent à ce qui peut leur manquer encore par les illusions de la vanité; mais le sublime de l'esprit, des sentiments et des actions doit son essor au besoin d'échapper aux bornes qui circonscrivent l'imagination. L'héroïsme de la morale, l'enthousiasme de l'éloquence, l'ambition de la gloire donnent des jouissances surnaturelles qui ne sont nécessaires qu'aux âmes à la fois exaltées et mélancoliques, fatiguées de tout ce qui se mesure, de tout ce qui est passager, d'un terme enfin, à quelque distance qu'on le place. »

(Madame de Staël, *De la Littérature*, I, xi.)

2. « Les écrivains les plus fertiles en confidences sur eux-mêmes ne nous disent qu'assez rarement ce que nous tiendrions le plus à connaître. Leur point de vue n'est pas le nôtre. Les intérêts généraux de la psychologie et de la critique leur sont presque toujours indifférents. Les grands poètes sont souvent comme les grands fleuves : ils se plaisent à cacher leurs sources; ils souhaiteraient qu'on ignorât leurs devanciers, qu'on ne crût qu'à leur génie et que devant la postérité ils fissent figure de créateurs *ex nihilo*. Même s'ils s'élèvent au-dessus de ces petitesses, ils sont par nature de très mauvais observateurs et de très médiocres juges de leurs opérations intérieures. Le génie, le talent même ne vont pas sans une très grande part d'inconscience. Il leur faudrait se dédoubler pour nous instruire. Ne leur demandons pas l'impossible et contentons-nous de jouir de leurs œuvres. »

(V. Giraud, *La critique littéraire*, pp. 13-14.)

3. Vous essaierez de montrer, par quelques exemples précis et soigneusement étudiés, dans quelle mesure on peut parler d'*égotisme* dans la littérature française.

(C.A.P.E.S. Nouveau régime, Jeunes Filles, 1953.)

N. B. — *Extrait du rapport du Jury* : « ... L'égotisme est à la fois connaissance, culture et jouissance du moi. Sans prétendre imposer par ces trois mots un plan inévitable, on voudrait souligner que le développement eût gagné souvent à s'appuyer sur une analyse méthodique du concept. Au contraire trop de candidates ont pris le parti simpliste de consacrer, par exemple, une première partie à Montaigne, une seconde à Stendhal, une troisième à Proust. Un tel plan, ou plutôt une telle absence de plan conduisait fatalement à des redites

et, au terme, à une conclusion artificiellement plaquée sur une juxtaposition de cas singuliers.... »

4. Un critique contemporain déclare : « Je voudrais qu'on parlât de mes écrits comme si on les avait trouvés dans une bouteille jetée à la mer.... Le phénomène littéraire m'intéresse plus que la personne des auteurs. J'aime qu'il y ait des œuvres dont on ne sait rien de ceux qui les firent : l'épopée homérique, le poème de Lucrèce, l'*Imitation*, les drames dits de Shakespeare.... »

Appréciez et discutez cette thèse; exposez et justifiez votre goût personnel.

(E. N. S. Garçons, 1942.)

5. « Quelle chose absurde cette crainte de soi en littérature, crainte de parler de soi, d'intéresser à soi, de se montrer! Le besoin de macération de Flaubert lui a fait inventer cette fausse, cette déplorable vertu. Pascal blâme le parler de soi dans Montaigne, y voit une démangeaison ridicule, mais n'est jamais si grand que lorsque lui-même y cède malgré lui. »

(A. Gide, *Un esprit non prévenu*, Gallimard, édit.).

6. « J'éprouve une répulsion invincible à mettre sur le papier quelque chose de mon cœur », écrivait Flaubert. A quoi G. Sand répliquait : « Moi, il me semble qu'on ne peut y mettre autre chose. » Discutez ces deux opinions.

(C. E. L. G. Nancy, oct. 1950.)

7. « On se plaint quelquefois des écrivains qui disent : *moi*. Parlez-nous de nous, leur crie-t-on. Hélas! Quand je parle de moi, je vous parle de vous. Comment ne le sentez-vous pas? Ah! Insensé, qui crois que je ne suis pas toi! »

(Hugo, *Contemplations*, Préface.)

8. « Nous sommes persuadés que les grands écrivains ont mis leur histoire dans leurs ouvrages. On ne peint bien que son propre cœur, en l'attribuant à un autre; et la meilleure partie du génie se compose de souvenirs. »

(Chateaubriand, *Génie du Christianisme*, II, 1, 3.)

La sincérité :

9. Étudiez cette idée de Stendhal : « Toute œuvre d'art est un beau mensonge.... Tous ceux qui ont écrit le savent bien. »

(C.E.L.G. Toulouse, oct. 1950.)

10. « La chose la plus difficile, quand on a commencé d'écrire, c'est d'être sincère. Il faudra remuer cette idée et définir ce qu'est la sincérité artistique. Je trouve ceci, provisoirement : que jamais le mot ne précède l'idée. Ou bien : que le mot soit toujours nécessité par elle; il faut qu'il soit irrésistible, insupprimable; et de même pour la phrase, pour l'œuvre tout entière. Et pour la vie entière de l'artiste; il faut que sa vocation soit irrésistible; qu'il ne puisse pas ne pas écrire (je voudrais qu'il se résiste à lui-même d'abord, qu'il en souffre). »

(A. Gide, *Journal*, éd. de La Pléiade, pp. 27-28.)

11. « (L'artiste) doit, non pas raconter sa vie telle qu'il l'a vécue, mais la vivre telle qu'il la racontera. Autrement dit : que le portrait de lui, que sera sa vie, s'identifie au portrait idéal qu'il souhaite; et, plus simplement : qu'il soit tel qu'il se veut. »

(A. Gide, *Journal*, *ibid*, pp. 27-28.)

12. « L'œuvre de l'artiste ne m'intéresse pleinement que si, tout à la fois, je la sens en relation sincère avec le monde extérieur, en relation intime et secrète avec son auteur. Flaubert a mis son point d'honneur à ne réaliser que la première de ces deux conditions. Mais son œuvre, malgré qu'il en ait, ne nous touche profondément que par des points où elle lui échappe, pour ainsi dire, et raconte plus qu'il ne veut. »

(A. Gide, *Incidences*, Gallimard, édit.)

13. Expliquer et discuter cette opinion de Chateaubriand en utilisant autant que possible des exemples précis empruntés à la Littérature française :

« Les sentiments généraux qui composent le fond de l'humanité sont inépuisables; mais les manières particulières de sentir les individualités d'esprit et de caractère, ne peuvent s'étendre et se multiplier dans de grands et de nombreux tableaux. Les petits coins non découverts du cœur de l'homme sont un champ étroit. Une maladie de l'âme n'est pas un état permanent et naturel : on ne peut la reproduire, en faire une littérature. »

(C. E. L. G. Bordeaux, juin 1951.)

Art et tempérament.

14. Quelles réflexions vous suggèrent ces deux affirmations de Zola : « Si vous me demandez ce que je viens faire en ce monde, moi artiste, je vous répondrai : je viens vivre tout haut. »

« Ma définition de l'œuvre d'art serait, si je la formulais : une œuvre d'art est un coin de la création vu à travers un tempérament. »

(C. E. L. G. Paris, oct. 1952.)

15. « Il ne suffit pas de dire, comme vous savez qu'on a fait : l'œuvre d'art, c'est un morceau de nature vu à travers un tempérament[1]. Dans cette spécieuse formule, ni l'intelligence, ni la volonté de l'artiste n'entre en jeu. Cette formule ne saurait donc me satisfaire.

« L'œuvre d'art est œuvre volontaire. L'œuvre d'art est œuvre de raison. Car elle doit trouver en soi sa suffisance, sa fin et sa raison parfaite; formant un tout, elle doit pouvoir s'isoler et reposer, comme hors de l'espace et du temps, dans une satisfaite et satisfaisante harmonie. Que si, peinture, elle s'arrête au cadre, ce n'est point parce que cadre il y a, mais tout au contraire, il y a cadre parce qu'ici elle s'arrête. Et le cadre n'est là, soulignant cet arrêt, que pour faire cette isolation plus marquée. »

(A. Gide, *Prétextes,*
Deux Conférences.)

L'accès des grandes œuvres.

16. Vigny écrit dans le *Journal d'un Poète :* « Rien de si rare que les écrivains dont on voit le fond, ce sont les plus grands », et il donne en exemple Montaigne et Pascal.

D'autre part, nous lisons dans les *Nouveaux Prétextes,* d'André Gide : « Toutes les grandes œuvres d'art sont d'assez difficile accès. Le lecteur qui les croit aisées, c'est qu'il n'a pas su pénétrer au cœur de l'œuvre. Ce cœur mystérieux, nul besoin d'obscurité pour le défendre contre une approche trop effrontée : la clarté y suffit aussi bien. »

Appréciez et discutez ces deux opinions ainsi rapprochées.

(C. A. Jeunes Filles,
Lettres Modernes, 1952.)

Imitation et originalité.

17. Que pensez-vous de ce jugement d'un héros de Balzac : « Tout ce que trouvent les gens de génie est si simple que chacun croit qu'il l'aurait trouvé. Mais le génie a ceci de beau qu'il ressemble à tout le monde et que personne ne lui ressemble. »

(C. E. L. G. Toulouse,
juin 1949.)

18. « L'écrivain original n'est pas celui qui n'imite personne, mais celui que personne ne peut imiter. »

(Chateaubriand.)

19. Théophile Gautier aimait à dire : « Quiconque n'a pas commencé par imiter ne sera jamais original », et le philosophe Alain écrit dans ses *Propos sur l'éducation :* « Il n'y a qu'une méthode pour inventer, qui est d'imiter. »

Que pensez-vous de tels conseils?

Les règles.

20. Expliquer et commenter cette pensée de La Bruyère : « Il y a des artisans ou des habiles... qui sortent de l'art pour l'ennoblir, s'écartent des règles si elles ne les conduisent pas au grand et au sublime; ils marchent seuls et sans compagnie, mais ils vont fort haut et pénètrent fort loin, toujours sûrs et confirmés par le succès des avantages que l'on tire quelquefois de l'irrégularité. » (*Caractères,* 1, 61.) (Bac.)

21. Commentez la tirade de Dorante dans la *Critique de l'École des femmes,* scène VI, 1663 :

« Vous êtes de plaisantes gens avec vos règles, dont vous embarrassez les ignorants et nous étourdissez tous les jours. Il semble, à vous ouïr parler, que ces règles de l'art soient les plus grands mystères du monde; et

---

1. Allusion au mot de Zola, cité dans le sujet précédent : *Mes Haines,* 1866, Fasquelle, édit.

cependant ce ne sont que quelques observations aisées, que le bon sens a faites sur ce qui peut ôter le plaisir que l'on prend à ces sortes de poèmes; et le même bon sens qui a fait autrefois ces observations les fait aisément tous les jours sans le secours d'Horace et d'Aristote. Je voudrais bien savoir si la grande règle de toutes les règles n'est pas le plaisir, et si une pièce de théâtre qui a attrapé son but n'a pas suivi un bon chemin. Veut-on que tout un public s'abuse sur ces sortes de choses, et que chacun n'y soit pas juge du plaisir qu'il y prend? »

(Donné plusieurs fois, sous diverses formes, à divers examens et concours.)

22. Dans la *Nouvelle Revue française* du 1ᵉʳ février 1922, on lit ces lignes de Jacques Rivière : « L'idée d'un personnage étant donnée dans son esprit, il y a, pour le romancier, deux manières bien différentes de la mettre en œuvre : ou il peut insister sur sa complexité, ou il peut souligner sa cohérence; dans cette âme qu'il va engendrer, ou bien il peut vouloir produire toute l'obscurité, ou bien il peut vouloir la supprimer pour le lecteur en la dépeignant;

ou bien il réservera ses cavernes, ou bien il les exposera. » (Cité par **André Gide**, *Dostoïevsky*, **p. 167.**)

Jacques Rivière lui-même, André Gide (*ibid*), François Mauriac dans son essai sur *Le Roman*, s'accordent à nommer Balzac comme le chef de file des romanciers qui construisent des personnages cohérents, et Dostoievsky comme le maître de ceux qui « n'imposent » à leurs créatures « aucun ordre, aucune logique autre que cette logique de la vie qui du point de vue de notre raison est l'illogisme même ». (F. Mauriac, *Le Roman*, p. 52.)

Sans vous astreindre à étudier spécialement ni Balzac ni Dostoievsky — sans même restreindre votre enquête au roman, mais en alléguant aussi bien le théâtre, si vous le jugez à propos —, prenant, en un mot, les textes cités ici comme un thème de réflexions sur la création littéraire et sur ses rapports avec la vie, vous direz les problèmes de psychologie et d'art qu'ils vous paraissent poser, et les pensées personnelles qu'ils vous inspirent.

(Concours général, classe de Première, 1955.)

Chapitre III

QUESTIONS DIVERSES

SUJET

$$\boxed{9}$$

Commentez et discutez ce jugement d'André Gide :
« J'ai écrit, et je suis prêt à récrire encore, ceci qui me
paraît d'une évidente vérité : « C'est avec les beaux
« sentiments qu'on fait de la mauvaise littérature. »
Je n'ai jamais dit ni pensé qu'on ne faisait de la bonne
littérature qu'avec les mauvais sentiments. J'aurais
aussi bien pu écrire que les meilleures intentions font
souvent les pires œuvres d'art et que l'artiste risque de
dégrader son art à le vouloir édifiant » (*Journal*, 2 septembre 1940).

(C. E. L. G., Nancy 1953.)

RÉFLEXIONS PRÉLIMINAIRES

1. *Essayer de caractériser le jugement avant de se précipiter sur un lieu
commun d'esthétique générale (l'art et la morale, l'art et les sentiments, etc...). Le ton est bien particulier, fuyant (font souvent, risque
de dégrader), jouant sur les mots* (beaux, bons, mauvais, meilleurs,
pires). *On a envie de parler d'ironie. En tout cas, aucun dogmatisme,
rien d'un législateur, et, comme en filigrane, une secrète complaisance
de Corydon pour les* « mauvais sentiments ».

2. *Le texte, sans donner lieu à une véritable explication, mérite d'être
examiné de près :* beaux sentiments *doit tout de suite être rapproché
du mot de la fin* édifiant. *Il ne s'agit en aucune façon d'un sentiment
qui est* « beau » *au sens général de ce dernier terme (ainsi ne pas
prendre comme exemple* une belle passion *comme celle de Lamartine
pour Elvire). Mais il ne s'agit pas non plus tout à fait d'un sentiment
moral, bien qu'incontestablement le problème moral domine le sujet.
Gide, par cette expression évidemment ironique et péjorative (il ne
dit pas* bons sentiments*), désigne une sorte d'idéal moral assez élémen-*

*taire qui reçoit l'approbation admirative du sentiment collectif :
l'amour de la famille, le goût des enfants, le dévouement à la patrie, etc.
On voit donc que c'est assez différent du véritable sentiment moral qui
est un appel à la conscience individuelle (pour Kant le sentiment
moral est avant tout « autonome »). Dès lors se dégagent des perspectives assez intéressantes sur ce que Gide appelle la « mauvaise littérature ». Ne serait-ce pas celle qui fait un appel assez simpliste à l'admiration élémentaire de la foule sentimentale ?*

3. *Cette expression de « mauvaise littérature » mérite quelque attention,
car mauvais ne s'oppose pas tout à fait à beau. La mauvaise littérature (et pour comprendre exactement ce terme nous le rapprocherons
du verbe dégrader utilisé un peu plus loin) est celle qui n'est pas
purement littéraire, qui rabaisse la littérature de ce degré (dégrader)
très haut et très pur où Gide la place. On sent très bien que, pour Gide,
la littérature est un domaine spécifique, étroit peut-être, mais qu'on
ne peut absolument pas confondre avec autre chose que lui-même.*

4. *Enfin il faut faire attention aux termes : « meilleures intentions » et
« vouloir édifiant ». Il ne s'agit pas du sentiment des personnages que
l'auteur met en action, mais du sentiment moral dont il est animé en
écrivant et qu'il voudrait faire passer chez son lecteur. En somme, le
problème est posé au moment de la création ou tout au moins à propos
des intentions qui prétendent déterminer ou accompagner la création.
(Toutefois ne pas croire qu'il s'agit du caractère de l'auteur : un
homme dépravé peut très bien vouloir mettre dans son œuvre de beaux
sentiments. Ce sont ses intentions moralisatrices qu'il faut étudier,
non le caractère dont elles proviennent.)*

5. *Sur quels exemples raisonner ?*
    *On voit par la remarque précédente qu'il faudra éviter d'utiliser les
exemples trop faciles où l'on se borne à noter que les héros sont bons
ou mauvais. Il conviendra surtout d'utiliser des exemples où l'intention de l'auteur est connue, des auteurs qui ont eu nettement l'intention
de faire dans leurs œuvres l'apologie d'un idéal collectif propre à
certaines classes sociales : les « auteurs à thèses », pourvu que cette
thèse soit l'éloge d'un beau sentiment (Diderot, Bourget, Bordeaux, etc.)
fourniront des exemples tout à fait adéquats. Sans doute est-on invité
à discuter sur l'œuvre d'art en général, et même des exemples empruntés
à la peinture (Greuze) ne sont pas absolument déplacés. Mais Gide,
auteur de romans et de « soties », qui a vu avec joie certaines de ses
œuvres portées à la scène et à l'écran, pense manifestement et essentiellement à toute littérature qui met en scène des personnages, c'est-
à-dire essentiellement au genre romanesque et au genre dramatique.
Des romanciers, contemporains de Gide, né en 1869, comme
P. Bourget né en 1872, H. Bordeaux né en 1870, peuvent fournir
d'excellents exemples. La poésie lyrique ou épique est beaucoup plus
délicate à utiliser (le « beau sentiment » y est presque toujours de
mise par suite de la loi même du genre).*

DÉVELOPPEMENT ⸻

Introduction.

Nous serions tentés de croire que, pour rencontrer l'approbation universelle, un écrivain doit *vouloir* mettre dans son œuvre les sentiments que la collectivité s'accorde à reconnaître comme édifiants. Or pratiquement, si l'on considère les réalisations de cette volonté de beaux sentiments, force est de constater que cette littérature édifiante est très faible sur le plan artistique. C'est sans doute cette constatation qui amena Gide à écrire : « C'est avec les beaux sentiments qu'on fait de la mauvaise littérature. » La personnalité de l'auteur, ce qu'on savait de sa vie et de son œuvre firent mal interpréter cette pensée et Gide s'aperçut qu'on voulait faire de lui un prêcheur d'immoralité, un moraliste de l'immoralité en quelque sorte. En fait Gide n'avait jamais dit ni pensé « qu'on ne faisait de la bonne littérature qu'avec les mauvais sentiments ». Soucieux de dégager totalement l'art de la morale ou plus exactement de toute moralisation prêcheuse et édifiante, il précisa nettement son idée : « Les meilleures intentions font *souvent* les pires œuvres d'art et l'artiste *risque* de dégrader son, art à le vouloir édifiant. » Formule nuancée et subtile, qui réagit contre les dangers d'un parti pris, souvent naïvement conscient, celui de vouloir en quelque sorte faire le bien par une œuvre d'art comme une dame de charité par ses aumônes. Formule d'artiste et d'esthète soucieux de garder à l'art les complexités vivantes et nécessaires, mais formule un peu limitée peut-être à certains auteurs et à certains genres.

I. Les dangers du parti pris conscient de l'art édifiant.

Éprouvant assez vivement l'inanité de leur art, beaucoup d'artistes décident de le mettre au service de ce que la société, ou une classe, ou une caste, considèrent comme « bien ». Ils aspirent à devenir des auteurs bien pensants; pratiquement ils connaissent quelque temps le succès, finalement ils échouent toujours dans l'oubli et le ridicule. Examinons quelques cas et voyons-en les raisons.

1. **Le contenu de cet art édifiant.** Historiquement l'art édifiant semble une tentation permanente de la littérature. Au service d'un ordre établi, des poètes ou des romanciers exaltent les éléments qui font la solidité de telle ou telle classe. Autour de lui A. Gide voit H. Bordeaux, Paul Bourget, R. Bazin essayer d'appuyer les valeurs traditionnelles ou bourgeoises : « les beaux sentiments », le sens de la patrie, des traditions, de la famille, etc.... D'autres essaient d'imposer ces « beaux sentiments » dans une

société qui ne les connaît pas encore, mais qui les attend sans le savoir. C'est ainsi que les romanciers courtois du Moyen Age ou les auteurs de romans précieux du xviie siècle proposent à leur public un idéal de « beaux sentiments » que leurs lecteurs n'approuvent pas encore, mais qu'ils sont invités à approuver et en tout cas tout préparés à le faire. Ainsi les héros de *L'Astrée* sont galants, constants, discrets, etc..., et cette galanterie, cette constance, cette discrétion sont autant de beaux sentiments que la société mondaine du temps est prête à admirer. Dans d'autres cas, l'écrivain, à l'aide des beaux sentiments, cherche un contact plus étroit avec la foule. Ainsi au xviiie siècle Denis Diderot constate combien le théâtre classique, théâtre qui n'a pas d'intentions manifestement édifiantes, est borné à une élite; aussi, pour toucher de plus près un vaste public, il tentera le « genre sérieux », c'est-à-dire celui qui met en valeur quelques beaux sentiments assez simples, mais violents et attendrissants (renouvelant les tentatives plus aristocratiques, mais déjà édifiantes et « larmoyantes », de Nivelle de la Chaussée).

2. **Les causes de l'échec de cet art édifiant.** Tous ces auteurs croyaient rénover la littérature. Pratiquement ils échouent : quelques raisons théoriques nous apparaissent immédiatement pour expliquer cet échec. D'abord le beau sentiment doit rester, pour être tel, assez élémentaire. A trop creuser on trouverait bien des choses louches et troubles dans le meilleur sentiment du monde. L'auteur « à beaux sentiments » ne creusera donc pas. Mais trop élémentaire, le beau sentiment sera nécessairement fade. Tous ces bergers des bords du Lignon semblaient déjà insipides aux contemporains, ne serait-ce que par leur uniformité dans le bien. En effet l'inconvénient esthétique du beau sentiment est qu'il amène à simplifier la réalité et (chose qui est bien plus grave, car l'art pourrait s'accommoder de la simplification) cette simplification est toujours faite dans le même sens : à la rigueur on peut diversifier les démons, mais Dante a eu plus de mal à diversifier ses anges. Enfin le beau sentiment supprime tous les conflits. Si on nous apprend qu'un héros n'est, au fond, qu'une « carcasse qui tremble », mais qui marche quand même, il nous est malaisé d'éprouver pour lui cette admiration « naïve » que provoque le beau sentiment. En prêtant à Madame de Clèves une vertu difficile, Madame de La Fayette augmente peut-être l'admiration que nous portons à son héroïne, mais peut-on dire qu'elle nous encourage au beau sentiment? Pour qu'il en soit ainsi, il eût fallu une vertu sans trouble. Pour des lecteurs étroitement soucieux de beaux sentiments c'est déjà trop que Madame de Clèves ait pu faillir, même en esprit. Ils souhaiteraient seulement le roman de quelque Philémon et de quelque Baucis. Mais alors ce serait quitter la littérature pour tomber dans l'imagerie, dans un domaine où tout est « convenu », où les méchants et les bons sont nettement séparés. On sait ce que valent, esthétiquement parlant, la « litté-

rature de patronage », les romans faciles où les méchants sont toujours vaincus et où les bons arrivent brillamment à leurs fins.
Au reste, on pourrait se demander si une simplification dans le
sens inverse serait tellement meilleure ; un triomphe aisé et sans
conflit des forces du mal serait aussi lassant. Rien n'est plus décevant à la longue que l'érotisme de Sade, parce qu'il ne s'oppose à
rien : ses interminables descriptions de scènes infâmes ne se
détachent jamais sur un fond différent. C'est un érotisme sans
conflit. Pour saisir ce qu'est la vraie littérature, songeons à l'érotisme de Baudelaire que baigne la nostalgie de la pureté perdue,
du « vert paradis des amours enfantines ».

II. Les complexités vivantes et nécessaires.

Ainsi l'art édifiant nous apparaît comme un mensonge : il
ampute l'œuvre d'art de toute la sincérité de la vie. Sans doute l'art
n'est-il pas toute la vie, comme l'ont cru à tort les réalistes, mais
il en a la complexité chaude, vivante, et pour ainsi dire charnelle.
Par exemple, Chateaubriand, dans les *Mémoires d'Outre-Tombe*,
donne à ses souvenirs une dignité et une tenue que la réalité n'a
peut-être pas eues, mais il se garde bien d'être un auteur à beaux
sentiments et jusqu'en son style palpitent des émotions vivantes,
peut-être épurées, mais riches de la complexité du vécu.

1. Il est frappant, en effet, de constater que tous les écrivains de
talent ont été poursuivis, ou du moins critiqués, pour leur « immoralité ». Ne serait-ce pas parce que, à une certaine profondeur
d'analyse, il n'y a plus de beaux sentiments? C'était déjà ce que
pensait, d'une façon un peu raide et systématique, La Rochefoucauld, quand il s'efforçait de réduire les beaux sentiments
à l'amour-propre et à l'intérêt. De façon plus subtile et plus
souple, nous voyons maints romanciers prendre « un beau sentiment » et en faire, par l'analyse impitoyable, le plus repoussant
des vices. Ainsi l'amour d'un père ou d'une mère pour son fils,
c'est un beau sentiment dans le mélodrame, le seul bon côté
de Lucrèce Borgia : cela réhabilite un peu ce monstre d'immoralité. Dans *Le Père Goriot* au contraire, par une sorte de progression implacable de l'analyse, l'amour d'un homme pour ses
deux filles devient presque un sentiment inavouable, dont Balzac
nous fait entrevoir les profondeurs quasi impures. Au fond, le
beau sentiment n'est bien souvent qu'une somme de mauvais
penchants que l'auteur ne veut pas voir : un auteur à beaux
sentiments est souvent un auteur de mauvaise foi.

2. Sans même toujours pousser les choses aussi loin, le grand romancier ne saurait garder longtemps à un beau sentiment la pureté
et l'innocence dont rêvent les bonnes âmes : même sans aller
chercher par l'analyse des dessous peu édifiants, il doit donner à
son sentiment un minimum de relief, qui lui ôte la discrétion

propro au beau sentiment. Même s'il analyse une âme de prêtre (*Volupté* de Sainte-Beuve, *Journal d'un Curé de campagne* de Bernanos, *Léon Morin prêtre* de Béatrice Beck), le romancier lui donnera un caractère tourmenté et passionné, dans le bien et pour le bien sans doute, mais loin de la simplicité, de la facilité sans histoire du beau sentiment. Chez un romancier digne de ce nom, ce qu'on appelle habituellement « beau sentiment » ne saurait exister : un certain caractère extrême, une certaine tension des êtres et des choses ôte toute naïveté facile au sentiment. *Le Lys dans la Vallée* nous trace le caractère très pur de Madame de Mortsauf et pourtant que de complicités secrètes, que de troubles, que de passions tumultueuses dans cette « belle âme ». Son chaste roman d'amour avec Félix de Vandenesse se déroule dans un climat de complicité et de frôlements assez équivoques. Même complicité et mêmes frôlements dans le thème romanesque, si cher au xviiie siècle, des deux amants vertueux perdus dans la forêt vierge. C'est peut-être cette complicité moite et chaude de la nature équatoriale qui sauve *Paul et Virginie* de la fadeur. *Atala*, épisode du *Génie du Christianisme*, roman d'amour de deux sauvages bons et vertueux, est le roman de la solitude à deux dans le Nouveau Monde. En tout ceci le beau sentiment est bien loin de garder une naïveté et une pureté qui auraient peut-être empêché ces œuvres d'être des chefs-d'œuvre.

3. Mais, disons-le franchement, le mauvais sentiment, pour lequel Gide manifeste une secrète complaisance, est plus favorable à la littérature : il a plus de relief, il se prête mieux à ce qu'on appelle l'optique romanesque ou théâtrale et surtout il favorise le conflit. Le plus grand romancier chrétien de notre temps, Mauriac, se garde bien de peindre des héros édifiants et une fois pour toutes sauvés; Mauriac sait trop bien qu'il n'y a pas de héros sauvés une fois pour toutes, et surtout qu'il est de meilleur effet romanesque de présenter un univers de passions et de troubles appelant désespérément un autre univers que le romancier laisse deviner. Racine ne prétendait pas faire autre chose et nous n'avons pas de raison de douter de ses déclarations à ce sujet.

III. Auteurs et genres.

Toutefois il est difficile de nier la réussite de quelques œuvres pleines de beaux sentiments consciemment introduits par l'auteur : *La Chanson de Roland*, les *Sermons* de Bossuet, *Les Misérables* de Hugo, voilà des univers où évoluent seulement les forces du bien en lutte contre les forces du mal. Peut-être, quittant des considérations trop générales, devons-nous distinguer dans l'histoire littéraire des auteurs et des genres.

1. **Des auteurs.** Théoriquement il n'est pas impossible qu'un écrivain plein de beaux sentiments, mais très passionnément convaincu

de ceux-ci, arrive à faire passer dans son œuvre un peu de cette flamme morale qui l'anime. La littérature religieuse nous offre des exemples qu'il est impossible d'écarter : d'Aubigné, Pascal, Bossuet. Peut-être du reste faut-il observer que ce n'est pas le beau sentiment en lui-même qui détermine la valeur littéraire de ces auteurs, mais la vivacité de leurs images, la force de leur logique, bref tout ce qui fait partager la flamme de leurs convictions ; et ainsi ce seraient la tension et l'énergie du beau sentiment, non sa pureté élémentaire, qui en feraient la valeur littéraire.

2. Des genres. D'autre part, les auteurs qui ont réussi dans le beau sentiment semblent cantonnés à certains genres. Alors que pour montrer le danger des beaux sentiments nous avons surtout emprunté des exemples au roman et au théâtre, nous avons trouvé des possibilités de réussite dans l'éloquence de la chaire, dans l'épopée, dans la poésie lyrique. En effet tous les genres qui présentent des personnages ou qui, comme les Essais des moralistes, raffinent sur la psychologie, sont tenus à ce que nous avons appelé des complexités vivantes. Mais il est d'autres genres qui sont tenus à la simplification et même à la simplification édifiante : les héros du *Roland* sont des modèles d'honneur féodal et de foi chrétienne, parce que l'épopée exalte les valeurs unanimement reconnues par un peuple (Bourget aussi exalte des valeurs collectives, mais ce sont celles d'une classe, et d'une classe tournée vers le passé, d'où la caducité de son œuvre). De même Hugo, dans *Les Misérables*, a voulu faire une sorte d'épopée manichéiste des forces du bien en lutte contre les forces du mal. Toutes les naïvetés du caractère de l'évêque Myriel ou de Jean Valjean s'effacent devant ce large combat. Enfin la poésie lyrique supporte, elle aussi, plus facilement les beaux sentiments ; on sait que les romantiques ont voulu chanter l'enfance, la famille, etc... et qu'ils y ont réussi sans trop de gaucherie parce qu'ils ont su faire vibrer suffisamment ces sentiments édifiants (mais ils ne présentaient pas de héros aimant les enfants, ils chantaient pour eux et pour leurs frères humains et ce sentiment de la fraternité humaine est une des bases du lyrisme).

Conclusion.

Peut-être faudrait-il distinguer ce que les divers lecteurs attendent de la littérature et à quel niveau intellectuel se fait l'accord moral entre eux et l'auteur. Le lecteur naïf attend une sorte d'accord mineur, il pense que l'auteur va lui présenter des modèles à imiter et, s'il lui est présenté des personnages troubles et dangereux, ce naïf, qui parfois est surtout un pharisien, crie à l'immoralité. Il fait passer Flaubert devant les tribunaux pour *Madame Bovary* et il condamne Baudelaire pour *Les Fleurs du Mal*. Quand ce n'est pas à la justice officielle qu'il s'adresse, il fait passer M. Sartre devant le tribunal de la conscience indignée des honnêtes gens.

Mais le lecteur averti, celui qui a, de la morale, une notion large et humaine, essaie de réaliser avec l'auteur un accord majeur : il se sent assez fort pour ne pas se scandaliser devant l'œuvre vivante, pas plus que l'auteur ne s'est scandalisé devant une réalité bourbeuse et mêlée. Il sent, à travers les passions qui s'entrechoquent sur la scène ou dans les pages d'un roman, la nostalgie profonde d'un paradis perdu. A ce moment-là un accord s'établit avec l'auteur en une morale forte qui tient compte des réalités de la vie. C'est à peu près ce qu'Aristote appelait la « catharsis », ce que Racine voulait dire quand il ne voyait rien que de très moral dans ses pièces.

10

SUJET

Commentez et discutez ces lignes de Baudelaire : « L'art est-il utile? Oui. Pourquoi? Parce qu'il est l'art. Y a-t-il un art pernicieux? Oui. C'est celui qui dérange les conditions de la vie. Le vice est séduisant, il faut le peindre séduisant; mais il traîne avec lui des maladies et des douleurs morales singulières. Il faut les décrire. Étudiez toutes les plaies comme un médecin qui fait son service dans un hôpital, et l'école du bon sens, l'école exclusivement morale, ne trouvera plus où mordre. Le crime est-il toujours châtié, la vertu gratifiée? Non; mais cependant si votre roman, si votre drame est bien fait, il ne prendra envie à personne de violer les lois de la nature. La première condition nécessaire pour un art sain est la croyance à l'unité intégrale. Je défie qu'on me trouve un seul ouvrage d'imagination qui réunisse toutes les conditions du beau et qui soit un ouvrage pernicieux. » (*L'Art romantique*, « *Les drames et les romans honnêtes* ».)

RÉFLEXIONS PRÉLIMINAIRES ⸻⸻⸻⸻⸻

1. *Éviter le contresens qui consisterait à interpréter la déclaration de Baudelaire comme un éloge du réalisme. Les lignes sur la nécessité de peindre les séquelles que traîne après lui le vice, et le conseil : « Étudiez toutes les plaies comme un médecin qui fait son service dans un hôpital » veulent simplement dire que l'art n'a à exclure aucun aspect de la vie pour imposer artificiellement un idéal moral. En d'autres termes, la plus sûre garantie de la moralité, ce n'est pas de voiler une* *partie de la réalité, mais d'admettre franchement que le spectacle même de cette réalité ne peut à la longue qu'être sain. Mais pour obtenir ce résultat, il n'est pas nécessaire que le réel soit reproduit photographiquement; pour Baudelaire, l'art est avant tout affaire d'imagination (il prononce le mot dans la dernière phrase), mais cette imagination ne doit pas mutiler le réel par un parti pris d'honnêteté (en revanche, elle peut très bien le transfigurer, l'unir à un rêve intérieur, etc. : voir sujet traité n° 29).*

2. *Quel est le sens exact du mot utile? Est-il tout à fait synonyme de moral? Pratiquement c'est bien sur le plan moral que Baudelaire se place. Toutefois le mot utile pose le problème d'une façon plus large et fait allusion au grand problème des buts de l'art, débattu déjà dans la Préface de Mademoiselle de Maupin de Th. Gautier. Baudelaire est, d'une part, opposé à l'école qu'il appelle « l'école du bon sens » ou « l'école vertueuse » (il dit ici « l'école exclusivement morale »), c'est-à-dire celle qui ne retient de l'art et du réel que ce qui sert ses argumentations pour la défense de l'honnêteté; d'autre part, il est tout aussi opposé à l'art pur, l'art de ce qu'il nomme volontiers « l'école païenne » et qui soutient que l'art est totalement inutile. Pour lui la rencontre entre l'art et l'utile se fait nécessairement, mais à un niveau assez profond, au niveau même où l'art est vraiment l'art, où les exigences esthétiques et éthiques convergent. C'est ce qu'il veut signifier sans doute par sa phrase un peu énigmatique : « La première condition pour faire un art sain est la croyance à l'unité intégrale », c'est-à-dire la croyance qu'il ne saurait y avoir deux domaines séparés, deux termes qui exigeraient en quelque sorte une mutilation l'un de l'autre pour pouvoir se développer complètement. En réalité, à un certain stade le grand art est forcément moral.*

PLAN SCHÉMATIQUE

I. La position de Baudelaire.

1. **Il est contre l'art inutile.** Il n'approuve pas, sinon à titre de réaction contre « la sotte hypocrisie bourgeoise », les déclarations de Gautier dans la Préface de *Mademoiselle de Maupin* : « Il n'y a de vraiment beau que ce qui ne peut servir à rien, tout ce qui est utile est laid »; dans d'autres pages de *L'Art romantique*, il attaque très vivement « l'école païenne » et lui reproche notamment ses abus de « plastique », laquelle, en surexcitant les facultés esthétiques, est moralement dangereuse : « Le goût immodéré de la forme, affirme-t-il, pousse à des désordres monstrueux et inconnus », et il ajoute : « L'absence nette du juste et du vrai dans l'art équivaut à l'absence d'art » (*Art romantique*, article sur l' « école païenne »). Voilà pourquoi il proclame dans le texte qui nous occupe : « L'art est-il utile? Oui. »

2. Il est contre « l'art honnête ». Mais il ne veut pas non plus que ce « juste » et ce « vrai » aboutissent à une mutilation de l'art et il critique avec la plus grande violence « l'école du bon sens, l'école exclusivement morale ». Il prend nommément à partie Berquin (1747-1791), auteur de *L'Ami des enfants*, Émile Augier et l'école socialiste, en particulier Hippolyte Castille qui dénonce l'immoralité de Balzac. Il leur reproche essentiellement :

a) *de fausser la réalité en la simplifiant :* chez Berquin « les enfants parlaient comme de grandes personnes, comme des livres »;

b) *de fausser la morale* elle-même :

● d'une part, en nous faisant croire que « le crime est toujours châtié, la vertu gratifiée ». Cette morale, qui *identifie vertu et succès*, est malsaine et repose sur le dangereux principe : « Si vous êtes sage, vous aurez du *nanan* » (Baudelaire, même article);

● d'autre part, en se rattachant, pour sembler vraiment moraux au gros public, à une conception superficielle et souvent vile de l'honnêteté. Exemple : E. Augier, dans *La Ciguë*, fait l'éloge de l'honnêteté en montrant un jeune débauché qui se range en épousant une jeune fille pure; mais, dit Baudelaire, c'est là une morale grossière, d'après laquelle « la vertu est bien heureuse d'accepter les restes de la débauche ». Cela aboutit à la naïve morale sentimentale qui pullule dans les chansons (« Lisettes qui se font tout pardonner par la *gaieté française*, filles publiques qui ont gardé, je ne sais où, une pureté angélique »).

3. Entre ces deux écoles (« école païenne » et école « du bon sens »), **quelle est la position de Baudelaire?** Il pense que l'art ne doit viser ni à la morale ni à l'art pur, doit être simplement lui-même, complet, bien fait, réunir toutes les conditions du Beau. En allant à la limite de lui-même, l'art sera nécessairement utile. Voyons maintenant avec plus de précision comment se fait cette rencontre de l'art et de l'utile au niveau supérieur.

II. L'art authentique et l'utile.

1. L'art supérieur ne recule devant aucun aspect du réel. Dans la page que nous avons à commenter, c'est surtout là-dessus qu'insiste Baudelaire. Il donne comme exemple le vice et ses séquelles; alors que l'« art honnête » présente le vice comme repoussant, l'art authentique présente toute la réalité : le vice est séduisant, il faut bien le reconnaître, la plupart du temps, mais ce sont ses suites, physiques ou morales, qui sont souvent moins agréables. Il est *artistiquement et moralement* préférable de peindre tous ces aspects du réel plutôt que de le simplifier en trichant. Exemple : *Phèdre*, dont le grand Arnauld approuve la moralité; Phèdre est une belle princesse, Hippolyte un beau jeune homme et l'atmosphère du vice n'est point repoussante. Mais à peine l'héroïne a-t-elle déclaré son amour que le cortège des remords l'assaille :

« vice séduisant » suivi de « douleurs morales singulières », c'est à la fois de l'art et de la morale.

Et l'on peut penser à d'autres liens profonds entre le grand art et l'utilité morale qui confirment la thèse de Baudelaire.

2. **L'art supérieur dote d'universalité les passions trop particulières de la vie.** Alors que, dans la vie, les passions sont brutales et globales (on dit sommairement d'un tel : « il boit, il joue, il court »), l'art, par ses analyses, par ses lentes progressions, par son point de vue facilement introspectif, confère à la passion des nuances qui, sans la rendre plus sympathique pour autant, lui ôtent sa portée trop directe et trop brûlante, la font plus universelle et moins contagieuse et, en un sens, servent à nous préserver de cette passion en nous aidant à la mieux reconnaître. L'homme, initié à la vie et aux arts, décèle plus facilement en lui les germes des grands mouvements de l'âme. Au contraire, l' « art honnête » nous laisse désarmés contre des vices qu'il ne peint pas ou dont il veut méconnaître les germes au cœur de tout homme. Dans l'univers des bons et des méchants l' « art honnête » livre d'un bloc les méchants aux ténèbres extérieures, sans penser qu'il serait peut-être utile d'avertir les « bons » des rapports étroits qu'il y a en leurs âmes entre vertus et vices. C'est se tromper singulièrement que de croire qu'on préserve d'un mal en l'ignorant ou en le simplifiant d'une façon trop grosse. (Voir les vers de d'Aubigné que Baudelaire avait mis en épigraphe des *Fleurs du Mal*, en tête des dix-huit poèmes publiés en 1855 :

« On dit qu'il faut couler les exécrables choses
Dans le puits de l'oubli et au sépulchre encloses,
Et que par les escrits le mal ressuscité
Infectera les mœurs de la postérité;
Mais le vice n'a point pour mère la science
Et la vertu n'est pas fille de l'ignorance. »)

3. **Enfin l'art supérieur purifie les passions en élevant leurs peintures vers autre chose qu'elles-mêmes.** Mais surtout le grand art est utilement moral, parce qu'il ne s'intéresse pas directement aux passions qu'il peint ou, si l'on préfère, l'artiste est « passionnément amoureux de la passion », comme dit Baudelaire à propos de Delacroix, mais « froidement déterminé à chercher les moyens d'exprimer la passion de la manière la plus visible »; la passion qu'il exprime, il ne l'éprouve généralement pas, ou, s'il l'éprouve, il l'exprime précisément pour la dépasser vers autre chose qu'elle-même. Rien de plus révélateur à cet égard que le nu, qui est profondément moral, s'il est artistique : le peintre qui choisit un nu comme sujet ne désire pas du tout que nous ressentions devant son modèle des émotions directes, venant de la seule représentation de celui-ci. Il veut nous faire sentir que, par-delà la beauté trop charnelle, il vise à une sorte de purification, de dépassement de la passion. Prendre les choses autrement, c'est sortir

de la visée même de l'art. Baudelaire en parle très pertinemment dans un autre passage de *L'Art romantique :* « Les membres d'un martyr qu'on écorche, le corps d'une nymphe pâmée, s'ils sont savamment dessinés, comportent un genre de plaisir dans les éléments duquel le sujet n'entre pour rien; si pour vous il en est autrement, je serai forcé de croire que vous êtes un bourreau ou un libertin. » Détourner, sans les nier, ses passions vers un objet supérieur, quoi de plus utile, quoi de plus moral? Pour bien des raisons, on le voit, la position de Baudelaire paraît inattaquable.

Une discussion semble donc sans intérêt puisque la thèse de Baudelaire est elle-même une discussion fort nuancée de deux positions adverses trop tranchées. On peut tout de même, si on le désire, faire quelques réserves :

● d'abord, l'art reste quand même un *danger pour les esprits faibles* et il est certain qu'on ne peut pas initier des enfants de n'importe quel âge à n'importe quel art (une des tâches du professeur est justement d'initier progressivement à cette moralité supérieure qu'est l'art);

● d'autre part, on ne peut guère nier que la *morale*, sous sa forme ascétique, *est difficilement compatible avec une vie artistique.* Même si l'artiste peint les passions avec l'intention de les purifier, il faut au moins qu'il s'intéresse aux belles formes, aux belles paroles, aux beaux cris de la nature humaine. Cela n'est pas nécessairement immoral, mais c'est au moins la preuve d'une certaine complaisance esthétique : « Souffrez ce beau reflet des désordres humains », dit à ses Nymphes le Narcisse de Valéry. C'est un peu aussi le mot de tout artiste à son public.

11

SUJET

Vous expliquerez et discuterez, s'il y a lieu, les formules suivantes de Gide (*Nouveaux Prétextes*, De l'importance du public, pages 37-39, *passim*, conférence prononcée le 5 août 1903 devant la Cour de Weimar) : « Panem et circenses », criait la populace latine : du pain d'abord; les jeux ensuite. Le libre jeu de l'art n'est pas goûté quand l'estomac est vide. C'est après le repas qu'on appelle l'artiste en scène. Sa fonction n'est pas de nourrir, mais de griser…. L'œuvre d'art est une flatterie…. Le public… doit ne plus avoir faim, doit être cultivé…. Le danger de la foule, hélas! c'est aussi qu'elle a faim. Elle demande qu'on la nourrisse. »

RÉFLEXIONS PRÉLIMINAIRES ⎯⎯⎯⎯⎯⎯⎯⎯

1. *L'expression est semi-métaphorique, mais sans ambiguïté : l'art n'a pas comme but de « nourrir », c'est-à-dire qu'il suppose un public déjà cultivé, apaisé, sûr de ses valeurs déjà reconnues et auquel l'artiste n'a pas à apporter la réponse à des questions vitales.*

2. *Toutefois on notera bien que Gide ne prône pas « l'art pour l'art » (dans la même conférence, il attaque explicitement cette dernière doctrine). Au contraire, il demande à l'artiste de savoir tenir, dans les préoccupations de son temps, une place fondamentale : il pense, par exemple, au sculpteur grec qui sait que sa statue sera placée à tel ou tel endroit du temple, au peintre classique qui sait que sa toile décorera telle ou telle partie d'un palais, l'un et l'autre n'ignorant pas du reste que ce temple et ce palais expriment des valeurs religieuses ou politiques qu'ils ne songent pas à discuter. Mais comme ils ne songent pas non plus à prêcher, à imposer, à enseigner des vérités connues de tout le monde, leur rôle n'est pas de nourrir la foule avec ces vérités, mais plutôt « d'illustrer » celles-ci, de leur donner une forme et un style.*

3. *On voit donc la perspective assez spéciale de Gide dans cette conception de l'art : il refuse à la fois la gratuité et l'engagement; il est à la fois contre l'art pur et contre l'art à thèse. C'est au fond le public qui est engagé et qui exige de l'artiste qu'il célèbre et exalte cet engagement; d'où les mots assez curieux employés par Gide : il parle de « griserie », de « flatterie », ce qui implique à la fois une certaine soumission et un certain enthousiasme de l'artiste.*

4. *La discussion est dès lors très facile : il suffit simplement de repérer et de justifier les conceptions dans lesquelles Gide ne veut pas tomber, en montrant l'insuffisance de celle qu'il nous propose : insuffisance surtout d'un art qui refuse l'inquiétude, la révolte, l'action, en particulier l'action sous sa forme sociale, bref insuffisance de tout art qui ne veut pas être une remise en question des valeurs.*

PLAN ⎯⎯⎯⎯⎯⎯⎯⎯⎯⎯⎯⎯⎯⎯⎯⎯

Introduction.

Beaucoup d'artistes, notamment des écrivains, ont souffert de l'inanité de leur art; aussi certains s'avisent-ils que l'art a, comme on dit aujourd'hui, un « message à délivrer », en d'autres termes qu'il peut avoir une certaine efficacité dans le renouvellement des valeurs sur lesquelles vit le public auquel il s'adresse. D'autres, plus soucieux de son autonomie, pensent qu'il ne saurait être vraiment une nourriture : « Sa fonction n'est pas de nourrir, affirme Gide, mais de griser »; autrement dit « l'œuvre d'art est une flatterie », flatterie à l'égard d'un public dont l'artiste reconnaît les valeurs et la culture. Bien plus, si par hasard il a affaire non plus à un public cultivé, mais à une foule qui a faim, l'artiste court un véritable danger, car cette foule « demande qu'on la nourrisse ». Dès lors, plus question du « libre jeu de l'art », mais au contraire d'un bien sérieux et bien lourd enseignement : « Questions morales, questions sociales surtout. Plus rien, dès lors, de désintéressé dans l'œuvre, on invente la pièce à thèse! » Ces perspectives aristocratiques et gidiennes nous choquent un peu par leur mépris à l'égard des masses et, tout en reconnaissant que la pensée de Gide — dont il conviendra de préciser les perspectives et les nuances — est classique et qu'elle veut surtout réserver à l'art un domaine autonome, il est difficile de refuser à l'artiste moderne la totalité des inquiétudes du monde moderne.

I. *Perspectives gidiennes.*

Comme très souvent dans ses jugements esthétiques, Gide est soucieux d'éviter à sa droite et à sa gauche deux dangers qui lui semblent également graves pour l'art.

1. **Pas d'art pur....** Tout d'abord Gide assigne à l'art une fonction essentielle dans la vie de son temps. Ce serait un grave contresens de comprendre qu'il entend par *libre* jeu de l'art un jeu gratuit. Son image de l'artiste qu'on appelle en scène après le repas est un peu équivoque : un pareil artiste, danseur ou acrobate des festins antiques, se livre en général à des exercices de pure fantaisie. Il faut surtout s'attacher à l'image de la « nourriture » et de la « griserie » : au cours d'un bon repas, la griserie ne s'oppose pas à la nourriture, mais lui donne une sorte de caractère exaltant qui lui enlève sa pesanteur. De même, l'art ne sera pas une sorte de vin pour un homme à jeun, mais plutôt ce qui permet à un homme lourd de valeurs et de vérité la glorification de ces valeurs qu'il porte en lui.

2. **... pas davantage d'art nourrissant....** Mais l'artiste, tenté par cette glorification dont il détient le secret, peut vouloir imposer à son public d'autres valeurs que celles qu'il porte en lui : d'après Gide ce serait là aussi une grave erreur, car l'art ne doit pas nourrir, en d'autres termes il ne doit pas poser — et surtout renouveler — de question morale ou de question sociale, il doit éviter la pièce à thèse. Sans que Gide en parle expressément, on sent l'inquiétude qu'il éprouve à l'idée que l'art puisse sortir de son rôle propre. S'il s'agit de modifier la société ou de prêcher, il y a des spécialistes, hommes d'État, hommes d'Église. L'artiste ne fait pas de traité de morale, mais il bâtit Versailles.

3. **... mais un art qui impose un style à des valeurs admises.** Si l'art ne peut être ni gratuit ni nourrissant, il lui reste la ressource, ce qui est son domaine propre, de conférer style et forme à ce qui est sans éclat et sans joie dans un public « dont l'esprit quiet

repose dans l'acceptation d'une religion ou d'un dogme ». Gide
lui-même cite l'exemple des artistes de la Renaissance qui se
voient imposer par leur public la religion chrétienne, mais qui
l'exaltent et la glorifient en lui donnant le style si particulier de
la sensualité païenne de leur tempérament. Bien entendu, il n'y
a pas grande sincérité en tout ceci, mais Gide, si intéressé en
d'autres endroits par la sincérité, semble n'en tenir ici qu'un
compte fort secondaire. Somme toute, les perspectives de cette
page sont résolument classiques (au sens large du terme) et c'est
dans cette direction qu'il faut les expliquer et les discuter.

II. L'autonomie de l'art aux époques classiques.

Gide a surtout la nostalgie des époques où un public homogène
soutient l'artiste.

Ne pas bouleverser cette homogénéité. La première faute que
commettrait un artiste en voulant « nourrir », c'est-à-dire en
voulant répondre à des besoins moraux ou sociaux, ce serait
précisément de remettre en question l'homogénéité d'un public
sur lequel il s'appuie. Il saperait par là les bases mêmes de
l'art. Ainsi, par ses inquiétudes, un La Bruyère commence à ébranler
l'unité de l'édifice classique en provoquant parmi ses lecteurs
quelques remous peu favorables à l'harmonie de l'art. Peut-être
est-ce pour cette raison qu'on a signalé dans sa manière un commencement de décadence.

2. **Ne pas sortir du rôle assigné.** En effet dans l'harmonie de l'édifice
classique, l'écrivain et, d'une façon générale, l'artiste ont leur
rôle bien déterminé, à la fois *modeste et assez large*. Ce rôle est
modeste, parce que l'artiste n'est au fond qu'un technicien avec
d'autres, qui concourt à cette harmonie et qui laisse à des spécialistes de la pensée morale ou politique le soin de méditer sur
les valeurs éthiques ou sociales. Un Racine n'aurait jamais eu l'idée
de conseiller sur la façon de régir l'État un Louis XIV et ce dernier aurait été fort étonné d'entendre celui qui fut un moment
son historiographe sortir du rôle de panégyriste officiel qu'il
lui assignait. Inversement Louis XIV aimait à dire aux artistes
ou aux écrivains avec qui il discutait : « Vous connaissez ces choses
(les problèmes littéraires) mieux que moi. »

3. **L'artiste maître de danse.** En même temps un tel artiste a un rôle
plus large que ne pourrait le laisser croire cette spécialisation
où on l'enferme : il est essentiellement celui qui mène la grande
parade, une sorte de maître de ballet, de ce ballet dont les époques
classiques aiment à laisser le spectacle aux générations suivantes.
Sans doute ne fait-il qu'admettre, avec une sincérité parfois
douteuse, une harmonie qu'il ne crée pas, mais il est celui qui
organise, généralement en collaboration avec les autres artistes,
une fête éternellement représentative. Il est Phidias, le maître des

monuments de l'Acropole; Michel-Ange, le bâtisseur de la Rome de Paul III Farnèse; Molière, l'organisateur des fêtes du Roi-Soleil. Si forte est la conviction qu'un « siècle » classique a besoin d'une sorte de maître de ballet qu'on l'invente parfois de toutes pièces : à la parade des écrivains classiques, on imagine volontiers comme maître ce « Boileau-régent-perruqué » qui n'a sans doute jamais existé. En somme, la pensée de Gide a, à la fois comme portée et comme limite, une conception classique et harmonieuse de l'art[1].

III. Questions et réponses aux époques de trouble.

Alors que Gide semble ne voir que les avantages de cette conception (n'oublions pas qu'il s'adresse à la cour de Weimar, milieu essentiellement « classique »), il est possible d'en signaler quelques limites assez graves. Maître de danse, l'artiste est sans doute un peu un chef de chœur, mais il est aussi le poète à gages, le domestique intellectuel, parfois même le bouffon d'une société dont il est chargé de montrer les ridicules légers (Molière attaque les petits marquis et les femmes savantes, mais il ne raille ni les prêtres ni la justice ni le prince).

1. **L'art est une révolte....** Or on peut se demander dans quelle mesure l'art peut se satisfaire d'une pareille acceptation. L'art est souvent une révolte, puisqu'il naît d'une protestation contre un monde qu'il voudrait recréer (cf. sujet traité n° 14).

2. **... particulièrement une révolte sociale.** Plus particulièrement, surtout dans les époques de trouble et de remise en question des valeurs, il nous semble difficile que l'artiste refuse d'exprimer ses inquiétudes sociales. Nous comprenons sans doute la défiance de Gide à l'égard de la pièce à thèse, notamment par ce qu'elle implique d'attitude didactique et de risque de mélange des tons, mais n'est-ce pas mutiler l'art que de lui interdire d'éclairer, d'inquiéter et de guider à la fois les hommes? Hugo en est-il moins grand pour avoir essayé de saisir dans ses *Misérables* l'inquiétude ouvrière du xixe siècle?

3. **Plus généralement l'art est question et réponse.** Ce n'est pas seulement d'inquiétude sociale que se nourrit l'art, mais de toute espèce d'inquiétude : ébranlement des valeurs admises, délivrance d'un message, attente de nouvelles réponses, voilà sa fonction essentielle. Les vrais maîtres, surtout à l'époque moderne, sont, il faut bien le reconnaître, ceux qui nous fournissent des raisons de vivre. Ils ne se bornent pas à flatter, ils

---

1. Nous demandons au lecteur de bien nous entendre : nous ne voulons pas dire, et tant s'en faut, que les préoccupations morales ne soient pas inhérentes à l'art classique. Nous mettons surtout en relief ici ce fait que l'artiste classique n'est pas un inventeur moral, qu'il exalte simplement des valeurs acquises et qu'il estimerait outrecuidant et ridicule, sous prétexte qu'il sait bâtir un livre, de prétendre rebâtir le monde.

nous secouent et nous réveillent. Gide lui-même, dès ses *Nourritures terrestres*, n'a pas prétendu faire autre chose que nous amener à sortir de nous-mêmes, de nos habitudes, de notre milieu. Et les grands écrivains sont de grands nourrisseurs.

Conclusion.

Nous en appellerons du Gide de ces lignes à un autre Gide, au Gide de l'inquiétude et du dépassement, à celui qui fait déclarer à Wilde dans ses *Prétextes :* « Il y a deux espèces d'artistes, les uns apportent des réponses et les autres des questions. » Peut-être en effet ne faut-il pas oublier ceux que nous avons appelés ici les « maîtres de ballet », ceux que Gide fait venir sur la scène après le repas, c'est-à-dire quand toutes les questions sont posées et toutes les réponses faites, mais on ne voit pas pourquoi eux seuls auraient le privilège de l'art.

12

SUJET

« Un art s'affirme contre le goût des multitudes et non dans une infinie complaisance aux désirs de ces multitudes. »

Expliquez et discutez cette pensée. (Baccalauréat.)

RÉFLEXIONS PRÉLIMINAIRES ———————————

1. *La difficulté du sujet est essentiellement dans le mot « multitude » : on prendra bien garde de ne pas traiter ici le problème général de la création littéraire et du public. En effet l'auteur de cette pensée, assez dédaigneuse pour la foule, peut très bien nous inviter à distinguer deux publics : le gros public (ce qu'il appelle la « multitude ») et le public éclairé, les « honnêtes gens », comme on disait au XVIIe siècle.*

2. *La phrase à expliquer est assez tendancieuse et semble nous enfermer dans une alternative : ou bien l'auteur consent à tout ce que veut la multitude et à tout ce qu'elle attend de lui, ou bien, dans une solitude dédaigneuse, il ne tient compte que des exigences de son art et de son inspiration aristocratiquement individualiste. On peut se demander si ce n'est pas là méconnaître le caractère subtil des rapports d'un auteur et des « multitudes »; très souvent l'art n'est ni complaisance ni opposition à la multitude, mais il est l'expression des exigences secrètes de celle-ci : peut-on dire que l'Énéide de Virgile s'oppose aux multitudes, ou soit complaisante à leur égard? Elle traduit en réalité certaines de leurs aspirations du moment (sens de la grandeur romaine, de la mission du peuple romain, etc...).*

3. *Le plan doit être en l'occurrence assez « classique » : dans une première partie, on s'efforcera d'éclaircir les allusions contenues dans l'expression « infinie complaisance aux désirs de ces multitudes » et du même coup on montrera les dangers d'un art trop démagogique ; dans une deuxième partie, on opposera à cette complaisance la solitude artistique de toutes les Écoles aristocratiques qui mettent surtout l'accent sur les exigences techniques de l'art (Pléiade, Classicisme, etc.) ; enfin, dans une troisième partie, on se demandera s'il n'y a pas moyen pour un artiste de n'être ni un démagogue ni un solitaire, mais d'être celui qui fait prendre conscience à une multitude de ce qu'elle ressent secrètement.*

PLAN SCHÉMATIQUE ————————————————

I. Les excès de la complaisance.

Montrer dans certains *genres* et à certaines *époques* jusqu'où va la complaisance pour les multitudes : elle semble surtout, mais non exclusivement, le fait des genres et des époques romantiques.

1. Les genres. Principalement le théâtre et le roman :

● le théâtre comique devient la *farce* qui choque Boileau (il reproche à Molière sa complaisance au goût de la multitude : « Dans ce sac ridicule où Scapin s'enveloppe »... Cf. *Art poétique*, chant III, vers 399-400).

● le théâtre tragique devient le *mélodrame* qui se développe surtout aux époques où le public est de plus en plus populaire, de plus en plus une « multitude » : Révolution, Empire, période romantique....

● le roman notamment favorise toutes les complaisances aux désirs de la multitude : le XIXe siècle voit le triomphe du « roman noir », du roman sentimental, du roman de cape et d'épée, du roman feuilleton....

Principes de toutes ces œuvres : l'analyse psychologique est simplifiée à l'extrême, les héros sont tout bons ou tout mauvais, les sentiments violents ou attendrissants, le partage très net entre l'univers du Bien et l'univers du Mal.

2. Les époques. Certaines époques, surtout celles qui exaltent *la vie* comme valeur fondamentale, sont particulièrement portées à cette complaisance à l'égard des multitudes. C'est le cas des époques baroques ou romantiques, qui se complaisent aux scènes populaires et truculentes, aux sentiments intenses et extraordinaires, aux actions énergiques et vives. Un Corneille est soucieux de plaire à un public dont les exigences se transforment, il témoigne d'une « infinie complaisance à l'égard des multitudes ». Et on connaît les efforts de Hugo pour devenir un poète vraiment populaire.

3. Un cas limite. Un aspect curieux de la critique romantique montre les conséquences extrêmes de cette attitude; on admet qu'une œuvre peut fort bien être le produit spontané des multitudes : l'*Iliade* et l'*Odyssée*, par exemple, ou la *Chanson de Roland* n'ont pas d'auteur particulier; c'est, dit-on, le peuple qui les a écrites! Bien plus, pour Michelet tous les progrès dans tous les domaines sont l'œuvre d'une sorte de personne, le Peuple, dont les désirs sont, en quelque sorte, directement créateurs. Ici c'est en somme un cas limite. L'artiste n'a même plus besoin d'être complaisant aux goûts des multitudes; ce sont ces goûts eux-mêmes qui créent les œuvres d'art; et l'artiste, intermédiaire inutile, s'efface.

II. Les exigences des artistes.

Transition. Faire la transition sur le caractère chimérique de la conception précédente : elle oublie *les exigences techniques* de l'art. En général les artistes qui s'affirment contre le goût des multitudes sont des aristocrates qui insistent sur le côté savant de l'art.

1. Les exigences techniques. Face aux écrivains qui mettent la Vie au centre de la création littéraire, se dressent ceux qui font passer avant tout les exigences rationnelles de l'Art : Malherbe, Boileau, Parnassiens et Symbolistes, etc.... Pour tous ces derniers, « c'est un *métier* de faire un livre comme de faire une pendule ».

2. Conséquence de ce principe. Il en découle une attitude volontiers *aristocratique :* l'artiste, étant un spécialiste, méprise le non-spécialiste; il ne consent à discuter qu'avec des initiés; en somme son art s'affirme « contre le goût des multitudes » (Horace : « Odi profanum vulgus et arceo » — Du Bellay : « Rien ne me plaît, fors ce qui peut déplaire Au jugement du rude populaire »).

3. Danger. On risque d'en être réduit à l'art pour initiés, à la « petite chapelle » étroite et sans air. A force de s'affirmer contre « le goût des multitudes », on aboutit à un « art alexandrin », érudit, raffiné, insistant sur la technique et par conséquent sur la forme, préférant généralement les petits genres un peu bizarres et compliqués aux grands genres pleins de puissance et de souffle (exemples à développer un peu : les grands Rhétoriqueurs, Banville, Gautier, etc...). Ainsi coupé des multitudes, l'art s'expose à la stérilité.

III. L'art comme conscience de la multitude.

Transition. Il est impossible à un art qui veut être un grand art de ne pas tenir compte des goûts de la multitude.

1. Pratiquement la seule consécration qui touche vraiment un artiste est le **succès auprès du public le plus large.** Des artistes aussi exigeants que Malherbe et Boileau veulent rester en contact avec la multitude. Malherbe est soucieux d'établir la liaison avec elle quand il prononce sa phrase célèbre sur les « crocheteurs du Port aux foins ». Molière se moque du spectateur arrogant qui dit tout haut en haussant les épaules : « Ris donc, parterre! ris donc! » (*Critique de l'École des Femmes*, sc. v.) On peut se demander si les Stendhal et les Vigny n'ont pas tourné le dos aux foules parce que celles-ci n'ont pas fait les premiers pas.

2. Cette ambition n'est pas pure affaire de vanité, mais répond très profondément aux **exigences de l'art.** En effet l'artiste prétend toujours plus ou moins être « l'écho sonore » qui offre aux foules de sa génération une image consciente de ce qui, chez celles-ci, est idée ou aspiration inconscientes. En fait, les grands écrivains ne flattent pas les désirs d'une multitude, ils ne lui tournent pas le dos non plus, mais ils lui disent ce qu'obscurément elle attend qu'on lui dise. Toute grande œuvre est peut-être la réponse claire à une question obscure : cette question, c'est la multitude qui la pose sans peut-être le savoir, et l'écrivain est là pour lui répondre.

3. **Dans l'histoire littéraire,** les grandes Écoles n'ont jamais pu tourner totalement le dos aux désirs du grand nombre. La solution romantique va jusqu'à soutenir que l'écrivain doit se mettre à la tête des multitudes, tel un Moïse guidant son peuple. Et le classicisme sait bien qu'il n'est d'art qu'en satisfaisant aux besoins du public le plus vaste. Nous avons parlé tout à l'heure des exigences des artistes : l'équilibre du théâtre classique consistera à ne pas sacrifier ces exigences au goût des multitudes, mais à ne pas sacrifier non plus le goût des multitudes aux règles des Doctes : Molière affirme que la grande règle de toutes les règles est le plaisir, et il est difficile d'imaginer une plus grande concession aux aspirations populaires.

$$\boxed{13}$$

SUJET

Étudiez ces réflexions d'Alfred de Vigny sur la vérité dans l'art : « L'ART ne doit jamais être considéré que dans ses rapports avec sa BEAUTÉ IDÉALE. Il faut le dire, ce qu'il y a de VRAI n'est que secondaire; c'est seulement une illusion de plus dont il s'embellit, un de nos penchants qu'il caresse. Il pourrait s'en passer, car la VÉRITÉ dont il doit se nourrir est *la vérité d'observation sur la nature humaine*, et non *l'authenticité du fait.* Les noms des personnages ne font rien à la chose.

« L'IDÉE est tout. Le nom propre n'est rien que l'exemple et la preuve de l'idée. » (*Cinq-Mars, Préface,* 1826.)   (C. A. Lettres, Jeunes Filles, 1946.)

REMARQUES POUR UN PLAN ───────────

1. Ce sujet est à peu près incompréhensible pour qui ne connaît pas la Préface de *Cinq-Mars :* il faut bien se dire qu'on ne saurait se présenter à un examen comportant une dissertation littéraire générale sans avoir lu un certain nombre de textes, et en premier lieu les Manifestes et les Préfaces dont l'ignorance n'est admise par aucun jury. Se tromper sur la portée du problème proposé, parce qu'on ne sait rien du contexte, serait ici l'aveu d'une lacune grave et inexcusable.

2. Ce sujet porte évidemment sur les rapports en art de la réalité matérielle et de l'imagination, mais il est orienté vers des préoccupations assez propres à Vigny. Celui-ci veut en effet défendre les libertés qu'il a prises avec l'histoire dans son roman de *Cinq-Mars*. Il pose le *problème du roman historique* et justifie sa conception; rapprochant la plupart des genres narratifs (roman, histoire, récit poétique, drame), il estime qu'ils ont à faire la synthèse entre deux nécessités en apparence opposées et en réalité complémentaires : raconter des faits, d'une part, et, d'autre part, les organiser autour d'une idée morale dont ils sont l'illustration et l'exemple. Il soutient que, lorsque le fait (ou en d'autres termes le *vrai*) n'illustre pas suffisamment de lui-même la leçon morale que l'on veut suggérer, il faut en quelque sorte l'infléchir pour le soumettre à la vérité morale en question.

3. Cette « conception » se justifie :

a) *en fait*, parce que spontanément le peuple a toujours procédé ainsi quand il compose « ce roman dont il est l'auteur, l'histoire »: il ne s'intéresse pas aux détails du réel, mais à l'esprit général d'une époque. Par exemple, pour traduire cet esprit, il invente des mots historiques, et ces mots sont plus vrais que la réalité. C'est là une conception assez romantique que Hugo fait sienne, à peu près à la même époque, dans la Préface de *Cromwell*, quand il parle de la couleur locale : « Si le poète doit choisir dans les choses (et il le doit), ce n'est pas le *beau*, mais le *caractéristique* »;

b) *en droit*, parce que le réel est, comme dit Vigny dans la même Préface, « *épars et incomplet* », et ne comporte pas suffisamment par lui-même d'enchaînements logiques et de conclusions morales. Dans la réalité, chaque destin n'est qu'ébauche et c'est l'imagination qui doit le parfaire en procédant soit à des synthèses de destinées, soit à la résurrection d'un personnage existant que l'on charge de la leçon morale qu'il plaît à l'auteur de lui attribuer;

c) *esthétiquement*, parce qu'il ne s'agit pas de substituer au réel concret une vérité abstraite. Là-dessus, l'expression « beauté idéale », le mot « idée » peuvent faire équivoque. L'idée, pour Vigny, est *une concentration plutôt qu'une abstraction* en un individu unique, elle « élève à une puissance supérieure et idéale » l'intérêt dominant d'une époque. Par exemple, *Cinq-Mars* représente ce que Vigny considère comme l'esprit du règne de Louis XIII appuyé sur Richelieu : la noblesse écrasée par la concentration monarchique, mais fidèle à son sentiment de l'honneur aristocratique. Mais, de plus, l'idée chez Vigny est toujours quintessence concrète et vivante, « perle de la pensée », comme il dit à propos de la poésie. Dans la même Préface, il s'exprime de façon lyrique et presque sensorielle sur les charmes de l'IDÉE, de la VÉRITÉ : « C'est un ensemble idéal de ses principales formes, une teinte lumineuse qui comprend ses plus vives couleurs, un baume enivrant de ses parfums les plus purs, un élixir délicieux de ses sucs les meilleurs, une harmonie parfaite de ses sons les plus mélodieux. » On comprend bien, après tout cela, quel grave contresens serait celui qui consisterait à voir dans la page de Vigny un éloge de la vérité universelle et abstraite ou même d'une psychologie de valeur universelle. Là encore l'expression « vérité d'observation sur la nature humaine » prête un peu à confusion : elle ne fait pas allusion à une espèce de goût pour l'analyse et l'observation psychologique, mais à la leçon humaine et éthique qui se dégage des grandes destinées et des grandes époques. En d'autres termes, Vigny prétend par sa méthode arriver à une *sorte d'histoire morale de l'humanité* dont chaque personnage est un moment.

4. *Historiquement* cette page est intéressante :
a) pour l'évolution ultérieure de Vigny. Dès 1826 il a découvert ce qui sera le principe de ses poèmes philosophiques, de ses romans et de ses drames. Toutefois son mépris pour le vrai ne l'amènera jamais à inventer totalement, ce qui pourtant, comme il le suggère dans la Préface de *Cinq-Mars*, serait le cas limite : il préfère, même dans ses poèmes philosophiques, conserver un minimum de contact avec des faits réels qu'il arrange en partie. Esthétiquement, cette remarque est intéressante, car elle nous montre que l'auteur, même le plus soucieux de « beauté idéale », trouve une force artistique à *s'appuyer sur le vrai;*
b) pour la conception romantique de l'art. Malgré le désir de beaucoup de romantiques de reproduire la vie dans sa totalité, Vigny est à peu près en accord avec tous ses contemporains sur une conception du roman qui dépasse le vrai afin d'atteindre au niveau du type. Ainsi Balzac insiste sur la nécessité des synthèses romanesques : « Certes, la vie réelle est trop dramatique ou pas assez souvent littéraire. Le vrai souvent ne serait pas vraisemblable, de même que le vrai littéraire ne saurait être le vrai de la nature.... Cette manière de procéder doit être celle d'un historien des mœurs : sa tâche consiste à fondre les faits analogues dans un seul tableau; n'est-il pas tenu de donner plutôt l'esprit que la lettre des événements? il les synthétise. Souvent il est nécessaire de prendre plusieurs caractères semblables pour arriver à en composer un seul, de même qu'il se rencontre des originaux où le ridicule abonde si bien qu'en les dédoublant, ils fournissent deux personnages » (*Le Cabinet des Antiques*, Préface, 1839).

Voir aussi IIIe Partie, ch. xv, Sujet proposé, n° 23 : un mot de
George Sand.

5. Pour une *discussion*, remarquer les dangers de la position de
   Vigny :
a) le développement d'un *univers intérieur*, perdant de vue les problèmes du réel;
b) une sorte de *distinction un peu courte :* l'art de Vigny manque
   de puissance, il n'aura jamais de contact ample et violent avec
   la réalité.
   Puis, montrer que cette position est riche d'avenir; elle fait songer :
a) aux théories de Baudelaire ou de Mallarmé : le réel n'a de sens que
   si l'esprit l'assume et le rend intérieur;
b) aux conceptions romanesques de Maupassant : l'art concentre, renforce les éclairages, il est plus vrai que la réalité.

14

SUJET
   Vous commenterez cette formule d'Albert Camus : « Le
plus grand style en art est l'expression de la plus haute
révolte. Comme le vrai classicisme n'est qu'un romantisme dompté, le génie est une révolte qui a créé sa
propre mesure. »

                              (*L'Homme révolté*, page 355.)

RÉFLEXIONS PRÉLIMINAIRES ─────────────────────

1. *Albert Camus est un auteur assez jeune (il est né en 1913) et ce n'est
   qu'en 1951 qu'a paru l'essai (L'Homme révolté) d'où est tirée cette
   formule : l'étudiant serait donc tout à fait excusable d'en ignorer le
   contexte exact. Une connaissance très vague des idées de Camus ou
   même plus généralement de l'esprit contemporain suffit pour se rendre
   compte aussitôt que les deux mots essentiels du texte sont d'abord le
   mot « révolte » et ensuite le mot « mesure », qui implique une sorte de
   limitation des moyens d'expression et suggère la nécessité de la stylisation. En somme, c'est l'esprit de ce que l'on pourrait appeler « le
   courant néo-classique » de notre littérature (Proust, Valéry, Gide),
   cet esprit qui veut préserver à la fois l'essentiel de l'apport romantique,
   « la révolte », et des exigences classiques, qu'on ne cesse depuis Baudelaire d'opposer au romantisme.*

2. *Donc, ne pas se tromper sur le sens du sujet, qui n'est pas un parallèle du classicisme et du romantisme, qui n'est pas non plus un plaidoyer pour ou contre le génie. Camus estime que, pour qu'il y ait art, l'artiste doit adopter une certaine vision du monde, une certaine attitude : c'est cette attitude qu'il convient de préciser et, s'il y a lieu, de discuter.*

3. *Cette attitude nécessaire, qui est la révolte, rejoint une des idées dominantes de la pensée de Camus : « L'homme révolté est celui qui dit non, mais s'il refuse il ne renonce pas; c'est aussi un homme qui dit oui dès son premier mouvement. » En d'autres termes, cette révolte est plus nuancée que celle des romantiques, bien que certains (Sartre par exemple) aient voulu voir en Camus le dernier représentant de la lignée de Chateaubriand : elle est ce mouvement nécessaire, mais désespéré, par lequel l'homme oppose d'irrésistibles et impossibles exigences à ce qui est. D'ailleurs, peu avant la citation à commenter, Camus a écrit : « L'art est une exigence d'impossible mise en forme. »*

4. *Revenons à notre texte : Camus insiste tout autant sur la nécessité du « style ». Là encore ne pas faire de faux-sens : « style » veut dire « stylisation », à condition de ne pas l'entendre dans le sens d'ornement; il convient de songer, par exemple, à la sculpture romane où l'on dira que « par stylisation on allonge le personnage sur une voussure du tympan ». De même, on évitera le contresens possible sur le mot « mesure ». Il ne signifie pas que l'artiste limite sa révolte à une juste moyenne. Il faut presque lui donner l'acception de mesure musicale, de rythme, d'ordre. Au fond, c'est à peu près la même idée que dans le mot « style »; loin que cette « mesure » marque des limites à la « révolte », celle-ci n'est vraiment intense que dans « le grand style ». En effet, il s'agit de présenter une revendication sous une tension extrême, mais pour cela il y faut une unité non étrangère au concret; tension de la révolte, unité de la stylisation ne sont qu'une seule et même chose.*

5. *Enfin dernier point à éclaircir : quel est le contenu de cette révolte? Il n'est pas exclusivement politique ou social (Camus se défie même de l'esprit révolutionnaire, qui lui apparaît comme une autre forme du conformisme) : il est surtout individuel et oppose un monde obscurément entrevu par l'artiste au monde réel; par exemple, Corneille oppose manifestement un univers de sa façon à l'univers tel qu'il est. Il y a une révolte de Corneille et le mot « cornélien » est à la fois cette révolte au plus haut degré et sa stylisation. D'ailleurs, cette attitude n'implique pas nécessairement qu'on soit en désaccord avec son temps. Il y a une révolte de Racine quand il nous présente cet univers où les êtres vont jusqu'au bout de leur destin. On voit à ce propos que l'artiste ne sait pas forcément contre quoi il se révolte, il n'a pas toujours un cahier de revendications à présenter.*

Bref, on sent la fécondité de l'idée de Camus. A l'artiste idéal qu'il nous propose, on peut comparer les artistes médiocres, sans révolte, tels ces poètes pseudo-classiques du XVIIIe siècle, dont la poésie est parfaitement froide; au contraire, le premier romantisme qui utilise les procédés de cette poésie y introduit une révolte et c'est alors que *naissent les chefs-d'œuvre. Exemple aussi de la peinture qui n'est pas davantage acceptation du monde qu'elle peint : Goya ne nous invite ni à imiter son mendiant, ni même tellement à nous indigner directement; c'est plus nuancé que cela! qu'est-ce ici que la révolte, sinon la protestation par une beauté sans cesse conquise contre ce qui est?*

PLAN SCHÉMATIQUE

I. Nécessité de la révolte.

1. Préciser le mot « révolte » par l'histoire littéraire, son importance depuis les romantiques (bon exemple : Chateaubriand).

2. Élargir ensuite la notion par l'analyse de quelques exemples, en montrant que l'écrivain est toujours tendu contre un certain ordre, contre ce qui est (ex. : des écrivains en apparence très soumis, comme Racine).

3. Chercher une explication dans l'attitude de l'artiste quand il représente : il ne représente pas pour inciter à l'imitation directe, mais pour suggérer une sorte de protestation.

II. Le problème de la stylisation.

1. Camus insiste sur le style, la mesure. Ne pas y voir une limitation de la révolte, mais au contraire son intensification par l'expression.

2. Raisonner sur quelques faits précis, par exemple le mot « racinien », le mot « cornélien ». Il y a bien là l'expression de la plus haute révolte et, de ce point de vue, on retombe sur les problèmes du *style* au sens habituel du terme. Qu'est-ce qu'un bon style? c'est un style qui exprime cette incessante tension de l'auteur et des personnages.

III. Les limites de la position de Camus.

Le mot est un peu crispé, un peu tendu; il laisse beaucoup d'arts hors de lui :

1. L'art « mineur » de la grâce et de l'humour (l'*Anthologie* chez les Grecs, la poésie élégiaque latine).

2. L'art strictement « individuel » (les *Essais* de Montaigne).

3. Le grand art « collectif » (les *Odes* d'Horace, la *Chanson de Roland...*). On ne saurait, dans tous ces cas, parler de « révolte » dans le sens où l'entend Camus et sa position se justifie seulement à propos des arts qui sont capables de créer un univers dans la tension équivalente de l'expression.

SUJETS PROPOSÉS

Art et utilité morale ou sociale.

1. « Pour moi, la question du talent tranche tout en littérature. Je ne sais pas ce qu'on entend par un écrivain moral et un écrivain immoral; mais je sais très bien ce qu'est un auteur qui a du talent et un auteur qui n'en a pas. Et, dès qu'un auteur a du talent, j'estime que tout lui est permis. L'histoire est là. Nous avons tout permis à Rabelais en France, comme on a tout permis à Shakespeare en Angleterre. Une page bien écrite a sa moralité propre, qui est dans sa beauté, dans l'intensité de sa vie et de son accent. C'est imbécile de vouloir la plier à des conventions mondaines, à une vertu de convention et de mode. Pour moi, il n'y a d'œuvres obscènes que les œuvres mal pensées et mal exécutées. »

(E. Zola, *De la moralité dans la littérature*, 1881, Fasquelle, édit. Cité par Marc Bernard dans *Zola par lui-même*, Éditions du Seuil.)

2. « Il y a des devoirs qui s'imposent à l'écrivain. J'exige d'un auteur, non qu'il soit un moraliste, et moins encore un immoraliste (ce qui était chez Gide un puritanisme à rebours), mais qu'il soit *vrai*. Les hommes empruntent aux œuvres d'art (livre, journal, théâtre, film) une grande part des images qu'ils forment du monde. Leur expérience personnelle étant nécessairement limitée dès que leur pensée sort d'un cercle étroit du temps et de l'espace, ils dépendent de témoignages. Le témoin, s'il est écrivain, modèle la pensée de ses lecteurs ou spectateurs. Or c'est la pensée qui détermine l'action. »

(A. Maurois, *Le devoir de vérité*, cité dans *André Maurois* de Michel Droit, Éditions Universitaires.)

3. Paul Bourget a écrit, dans un discours prononcé à l'occasion de son jubilé : « Le service des Lettres, ce n'est rien de moins que le service même de la civilisation. Elles n'en sont pas seulement la parure, elles sont cette civilisation même. »

Ce jugement — que l'auteur illustre de quelques exemples historiques — vous paraît-il vrai? Quel rôle concevez-vous comme possible et souhaitable pour les Lettres dans notre civilisation d'aujourd'hui et de demain?

(Classe de Première, Concours général, 1946.)

4. « Il n'y a de vraiment beau que ce qui ne peut servir à rien; tout ce qui est utile est laid, car c'est l'expression de quelque besoin, et ceux de l'homme sont ignobles et dégoûtants, comme sa pauvre et infirme nature. »

(Th. Gautier, Préface de *Mademoiselle de Maupin*.)

5. Commentez ces lignes de Th. Gautier dans sa Préface à ses *Poésies* (oct. 1832) : « En général, dès qu'une chose devient utile, elle cesse d'être belle. Elle rentre dans la vie positive; de poésie, elle devient prose; de libre, esclave. Tout l'art est là. L'art, c'est la liberté, le luxe, l'efflorescence; c'est l'épanouissement de l'âme dans l'oisiveté. »   (Bac.)

6. D'Alembert s'était écrié : « Malheur aux productions de l'Art dont la beauté n'est que pour les artistes! » Et Leconte de Lisle — environ un siècle plus tard — a répliqué : « Seules sont durables les œuvres conçues sans aucune préoccupation du goût du public. » Qui des deux vous paraît avoir raison?

(C. E. L. G. Toulouse, juin 1950.)

7. Victor Hugo écrit en 1834 dans *Littérature et Philosophie mêlées :* « L'art doit avoir sans cesse présente... la pensée du temps où nous vivons, la responsabilité qu'il encourt, la règle que la foule demande et attend de partout, la pente des idées et des événements sur laquelle notre époque est lancée.... L'art d'à présent ne doit plus chercher seulement le beau, mais le bien. Ce n'est pas d'ailleurs que nous soyons le moins du monde partisan de l'utilité directe de l'art, théorie puérile émise dans ces derniers temps (par les Saint-Simoniens).... Il faut, après tout, que l'art soit son propre but à lui-même, et qu'il enseigne, qu'il moralise, qu'il civilise et qu'il édifie chemin faisant, sans se détourner, et tout en allant devant lui. »

En 1864, dans *William Shakespeare*, le poète reprend :

« L'art pour l'art peut être beau, mais l'art pour le progrès est plus beau encore. Le génie n'est pas fait pour le génie, il est fait pour l'homme.... Quelques purs amants de l'art, émus d'une préoccupation qui, du reste, a sa dignité et sa noblesse, écartent cette formule : l'art pour le progrès, le beau utile, craignant que l'utile ne déforme le beau. Ils se trompent. L'utile, loin de circonscrire le sublime, le grandit.... Aide des forts aux faibles, aide des grands aux petits, aide des libres aux enchaînés, aide des penseurs aux ignorants, aide du solitaire aux multitudes, telle est la loi, depuis Isaïe jusqu'à Voltaire. Qui ne suit pas cette loi peut être un génie, mais n'est qu'un génie de luxe. En ne maniant point les choses de la terre, il croit s'épurer, il s'annule. Il est

le raffiné, il est le délicat, il est peut-être l'exquis, il n'est pas le grand. »

Que pensez-vous de ces idées et quelle formule vous paraît avoir été la plus féconde pour nos lettres?

(C. A. Lettres Classiques, Hommes, 1943.)

Art et reproduction du réel.

8. Émile Zola écrivait dans une de ses œuvres de critique (1881) : « ... les types de la tragédie et de la comédie classiques sont vrais sans être réels. Ils ont la vérité générale, les grands traits humains résumés en beaux vers; mais ils n'ont pas la vérité individuelle, vivante et agissante, telle que nous l'entendons aujourd'hui. » Ailleurs, il est vrai, le même auteur ajoutait : « Si nous avons gagné en réalité, nous avons perdu en vérité supérieure. »

Sans vous attacher particulièrement à l'étude de l'époque à laquelle écrivait Zola, vous montrerez comment vous concevez en littérature la distinction proposée par ce romancier entre le vrai et le réel, et vous indiquerez si, à votre avis, certaines de nos grandes œuvres n'ont pas réussi à dépasser cette opposition.

(C. E. L. G. Paris, 1949.)

9. Sainte-Beuve envisage en ces termes, dans un article des *Nouveaux Lundis* (t. IV, 1863), les rapports de la réalité et de l'art : « Réalité, tu es le fond même de la vie, et comme telle, même... dans tes rudesses, tu attaches les esprits sérieux et tu as pour eux un charme. Et pourtant, à la longue, et toute seule, tu finirais par rebuter insensiblement, par rassasier.... C'est bien assez de te rencontrer à chaque pas dans la vie; on veut du moins dans l'art, en te retrouvant et en te sentant présente ou voisine toujours, avoir affaire encore à autre chose que toi.... Tu as besoin, à tout instant... d'être relevée par quelque endroit sous peine d'accabler et peut-être d'ennuyer comme trop ordinaire. » Et l'auteur ajoute qu'il faut à cette réalité le style, le sentiment, l'idéal.

Commentez ces réflexions en les illustrant par des exemples choisis à votre gré dans notre littérature.

(C. A. Jeunes Filles, 1946.)

10. « Opposer l'art à la vie est absurde, parce que l'on ne peut faire de l'art qu'avec la vie. Mais ce n'est que là où la vie surabonde que l'art a chance de commencer. L'art naît par surcroît, par pression de surabondance; il commence là où *vivre* ne suffit plus à exprimer la vie. L'œuvre d'art est une œuvre de distillation; l'artiste est un bouilleur de cru. Pour une goutte de ce fin alcool, il faut une somme énorme de vie, qui s'y concentre. »

(A. Gide,
Prétextes, Lettres à Angèle.)

11. « Comment ne pas choisir le meilleur dans ce *vrai* sur quoi l'on opère? Comment ne pas souligner, arrondir, colorer, chercher à faire plus net, plus fort, plus troublant, plus intime, plus brutal que le modèle? *En littérature le vrai n'est pas concevable.* »

(Valéry, *Variété II,
A propos de Stendhal.*)

12. Baudelaire affirmait en 1859 : « Je crois que l'art est et ne peut être que la reproduction exacte de la nature. »

Au contraire, un critique de la *Revue des Deux Mondes* déclarait, quelques années plus tard : « L'art est dans le choix, dans l'interprétation des éléments qui lui sont offerts, nullement dans la copie littérale de tel ou

tel détail indifférent ou repoussant. »

Quel est de ces deux points de vue celui qui vous paraît le plus juste?

(C. E. L. G. Toulouse, oct. 1952.)

13. En vous aidant de votre culture littéraire et artistique vous éclairerez et, si vous le jugez bon, vous discuterez cette affirmation de Paul Claudel : « L'Art, imitation de la vie? Mais aucun art n'a jamais fait cela! La tragédie classique en est aussi éloignée que possible. Le drame de Hugo également.... »

(C. E. L. G. Toulouse, juin 1950.)

Art et tristesse.

14. Baudelaire a écrit dans ses *Journaux intimes :* « Je ne prétends pas que la joie ne puisse s'associer avec la Beauté. Mais je dis que la joie en est un des ornements les plus vulgaires, tandis que la Mélancolie en est, pour ainsi dire, l'illustre compagne, à ce point que je ne conçois guère un type de Beauté où il n'y ait du Malheur. »

Appréciez ce jugement de Baudelaire en l'appliquant à des auteurs de votre choix.

(C. E. L. G. Lyon, juin 1953.)

15. « Notre littérature, et singulièrement la romantique, a louangé, cultivé, propagé la tristesse.... La joie paraissait vulgaire, signe d'une trop bonne et bête santé : et le rire faisait grimacer le visage. La tristesse se réservait le privilège de la spiritualité et, partant, de la profondeur.... Pour moi, je tiens pour impie le vers de Musset tant prôné : *Les plus désespérés sont les chants les plus beaux,* et n'admets pas que l'homme sous le coup de l'adversité se laisse abattre. »

(A. Gide, *Nouvelles Nourritures,*
Gallimard, édit.)

16. « Il me semble que c'est une dangereuse erreur avancée, comme tant d'autres, par Voltaire, que *les bons ouvrages sont ceux qui font le plus pleurer.* Il y a tel drame dont personne ne voudrait être l'auteur, et qui déchire le cœur bien autrement que l'*Enéide.* On n'est point un grand écrivain parce qu'on met l'âme à la torture. Les vraies larmes sont celles que fait couler une belle poésie ; il faut qu'il s'y mêle autant d'admiration que de douleur.... Voilà les seules larmes qui doivent mouiller les cordes de la lyre. Les Muses sont des femmes célestes qui ne défigurent point leurs traits par des grimaces ; quand elles pleurent, c'est avec un secret dessein de s'embellir. »

(Chateaubriand, *Atala*, Préface.)

17. Lamartine écrivait en 1857 dans le XIVᵉ Entretien de son *Cours familier de Littérature :*

« Souvenez-vous de la définition que nous avons admise en commençant ces Entretiens : *La poésie est l'émotion par le beau.*

« Voilà ce qui nous distingue, et ce qui distingue la France de ceux qui se sont appelés hier les *romantiques* et qui s'appellent aujourd'hui les *réalistes ;* deux hérésies pleines de talents égarés, mais qui, en rentrant dans la vérité, feront faire de nouvelles conquêtes à la religion du goût et des lettres.

« Ces hérésiarques ne veulent que l'*émotion*, ils oublient que l'*émotion par le laid* s'appelle tout simplement l'horreur. Nous voulons, nous, de l'*émotion* et du *beau.* »

Vous étudierez ces idées en elles-mêmes et vous indiquerez quel intérêt elles présentent pour l'histoire littéraire.

(E. N. S. Garçons, 1943.)

DEUXIÈME PARTIE

DES ÉCOLES AUX TENDANCES

15

INTRODUCTION : UN SUJET D'ENSEMBLE

« Les écrivains français ont toujours eu le goût des écoles. Toujours ils ont aimé à se regrouper autour d'un terme abstrait : classicisme, romantisme, réalisme, naturalisme, symbolisme, existentialisme.

« A la vérité, les frontières de ces concepts sont confuses. Les grands écrivains ne sont jamais les prisonniers d'une doctrine, même lorsqu'ils en sont les parrains. Leur puissance de création fait éclater les cadres. »

Vous commenterez ces lignes d'André Maurois. (*Les Lettres françaises*, semaine du 8 au 15 octobre 1953.)

RÉFLEXIONS PRÉLIMINAIRES

1. *Sujet analogue au sujet traité nº 1 et au sujet traité nº 32 : nous sommes, dans les trois cas, invités à réfléchir sur une notion très utilisée par l'histoire littéraire.*

2. *Toutefois nous sommes guidés ici, où il s'agit de la notion d'école, de sa valeur théorique et pratique, par quelques lignes très nettes d'un écrivain contemporain qui nous fournit :*

a) *un terrain de discussion : l'histoire littéraire (« les écrivains ont toujours eu le goût des écoles, toujours ils ont... », etc.);*

b) *une idée (« le goût des écoles ») et l'embryon d'une discussion (« les grands écrivains ne sont jamais les prisonniers d'une doctrine »).*

3. *Bref, sujet facile; dans le cadre du plan qui nous est suggéré nous essaierons de montrer :*

a) *les raisons de ce goût (« aimé à se regrouper »);*
b) *les limites de ce goût chez les grands créateurs (« puissance de création »).*

4. *Peu de contresens possibles, sauf celui qui consisterait à faire un sort — qui aurait bien tort de se croire méthodique! — aux diverses écoles qu'énumère Maurois à titre d'exemples. On raisonnera avec les faits qu'on connaît le mieux et on y cherchera quelques idées générales qui expliqueront et limiteront ce goût des écoles; mais l'énumération de doctrines ou d'auteurs doit être rigoureusement proscrite.*

5. *Le nom d'André Maurois, la date du texte qui nous occupe sont-ils à utiliser? On remarquera au moins la netteté et l'objectivité d'une formule digne de celui qu'Henri Clouard appelle, au sens figuré du terme, « un bon professeur », de cet écrivain qui fut disciple d'Alain et qui a conquis par son élégante clarté l'audience du public lettré. Quant à la date, elle est intéressante, simplement parce qu'elle nous indique que Maurois entend faire porter son jugement sur toute la littérature, puisqu'il va jusqu'à l'existentialisme.*

PLAN DÉVELOPPÉ

Introduction. — (Placer tout de suite le débat sur le terrain historique.)
Qui étudie l'histoire de notre littérature est à la fois aidé et déconcerté par la présence un peu voyante d'étiquettes sous lesquelles on groupe les auteurs : aidé, parce que l'écrivain français, sauf exceptions assez rares, n'est pas un isolé, qu'il prend volontiers sa force dans ou contre des courants littéraires par rapport auxquels il entend se définir; déconcerté aussi, parce que, dans la pratique, une fois qu'on s'est appliqué à définir très soigneusement une école, on s'aperçoit qu'il n'y a pour ainsi dire aucun écrivain qui réponde totalement à cette définition. Cette apparente antinomie (la nécessité de distinguer des écoles et l'impossibilité d'y réduire les écrivains) fait écrire à Maurois : « Les écrivains français ont toujours eu le goût des écoles. Toujours ils ont aimé à se regrouper autour d'un terme abstrait : classicisme, romantisme, réalisme, naturalisme, symbolisme, existentialisme. A la vérité, les frontières de ces concepts sont confuses. Les grands écrivains ne sont jamais les prisonniers d'une doctrine, même lorsqu'ils en sont les parrains. Leur puissance de création fait éclater les cadres. » Ainsi le problème nous apparaît dans toute sa difficulté symétrique : impossibilité de nous passer de ces termes abstraits (et un peu barbares on sent que Maurois s'amuse de l'énumération volontairement comique de tous ces mots en -*isme*) et pourtant impossibilité de leur faire confiance quand on étudie les écrivains, puisque ceux-ci, après les avoir créés, très souvent les refusent. Sans prétendre trancher le débat, saisissons du moins l'occasion d'une féconde réflexion sur notre littérature.

I. Le goût des écoles. — (En distinguer quelques raisons dans la littérature française.)

1. Raison sociale. Les écrivains français sont volontiers mondains et sociables. Même lorsqu'on ne peut parler d'école, il y a des groupes, des « ronds », comme on disait au xviie siècle. A ces groupes correspond en général un *esprit* littéraire et, dans les cas privilégiés, cet esprit crée une école. On peut prendre des exemples dans toute la littérature, depuis le Moyen Age (autour d'Éléonore d'Aquitaine se forme l'école courtoise) jusqu'aux réunions de cafés de la fin du xixe siècle où Verlaine, puis Moréas élaborent l'idéal symboliste ; et, pour ne citer que quelques « centres d'esprit », entre ces dates extrêmes, la Pléiade, l'hôtel de Rambouillet, la cour de Louis XIV, les salons du xviiie siècle, l'Arsenal et le Cénacle sont autant de témoignages de ce caractère volontiers sociable des écrivains français. Au fond, dans notre littérature, l'isolé n'a pas tellement bonne presse. Même aux yeux de la postérité beaucoup d'écrivains paient leur solitude, subissent encore le fardeau de leur isolement. Un Th. de Viau, un Saint-Évremond, un Saint-Simon, un Mérimée, etc..., malgré tout leur talent, nous paraissent garder quelque chose d'un peu incomplet et les manuels les classent volontiers sous la rubrique « attardés », « isolés », etc., tant il semble naturel qu'ils auraient dû faire partie d'un groupe, d'une école.

2. Raison intellectuelle : *goût des idées critiques lié à l'enseignement humaniste.* Toutefois ce caractère volontiers mondain de nos écrivains n'aurait sans doute pas suffi à fonder des écoles, car la question est alors : pourquoi les groupes amènent-ils l'écrivain à formuler ses idées en un corps de doctrines qui devient le programme d'une école ? Peut-être faut-il aller chercher l'explication profonde dans la culture traditionnellement reçue par cet écrivain, culture qui lui est commune avec son public. La plupart du temps, nos auteurs formés par une culture humaniste et critique, une culture dont les grands noms sont Cicéron, Quintilien, Boileau (à partir du xviie siècle), etc..., aiment à préciser la place exacte qu'ils entendent occuper dans l'évolution des idées critiques et, pour cela, posent volontiers en portique de leur œuvre des déclarations de principes, déclarations qui ont l'ambition, non seulement de justifier leur production future, mais aussi toute une descendance éventuelle dont ils espèrent être la source : *Défense et Illustration*, premières *Satires* de Boileau, *Temple du Goût* de Voltaire, manifeste symboliste de Moréas (1886), Manifeste de l'école romane (1891), etc.... Bref, Maurois n'a pas tort de parler de regroupement autour d'un terme *abstrait :* les écrivains du xixe siècle notamment ont littéralement eu la manie de se rapprocher ou de s'opposer entre eux en une suite de révolutions doctrinales. Souvent le même écrivain faisait à lui seul plusieurs révolutions, tel Moréas, successivement « déca-

dent », symboliste, « roman », néo-classique. Il y a bien quelque
chose d'un peu *abstrait* dans ces étiquettes, car Moréas était loin de
se renouveler totalement lorsqu'il passait d'une école à une autre.

3. **Approfondissement de la notion d'art.** Toutefois il serait très
injuste de ne voir dans ce goût du groupement en écoles que la
conséquence d'habitudes mondaines ou de culture critique. Car,
à travers la sécheresse un peu déconcertante des manifestes, des
déclarations, des contre-déclarations, des répliques, etc..., nos
écrivains visent en réalité à purifier, à compléter, à nuancer la
notion qu'ils se font de l'art et de la littérature. Telle est la fécondité de cette succession d'écoles, jamais satisfaites les unes des
autres parce que chacune estime que la précédente, même si
elle a donné des œuvres valables, n'a pas trouvé l'essence de
l'Art, le grand secret du Beau. Il serait intéressant ici de développer l'histoire d'un genre quelconque à propos des révolutions
doctrinales qu'il a successivement traversées, par exemple la
poésie : que reproche Ronsard à ses prédécesseurs? d'avoir une
idée trop basse de l'art poétique, une idée toute formelle et toute
profane ; pour lui, la poésie est inspiration divine et travail acharné.
Que reprochent les romantiques aux classiques? de méconnaître
les droits de la vie et du sentiment au profit de la rhétorique.
Que reproche Baudelaire aux romantiques? de mêler à la poésie
pure trop de passions, trop d'idées, trop de leçons morales. Ainsi
chacune de ces écoles ne nie peut-être pas la valeur de tout ce
qui la précède, mais elle attaque surtout la conception, selon elle
incomplète ou fausse, que ses prédécesseurs se font de la poésie.
Il va de soi, bien entendu, qu'aucun de ces écrivains ne détenait
la définition même de l'Art. Mais il est non moins certain qu'en
cherchant à saisir dans toute sa pureté ce qui caractérise l'Art
ou un genre, d'éminents services étaient rendus à la littérature
et des réussites particulièrement « pures » étaient possibles. Par
exemple, Mallarmé, héritant de l'effort de tous ses prédécesseurs,
dégage la poésie dans toute sa pureté, éliminant de celle-ci tout
ce que la prose pourrait aussi bien dire. Sans qu'on puisse parler
véritablement de progrès (il ne s'agit pas de renouveler la querelle des Anciens et des Modernes), il est néanmoins incontestable que la succession des écoles poétiques n'a pas été purement stérile, parce qu'on n'a pas totalement tourné en rond.

II. *Les limites de la notion d'école chez les grands créateurs.*

(Cependant une discussion s'impose, dont Maurois nous fournit
les éléments.)

1. **« Les frontières de ces concepts sont confuses. »** Malgré le renouvellement apporté par chaque école à la notion d'art, il est souvent difficile de limiter nettement les écoles les unes par rapport
aux autres, et cela de deux façons : dans la *succession chronolo-*

gique d'une part, dans *leurs effectifs* d'autre part. Même les écoles les mieux constituées comme telles ont des limites dans le temps assez indéterminées : l'école classique est généralement appelée école de 1660, mais aujourd'hui on considère que cette date ne répond pas à grand-chose, qu'en 1660 il ne s'est rien passé d'important et qu'en tout cas aucun groupe précis ne s'est alors constitué. De même, il est très difficile de lier l'avènement du romantisme à un écrit ou à un fait quelconque : le *Génie du Christianisme* (1802), *De l'Allemagne* (Madame de Staël, 1810), les *Méditations* (Lamartine, 1820), la fondation du *Globe* (1824), *Racine et Shakespeare* (Stendhal, 1823), la Préface de *Cromwell* et la constitution du Cénacle (1827), que choisir? Il est encore plus difficile de déterminer la date à laquelle s'achève une école. On a longtemps fait mourir le classicisme en 1715, actuellement on proposerait plutôt les environs de 1685; de même, le romantisme meurt, dit-on, en 1843 avec la chute des *Burgraves*, mais on peut aussi bien considérer qu'en 1830 il est mort en tant qu'école proprement dite et ne survit plus que comme tendance! Même si l'on s'en tient à une date donnée, il est très difficile de déterminer les membres et les adversaires d'une école. Qui fut vraiment et purement classique? A ne vouloir y faire entrer que des purs, Voltaire refuse le titre de classique à presque tout le monde (voir son *Temple du Goût*) et de fait ni un La Fontaine, ni un Bossuet, ni un Molière n'offrent tous les caractères du classicisme. Bien plus, un Boileau est parfois familier ou burlesque et Voltaire n'admettra pas toutes les œuvres du grand critique classique dans le classicisme! Dans les écoles plus modernes, la confusion des frontières est encore plus grande : Flaubert refuse d'être appelé réaliste, Bergson déclare qu'il a en horreur le bergsonisme, et, à part M. Sartre et Mme S. de Beauvoir, nul n'admet aujourd'hui le titre d'existentialiste, ce qui est au moins étrange pour un mouvement dont le retentissement a été si grand! Ainsi rien n'échappe plus à l'histoire que les frontières d'une école littéraire.

2. **« La puissance des créateurs fait éclater les cadres. »** Pouvons-nous du moins espérer trouver au cœur d'une école un ou deux grands noms qui représentent celle-ci dans toute sa pureté? Si la liste des disciples est un peu incertaine, y a-t-il du moins des chefs reconnus? En apparence cela semble évident; à voir les choses de plus près, il n'y a presque jamais de chef d'école littéraire bien défini. Boileau ne fut jamais ce chef d'orchestre qu'imaginent beaucoup de lycéens, et son *Art poétique* (1674) est postérieur à la plupart des grandes œuvres classiques. Ni un Chateaubriand (qui considérait les romantiques comme des barbares) ni même un Hugo, oratoire, volontiers moral et moralisant, au surplus solidement équilibré dans son génie un peu massif, ne peuvent être considérés comme les chefs indiscutés du romantisme. Quel est le chef du Parnasse? ce ne peut être

ni Th. Gautier, ancien romantique qui oriente son romantisme
vers l'art pur, ni Leconte de Lisle dont les *Poèmes antiques* (1852)
sont antérieurs au recueil intitulé *Le Parnasse contemporain*
(1866), ni Baudelaire, parnassien d'apparence et de circonstance.
Quant au symbolisme, ni Verlaine ni Mallarmé ni Rimbaud n'ont
utilisé ce terme et il faut attendre le manifeste de Moréas en 1886
pour voir fonder une école dont les plus grands noms avaient
alors achevé leur œuvre. En somme, on peut se demander si l'école
n'est pas souvent la codification de découvertes déjà faites par
des génies isolés.

3. « Les grands écrivains ne sont jamais les prisonniers d'une doctrine. » Y a-t-il même un seul grand auteur pour être resté toute
sa vie fidèle à une doctrine unique? En vérité cela semble impossible, même théoriquement. En effet tant que la doctrine était
une réaction vivante, elle était utile à l'écrivain; on remarquera
notamment que beaucoup de révolutions littéraires se font au
nom de la vie : les classiques déclarent qu'ils ne veulent plus quitter
la *nature* d'un pas, les romantiques pensent qu'il est temps de
revenir à la *vie* sous tous ses aspects, sublimes et grotesques,
les surréalistes estiment qu'il faut renoncer à la littérature au
profit de la *vie* inconsciente et profonde. Mais, comme toute
institution humaine, l'école ne tarde pas à perdre de vue cette
protestation vivante qui l'a engendrée et elle devient assez vite
un conformisme, un *académisme;* c'est à ce moment-là que le
grand écrivain doit savoir s'en débarrasser, car elle n'est plus
qu'un cadre mort, figé, stéréotypé et elle risque de tuer le disciple.
Ainsi le classicisme du xviiie siècle n'est plus que stérile prolon-
gation formelle de ce qui a été un jour protestation vivante
au nom de la nature contre les artifices baroques, burlesques
ou précieux. C'est précisément après un siècle de tragédie voltairienne ou de poésie à la manière de l'abbé Delille ou de
J.-B. Rousseau que le romantisme devra réagir au nom de la vie.
La plupart des grands écrivains s'étaient du reste déjà détournés
de ces voies surannées et les Diderot, les J.-J. Rousseau, etc... hors
de celles-ci cherchaient leur route. De même aucun des romantiques ne reste toute sa vie romantique au sens étroit, lyrique et
sentimental du mot, mais tous ils dépassent l'école pour des
préoccupations beaucoup plus larges, politiques, philosophiques,
épiques, sociales, humaines.

III. L'école comme besoin profond chez les créateurs.

Bien que le mot de Maurois, en montrant rapidement les réalités
et les difficultés historiques de la notion d'école, ait l'air d'épuiser
le sujet et de ne pouvoir prêter à discussion, il peut être intéressant d'étendre un peu le problème, en quittant le terrain historique et en nous demandant si l'école, au sens un peu large du
terme, ne répond pas à un besoin profond de la création artistique.

1. Chez les écrivains « engagés » l'engagement tient lieu d'école.
Nous écarterons tout d'abord un cas à la fois probant et éloigné
de notre propos, celui des écrivains qui sont porteurs d'une grande
vérité à exprimer, qui ont « un message à délivrer », qui défendent
de tout leur talent une grande cause politique ou religieuse. Pour
ceux-là, pas de problème d'école, ou plutôt, comme ils dépendent
totalement de leurs convictions, *leur école, c'est cette conviction*
dont ils doivent trouver les moyens d'expression les plus efficaces : ainsi un Démosthène, un Montaigne, un Agrippa d'Aubigné, un Pascal, un Saint-Simon, un Voltaire (le Voltaire de l'action politique et sociale), un Veuillot, un Léon Bloy, etc... sont
sous la dépendance tellement directe de ce qu'ils ont à exprimer
qu'ils trouvent sans peine le style de leurs idées. Mais en vérité ce
ne sont pas avant tout des artistes et il ne leur est pas essentiel
de réfléchir sur le but de l'Art : si quelques-uns le font, c'est
comme par surcroît.

2. L'école comme expression profonde des besoins d'un temps. Chez
les autres écrivains, plus artistes, plus soucieux d'élaboration
et de perfection esthétiques, l'obéissance à une école n'est pas
toujours conformisme aveugle et stérile, car l'école, du moins
dans sa jeunesse, est souvent l'expression profonde des besoins
d'un temps : qu'est-ce que la Pléiade, sinon l'expression du désir
de renouvellement de la Renaissance? qu'est-ce que la réforme de
Malherbe, puis le classicisme, sinon la traduction d'un besoin
d'ordre, de méthode, de discipline caractéristiques du Grand
Siècle? etc... Dès lors, un écrivain peut-il toujours refuser l'école
sous prétexte d'éviter la sclérose, le conformisme? En réalité,
à vouloir jouer les isolés, il risque souvent de couper son talent
des besoins de son temps; il s'expose à n'être qu'un inadapté
supérieur, un irrégulier et un baroque. Il pourra bien être un génie,
mais fera-t-il une œuvre universellement valable? Par exemple,
Saint-Évremond n'a-t-il pas perdu d'être un philosophe du
xviiie siècle sous Louis XIV, Sully-Prudhomme n'a-t-il pas eu la
malchance de renouveler le didactisme de Chénier en plein symbolisme?

**3. Les écoles de raffinement esthétique et les écoles de grandes ten-
dances.** Bien entendu, toutes les écoles ne rejoignent pas ainsi
les besoins majeurs de leur époque. Bien des écoles mineures
raffinent sur des principes déjà existants et, loin d'apporter à
l'écrivain un enracinement dans son temps, elles contribuent à
le stériliser dans des recherches d'un esthétisme trop raffiné.
Peut-on parler vraiment de renouvellement avec toutes ces
petites écoles de la fin du xixe siècle qui s'appellent Décaden-
tisme, École romane, Naturisme, etc...? Peut-être faudrait-il
distinguer ces Écoles des grands mouvements par lesquels l'art
donne l'impression de reprendre contact avec des réalités essentielles et profondes. Au fond, ces dernières écoles ne font que

traduire, sur le plan littéraire, l'un des grands besoins de l'esprit humain, besoin que pour une raison ou pour une autre l'époque précédente avait négligé. C'est ainsi que l'école est indispensable à l'écrivain parce qu'alors elle n'est que l'expression d'une tendance fondamentale. Deux ou trois tendances, guère plus sans doute, dialoguent à travers toute notre littérature par la voix des écoles : tendance technique et formelle, tendance vitale et humaine, besoin de l'ordre et de l'harmonie, voilà qui suffit peut-être à définir les très grandes écoles, celles dont aucun écrivain ne peut se passer, s'il veut prendre parti dans le domaine de l'art.

Conclusion.

L'existence des écoles est donc sur un plan historique à la fois trop voyante et trop imprécise : c'est une notion pratique, utile, mais difficile à manier. Peut-être bien des difficultés s'éclairent-elles, si, au lieu de donner à l'école son sens étroit de « corps de doctrine esthétique », on songe qu'elle répond — quand elle est vraiment une école essentielle — au besoin profond d'une époque, lequel rejoint généralement une grande tendance de l'homme. Ainsi, pour être vraiment vivante, il faut *que la notion d'école s'éclaire de la notion de tendance;* on peut même se demander historiquement dans quelle mesure l'école n'est pas précédée par une tendance et ne se continue pas en tendance[1] : par exemple, bien avant le classicisme de Boileau et de Racine, une tendance se dessine vers l'ordre et, bien après le Romantisme, des tendances continuent à vouloir exprimer de plus en plus exactement la vie. On a même pu dire que tout le XIXe siècle n'a été que la monnaie de l'école romantique (cf. sujet n° 27) ce qui serait en somme marquer que bien après l'École romantique survivront des tendances romantiques.

1. Nous conseillons à l'étudiant de se documenter sur l'évolution de quelques grandes tendances à travers la littérature française, par exemple : la tendance humaniste, la tendance psychologique, la tendance mondaine, etc. Outre que cette étude est très féconde, elle prépare à traiter des sujets qui peuvent être proposés sous une forme aussi lapidaire que le fut récemment celui-ci : « La tendance stoïcienne dans la littérature française. »

Chapitre IV

XVIᵉ SIÈCLE ET HUMANISME

SUJET

Un critique contemporain définit comme il suit notre XVIᵉ siècle : « Grand siècle pour notre prose, non moins que pour notre poésie, siècle d'explosion et d'invention, d'efforts enthousiastes et de surprises émerveillées, le plus brûlant, le plus avide et tout ensemble le plus frais de notre histoire littéraire. » Expliquez et discutez ce jugement (*d'après* un sujet proposé au baccalauréat en 1952).

RÉFLEXIONS PRÉLIMINAIRES

1. *Bien que le texte soit un peu diffus et qu'aucun terme en particulier ne résume l'unité du sujet, on saisit assez bien l'orientation de l'ensemble : le XVIᵉ siècle est essentiellement présenté dans sa rupture avec ce qui le précède (« explosion et invention ») et dans son exaltation et son étonnement devant cette rupture (« efforts enthousiastes », « surprises émerveillées »). On ne saurait s'engager dans une comparaison poussée du XVIᵉ siècle avec les autres siècles, sans aboutir à des développements indéfinis et vite gratuits; des allusions doivent suffire : les adjectifs (« le plus brûlant », « le plus avide », « le plus frais ») ne font guère que commenter les caractéristiques qui les précèdent.*

2. *Un tel devoir exige une documentation précise, mais ne saurait tourner à l'exposé d'histoire littéraire. Il ne s'agit pas de répéter ce que les histoires de la littérature expliquent fort bien, mais de s'astreindre à un effort d'imagination historique (c'est-à-dire, non pas, bien entendu, de réinventer l'histoire à sa façon, de la « romancer », mais de la « repenser » en quelque sorte de l'intérieur, d'imaginer l'état d'esprit d'un lettré à telle ou telle époque, de faire, dirions-nous volontiers, si l'expression n'était pas trop ambitieuse, la « philosophie de l'histoire »...), pour concevoir, d'après tous les renseignements que l'histoire met à notre disposition, ce qu'a pu être pour un homme*

cultivé du XVIe siècle cette sensation de renouveau, de remise en question de toutes les valeurs, cet enthousiasme d'une génération qui s'est sentie jeune. Bien sûr, aucune génération n'est jeune en réalité et on devra rappeler les continuités fatales. Mais il en est qui se croient vieilles et d'autres qui se croient jeunes : là est l'essentiel, et les nuances de la discussion seront précisément de montrer que beaucoup d'éléments connus déjà du Moyen Age seront repris dans un état de jeunesse et d'ardeur qui les transfigureront totalement.

3. *Faudra-t-il tenir compte des différentes générations que l'histoire littéraire distingue dans la Renaissance? Certes, et il n'est pas question de mettre sur le même plan l'humanisme d'un Lefèvre d'Étaples, que son audace de néophyte rend suspect aux gardiens de la tradition, et l'humanisme d'un Montaigne, distinguant des domaines, mettant à part la foi, la politique, se restreignant à la culture de soi. Mais :*

a) *il serait très difficile de bâtir le plan autour de la question des générations successives, sans compromettre dangereusement l'unité du développement;*

b) *la nature même du sujet incite à s'appuyer davantage sur la première Renaissance, ou du moins sur les deux premières Renaissances, celle de 1500 et celle de 1525, sur les générations que M. Verdun Saulnier appelle la « génération de l'imprimerie » et la « génération de François Ier », plus que sur la Renaissance mûrie et assagie;*

c) *pratiquement toutefois, il sera utile dans la rédaction du devoir de laisser entendre qu'on ne confond pas les générations, qu'on ne met pas sur le même plan, par exemple, la découverte du sens critique et celle du sens esthétique. Mais c'est affaire de formules nuancées plus que d'un exposé dogmatique, qui ne pourrait être qu'un pâle démarquage sans intérêt des excellents travaux des maîtres du seizièmisme.*

DÉVELOPPEMENT

Introduction.

Les générations littéraires successives éprouvent souvent le curieux besoin de se donner un âge. C'est ainsi que les romantiques se pensent vieux ou du moins « venus trop tard dans un monde trop vieux », comme dit Musset. A partir de 1890, la littérature se juge elle-même « fin de siècle ». Certaines époques se voient comme des maturités équilibrées : telle est volontiers la position classique; tout dans l'œuvre d'un Boileau laisse entendre une convergence de ses prédécesseurs vers ce point suprême de culture qu'est le siècle de Louis le Grand (« Villon sut *le premier* dans ces siècles grossiers... » — « Enfin Malherbe vint et *le premier* en France... »). En revanche, d'autres époques se jugent jeunes, inso-lemment et violemment jeunes : peut-être, malgré certaines appa-rences, est-ce le cas de la nôtre (culte de la jeunesse, jeunes civilisations qui entendent rompre avec tout ce qui les a précédées, américanisme, communisme, sens d'une ère nouvelle qui commence avec l'énergie nucléaire et les problèmes de tout ordre qu'elle pose, transposition à l'échelle planétaire de problèmes jusqu ici strictement européens); de toute manière, c'est sûrement le cas des générations de la Renaissance, « siècle d'explosion et d'invention », dit un critique contemporain. Sans doute l'histoire littéraire, et notamment une meilleure connaissance du Moyen Age ont permis d'établir bien des continuités entre le xvie siècle et ce qui le précède. Mais qu'importe, car les hommes de ce temps-là, dans « leurs efforts enthousiastes et leurs surprises émerveillées », repensèrent avec avidité tous les problèmes de leur temps, donnant ainsi à la littérature une fraîcheur particulière et rarement égalée.

I. Siècle d'explosion et d'invention.

De nombreux textes de la Renaissance témoignent en effet du sentiment aigu qu'elle a de tout découvrir, de tout inventer; le plus célèbre est la lettre de Gargantua à Pantagruel : « Maintenant toutes disciplines sont restituées.... Tout le monde est plein de gens savants... » (Rabelais, *Pantagruel*, VIII). Encore faut-il signaler que toute une série de découvertes matérielles soutient cet enthousiasme. Le xvie siècle découvre beaucoup, ses inventions font explosion, engendrent le goût de la science et aussi posent des problèmes radicalement nouveaux, d'où va sortir avec l'esprit moderne et l'esprit critique en matière religieuse et politique, un sens plus aigu des exigences de la nature humaine.

1. Des découvertes en série. La conscience intellectuelle est bouleversée par une suite de découvertes dont seul peut donner une idée le fulgurant progrès de la science depuis le début du xxe siècle. A peu d'intervalle la stratégie militaire est transformée par l'artillerie, la diffusion des idées par l'imprimerie, la pensée philosophique par la découverte de mondes nouveaux (« notre monde vient d'en trouver un autre; et qui nous répond si c'est le dernier? » s'écrie Montaigne, dans les *Essais*, III, 6) et par une modification radicale de l'idée qu'on se fait de la place de la Terre dans l'univers (« système » de Copernic, que confirmeront les observations de Galilée). C'est également l'époque des grands progrès dans les « arts mécaniques » (humanisme technique d'un Bernard Palissy qui perce « le secret de l'émail » et perfectionne la céramique), dans les mathématiques (J. Cardan pousse l'algèbre jusqu'aux équations du 4e degré), en médecine (A. Paré substitue dans les amputations la ligature des artères à la cautérisation et il soulève les colères de ses confrères, parce qu'il ose exposer *en français* le résultat de ses recherches ainsi que ses méthodes d'opération; A. Vésale pratique systématiquement la dissection du corps humain), etc.... L'ère des grandes découvertes scientifiques est ouverte et elles sont déjà suffisantes pour provoquer une assez

belle « explosion ». Mais l'explosion, si l'on peut dire, s'accroît
encore de l'enthousiasme, de la surprise, de l'émerveillement
et cela de deux façons essentielles : aux découvertes scientifiques
on réagit par le goût de la science, aux bouleversements scientifiques on réagit par une philosophie de la science.

a) *Le goût de la science.* Un Rabelais, par exemple, sent d'une façon
très aiguë que la science est en train d'expliquer et de conquérir
le monde : il faut tout connaître et sous toutes les formes, parce
qu'il faut mettre la main sur le monde. Dans le *Tiers Livre*
(XLIX-LII) il s'étend complaisamment sur l'éloge du « Panta-
gruelion », herbe merveilleuse aux « vertus et singularités » innombrables, symbole du génie humain, dont l'industrie inventrice
est d'une inépuisable fécondité, et il rêve qu'un jour on pourra
modifier le temps et le climat à volonté. Ainsi s'explique cette
avidité de savoir de ses héros, dont le nom même suggère la soif :
Gargantua, Pantagruel, les Dipsodes, etc....

b) *La philosophie de la science.* Mais surtout le xvie siècle réagit
à la science en réfléchissant aux modifications qu'elle introduit
dans la conscience pensante du temps : l'homme n'est plus le
centre du monde, l'Europe n'est plus le lieu unique et privilégié.
Une incessante curiosité jette Rabelais et Montaigne sur les routes
du voyage. Ce n'est plus l'enquête pittoresque d'un Froissart,
c'est le sens aigu des différences dues aux lieux et aux temps,
c'est le relativisme, c'est l'esprit critique.

2. L'explosion du sens critique. C'est peut-être l'esprit critique qui
est la principale « bombe » lancée par le xvie siècle dans le domaine
de l'activité intellectuelle.

a) *Le sens des textes.* Chronologiquement l'esprit critique éclate,
en tout cas, le premier, quand, au début du siècle, des érudits,
las des gloses et des commentaires médiévaux, s'avisent que
l'essentiel de la culture, c'est avant tout d'aller aux textes, de
les établir avec correction, de les comprendre, de les traduire,
de discuter sur eux. L'effort de la première Renaissance apparaît
donc en France moins comme un retour à l'Antiquité que comme
un retour à la pureté des textes anciens, sur lesquels s'exercera
directement le sens critique. Pratiquement l'attention se porte
sur trois points : avoir des textes corrects et les multiplier (rôle
de l'imprimerie); créer les instruments de travail qui manquent
totalement, grammaires et dictionnaires (héroïquement, dans
un élan généreux et désintéressé, les humanistes composent les
premiers dictionnaires : Robert Estienne, le *Thesaurus linguae
latinae* (1535) — Henri Estienne, le *Thesaurus linguae graecae*
(1572), et les premières grammaires : Étienne Dolet, *Commen-
tarii linguae latinae* (1536-38); enfin offrir les premières traductions qui ne soient plus des paraphrases (Marot donne une
version des *Psaumes* en vers français; Calvin publie une édition
française de son *Institution chrétienne;* Amyot traduit de Plutarque
les *Hommes illustres* en 1559, les *Œuvres morales* en 1572).

b) *L'explosion dans les textes sacrés.* La « bombe » était prête, elle devait exploser lorsqu'on appliquerait aux textes sacrés le sens critique mis au point pour les textes profanes. En effet l'Église entourait de beaucoup plus de précautions qu'aujourd'hui la Bible et l'Évangile, évitant même d'en diffuser la lecture, préférant en proposer les interprétations qu'elle se chargeait d'élaborer. Or tout naturellement les humanistes appliquent leurs méthodes à l'Évangile dont ils veulent retrouver toute la fraîcheur authentique : Lefèvre d'Étaples, qui en liaison avec les idées de Luther prélude à « l'Évangélisme », est d'abord toléré, mais suscite rapidement les plus vives réactions des théologiens et doit se retirer à Nérac auprès de Marguerite de Navarre. Sans faire ici toute l'histoire de la Réforme, notons simplement que des érudits, en quête de la vérité philologique, sont à l'origine du plus grand bouleversement religieux de la conscience moderne.

c) *L'explosion de la libre pensée.* Dès lors se dresse en effet, en face de l'autorité, la liberté de l'esprit critique : la libre pensée est née. Qu'importe du reste qu'elle aboutisse à l'athéisme de Bonaventure des Périers (*Cymbalum mundi*) ou de Dolet; qu'importe qu'elle s'appuie sur le rationalisme padouan de Pomponazzi, niant l'immortalité de l'âme et encourageant l'épicurisme diffus dans le siècle (épicurisme auquel Ronsard donnera son expression poétique); qu'importe, inversement, que la libre pensée reste religieuse d'esprit et se manifeste par le mysticisme de pur amour chez Marguerite de Navarre; qu'importe qu'elle se teinte de platonisme ou d'esprit littéraire, en déclarant que les poètes sont des inspirés divins et que la poésie est un sacerdoce interdit au profane — qu'importent toutes ces nuances, la pensée se pose désormais seule dans ses audaces en face des textes sur lesquels elle s'appuie. L'esprit libertin est né, qui est la bombe la plus puissante de l'esprit moderne.

d) *Le sens critique en politique.* Restait la question politique, à laquelle l'esprit critique ne s'attaquera que plus tardivement au cours du XVIe siècle. Mais, pour être plus tardive, la bombe de l'esprit critique n'en est pas moins violente en ce domaine. Déjà les premiers humanistes prétendaient, tel Guillaume Budé, pouvoir mieux penser les problèmes de leur temps grâce à la critique humaniste et philologique. Un Rabelais pose très vite à la conscience du siècle les principales questions de la haute politique, notamment la question des guerres de conquêtes qui lui semblent médiévales et anachroniques. Plus tard, Montaigne reprend le même sujet sous l'aspect brûlant du colonialisme, qu'il condamne avec virulence; un La Boëtie, dans le *Contr'Un*, s'élève énergiquement contre les formes tyranniques du pouvoir. Bref, alors que la pensée du Moyen Age, sans ignorer les questions politiques, réservait néanmoins un certain nombre de problèmes comme celui des bases mêmes de l'État, l'esprit critique du XVIe siècle, devançant celui du XVIIIe, se propose de repenser sous toutes ses formes le monde contemporain.

3. Le sens de la condition humaine. La vérité, c'est que le xvi⁰ siècle
entend non seulement conquérir à l'esprit critique un droit de
regard universel, mais encore remettre en question les cadres
mêmes où celui-ci peut s'exercer. Ce point est essentiel à noter,
car le Moyen Age n'a pas totalement ignoré l'esprit critique.
On peut même dire que peu d'époques ont lancé de plus vives
attaques contre la religion, le clergé, les moines, la justice, les
institutions de tout ordre que le Moyen Age du xii⁰ au xv⁰ siècle.
Mais ces attaques avaient lieu à l'intérieur de cadres qu'on ne
songeait pas sérieusement à détruire, au sein d'une conception
de l'homme universellement admise. Or c'est cette condition
de l'homme que le xvi⁰ siècle entend remettre en question. Sans
doute ne se propose-t-il pas toujours d'ébranler ouvertement la
conception chrétienne de la nature humaine, mais il lui porte
des coups très dangereux en faisant à l'homme une confiance
absolue, confiance qui ne s'accorde que très difficilement avec le
dogme du péché originel. Bien sûr ne faut-il pas teinter le christianisme médiéval d'un jansénisme avant la lettre qui n'est pas
son fait : la joie religieuse y est certes plus forte que dans l'austère
religion de la Cour de Louis XIV, si bien que ces moines joyeux
de Rabelais, comme Frère Jean des Entommeures, ont pu sembler aux contemporains une pointe un peu audacieuse, mais
suffisamment orthodoxe encore, de l'esprit chrétien. Il n'en
reste pas moins qu'une conception où « les hommes ont par nature
un instinct et aiguillon qui toujours les pousse à faits vertueux
et retire de vice », comme il est dit à propos des « thélémites »
(*Gargantua*, ch. lvii), remet en question la condition humaine
tout entière, considérée comme bonne lorsqu'elle peut se
développer librement : joies de l'esprit et joies du corps, goût de
l'érudition et du sport, goût de la vie spirituelle ou animale, goût
du rire ou des passions tragiques tels qu'ils alternent chez les
principaux conteurs et notamment dans l'*Heptaméron* de Marguerite de Navarre, voilà qui définit une image véritablement nouvelle, enthousiaste et explosive de l'homme, qui rejoint ou prétend rejoindre le naturalisme païen de l'Antiquité. Le goût de
Rabelais pour ce qu'il appelle Physis, sa haine pour Antiphysis,
semblent bien poser un homme nouveau en face de l'homme chrétien du Moyen Age.

II. *Les continuités inévitables.*

Ainsi, grâce aux découvertes scientifiques, à l'avènement de
l'esprit critique, au renouvellement de la condition humaine,
le xvi⁰ siècle a été longtemps considéré comme la grande rupture
de notre histoire littéraire. Manifestement le critique qui parle de
« siècle d'invention et d'explosion, d'efforts enthousiastes et de
surprises émerveillées » est fortement marqué par cette conception traditionnelle. L'érudition moderne a permis de redresser
quelque peu ce jugement et nous savons aujourd'hui que la

fraîcheur du xvie siècle, ses passions et son avidité, recueillent
bien des éléments et souvent les meilleurs du legs du Moyen Age.
Ce serait vue simpliste au surplus que d'imaginer que les hommes
du xvie siècle eux-mêmes rompaient avec tout le passé. On a
trop retenu l'arrogance de du Bellay à l'égard des « vieilles poésies
françaises », qui « ne servent sinon à porter témoignage de notre
ignorance » (*Défense*, II, 4). En réalité notre xvie siècle a le goût
du passé français; dans les beaux-arts, architectes, sculpteurs,
peintres sont très longs à se dégager du Moyen Age; les humanistes
s'intéressent à nos vieilles institutions (Pasquier, *Recherches de la
France;* Claude Fauchet, *Antiquités gauloises et françaises, Recueil
de l'origine de la langue et poésie française*). Il ne serait pas exagéré d'avancer que le xvie siècle, plus que le xviie en tout cas,
est un grand siècle d'études médiévales. Il a le souci notamment
de la langue nationale que du Bellay lui-même ne veut pas trahir
au profit des langues anciennes, mais enrichir grâce à celles-ci.
Du Moyen Age on peut dire qu'il garde essentiellement la méthode
intellectuelle, la coexistence de l'esprit gaulois et de l'idéal chevaleresque, le culte du métier poétique.

1. La méthode intellectuelle.

a) Le goût des Sommes. Dans son souci de tout connaître, le xvi^e
siècle, comme le Moyen Age, accumule des notions plutôt qu'il n'y
cherche un ordre et un classement. Il admire *Le Roman de la Rose*,
Somme de la culture médiévale; les *Essais* sont, à l'origine, une
Somme des lectures et de la culture de Montaigne (avant justement qu'il comprenne que la culture consiste à s'occuper de soi
et de l'homme à travers les livres). Même chez les Anciens on
préfère les compilations aux textes plus humains des classiques.
On apprécie Aulu-Gelle, Macrobe, déjà admirés du Moyen Age;
on voit volontiers dans Homère ou dans Virgile des sortes de
Bibles de la culture antique. La Bible elle-même, Somme religieuse, est très lue. Les humanistes collectionnent des sentences,
comme Erasme dans ses *Adages* ou Montaigne sur les poutres du
plafond de sa « librairie ». Si l'on se détourne de plus en plus des
glossateurs et des commentateurs, on accorde encore à l'écrit
la foi aveugle du Moyen Age, et, même en sciences, la méthode
expérimentale est encore à naître : le chancelier Bacon ne publie
son *Novum organum* qu'en 1620. A ce goût pour les Sommes,
on peut rattacher le didactisme impénitent qui se prolonge dans
les furieuses ardeurs pour la controverse violente, passionnée,
grossière telle qu'elle éclate chez un Calvin ou chez un Ronsard
quand il répond à « je ne sais quels prédicants et ministres de
Genève ».

b) Le manque de mesure et de goût. C'est que le xvie siècle, pas
plus que le Moyen Age, ne connaît la mesure, l'ordre, le sens
des proportions et de l'harmonie, en un mot le goût. L'unité d'une
belle composition échappe totalement à ses écrivains : les œuvres
de Rabelais ou de Montaigne cultivent un désordre dont les

grandes Sommes médiévales donnaient l'exemple. Mais plus
encore que dans la composition, l'absence de goût éclate dans ce
curieux mélange des tons qui mêle l'injure à la théologie ou fait
coexister chez la délicate Marguerite de Navarre un mysticisme
épuré et une gaillardise assez grossière. C'est là sans doute le
reflet d'une société à la fois éprise de violence et de raffinement,
de « sang et de dentelle », suivant l'expression de M. Verdun
L. Saulnier à propos de ce qu'il appelle la « génération de la Ligue ».
D'une façon générale, art populaire et art aristocratique sont presque toujours mêlés au sein des mêmes œuvres. C'est là sans aucun
doute un trait médiéval et peut-être celui qui contribue le plus
à donner au xvie siècle cet aspect de fraîcheur et d'avidité tout
à la fois dont parle notre critique et que l'âge du goût viendra
réduire, fâcheusement parfois, au profit de l'ordre et de la méthode.

2. **Esprit gaulois et idéal chevaleresque.** Ce manque de goût traduit
peut-être, ou plutôt continue à traduire ce qui, sans doute, constitue la plus grande contradiction du Moyen Age : la coexistence
de l'esprit gaulois, bourgeois, satirique et railleur et de l'esprit
idéaliste, aristocratique et courtois. Prédilection pour la farce
et le gros rire, attaques burlesques contre les maris trompés, les
femmes perverses et les moines paillards, les médecins ignorants,
les juges vénaux, voilà qui domine indistinctement le deuxième
Roman de la Rose de Jean de Meung, *Le Roman de Renard*, les
fabliaux, Rutebeuf, Rabelais, Bonaventure des Périers, l'*Heptaméron*, les principaux conteurs et auteurs comiques du xvie siècle.
Mais la courtoisie médiévale n'est pas morte non plus. Outre que
le pétrarquisme et le platonisme à la mode lui doivent beaucoup,
on constate un regain des romans de chevalerie en plein xvie siècle,
notamment autour du personnage imaginaire d'Amadis et du
personnage historique de Bayard dont le Loyal Serviteur raconte
la vie comme un véritable roman de chevalerie. Continuité donc
jusqu'en cette contradiction de gauloiserie et d'idéalisme dont
les siècles suivants feront souvent regretter la vivante fraîcheur.

3. **Le culte du métier poétique.** Ce n'est pas seulement une méthode
ou un esprit, mais aussi une certaine conception de la beauté
que le Moyen Age a légués au xvie siècle. Sans doute y a-t-il une
apparente rupture entre la grande rhétorique et les artistes de
la Pléiade, mais on peut se demander si le meilleur de la grande
rhétorique ne sera pas conservé par l'esprit poétique du temps.
On fait remarquer habituellement que les grands rhétoriqueurs
étaient tombés dans des abus de formalisme, d'acrobaties ryth-
miques, dans des jeux de mots et d'esprit qui éloignaient la poésie
de toute fraîcheur. Mais n'avaient-ils pas ainsi mis en honneur ce
que l'on considère souvent comme le grand apport de la Pléiade :
le sens du métier, le goût des fortes techniques, la difficulté pour
le profane d'accéder sans initiation aux secrets de l'art? Sans
doute, et c'est essentiel, la Pléiade exigera-t-elle aussi du poète

le don divin, l'inspiration, mais ce dernier élément ne peut s'acquérir. En revanche, quand elle insiste sur la nécessité de multiplier les genres, de soumettre la langue à des mètres nombreux, quand Ronsard et du Bellay, dans leurs sonnets d'amour, s'exercent aux variations sur un même thème (ils écrivent volontiers trois ou quatre sonnets sur un thème avant de passer au thème suivant), que font-ils d'autre que de retenir le meilleur de la leçon de la grande rhétorique qui, elle-même, poussait à l'extrême les enseignements de la lyrique médiévale, de Guillaume de Machaut, d'Eustache Deschamps, de Christine de Pisan avec leurs poèmes à forme fixe? Bien d'autres signes peuvent être notés de cette continuité; l'allégorie systématique ne cesse de sévir : Maurice Scève dans la *Délie* l'exploite de manière précieuse et platonisante, Ronsard fait intervenir Bel-Accueil ou Danger comme des personnages familiers à ses lecteurs.

On peut donc penser que l'impression de rupture, « d'explosion », laissée par le xvie siècle, est le fait de jeunes écoles brillantes comme la Pléiade, qui se sont définies en s'opposant, plutôt qu'une réalité historique profonde. Ce que ce siècle apporte surtout, c'est un état d'esprit nouveau, un éclat, une jeunesse, une vigueur, bref une « surprise émerveillée », comme dit notre critique.

III. Les surprises émerveillées ou le nouvel état d'esprit.

De quoi est faite essentiellement cette « surprise émerveillée »? De découvertes objectives, nous l'avons constaté, mais en ce domaine nous croyons avoir démontré qu'il ne faut rien exagérer et que le xvie siècle reprend au Moyen Age beaucoup de ses richesses. Ainsi nous avons vu quel étonnement il ressent devant les merveilles de la science, mais il ne reniera jamais cet occultisme, cette magie, cette astrologie que le Moyen Age admirait. En fait, et en particulier sur le plan littéraire, son apport essentiel n'est pas là, il est surtout dans un nouvel état d'esprit, esthétique et artistique, une découverte du Beau.

1. Une nouvelle vision des Anciens. Rien de plus instructif à cet égard que la fameuse question des Anciens. Le xvie siècle ne découvre nullement les Anciens : tout le Moyen Age a parfaitement connu Virgile, Lucain, Sénèque, Ovide et les autres. Il se nourrit d'Aristote. Sans doute le xvie siècle apporte-t-il quelques textes nouveaux, beaucoup de Cicéron, Platon surtout. Mais l'important n'est pas tant dans le caractère objectif de quelques découvertes, de quelques manuscrits mis au jour que dans une nouvelle façon de lire. On va d'abord, nous l'avons précisé, aux textes eux-mêmes et ceci est capital surtout pour les auteurs grecs connus jusqu'alors par les traductions latines; ensuite on ne demande pas à ces mêmes textes, comme faisait le Moyen Age, des révélations sur la morale chrétienne ou le dogme chrétien, mais, par un mouvement inverse, on les lit pour remonter

aux sources, pour reconstituer une civilisation dont on veut sentir
les caractères propres (l'humaniste est archéologue et historien,
tel Budé auteur du *De Asse*, traité sur les monnaies romaines),
pour rejoindre une sagesse païenne qu'on aime en elle-même et
pour ce qu'elle révèle de l'homme, mais indépendamment de la
théologie. Bref au Moyen Age qui dit volontiers : « *Philosophia
ancilla theologiae* », l'humaniste répondrait : « Étudions Platon
pour connaître la philosophie antique. » Tel est, semble-t-il,
le sens de l'expression « *humaniores litterae* », c'est-à-dire les
lettres profanes, source d'une sagesse toute rationnelle et naturelle, sans rapport avec la théologie (pas forcément opposée à la
théologie, mais constituant un domaine séparé, car, très volontiers,
l'humaniste est croyant chrétien *et* humaniste païen).

2. **Le sens de la Beauté.** Ainsi, dans la façon de fréquenter les Anciens,
surgit un tour d'esprit nouveau : on lit un texte, non pas pour
confirmer des opinions préconçues, mais pour lui, pour les idées
qu'il apporte et surtout pour sa Beauté propre. La leçon essentielle des œuvres antiques, de l'Antiquité en général, c'est une
beauté de la forme qui se transmet à travers les civilisations
les plus différentes, à travers un bouleversement total des idées
et des mœurs. Très révélateur à cet égard est le déplacement
des admirations, du Moyen Age au xvie siècle : le premier admire
les moralistes, Sénèque, Lucain, ceux chez qui il croit trouver
une prescience de la Révélation (Virgile : l'*Énéide* et surtout
la 4e *Églogue*); le second réhabilite au contraire Cicéron, Horace,
la belle prose, les vers travaillés. Il remet en honneur les Alexandrins, Théocrite, Anacréon, leur imitateur Catulle. Il s'intéresse
à la mythologie, non pas pour l'adapter au christianisme, mais
en elle-même. Elle devient le décor naturel de la vie d'un humaniste, fournit des manières de s'exprimer (Ronsard *voit sincère-
ment* les nymphes dans les fontaines ou les arbres). Sans doute
cette ornementation ne fut pas sans provoquer quelques heurts
avec l'iconographie chrétienne. Mais qu'importe, car à cette
époque, l'iconographie chrétienne elle-même tournait à la beauté
décorative. Beauté du langage, beauté plastique, goût des belles
décorations, voilà peut-être l'apport essentiel des Anciens au
xvie siècle, voilà en tout cas l'état d'esprit dans lequel les hommes
du xvie siècle ont lu les Anciens et s'en sont inspirés.

3. **La gloire des Arts et des Lettres : l'éclat du « vert laurier »** (Ronsard). Au fond, la surprise la plus émerveillée du siècle, c'est la
Beauté de la vie quand viennent l'orner les Arts et les Lettres, son
éclat, en un mot, sa *gloire*. Dès son début, c'est à un renouveau
de la vie mondaine, luxueuse, voluptueuse, brillante qu'est liée la
Renaissance. Les guerres d'Italie n'avaient pas révélé beaucoup
d'idées nouvelles aux compagnons de Charles VIII, de Louis XII
et de François Ier, mais elles leur avaient montré une manière
de vivre plus exaltante et surtout plus artistique, au milieu des

beaux tableaux, des manuscrits précieux, des souvenirs archéo-
logiques, des palais, des jardins, des jeux d'eau et des fêtes.
En ce luxe et en cette splendeur, l'homme ne s'amollissait pas
nécessairement, mais au contraire, à l'imitation des Scipion ou
des Cicéron, entendait développer sa valeur propre, sa *virtù*,
comme disaient les Italiens. Cette valeur, cette gloire, les poètes
français de la génération de Ronsard vont la transposer dans les
Lettres. On sera poète, on sera artiste, non plus comme au Moyen
Age pour la plus grande gloire de Dieu ou pour la plus grande
gloire d'une collectivité, mais pour sa gloire propre, pour passer
à jamais dans la mémoire des hommes. Non seulement l'artiste
sera immortel, mais encore il donnera l'immortalité :

« Tous deux également nous portons des couronnes,
　Mais, Roi, je les reçois; Poète, tu les donnes »,

écrivait Henri II à Ronsard. Tel est, dans toute son ampleur,
l'idéal artistique de la Renaissance, l'idéal du « vert laurier ».
Qu'il n'aille pas sans quelque démesure, sans quelque excès
d'audace, sans quelque goût de l'indiscipline, cela est incontestable. Même au milieu des guerres civiles, ce culte de la gloire
personnelle ne sera jamais aboli, un d'Aubigné n'y sera pas étranger. Des deux pôles extrêmes de l'art — luxuriance gratuite et
sévère harmonie — la Renaissance a plutôt retenu le premier.
Mais « l'explosion », « l'invention », « les surprises émerveillées »
dont parle notre critique y apparaissent d'autant plus nettement.

Conclusion.

Cet élan vers la Beauté n'est évidemment pas le fait de tout le
siècle. La génération de Ronsard (vers 1550) le met plus en évidence que la génération de Lefèvre d'Étaples et de Rabelais,
qui sont plus soucieux de vérité et de vie. De même, la Renaissance « se fatigue » assez vite en France. Avec Montaigne, elle
semble plus préoccupée de distinguer des domaines, de poser
des limites. Très volontiers, l'humanisme prend une allure
technique, notamment pour éviter de mettre en présence ces
trois termes mal conciliables : Culte du Vrai, Foi, Beauté. La Foi
se méfie beaucoup de l'esprit critique et un peu de la Beauté.
L'esprit critique, qui se développe avec la Réforme, se méfie
également de la Foi et de la Beauté, trop mondaine et frivole à
son gré. La Renaissance n'a pas d'unité; une « explosion », des
« surprises » n'en impliquent d'ailleurs aucune. Dans la littérature
certains moments apportent des richesses, d'autres les ordonnent
et les distinguent; Péguy disait dans *Clio* qu'il y a « des périodes
et des époques, des plaines et des points de crise ». Le xvıᵉ siècle
français est incontestablement un « point de crise » et se rapproche
ainsi de notre xvıııᵉ siècle, de tous les siècles de remise en question
des valeurs, de bouillonnement, « d'enthousiasme », « d'explosion ».
Siècles qui, de loin, semblent riches et pittoresques, mais qui
furent certainement durs à vivre. Un Rabelais, un Montaigne,

un Diderot, un Rousseau eurent sans aucun doute plus de mal à trouver leur équilibre qu'un Virgile ou un Racine. Ils y gagnent peut-être d'être devenus pour la postérité des maîtres « nourrissants » et pas seulement de beaux sommets de civilisation.

$$\boxed{17}$$

SUJET

    « L'humanisme... tend à comprendre et à absorber toutes formes de vie, à s'expliquer, sinon à s'assimiler toutes croyances, mêmes celles qui le repoussent, même celles qui le nient. » D'après ces suggestions d'André Gide (*Journal*, éd. de la Pléiade, page 816), vous tenterez de définir ce que vous entendez vous-même par le mot d'*humanisme*.

             (*C. A. P. E. S.* Lettres modernes, 1950.)

RÉFLEXIONS PRÉLIMINAIRES ———————————

1. *Faire tout particulièrement attention à éviter la discussion philosophique. Cela est tentant, plus que jamais, mais dans tous les cas, c'est de mauvaise méthode. Du reste, l'humanisme étant présenté ici moins comme une doctrine que comme une* attitude intellectuelle, *il importe moins d'élaborer des théories que de faire sentir concrètement la tendance humaniste. On peut connaître, mais sans en espérer grand profit, la formule de Lalande : « L'humanisme est un anthropocentrisme réfléchi qui, partant de la connaissance de l'homme, a pour objet la mise en valeur de l'homme, exclusion faite de ce qui l'aliène à lui-même, soit en l'assujettissant à des vérités ou à des puissances suprahumaines, soit en le défigurant par quelque utilisation infrahumaine. » Cette définition dégage quelques éléments intéressants, mais a le défaut de trop présenter l'humanisme comme une philosophie systématique.*

2. *On cherchera à préciser, à travers des philosophies souvent fort différentes, ce qu'on peut appeler l'attitude humaniste; on s'efforcera surtout de montrer que toute doctrine humaine ou humanitaire n'est pas nécessairement un humanisme, en d'autres termes que l'humanisme est une attitude qui a ses limites et notamment qu'il pratique à l'égard des religions ou des systèmes politiques une défiance parfois excessive, mais qui est dans son esprit même. Autrement, on pourra parler de foi, d'engagement, d'idéal, de confiance généreuse, etc... mais il ne sera pas très juste de parler d'humanisme, si du moins on veut dire quelque chose de précis. Tel est en effet le danger de ce devoir : un pur jeu sur les mots qui consisterait à traiter d'humanisme toutes les doctrines qui s'intéressent à l'homme.*

3. *Pour éviter ce jeu sur les mots, il sera à la fois logique et habile de distinguer et d'approfondir les sens possibles du mot « humanisme ». Et pour cela, précisément, la réflexion de Gide nous fournit un excellent point de départ, un peu superficiel certes, mais c'est ce qu'il nous faut, car cela nous permettra, comme nous le demande le sujet, de* partir des suggestions d'André Gide, *pour arriver à une définition plus nuancée et plus personnelle; Gide rejoint en effet la conception la plus extérieure et aussi la plus classique de l'humanisme : il en fait une sorte d'universelle compréhension, ce qui est à peu près incontestable, quelle que soit la conception que l'on puisse s'en former. Mais la question est de savoir si Gide entend maintenir sur le même plan de compréhension statique toutes ces croyances, toutes ces formes de vie que l'humanisme s'assimile. En fait, il faudra soigneusement distinguer les humanismes qui s'en tiennent à une sorte de neutralité bienveillante à l'égard de tout ce qu'ils considèrent comme humain et ceux qui, au contraire, visent à dépasser et approfondir incessamment la notion d'homme et pour cela ne sauraient tout considérer comme également humain. C'est ici que nous nous heurterons au double danger que court l'humanisme; dans le premier cas, il risque de se détruire par dilettantisme, dans le deuxième cas, il risque de proposer à l'action humaine des fins qui dépassent l'homme, qui sont peut-être louables du reste (là n'est pas la question), mais qui constituent un manquement à son principe fondamental d'après lequel seul l'homme est le but de l'homme. C'est ce principe fondamental que nous essaierons de développer avec plus de précision pour finir : refusant les conceptions trop larges de l'humanisme, nous montrerons que sa grandeur, mais aussi sa limite, est de vouloir saisir exactement l'homme à niveau d'homme, avec une peur presque frénétique de toutes les mystifications par lesquelles on cherche à entraîner l'homme vers d'autres buts que lui-même.*

DÉVELOPPEMENT ─────────────────

Introduction.

On est en droit de s'étonner en constatant que la notion d'humanisme ne fut jamais autant repensée aux époques des humanités triomphantes qu'elle l'est depuis qu'il n'y a plus de véritable et complète culture humaniste. Peut-être est-ce précisément le besoin de retrouver l'homme et les fins humaines qui pousse les écrivains de la fin du XIXe siècle et du début du XXe à méditer sur ce concept, au sortir d'une longue période d'enthousiasme scientifique où la primauté de l'homme avait été sérieusement ébranlée (on sait, par exemple, comment la critique « tainienne » réduisait le rôle de l'homme et de ses libres initiatives dans la création littéraire, pour lui substituer une explication de type scientifique et déterministe). Or, pour répondre à cette angoisse de l'homme dans un monde qui se déshumanisait de plus en plus,

maintes doctrines surgissent, qui prétendent assigner des fins
à l'action humaine. Les premières années du siècle voient se relever
le christianisme, sous une forme traditionnelle ou sous une forme
rénovée; les théories socialistes, à l'autre extrémité, proposent
à l'homme le but nouveau de la cité harmonieuse, et sans cesse,
entre ces deux extrêmes, éclosent des « systèmes » nouveaux pour
résoudre les problèmes essentiels de l'homme : des philosophies
notamment ont d'éclatants retentissements, le bergsonisme,
plus près de nous l'existentialisme, etc.... En présence de ces
solutions diverses, un certain désarroi se fait jour et c'est peut-
être ainsi que la notion d'humanisme connaît un regain de faveur :
n'y aurait-il pas un point commun, où du moins la possibilité
d'un point de vue commun, qui permette de rendre toutes ces
doctrines intéressantes dans une sorte de syncrétisme où l'on
ne garderait que ce qu'elles nous révèlent de l'homme? Un esprit
particulièrement soucieux de synthèse et de totalité, André
Gide, écrivait dans son *Journal*, un jour de 1926 qu'il réfléchissait
sur la solution que la religion propose à notre inquiétude : « L'humanisme tend à comprendre et à absorber toutes formes de vie, à
s'expliquer, sinon à s'assimiler toutes croyances. » Et, allant au
bout de sa pensée, il affirmait que l'humanisme a cette supériorité
de n'être pas une doctrine entre d'autres et que l'on opposera à
d'autres, puisqu'il ne craint pas les croyances « qui le repoussent,
même pas celles qui le nient ». Il est évident qu'une certaine
universalité, une certaine volonté de tolérance sont liées à la
notion même d'humanisme. Est-ce à dire toutefois que celui-ci
ne va rencontrer aucune difficulté du côté de ces doctrines « qui
le dépassent ou qui le nient »? Ne prétendront-elles pas opposer
à l'humanisme de l'universalité un humanisme de l'approfondissement et ainsi ne risquent-elles pas de vouloir, plutôt que de
le nier, le monopoliser à leur profit? Ne serons-nous pas, dans ces
conditions, amenés à nous demander s'il ne doit pas être pris
d'une façon beaucoup plus modérée, beaucoup plus humble, et
si, plus qu'un orgueilleux syncrétisme, il n'est pas une simple
conscience des limites et de l'efficacité à court terme des forces
humaines?

I. L'humanisme et l'universalité.

La conception de Gide, au moins en première analyse, est la grande
conception traditionnelle, notamment celle de l'humanisme ancien
et surtout de l'humanisme renaissant.

1. **Volonté de comprendre tout ce qui est de l'homme.** Devant toute
manifestation de la vie, devant toute croyance l'humaniste
est moins préoccupé de critiquer que de comprendre en se demandant ce que cette forme de vie, ce que cette croyance nous révèlent
sur l'homme. C'est ainsi que Montaigne collectionne avec plaisir
les mœurs qui surprennent, les croyances qui déconcertent :

certains chapitres sur l'imagination, sur la coutume sont remplis d'exemples bizarres, parfois cocasses. L'attitude humaniste est moins de condamner l'étrange que de le rattacher à l'humain en se demandant quelle faculté humaine il met en jeu, si bien que l'humaniste « s'explique » et même en un sens « s'assimile toutes croyances » ou toutes formes de vie : Montaigne observe avec curiosité les coutumes des sauvages (*Essais*, I, 31) et se demande si sous leur étrangeté apparente, elles ne sont pas riches de leçons sur l'éternelle nature de l'homme; par exemple, il est singulier de brûler les prêtres quand ils se sont trompés, mais, après tout, le sauvage qui agit de la sorte ne nous révèle-t-il pas la très grande responsabilité de celui qui fait métier de transmettre aux hommes les volontés divines? (*Essais*, ibid.) Le rôle de l'humaniste est précisément de dévoiler l'humain et de le libérer en le débarrassant de tout ce qui le déguise, de tout ce qui l'opprime.

2. La culture universelle. On comprend dès lors qu'une vaste culture est indispensable à la base de l'humanisme, et notamment une culture embrassant à la fois beaucoup de temps et beaucoup d'espace, de préférence cette culture ancienne, qui offre le triple avantage de nous dépayser dans le temps et dans l'espace, et pourtant de nous livrer une littérature qui traite de l'homme suivant des habitudes morales ou psychologiques assez proches des nôtres. Il est compréhensible en effet que, si l'on veut mener une enquête sur toutes les croyances et toutes les formes de vie qui apprennent quelque chose de l'homme, il ne faut pas se borner à quelques observations autour de soi, mais réserver leur place aux croyances anciennes ou lointaines. D'ailleurs, ce passé n'est pas mort; l'humaniste croit en sa présence toujours vivante et inversement il croit que, par l'intermédiaire des textes, il peut vivre auprès des grands hommes disparus : il a souvent plus vécu avec Socrate, Scipion ou Sénèque qu'avec ses contemporains, non pas par désir de s'évader hors du présent, mais parce .qu'il est convaincu qu'un certain recul dans le temps permet de mieux saisir l'humain, lequel risque de nous échapper dans les passions de la vie quotidienne. Il est donc volontiers historien : « Les historiens sont ma droite balle », dit Montaigne (I, 10), non pas qu'il se livre à des recherches historiques (il n'est pas un érudit), mais il a dans l'histoire une assez belle collection de documents sur les croyances et les formes de vie de l'homme. Du reste, il s'attache surtout à ces historiens qui accumulent des anecdotes ou des récits moraux, comme Plutarque ou certains chroniqueurs.

3. L'idéal de l'homme complet. Ainsi l'humanisme nous apparaît pour l'instant comme un refus de choisir dans l'humain et il est certain que, sur le plan pédagogique, l'idéal humaniste aboutit au désir de former un homme complet, universel, capable de tous les sports comme de toutes les disciplines intellectuelles ou morales (cf. Rabelais, *Pantagruel*, VIII, et Montaigne, *Essais*, I, 26),

non pas par simple curiosité, mais par goût profond d'avoir
touché à tout ce qui est humain. C'est toutefois sur ce problème
de l'éducation que se rencontrent les premières difficultés : peut-
on former un homme sans lui faire comprendre la *nécessité du
choix?* peut-on absolument s'assimiler toutes croyances, toutes
formes de vie? Non seulement certaines croyances sont contradictoires entre elles, mais, ce qui est plus grave encore, on risque,
à vouloir tout connaître et tout pratiquer, de perdre de vue les
fins humaines de cette éducation universelle. Historiquement,
l'humanisme a bien connu ce danger et y est parfois tombé. S'il
perd sa pointe morale, il devient volontiers universelle jouissance, « dilettantisme »; c'est notamment en Italie que l'humaniste s'est souvent abâtardi en esthète, soucieux avant tout
de se partager entre ses beaux manuscrits, ses œuvres d'art,
ses épées ciselées; ou d'une façon plus virile, mais aussi peu
sérieuse, il peut devenir le *condottiere*, qui veut se réaliser pleinement afin de mieux mépriser les autres hommes, les dominer
et les écraser (Montherlant a bien étudié dans son *Malatesta* ce
type d'humaniste, analogue à celui dont se réclamait le fascisme);
mais, qu'il s'agisse du *dilettante* ou du *condottiere*, peut-on encore
parler d'humanisme? Jouissance ou mépris ne sont point des
valeurs humanistes. L'humanisme français, moins exubérant,
mais plus vite moral ou moralisateur, est plus respectueux des
fins humaines, et dans son désir de sérieux et d'honnêteté il va
se poser très vite le problème de ses rapports avec des doctrines
qui nient ou du moins limitent son désir d'universalité : christianisme des xvie et xviie siècles, doctrines sociales de nos jours.

II. Les humanismes de l'approfondissement et du dépasse-
ment humains.

Dans son désir d'universelle compréhension, l'humanisme court
en effet le risque de mettre tout ce qui est de l'homme sur le même
plan, indifféremment. Or l'homme n'est peut-être pas la somme
inorganique de tous les éléments qui le composent. Telle est l'objection fondamentale des diverses doctrines qui, à l'image statique qu'offre de l'homme l'humanisme traditionnel, prétendent
opposer un idéal humain d'approfondissement et de dépassement.
Pour ces doctrines (christianisme, socialisme, existentialisme, etc.),
l'homme est moins une nature donnée une fois pour toutes et
qu'il faut *inventorier*, qu'un perpétuel dépassement qui le *fait* de
plus en plus lui-même; en somme, s'opposant au départ à l'humanisme traditionnel, ces doctrines prétendent très vite confisquer
la notion à leur profit, puisque, si on les suit, on arrive à plus
d'humanité, à une conception de l'homme sans doute moins
tolérante et moins universelle, mais plus authentique.

1. L'humanisme chrétien. En effet, autant qu'une nature, l'homme
a une « surnature » ou plutôt des buts surnaturels, pense le chris-

tianisme. Et très vite cette religion s'avise qu'elle est un humanisme bien plus véritable que l'humanisme laïc, puisqu'elle conçoit de l'homme une image bien plus complète. On peut considérer comme charte de cet humanisme le texte célèbre de Pascal sur les trois ordres (*Pensées*, éd. Brunschvicg, section XII, n° 793) où l'auteur montre que l'homme est chair, esprit et charité, mais qu'il ne l'est pas au même degré et qu'en passant de la chair à l'esprit et de l'esprit à la charité, il s'accomplit de plus en plus et atteint à sa véritable destinée. Ainsi on peut encore parler d'humanisme, puisqu'on cherche à s'expliquer et même en un sens à s'assimiler — en les remettant à leur place — tous les éléments qui composent l'homme, mais la nécessité d'un choix, d'une hiérarchie des valeurs ne conférera pas toujours à cet humanisme la tolérance large et un peu facile de l'humanisme traditionnel.

2. **L'humanisme social.** On peut en dire autant du nouveau type d'humanisme qui se développe de nos jours et qui s'efforce de démontrer qu'il n'y a pas de véritable accomplissement de l'homme hors d'une certaine solidarité qui l'unit à ses semblables pour former un corps social. Cet humanisme, comme dans la perspective précédente, vise donc moins à faire l'inventaire de tout ce qu'il y a dans l'homme, qu'à assurer à celui-ci dépassement et accomplissement vers un avenir heureux et un nouveau type d'homme répondant à cette société future; bien qu'il soit exploité très diversement par les différentes doctrines marxistes, socialistes, etc... il a reçu sans doute son illustration littéraire la plus brillante des romans de Malraux et de Saint-Exupéry : il pourra hésiter comme chez Malraux entre le communisme et une sorte de mythe moderne de l'espoir, il pourra être comme chez Saint-Exupéry lié à un idéal d'utilité et de solidarité en face de la collectivité, il présente ce caractère commun de ne voir dans l'humanisme traditionnel qu'une forme statique et provisoire qu'il faut dépasser au profit d'un humanisme militant et actif, soucieux de construction et par là même d'un certain choix, voire d'une certaine intolérance imposée par l'action et ses nécessités concrètes.

3. **L'humanisme existentialiste.** Les humanismes modernes ont un trait commun, qui est de croire que la nature humaine n'est pas cette « donnée » immuable qu'imaginaient les psychologues classiques. Certains vont même actuellement jusqu'à penser qu'il ne faut assigner à l'homme aucune fin, ni religieuse ni sociale, car on s'expose, sans le vouloir, à retomber alors dans l'humanisme traditionnel, qui invite à croire que l'homme a une nature, une « essence », comme on dit en philosophie. La critique existentialiste notamment remarque que définir l'homme par les buts religieux ou sociaux qui lui permettront de réaliser sa nature, c'est encore le définir d'une façon statique, c'est supposer qu'il

y a un Homme en soi, un Homme pur et idéal. Jean-Paul Sartre enseigne que « l'homme n'est rien d'autre que ce qu'il se fait » dans le concret de chaque situation, et que l'humanisme consiste bien moins à réaliser le mythe de l'Homme (quel que soit le contenu de ce mythe), qu'à créer, à tout moment, en pleine liberté, l'homme que seules nos actions définissent. Dans *La Nausée*, il témoigne d'un très vif mépris pour toutes les formes de l'humanisme moderne, parce qu'elles sont, au fond, « une aliénation de l'homme » au profit de fins qui lui sont étrangères. Comme il le dira plus tard, seul « l'existentialisme est un humanisme », parce que seul il respecte cette absolue indépendance de l'homme à l'égard de toute fin qui le dépasse, parce que seul il évite la mystification par laquelle on prétend assigner à l'homme des fins surhumaines.

Il n'en reste pas moins vrai que les trois attitudes humanistes que nous venons d'étudier (religieuse, sociale, existentialiste) ont en commun une conception active et constructive de l'homme et s'opposent à l'idéal tolérant, intellectuel et compréhensif de l'humanisme traditionnel. Il s'agit en somme de réaliser l'homme plutôt que de l'étudier, d'approfondir et de dépasser son humanité plutôt que de la connaître et de s'y tenir.

III. L'humanisme au sens strict : une pensée à niveau d'homme.

A vrai dire, dépassement, transcendance, approfondissement, voilà des mots dont se méfie un peu l'humaniste tout court, l'humaniste qui n'est ni chrétien ni marxiste, etc..., mais qui est purement et simplement préoccupé de penser à niveau d'homme; son accueil n'est peut-être pas aussi universel que la pensée de Gide le laisserait croire et on peut se demander si, lorsqu'il rencontre ces doctrines qui le nient, il est toujours aussi pressé de leur ouvrir les bras! A toutes ces doctrines qui offrent à l'action humaine des fins supérieures, il reprochera toujours de se tranquilliser à bon marché sur la condition humaine en la subordonnant à des valeurs qui la dépassent. Pour lui le seul but valable de l'action, c'est l'homme — *homo homini deus*, disait déjà le poète latin Cæcilius — et non pas l'Homme racheté et surnaturel du Christianisme, ou l'Homme nouveau du progrès social, mais l'homme concret, qui n'a rien à voir avec une idée supérieure de l'homme, un homme qui sait très bien ses limites et, dans ses limites, sa grandeur, cet homme dont parle Camus, « qui, sans le nier, ne fait rien pour l'éternel, non que la nostalgie lui soit étrangère, mais il lui préfère son courage et son raisonnement ». Cet humanisme, déjà défendu par Montaigne d'une façon un peu confuse, a été précisé de nos jours par ces modernes humanistes que sont Valéry et Camus.

1. Le niveau de l'homme. Cet humanisme est beaucoup plus étroit que tous ceux qui précèdent. Il est avant tout une défiance contre toutes les « mystifications », par lesquelles l'homme essaie d'échapper à sa mesure exacte en se vouant à quelque « cause ». Non pas, bien entendu, qu'il faille se dérober à toutes les « causes », mais il faut terriblement se méfier, car beaucoup, qui prétendent servir l'homme, visent en réalité trop haut ou trop bas : trop haut les religions qui soumettent l'homme du temporel à un homme surnaturel et éternel, trop haut encore les mystiques politiques qui sacrifient l'homme du présent au progrès et à la cité future; trop bas la plupart des sciences qui réduisent l'homme à n'être qu'une cause ou un effet dans la chaîne naturelle des effets et des causes, trop bas les réalismes politiques, les machiavélismes qui regardent l'homme comme un pion sur l'échiquier d'un jeu, trop bas les tyrannies qui traitent l'homme comme un moyen pour satisfaire les caprices de quelques-uns. Entre ces deux excès, l'humaniste, loin de tout comprendre et surtout loin de tout admettre, n'a qu'une très mince bande de terrain pour bâtir sa maison. Il veut poser l'homme tel qu'il est, avec ses insuffisances, ses faiblesses; il lui demande de jouer pleinement son jeu d'homme, de jouir loyalement de son être et de comprendre qu'il sera d'autant plus dieu qu'il se reconnaîtra simplement un homme. Tel est à peu de chose près l'humanisme de Montaigne.

2. Les sciences proprement humaines. Sans croire que l'homme est incapable de tout progrès, l'humaniste pense que la nature humaine est éternelle [1] et qu'une étude de l'homme en général est possible. Il est en effet très important, pour trouver cette exacte mesure de l'homme, d'arriver à définir, à l'aide de l'expérience, ce qu'il y a en lui. Aussi l'humaniste est-il volontiers, comme nous l'avons remarqué, tourné vers le passé, non point par une stérile nostalgie d'une Antiquité qui n'est plus, mais parce que le passé est la source de toute expérience humaine, et que le présent n'est jamais innovation radicale; aussi se défie-t-il un peu de l'avenir et du progrès, non qu'il désire arrêter le monde à lui, mais avenir et progrès deviennent très vite des mythes où l'on situe si facilement d'extraordinaires et chimériques

---

1. Et c'est pourquoi nous ne saurions considérer les philosophes du xviiie siècle (aux doctrines desquels diverses résonances de cette dernière partie peuvent par moments faire penser) comme de véritables humanistes, au sens strict du terme. Ainsi que nous le montrerons plus loin (cf. sujet traité N° 24), ils ne croient pas à l'homme éternel des moralistes du xviie siècle, ils ne pensent pas qu'une étude de l'homme en général soit possible. Pour eux l'homme est lié à tel ou tel moment de la civilisation et, par conséquent, le philosophe est celui qui cherche à entraîner l'homme et la civilisation vers un avenir où l'un et l'autre se réaliseront en même temps. (Si cette attitude est un humanisme, elle est un humanisme de « l'approfondissement et du dépassement. ») Nous ne voulons pas dire, du reste, qu'il suffise de croire à l'homme éternel pour être un humaniste, car souvent cette croyance est liée à un certain pessimisme sur l'homme, comme cela apparaît chez les moralistes du xviie siècle, pessimisme qui, naturellement, n'est pas le fait des humanistes.

nouveautés! On sait la défiance de Montaigne à l'égard de la
« nouveauté », quand celle-ci est arrogante et orgueilleuse et prétend faire fi d'une nature humaine telle qu'elle est apparue au
cours des siècles. Aussi l'humaniste, qui, lui, n'en fait pas fi,
s'il est volontiers historien, parce que l'histoire lui permet de
définir ce niveau de l'homme dont on ne peut pas sortir, est plus
volontiers encore médecin et psychologue. Ce n'est pas un hasard
si le xvie siècle a été un très grand siècle médical, si Rabelais et
Ambroise Paré sont des types accomplis d'humanistes, si la médecine s'honore d'une constante tradition humaniste. En effet
entre les sciences physiques, inhumaines, et l'occultisme, le spiritisme, les sciences religieuses, surhumaines, la médecine est
exactement à la mesure de l'homme, elle l'étudie tel qu'il est
sans le réduire à une matière qu'il dépasse ni le soumettre à une
âme qui le dépasse. Connaître l'homme sans mépris, mais sans
illusion, le soigner, c'est-à-dire l'aider à se tenir à ce niveau dont
il ne lui faut pas déchoir, tel est l'idéal de la médecine et de l'humanisme et ce n'est pas pour rien qu'à la pointe de l'humanisme
d'un Camus se trouve le docteur Rieux de *La Peste*, qui « ne pouvant être un saint et refusant d'admettre les fléaux, s'efforce
cependant d'être un médecin ».

3. L'humaniste n'est pas un individualiste. On le voit, l'humaniste,
même sous cette forme un peu étroite où il est avant tout soucieux
d'éviter tout ce qui dénature le niveau humain, se tourne vers les
autres hommes; mais comme il rejette tous les dépassements,
comme il se méfie de voir assigner à son action des finalités supérieures qui ne sont en réalité que des aliénations, comme il ne
croit ni au culte stérile des tombes, ni aux lendemains qui chantent, il prend volontiers figure de défiant et de sceptique et,
dans bien des cas où la foule s'engage et se bat, il reste sur la
rive, avec son allure de doux lettré paisible et inoffensif; il n'agit
pas facilement, ne s'enthousiasme pas pour rien : il est avant
tout le calme Grandgousier qui, devant la folie de Picrochole,
prend conscience de la gravité de l'action humaine et notamment
de toute action où l'on risque la vie de l'homme. Avant de déclarer
la guerre, il entend être bien sûr que cette guerre sert les vrais
intérêts de ce dernier. Apparemment il n'a pas le rôle brillant,
il ne se décide pas facilement; en revanche, quand certains droits
lui semblent violés, quand il a l'impression que son adversaire,
quoi qu'on fasse pour l'en détourner, entend porter atteinte à
ce niveau de l'homme qu'il fait tout pour défendre, alors il entre
en lutte avec la dernière vigueur. Mais jusque dans la lutte il
n'oublie pas ses principes : cet adversaire, il ne le méprise ni ne le
livre au mépris, il respecte en lui l'homme. Quand Grandgousier
tient Touquedillon prisonnier, il cherche à lui expliquer la vanité
et l'anachronisme de la guerre. Il lui parle comme on parle à un
homme, non à un ennemi. Bref, si la nécessité l'exige, il faudra
parfois qu'un humaniste se résigne à tuer un homme, mais jamais

il ne cherchera à l'avilir, et même, en un certain sens, il comprendra et tolérera son erreur.

Ainsi sommes-nous amenés à définir un humanisme un peu plus étroit que l'humanisme de l'universelle compréhension. Cet humanisme entend se limiter à la mesure possible de l'homme. Il est frappant de lire l'épigraphe que choisissent volontiers deux de ses modernes représentants, Valéry et Camus : « O mon âme, n'aspire pas à la vie immortelle, mais épuise le champ du possible » (Pindare, *Troisième Pythique*, vers 109-110, cités en tête du *Cimetière marin* et du *Mythe de Sisyphe*).

Conclusion.

Au fond, on peut se demander si la notion d'humanisme n'oscille pas entre un idéal d'universelle compréhension, cher surtout à la Renaissance et aux humanités classiques, et une ambition d'action pour transformer et dépasser l'homme. Mais, dans un cas comme dans l'autre, l'humanisme se heurte à de très sérieuses difficultés, car l'universelle compréhension dégénère volontiers en dilettantisme et empêche le choix moral. Inversement, l'action en vue d'amener l'homme à se dépasser semble intéressante sans doute, mais on voit mal en quoi elle se distingue d'une morale qui subordonne l'homme à certaines valeurs. En fait, l'humanisme ne prend sa véritable originalité que si, renouant avec la tradition grecque, la tradition de Protagoras et de sa célèbre formule sur « l'homme, mesure de toutes choses », la tradition de Rabelais et de Montaigne, il s'identifie avec la défense de ce qui dans l'homme, indépendamment de tout ce qui l'avilit ou de tout ce qui le dépasse, est proprement à hauteur humaine.

N. B. Bien entendu, chacun doit « orienter » la conclusion selon ses opinions personnelles. L'essentiel est d'arriver, par élimination des autres solutions possibles, à la thèse que l'on entend défendre; quelle que soit cette thèse, elle devra être exposée avec mesure et sincérité, et méritera l'examen attentif et courtois de tout lecteur désireux de comprendre et de s'expliquer la « position » de son « frère humain », même si la sienne est différente : ce sera là attitude d'humaniste! (Lecture recommandée : Robert (F.), *L'humanisme, essai de définition*, Les Belles-Lettres, 1946.)

SUJETS PROPOSÉS

1. Commentez cette opinion de Th. Maulnier : « Le premier grand siècle de la poésie française est aussi le plus grand. Non que le xvie siècle ait rien produit qui dépasse Villon ou Racine, mais sa fertilité est sans égale. Jamais époque n'a été plus riche en poètes du premier rang. Jamais les grandes œuvres n'ont été produites en telle profusion, avec tant de générosité, d'abondance créatrice et de joie. »
(*Introduction à la poésie française.*)

2. Discutez le jugement suivant : « (La Renaissance) ne détruisit rien, comme on l'a dit trop souvent, — elle dégagea, excita, épanouit les quelques germes de vie qui languissaient sous les décombres. » (Lanson-Tuffrau, *Histoire de la littérature française.*)

3. On lit au fronton de la porte sud du château de la Possonnière, le manoir des Ronsard, cette devise : VOLVPTATI ET GRATIIS (« *A la Volupté et aux Grâces* ».) Que vous suggère cette « dédicace » relativement à l'esprit de la Renaissance?

4. Dans quelle mesure peut-on appliquer à la Renaissance française ces lignes de Montherlant à propos du Renaissant italien : « Sa foi véritable, c'est la foi dans la gloire, et ses dieux, ce sont les grands hommes de l'Antiquité romaine.... C'est chez ces grands hommes qu'il cherche des exemples; des encouragements dans ses entreprises, à se remémorer les obstacles qu'ils vainquirent; des consolations dans ses épreuves, à en retrouver de semblables chez eux; la justification de ses penchants, de ses extravagances et de ses crimes. »
(Montherlant, *Présentation de Malatesta*, éd. de la Pléiade, p. 545.)

5. Cherchant à préciser le rôle du retour à l'Antiquité au début du xvie siècle, R. Jasinski écrit : « Là justement est le vif de la Renaissance, dans cette emprise de l'Antiquité ressuscitée sur un monde en pleine transition, dans cette haute autorité qui affermit, discipline et oriente presque dès l'origine les efforts tumultueux de l'esprit moderne. » (*Histoire de la littérature franç.*, t.I.)
Commentez.

6. « Dans la transition de l'esprit médiéval à l'esprit moderne (l'humanisme du xvie siècle) marque une gigantesque étape. Il fait prévaloir la nécessité des sources sûres, des textes authentiques pénétrés dans leur détail concret autant que dans leur inspiration profonde. Retrouvant ainsi une Antiquité vivante, fécondé par elle, il reclasse les valeurs, reconsidère tous les grands problèmes humains, pose dans toute son ampleur la question religieuse. Sensible enfin à la qualité de l'expression, il goûte pour eux-mêmes les beaux textes, et fait revivre dans une prose heureuse l'élégance et l'harmonie de la phrase antique. Toute l'histoire de notre littérature devient alors inséparable de ses progrès. »
(R. Jasinski, *ibid.*)

7. Étudiez ce texte de A. Renaudet (In *Dictionnaire des Lettres françaises, XVIe siècle*, sous la direction de Mgr Grente, p. 383) : « L'humanisme est une éthique de confiance en la nature

humaine. Orienté à la fois vers l'étude et la vie, il prescrit pour but et pour règle, à l'individu comme à la société, de tendre sans cesse vers une existence plus haute. Il commande à l'homme un effort constant pour réaliser en lui le type idéal de l'homme, à la société un effort constant pour réaliser la perfection des rapports humains. Ainsi conçu, il exige un immense effort de culture; il suppose une science de l'homme et du monde; il fonde une morale et un droit; et aboutit à une politique. Il nourrit un art et une littérature dont le domaine s'étend à tout l'ensemble du spectacle que le monde offre à l'homme, aussi bien qu'à tout l'ensemble de la connaissance et de la pensée humaine, à toutes les inquiétudes, à toutes les espérances, à toutes les intuitions de l'âme humaine. » (Fayard, édit.)

8. « L'humanisme, c'est une adhésion globale à tous les grands auteurs et à toutes les grandes œuvres, c'est une acceptation, non point par doctrine, mais par méthode, de toutes les formes de pensée que l'humanité a reconnues comme siennes en les faisant survivre aux circonstances où elles furent créées. Avant de se rallier à une philosophie de son choix, l'humaniste se sent uni à tous ceux qui choisiront d'autres systèmes, par la possession en commun des grands textes, et par l'existence de cette Idée de l'homme, au sens platonicien,

qu'ils nous transmettent : par tout ce qui, dans la vie de l'humanité, n'appartient pas au devenir. »

(F. Robert, *L'humanisme,*
Essai de définition.)

9. « On aura beau faire, la connaissance de l'homme sera historique ou elle ne sera pas. Être cultivé, ce doit être surtout : avoir réfléchi sur l'aventure humaine, avoir pu la suivre assez sérieusement dans ses aspects essentiels, depuis les obscures et lointaines origines jusqu'à nos jours. C'est au fond — et autrement qu'en rêve — le mur des siècles qui doit apparaître à l'humaniste :
« Où tous les temps groupés se rattachaient au nôtre, Où les siècles pouvaient s'interroger l'un l'autre.... »
(R. Joly, *Bulletin de l'Association G. Budé,* 3ᵉ série, nᵒ 2, juin 1953; éd. des Belles-Lettres.)

N. B. Ce *Bulletin* publie régulièrement de très pertinents articles sur cette question passionnante de l'*Humanisme.*

10. Albert Camus estime que le monde moderne a perdu le sens de la mesure et de la limite et, essayant de définir un humanisme moderne, il écrit : « L'ignorance reconnue, le refus du fanatisme, les bornes du monde et de l'homme, le visage aimé, la beauté enfin, voici le camp où nous rejoindrons les Grecs. »
(*L'Été,* p. 118.
Expliquez et commentez.

Chapitre V

LE BAROQUE

18

SUJET

Vous expliquerez et préciserez ces lignes extraites d'un article d'Émile Henriot sur le livre de Jean Rousset consacré à *La littérature de l'âge baroque en France* : « Le baroque est un art solide, massif, membré; la préciosité est une afféterie, un jeu salonnier de la pointe, moins que rien.... Cependant baroque et précieux parfois se rencontrent. Comme le baroque et le classique; comme se rencontreront, sans nécessairement se confondre, le baroque et le romantique.... »

RÉFLEXIONS PRÉLIMINAIRES

1. *Il convient de se documenter et de réfléchir sur des vues nouvelles, qui tendent depuis quelque temps à s'introduire dans la critique litté- raire par référence aux écoles artistiques contemporaines de la litté- rature étudiée. C'est ainsi qu'on a parlé du « cubisme » d'Apollinaire, c'est ainsi qu'on peut chercher — d'une façon plus large — à définir un « impressionnisme » littéraire, c'est ainsi notamment que depuis 1935-1940 on commence à s'interroger sur le « baroque » en littérature et à s'aviser que préciosité ou burlesque sont des notions un peu étroites pour rendre compte de toute une esthétique qui a précédé le classicisme.*

2. *On trouvera divers textes d'auteurs baroques dans :*

GENDROT-EUSTACHE : *Auteurs français, XVIIe siècle* (éd. Hachette).

SORAND (P.) : *Poésies choisies de Malherbe, Racan, Maynard* (éd. Larousse).

ROUGER-DUFFAUT : *Poésies choisies de M. Régnier, Th. de Viau, Saint-Amant* (éd. Larousse).

Outre l'ouvrage de A. Cart, cité dans la *Bibliographie générale* (lequel contient aussi des textes) et, bien entendu, le livre de J. Rousset (éd. Corti), on pourra consulter :

Dédéyan (Ch.) : *Position littéraire du baroque (L'information littéraire,* sept-oct. 1950. Étude sobre et sûre, avec de nombreuses références).

Lebègue (R.) : *La poésie française de 1560 à 1630 (Les Cours de Sorbonne,* publiés par le Centre de Documentation universitaire).

Lebègue (R.) : *Le théâtre baroque en France* (Bibliothèque d'Humanisme et Renaissance, 1942).

Henriot (E.) : Article (cité dans l'énoncé), paru dans *Le Monde* du 28 octobre 1953 : *Du baroque en littérature.*

XVIIe siècle : *Du baroque au classicisme* (Bulletin n° 20, 1954). *Revue des Sciences humaines,* n° spécial de juillet-décembre 1949.

3. *Le sujet proposé ici ne nous demande pas de savoir exactement et totalement tout ce qu'enveloppe la notion de baroque, mais plutôt d'essayer quelques « dissociations d'idées » entre la notion de baroque et des notions voisines. On s'efforcera donc de préciser des* points de rencontre *et des* lieux de divergence, *ce qui amènera, comme par surcroît, à éclairer le domaine et les extensions possibles du baroque.*

PLAN DÉVELOPPÉ ──────────────

Introduction. — (Exceptionnellement on a intérêt à introduire le sujet par des considérations d'histoire littéraire pure, d'où se dégagera le problème esthétique.)

La première moitié du xviie siècle semble bien avoir eu son esthétique propre : indépendamment de la tendance générale à l'ordre, à l'unité, aux règles par laquelle elle annonce l'esthétique classique, quel a été cet idéal d'art personnel?

● *Réponse traditionnelle* (depuis Boileau) : cet idéal s'est incarné dans la préciosité et le burlesque, qui forcent la nature, la première en la dépassant, le second en la caricaturant; le classicisme serait justement survenu pour imposer le respect (sans la dépasser ni la caricaturer) de la nature. *Mais* ni préciosité ni burlesque ne sont des écoles littéraires importantes et Boileau n'a majoré le danger qu'ils présentent que pour mieux les pourfendre.

● *Plus récemment,* on s'est avisé de parler d'une sorte de romantisme pré-classique : par exemple, Corneille serait un romantique, qu'auraient torturé les contraintes du classicisme naissant. *Mais* le mot de « romantisme » soulève beaucoup de difficultés; il implique notamment une conception profondément tragique de l'art et de la vie qui ne convient pas aux principaux artistes de cette époque.

● *Par conséquent*, quittant le domaine proprement littéraire, on s'est adressé à une notion assez originale de l'histoire des arts et on s'est demandé si la littérature de cette époque ne relevait pas, souvent à l'insu des écrivains, d'une esthétique *baroque*. Sans doute, « baroque et précieux parfois se rencontrent, comme se rencontreront, sans nécessairement se confondre, le baroque et le romantique », observe un critique contemporain, Monsieur Émile Henriot. Il n'en reste pas moins vrai, dit-il, que « le baroque est un art » et que, « solide, massif, puissant, membré », il a toute la puissance des grandes conceptions esthétiques. Il peut être intéressant, en approfondissant ces rencontres et ces divergences, d'essayer de saisir l'originalité du baroque et de chercher si la première moitié du xviie siècle ne s'est pas rattachée, en littérature comme en peinture et en architecture, à l'une des deux ou trois grandes tendances esthétiques possibles, le baroque, qui, pour plus d'un critique, prend désormais place à côté du classicisme ou du romantisme.

I. *Baroque et préciosité.*

Le baroque comme esthétique particulière a mis longtemps à se dégager, car il a été longtemps confondu avec la préciosité.

1. **Le goût de la surprise.** Baroque et préciosité sont tout d'abord des esthétiques de la nouveauté et de l'étonnement. En face du classicisme dont l'idéal est d'offrir quelque chose de si simple que tout le monde doit avoir l'impression de pouvoir « en faire autant », baroque et préciosité veulent avant tout provoquer l'admiration d'un lecteur ébloui de tant d'ingéniosité et de tant d'esprit. Ceci apparaît notamment dans les surprises de la composition : par exemple, précieux et baroques aiment commencer un sonnet par un thème en apparence banal et finir sur un autre qui est le vrai sujet (voir la composition du célèbre sonnet de *Job :* pendant treize vers Benserade nous parle des souffrances de Job, mais, au dernier vers seulement — « J'en connais de plus misérables » — il révèle le véritable propos de son poème, qui est un parallèle entre le martyre d'un prophète et le martyre de l'amant, et renouvelle ainsi la célèbre image galante du « martyre amoureux »).

2. **La subtilité psychologique.** C'est particulièrement dans le domaine psychologique que l'effet de surprise est caractéristique commune à l'esthétique précieuse et à l'esthétique baroque : en face du classique, qui donne du sentiment l'expression la plus simple et la plus banalement universelle, se pose le baroque qui veut en donner l'expression la plus surprenante et la plus rare, suggérant des rapports psychologiques inattendus (exemple célèbre de *Pyrame et Thisbé* de Th. de Viau :

> « Le voilà, ce poignard qui du sang de son maître
> S'est souillé lâchement; il en rougit, le traître. »

Façon de parler que le goût classique nous fait considérer comme un jeu ridicule, mais qui repose sur une analyse psychologique et physiologique du remords, transposé dans les choses et dans les manifestations concrètes de couleur).

3. **Les comparaisons hyperboliques et raffinées.** Cette subtilité psychologique trouve son expression de choix dans les images, qui sont un des moyens les plus importants de l'art baroque et de l'art précieux. On peut distinguer :

● la *métaphore prolongée*. Elle est très fréquente surtout dans l'art précieux (voir, dans la *Clélie* de Mlle de Scudéry, la carte de Tendre, qui n'est au fond que le développement de l'expression imagée : « faire des progrès dans l'amour de quelqu'un ») ; mais elle est aussi une caractéristique de l'art baroque, notamment de l'art religieux (voir dans *Les larmes de saint Pierre* de Malherbe la comparaison des Saints Innocents à des lys, où l'image du lys se prolonge par les mots : « blancheur », « incarnate peinture », « teint délicat », « fleurir », « printemps éternel », vers 199-204) ;

● la *métaphore outrée* (hyperbolique). Le procédé est commun à la galanterie précieuse (« les yeux qui assassinent ») et à l'art baroque ; dans le poème cité précédemment, où le désespoir de saint Pierre est comparé à un orage, la métaphore est prolongée et renforcée de façon hyperbolique ; l'orage va provoquer un véritable tòrrent :

> « C'est alors que ses cris en tonnerres éclatent,
> Ses soupirs se font vents, que les chênes combattent,
> Et ses pleurs, qui tantôt descendaient mollement,
> Ressemblent un torrent qui des hautes montagnes,
> Ravageant et noyant les voisines campagnes,
> Veut que tout l'univers ne soit qu'un élément. »

Évidemment on peut parler tout simplement, à propos de ces vers, de mauvais goût, mais il est peut-être plus juste, devant cette emphatique expression d'un sentiment religieux, de songer au caractère excessif et pompeux d'un certain art religieux, italien ou espagnol ;

● les *accumulations de comparaisons*. Quand une comparaison ne suffit pas, on la renforce par d'autres comparaisons : les Saints Innocents sont successivement comparés à une troupe de guerriers, à des lys (Malherbe, poème cité) ; la France à une mer, à un géant, à un vaisseau (d'Aubigné, *Les Tragiques*) ;

● les *métaphores doubles*. On peut encore renforcer une métaphore en la combinant à une autre à propos du même objet. Par exemple, Dupeyron désigne une prairie que le vent agite, par l'expression « ondes d'émail tremblantes », ce qui revient à comparer la prairie, d'une part à l'émail à cause de ses fleurs et de ses couleurs, d'autre part aux vagues de la mer à cause des mouvements des herbes dans le vent. Montchrestien appelle la. chevelure de Marie Stuart « Forêt d'or où l'Amour comme un oiseau nichait », ce qui exploite et combine ingénieusement deux images à la fois.

● Enfin l'image baroque peut être empruntée à un registre *bizarre* ou *érudit*, et tirer son effet de surprise de son caractère étrange. Ainsi Montchrestien écrit à propos de Massinissa : « Massinissa vit, Pirauste en sa flamme », c'est-à-dire : Massinissa vit dans sa flamme amoureuse, comme le pirauste, sorte de salamandre, dans sa flamme matérielle (exemple proposé comme les précédents par M. Lebègue, dans le cours cité plus haut).

Bref, par tous les procédés indiqués précédemment, baroque et préciosité se confondent; toutefois on peut se demander s'ils sont utilisés exactement dans le même esprit. En fait la préciosité n'a peut-être pas autant d'ambition que le baroque et, sans être aussi sévère que M. Henriot qui écrit : « La préciosité est une afféterie, un jeu salonnier de la pointe, moins que rien », il est toutefois permis de considérer qu'elle est subtilité intellectuelle et construction raffinée d'un univers valable pour le seul précieux, alors que le baroque se sert de la surprise, de la subtilité, de l'hyperbole pour rendre la vie dans toute sa force, sa liberté, sa plénitude. En ce sens, le baroque se rapprocherait des ambitions majeures du romantisme.

II. Baroque et romantisme.

Reproduire *la plénitude de la vie hors de toute contrainte* rationnelle ou esthétique, telle est une des ambitions majeures du romantisme et, en un sens, du baroque. D'où le goût de ce dernier pour la luxuriance et l'abondance désordonnée, notamment dans l'expression frénétique des sentiments et dans la peinture des spectacles mystérieux ou horribles de la réalité.

1. **Le baroque, art de la surcharge.** En face de l'art classique, art de la litote (voir sujet traité n° 20), le baroque apparaît comme un art de la surcharge : au lieu de ne retenir de la réalité que le significatif, il veut tout dire, tout décrire; au lieu de ménager les moyens, il les multiplie : d'où la manie descriptive commune à certains poètes de l'époque Louis XIII et à certains romantiques (on connaît les longues descriptions de Hugo, par exemple). Il est frappant de voir un poète comme Malherbe, qui fera plus tard de la densité et de la concision les plus grandes vertus littéraires, consacrer dans sa période baroque quatre cents vers rien qu'à décrire le repentir que ressent saint Pierre d'avoir trahi le Christ. Il est plus frappant encore de voir l'insistance de l'art baroque sur le détail amusant, surprenant, vivant, qu'un classique supprimerait sans aucun doute : ainsi Saint-Amant, nous décrivant dans son *Moïse sauvé* le passage de la mer Rouge, semble moins sensible à la signification religieuse du miracle qu'aux conditions

matériellement surprenantes du phénomène; il donne une description fort colorée du fond de mer découvert :

> « De ce fond découvert le sentier il (= le peuple hébreu) admire,
> Sentier que la nature a d'un soin libéral
> Paré de sablon d'or, et d'arbres de coral.... »

Mais ce sont les enfants surtout qui ont dû s'amuser!

> « Là l'enfant éveillé....
> Témoignant le plaisir que reçoivent ses yeux,
> D'un étrange caillou, qu'à ses pieds il rencontre,
> Fait au premier venu la précieuse montre. »

Bien plus curieuses encore doivent être ces murailles d'eau verticales à droite et à gauche du passage :

> « D'un et d'autre côté, ravi d'aise il (= le peuple) se mire. »

D'ailleurs, derrière ces murailles il y a des observateurs :

> « Et là près des remparts que l'œil peut transpercer
> Les poissons ébahis le regardent passer. »

Il ne nous est donc fait grâce d'aucun détail et cela, non pas pour renforcer l'impression fondamentale de terreur religieuse, mais simplement par goût des richesses de la vie, de ses couleurs, de ses spectacles surprenants.

2. **L'expression frénétique des sentiments.** Cette richesse et cette intensité de vie se rencontrent particulièrement dans l'expression hyperbolique et forcenée des sentiments violents. Dans les arts plastiques, le baroque exprime volontiers la violence des sentiments religieux et mystiques : le visage ravagé de pleurs que Malherbe attribue à saint Pierre dans le poème déjà cité fait penser à quelque statue tourmentée de saint dans une église baroque. En littérature, c'est toute la gamme des sentiments emportés, frénétiques, extrêmes, auxquels s'attache le baroque; ainsi ce n'est pas une jalousie ordinaire que peindra un Th. de Viau dans *Pyrame et Thisbé*, mais une jalousie extraordinaire qui pousse Pyrame à être jaloux du soleil, des fleurs qui entourent Thisbé, et même des yeux de celle-ci, quand elle regarde son sein, ou de sa main, quand elle effleure son corps.

3. **Le goût du mystère et de l'horreur.** Il est certains sentiments qui, par leur nature même, sont plus favorables à l'art baroque : ce sont les plus irrationnels, ceux qui sont liés au mystère ou à l'horreur. Nous avons déjà vu les rapports étroits du baroque et du mysticisme; sur un plan plus profane il ne serait pas difficile de montrer comment l'art baroque se complaît dans les descriptions de la réalité étrange, repoussante, mystérieuse : la fameuse *Ode à la solitude* de Saint-Amant multiplie sorciers, démons, oiseaux de nuit, squelettes, limaces, crapauds, etc. M. Lebègue, qui a spécialement étudié les tragédies irrégulières de 1580 à 1640, signale que l'horreur y est un procédé tout à fait courant; l'épopée en

abuse d'autant plus que Lucain en avait fourni plus d'un modèle : ainsi Brébeuf dans sa *Pharsale* accumule (en un vers que les railleries de Boileau ont rendu célèbre) « De morts et de mourants cent montagnes plaintives ».

Sur le plan du réalisme caricatural, un Mathurin Régnier, un Sigogne se plaisent aux portraits de vieilles hideuses, de pédants immondes, d'entremetteuses ignobles, etc....

Il semble donc que le romantisme n'ait rien inventé dans ses prétentions à peindre, hors de toutes convenances et de toutes règles, la réalité intégrale. La plénitude de vie, la *Lebensfülle* que le critique Hatzfeld, un des premiers à avoir parlé du baroque en littérature, attribuait à cet art, semble bien en effet lui être commune avec toute littérature de type romantique.

III. Le baroque pur.

Toutes ces ressemblances entre le romantisme et le baroque ne doivent tout de même pas nous tromper : en son essence, celui-ci a des prétentions différentes de celui-là. En effet le romantisme se double toujours d'une philosophie de la destinée et, s'il veut étreindre la vie dans sa totalité, c'est toujours avec la secrète intention d'en montrer l'insuffisance. Le mot célèbre de René : « On habite avec un cœur plein un monde vide », implique une double et contradictoire passion de saisir la vie et d'en dénoncer les manques profonds. Le baroque, lui, a des ambitions beaucoup moins philosophiques et beaucoup plus décoratives, beaucoup plus esthétiques. S'il est préoccupé de saisir la vie dans sa totalité et dans sa diversité, c'est moins pour en regretter l'incessant écoulement que pour jouir de cette perpétuelle métamorphose dont il fait un véritable principe d'art. Art des transformations et de l'ostentation, art de l'illusion et du théâtre, tel apparaît le baroque aux critiques modernes et notamment à M. Rousset qui propose pour le définir le double symbole de Circé (la métamorphose) et du Paon (le désir de paraître).

1. **Le baroque art de la métamorphose et de l'instabilité.** Depuis longtemps c'est par le biais du mouvement, de la force en action, du dynamisme que les critiques d'art caractérisent le baroque en architecture et en sculpture. Alors que la statue ou la ligne du monument classique donnent une impression de stabilité et d'harmonie, le décor d'un Bernin, par exemple, semble en perpétuelle instabilité, comme secoué par quelque tempête ou vu dans une eau agitée. Précisément le thème de l'eau est particulièrement cher à l'art baroque et les fameuses fontaines de Rome en sont de bons exemples. L'eau, en effet, dans les continuelles transformations auxquelles elle se prête, est l'élément de choix d'un art où tout est mobile, où rien n'accepte d'être ce qu'il est, où tout est en devenir. La plupart des grands artistes baroques ont été des

constructeurs de fontaines (le Bernin en particulier a multiplié les effets d'eau dans les rocailles) et en littérature il est curieux de constater le rôle de choix joué par l'eau et les fontaines dans la poésie de la première moitié du xviie siècle (cf. Th. de Viau, *Ode sur la solitude;* Saint-Amant, *Ode sur la solitude;* Tristan l'Hermite, *Le Promenoir des deux amants*). Dans tous ces poèmes et dans beaucoup d'autres l'eau est un élément de transformation, elle est aussi un miroir où les personnages se voient à la fois identiques et embellis. On lit dans le poème de Tristan l'Hermite cité plus haut :

> « Penche la tête sur cette onde
> Dont le cristal paraît si noir :
> Je t'y veux faire apercevoir
> L'objet le plus charmant du monde »

et ces vers dans Saint-Amant :

> « Elle (= l'eau) semble un miroir flottant
> Et nous représente à l'instant
> Encore d'autres cieux sur l'onde. »

D'une façon plus générale, la métamorphose, les brusques changements de décors ou de personnages caractérisent fréquemment la poésie baroque : dans une élégie de Th. de Viau (*Depuis ce triste jour...* Seconde partie des *Œuvres*, 1623), nous assistons successivement à trois métamorphoses de la nature : le printemps réel, puis l'hiver dans lequel elle se maintient pour le poète malheureux, enfin le printemps définitif quand le poète verra sa bien-aimée. Mais c'est surtout au théâtre, lieu d'élection pour le déguisement et le masque, que s'épanouit ce genre de baroque : Corneille multiplie les changements de décors, de lieux et de personnages, les substitutions, les fausses naissances, etc.... Théâtre étrange où l'on ne sait jamais, quand on a affaire à un personnage, s'il est bien celui qu'il croit ou que l'on croit être....

2. **Le baroque art de l'ostentation et du trompe-l'œil.** C'est que (et c'est là peut-être la différence essentielle avec le romantisme) le baroque est un art scénique, fait pour la montre et pour la parade. Ce n'est pas pour rien que la décoration baroque déplaît souvent, dans les églises, aux esprits religieux, qui lui reprochent d'être trop mondaine et trop théâtrale. En littérature il triomphe essentiellement dans la multitude de formes que connaît le théâtre au xviie siècle : pastorales, pièces à machines, comédies-ballets, tragi-comédies, pièces à grand spectacle, opéras, etc.... Malgré Racine et sa force psychologique, les spectateurs du xviie siècle sont passionnés par le beau décor, par les savantes mises en scène et Versailles lui-même, avec ses jeux d'eau, ses théâtres de verdure, a été touché par la parade et le trompe-l'œil baroques (voir sujet traité n° 45).

IV. *Baroque et classicisme.*

Jusqu'à présent nous avons opposé nettement baroque et classicisme. Or en architecture le baroque du Bernin sort du classicisme de Michel-Ange, en littérature le baroque prépare le classicisme. Dans un cas comme dans l'autre n'y a-t-il pas des rapports plus importants qu'il peut sembler entre les deux tendances? Même si, en face de la métamorphose et de l'ostentation baroques, le classicisme apparaît comme le défenseur de la stabilité et de la profondeur, n'y a-t-il pas certaines aspirations communes?

1. **Le goût pour les valeurs théâtrales.** Tout d'abord on peut reprendre d'une certaine façon le développement précédent et se demander si par le biais du théâtre il n'y a pas des liens entre baroque et classicisme; la civilisation classique est volontiers une parade, une mise en scène que ses représentants se donnent les uns aux autres : Louis XIV a réglé la vie à Versailles comme une sorte de spectacle et les grands seigneurs dansent dans les comédies-ballets de Molière et de Lulli.

2. **Le goût pour l'analyse psychologique.** Plus profondément, nous avons signalé le goût de la littérature baroque pour la subtilité psychologique dans l'étude de sentiments parfois violents ou forcenés. Sans doute le classicisme répugnera-t-il à l'excès d'une telle subtilité qui ne lui semblerait pas naturelle. Il n'en reste pas moins vrai qu'un certain penchant pour la profondeur dans l'analyse des sentiments humains, une hardiesse à n'éluder aucune des passions, serait-ce la plus étrange (comme l'inceste), aucune situation aussi horrible soit-elle (comme l'obligation de tuer sa fille pour satisfaire aux dieux de la guerre), ont des racines très profondes dans le goût du baroque pour les bizarreries psychologiques.

3. **Le christianisme classique.** Enfin il est incontestable que, dans son christianisme, le classicisme doit beaucoup à la littérature et surtout à l'art baroque. Un christianisme très décoratif, assez mondain, un peu théâtral, influencé par une Italie qui avait envoyé ses artistes, et par une Espagne dont un Louis XIV voulait garder la pompe et l'étiquette, avait envahi le siècle et manifestement plongeait ses racines dans la tradition baroque.

Conclusion.

Historiquement le baroque nous est donc apparu comme une des grandes possibilités de l'art : viser l'ordre et l'harmonie, c'est être classique; leur préférer la richesse de la vie et sa totalité pathétique, c'est être romantique; accepter et utiliser l'éblouissante et fugitive féerie de la transformation, c'est être baroque. Évidemment le baroque apparaît dans cette perspective comme moins sérieux que les deux autres grandes formules d'art : il n'a ni le sérieux esthétique du classicisme, ni le sérieux vital du romantisme. On a parlé à son propos d' « esbroufe », d'illusion, d'ébahissement, et pourtant il a été et sera toujours plus ou moins l'état d'esprit artistique de quiconque fait passer la décoration et ses effets avant le sujet lui-même. Il y a eu des baroques hors du xviie siècle; dès l'Antiquité, un Ovide, voulant traiter décorativement les mythes anciens, fit un choix authentiquement baroque en illustrant les principales *Métamorphoses* de la mythologie. De nos jours, un Cocteau écrit des pièces ou des scénarios où tout n'est que transformations et pièges des apparences (*Renaud et Armide, La Belle et la Bête, Orphée*). M. Émile Henriot pense que M. Paul Claudel est « un prince authentique du baroque ». Il est évidemment malaisé d'isoler le baroque à l'état pur parce que, précisément, il est plutôt décoration qu'approfondissement. A ce point de vue du reste, il semble difficile, presque antinomique, de le qualifier d' « art solide et massif ». En tout cas il est certain qu'il est *un art*, mais encore mal délimité.

SUJETS PROPOSÉS

1. Commentez et discutez, en l'appliquant à la littérature, ce mot du Bernin, célèbre sculpteur et architecte baroque : « Un homme n'est jamais aussi semblable à lui-même que lorsqu'il est en mouvement. » (Cité par J. Rousset, *La littérature de l'âge baroque en France*, p. 139, Corti, éd.)

2. Expliquez ces lignes de J. Rousset (*ibid.*, p. 231) : « Il existe un paradoxe baroque : le Baroque nourrit en son principe un germe d'hostilité à l'œuvre achevée; ennemi de toute forme stable, il est poussé par son démon à se dépasser toujours et à défaire sa forme au moment qu'il l'invente pour se porter vers une autre forme. Toute forme exige fermeté et arrêt, et le Baroque se définit par le mouvement et l'instabilité; il semble qu'il se trouve par conséquent devant ce dilemme : ou bien se nier comme baroque pour s'accomplir en une œuvre, ou bien résister à l'œuvre pour demeurer fidèle à lui-même. »

3. J. Rousset (p. 232) note comme une des caractéristiques du Baroque « la présence du temps, qui se trouve engagé et rendu comme sensible dans l'œuvre, tandis que l'artiste classique tend à éliminer le temps. »
   Discutez l'opposition ainsi suggérée entre art baroque et art classique.

Chapitre VI

LA PRÉCIOSITÉ

| 19 |

SUJET

A la fin de son ouvrage, *La Préciosité et les précieux, de Thibaut de Champagne à J. Giraudoux,* publié en 1948, René Bray, cherchant à définir une « éthique de la préciosité », note (page 395) : « Ne pourrait-on dire que, dans la préciosité, le poète, au fond, est toujours seul devant soi ? Qu'il quête ou non l'applaudissement, il cherche d'abord sa propre approbation. Se distinguer des autres, c'est se donner du prix à soi et pour soi : le juge suprême, c'est toujours soi. La préciosité est une « danse devant le miroir ». Cette attitude est assez désespérée. Le précieux n'est jamais vraiment optimiste. » Vous expliquerez et discuterez ce jugement sans vous en tenir nécessairement à la poésie et au mouvement précieux du XVIIᵉ siècle.

RÉFLEXIONS PRÉLIMINAIRES

1. *La dissertation littéraire consacrée à un sujet général exige sans cesse un compromis entre la réflexion personnelle et la documentation historique. La réflexion personnelle — nous y avons insisté dans l'introduction — ne saurait jamais suffire et doit être réservée aux critiques qui se sont fait un nom dans « l'essai » : à s'y cantonner, on risque de tomber dans le plus insipide des verbiages. La documentation historique ne saurait suffire davantage : à s'y cantonner, on risque de tomber dans la plus fastidieuse des revues de noms et de faits. On pourra considérer le sujet nᵒ 17 comme un exemple de la limite extrême où peut atteindre une dissertation littéraire sans devenir tout à fait une dissertation philosophique, et le sujet nᵒ 16 comme un exemple de la limite extrême qu'elle peut atteindre sans devenir une revue de*

tout un aspect de notre histoire littéraire : nous avons à dessein juxta-
posé dans le même chapitre ces deux exemples opposés. Dans la
majeure partie des cas — à moins d'être invité par la « position du
sujet » à s'engager hardiment dans l'une ou l'autre direction — on
s'efforcera à un équilibre aussi harmonieux que possible entre les
idées et les faits, ce qui n'est pas toujours facile.

La difficulté s'accroît encore quand on doit aborder des devoirs qui
concernent les écoles et les tendances. M. l'Inspecteur général Cart, dans
un article sur La nomenclature littéraire (Information littéraire
de nov.-déc. 1949), écrivait très pertinemment : « Nous en sommes
arrivés à perdre tout espoir de nous entendre si nous ne définissons
pas enfin le vocabulaire que nous employons[1] *» et il constatait : « La*
pratique universitaire actuelle a amené un état de confusion parfaite. »
Cette dernière remarque est sans doute particulièrement vraie pour les
problèmes auxquels est consacrée la IIe partie du présent ouvrage.
Les mêmes termes sont employés par les critiques, sans avertissement,
pour désigner tantôt une époque donnée de notre littérature, tantôt
une tendance qui se retrouve de tout temps, plus ou moins, dans toutes
les littératures, quelquefois même pour caractériser une attitude spiri-
tuelle. L'équivoque est assez fréquemment entretenue par la manière
dont sont posés maints sujets de concours et d'examens : parfois on
est nettement engagé à envisager le point de vue esthétique dans son
extension (par exemple à étudier le romantisme comme une tendance
plus ou moins virulente, mais constante, de l'esprit humain en cher-
chant les traces qu'on en peut relever, indépendamment des temps et
des lieux, dans toute littérature : c'est ainsi que M. Deschanel a écrit
un livre intitulé Le Romantisme des classiques*), parfois on doit se*
restreindre au point de vue historique (par exemple étudier le roman-
tisme en s'en tenant uniquement à la période de notre histoire littéraire
qui est comprise entre 1820 et 1840 environ et pendant laquelle cette
tendance a pris une coloration particulière et tout à fait accentuée :
c'est ainsi que M. Giraud a écrit un livre intitulé L'École roman-
tique française); le plus souvent on est laissé libre de passer de l'un
à l'autre point de vue, et cette liberté ne va pas sans dangers : triom-
pher de ceux-ci sera l'un des mérites de la dissertation, mais il sera
assez vain d'espérer obtenir un triomphe total, vu qu'un tel triomphe
supposerait que l'on ait fait disparaître des ambiguïtés qui sont
inhérentes à la nature même de la « chose littéraire ».

2. *Pratiquement l'élargissement est souvent souhaitable de l'école à la*
tendance et le présent devoir exige un tel élargissement. « La Pré-
ciosité, si l'on prend le terme dans son sens le plus strict, est un mou-
vement d'idées qui se développe à Paris au milieu du XVIIe siècle,
plus précisément entre 1650 et 1660. Sa croissance est aussi rapide
que son déclin. » (R. Bray, article Préciosité, *in* Dictionnaire des
Lettres françaises, xviie *siècle, éd. Fayard.) Mais la préciosité*
désigne aussi une tendance constante de la littérature : « Si la Précio-

---

1. De très utiles essais de définition sont proposés par H. Bénac, dans son *Vocabulaire*
de la dissertation (éd. Hachette) auquel on trouvera grand profit à se reporter.

*sité au sens strict décline entre 1660 et 1670, elle se transforme plutôt
qu'elle ne disparaît : il y a encore des précieux au siècle des lumières.
N'y en aurait-il pas aujourd'hui? De même il n'est pas interdit de
penser que la préciosité existait avant d'être baptisée, peu après 1650,
du nom sous lequel la postérité la connaît » (id.). Donc, comme pour
le classicisme, le romantisme, etc..., il n'y a pas de solution de
continuité entre le point de vue historique et le point de vue esthétique.
Mais à examiner de près la citation retenue et la position du sujet
qui l'accompagne, il est évident que nous devons ici insister davantage
sur le second. Il ne sera certes pas interdit d'illustrer la préciosité
considérée comme tendance par des exemples empruntés à la Préciosité considérée comme École littéraire, mais il s'agit bien plutôt de
dégager une « philosophie » de celle-là que de mettre en valeur tel trait
particulier de celle-ci. A prendre les choses d'une façon trop strictement historique, la pensée de R. Bray serait en effet un peu surprenante; elle se justifie en revanche avec beaucoup d'éclat, si l'on cherche
sous les détails de l'histoire littéraire une essence de l'esprit précieux.*

3. *En effet le mouvement précieux, par le caractère mondain qu'il revêt
au XVIIe siècle, peut faire illusion et sembler conduire à une
conception essentiellement sociale de la littérature. Or, nous déclare
R. Bray, le précieux est avant tout un solitaire, il ne croit guère qu'en
lui et en son propre jugement. Il faudra donc le suivre dans une
analyse « idéale » de la préciosité, quitte du reste à trouver des confirmations historiques dans l'évolution ultérieure de celle-ci. (Voir par
exemple, dans le livre cité par l'énoncé, le chapitre sur Mallarmé, dont
la préciosité est définie comme une « préciosité de création » solitaire.)*

4. *Peu de difficultés dans la lettre du texte à commenter. Une allusion
à la pièce de Fr. de Curel intitulée* La Danse devant le miroir *(1914)
mérite peut-être d'être un peu approfondie. Fr. de Curel pense qu'en
amour chacun des deux partenaires est seul avec lui-même et n'utilise
l'autre que pour se regarder et se voir plus beau. Or cette attitude est,
d'après R. Bray, l'attitude précieuse par excellence : même lorsque le
précieux n'est pas seul en fait, son attitude est idéalement un narcis-
sisme de solitaire; même à travers d'autres, c'est toujours lui et sa
propre estime qu'il vise. Cette remarque pourra fournir une intéressante discussion où, sans contester la justesse à peu près inébranlable
de l'idée de R. Bray, on montrera que la préciosité trouve peut-être
ses difficultés majeures dans cette fausse solitude, dans cette solitude
de mauvaise foi, aboutissant ainsi à ce désespoir dont il nous parle,
ce désespoir de ne tenir compte que de soi tout en ne se suffisant pas
à soi-même. Ajoutons enfin que l'on ne saurait étudier « la Préciosité
et les précieux » sans l'aide de l'étude de R. Bray et que, pour notre
part, nous lui sommes grandement redevables.*

DÉVELOPPEMENT

Introduction.

En général l'attitude littéraire exprime une volonté de communication avec les autres hommes : écrire, c'est avant tout, semble-t-il, proposer ses idées au jugement d'autrui, à son approbation. Telle est essentiellement la position de l'écrivain classique, celui-ci allant même jusqu'à considérer qu'un ouvrage n'a de prix qu'après avoir été approuvé par de nombreuses générations de lecteurs. « Je laisse au lecteur et au temps à juger de son véritable prix », dit Racine en parlant de sa tragédie de *Phèdre*. Tel est le fondement de l'admiration classique pour les Anciens. Il ne semble pas que sur ce problème romantiques, réalistes, parnassiens aient une position très différente. Malgré sa prétention au génie méconnu, le romantique veut ardemment parler aux hommes, délivrer un « message ». Hugo prend le théâtre pour une tribune et pour une chaire, et il cherche à emporter la conviction. De ce point de vue, M. Bray nous propose une intéressante réflexion sur l'originalité de l'état d'esprit précieux. Le précieux serait l'écrivain « seul devant soi, cherchant sa propre approbation ». Sans doute veut-il « se distinguer des autres », ce qui implique au moins l'existence des autres, mais ce n'est pas à ces « autres » qu'il remet en dernière analyse le droit de juger de son succès ou de son échec : « Le juge suprême, c'est toujours soi, la préciosité est une « danse devant le miroir. » Cette solitude ne donne du reste pas le bonheur au précieux. Son « attitude est désespérée », elle n'est jamais « vraiment optimiste ». Jugement brillant et qui renverse bien des notions acquises : une pointe de paradoxe n'est pas exclue. Mais, par-delà les apparences, ne sommes-nous pas conduits à l'essentiel de la préciosité, à cet univers artificiel dont seul le précieux a la clef, force et faiblesse à la fois de l'attitude précieuse?

I. La pointe de paradoxe.

Au premier abord, l'histoire de la préciosité, et notamment son épanouissement au XVIIe siècle, rendent un peu surprenantes ces pensées, volontairement paradoxales.

1. Préciosité et parade mondaine. En effet la préciosité est généralement mise en liaison avec le développement de la vie mondaine au début du XVIIe siècle, d'une vie luxueuse et brillante, et surtout d'une sorte de parade de luxe que gentilshommes et nobles dames s'offrent les uns aux autres; elle est donc bien désir de briller devant quelqu'un. Le luxe, en matière littéraire, c'est l'esprit et l'esprit suppose un interlocuteur. Si l'un des genres favoris de ces mondains est l' « énigme », encore faut-il qu'il y ait quelqu'un à qui proposer l'énigme! La préciosité semble essentiellement liée à la possibilité d'un dialogue.

2. Préciosité et parade amoureuse. Le dialogue par excellence, c'est le dialogue d'amour, et la littérature précieuse voit se développer le compliment, la *Guirlande de Julie*, la lettre et le madrigal amoureux. Sans doute s'agit-il d'un amour pétrarquisant ou platonique, sans doute la tête y est-elle souvent plus intéressée que le cœur; il n'en reste pas moins vrai que l'amour précieux est souvent profond, fidèle, et M. Bray lui-même signale de nombreuses pages de Voiture ou de Mlle de Scudéry où l'analyse amoureuse semble dépasser le bel esprit et le jeu.

3. Préciosité et parade intellectuelle. Enfin, conversations mondaines ou conversations d'amour supposent toujours chez les précieux un fonds de culture qui exclut la solitude et l'isolement. Le précieux parle le plus souvent par allusions à une tradition littéraire et intellectuelle déjà ancienne, tradition d'une société, d'une classe, d'un groupe. La langue précieuse vit de tout ce qu'autrui lui a apporté, elle est pleine de clins d'œil et de signes de ralliement, dans un fonds commun de culture et de connaissances.

Et pourtant, à nous en tenir au strict terrain historique, la préciosité a pu se développer après la mort de cette société à laquelle elle semblait si intimement liée. Il y a eu des précieux sans société pour les soutenir : dans son *Anthologie de la poésie précieuse*, R. Bray fait une place à Baudelaire, Mallarmé, Verlaine, Apollinaire, P.-J. Toulet, Éluard et, bien entendu, à Giraudoux; et il note que la « préciosité a gané toutes les branches vivantes de la poésie d'aujourd'hui ». N'est-ce pas qu'en son essence, sinon toujours en fait, l'art précieux n'exige pas la présence d'autrui?

II. La solitude du précieux.

Il suffit en effet de poser si plement la question de la valeur universelle de l'art précieux pour remettre les choses en place. Au désir profond de communication du classique, au cri du romantique : « Ah! insensé, qui crois que je ne suis pas toi », au symboliste même qui veut avancer jusqu'au moi universel (« *Je* est un autre », dit Rimbaud. « Je suis maintenant impersonnel et non plus Stéphane que tu as connu », dit Mallarmé), le précieux répond par la volonté gratuite de construire un univers tout personnel où il s'émerveillera de tout ce qu'il tirera de lui.

1. L'esprit brillant et gratuit d'un groupe. En effet le précieux a beau être lié à la vie mondaine, amoureuse, intellectuelle d'un groupe, il ne désire pas étendre ce groupe, il n'en fait pas le symbole de l'universalité des hommes destinés à connaître et à apprécier son œuvre. On peut même affirmer qu'il vise à le réduire (il est difficile d'être admis à l'Hôtel de Rambouillet ou d'être présenté chez les Guermantes), car ce qu'il faut, c'est moins transmettre un message à tous les individus que préserver l'esprit du Cénacle, l' « âme du rond », comme on disait à propos de Voi-

ture. Aussi la préciosité se défie-t-elle des cercles trop grands,
se développe-t-elle plus aisément dans les Salons ou les « ruelles »
qu'à la Cour (cette dernière, plus large et plus humaine, aboutira
plutôt à l'idéal de l' « honnêteté » qu'à la préciosité). Le précieux
ne fait pas de prosélytisme et même, en un certain sens, ne se
soucie pas de plaire; ou plus exactement au classique : « Instruire
et plaire », il répondra : « Amuser par un jeu gratuit le groupe
dont je fais partie, qui me représente, qui est en quelque sorte
moi. » Au fond, l'idéal ce serait d'être tout seul; le groupe, c'est
ce minimum indispensable pour permettre le jeu gratuit de
l'esprit. La conversation amoureuse et galante réduit encore
ce minimum à un simple « miroir » devant lequel peut « danser »
un esprit solitaire.

2. **Un univers artificiel dont un seul a la clef.** Ce qui importe en effet
au précieux, c'est peut-être moins de regarder son partenaire
que de l'introduire, s'il en est digne, dans un univers à la fois
coupé du réel et imité de celui-ci (l'œuvre de Giraudoux est tout
à fait caractéristique à cet égard), un univers artificiel et fantaisiste dont il a seul les clefs pour faire fonctionner la machi-
nerie féerique. Ainsi s'explique l'importance des rapprochements
inattendus dans le langage précieux. Rien de plus instructif
à cet égard que la question de la comparaison : chez un classique
elle est une explication et une peinture, chez un romantique elle
est un élargissement, chez un baroque un ornement, mais chez
un précieux elle est un brusque rapport, inattendu, saugrenu
pour celui qui n'est pas initié et elle n'a son sens que dans l'univers
de l'auteur précieux. Par exemple, quand un précieux appelle
un violon « l'âme des pieds », il ne cherche ni à nous expliquer
ce que c'est qu'un violon (comparaison *didactique*) ni à nous faire
rêver sur un violon (comparaison *poétique*) ni même à orner son
style (comparaison *ornementale*), il nous suggère en réalité un
univers curieux où le violon parle avec tendresse aux pieds dont
il assure le rythme et où ces mêmes pieds, partie vile et un
peu comique du corps, prennent une âme, donc des pensées et
un langage, ce langage des pieds que précisément parle le violon.
De même quand Giraudoux écrit dans ses *Provinciales :* « C'était un
petit ruisseau, amoureux de son eau, et qui courait après elle,
murmurant des noms », on ne peut dire qu'il peigne le ruisseau
ou qu'il le rende plus poétique et plus émouvant : il nous introduit
dans un Univers subtil où l'amour, l'eau courante, les vaines
poursuites et les vaines tendresses se marient étrangement. Ainsi
la comparaison sera-t-elle souvent plus bizarre et plus obscure
que ce qu'il s'agit de faire entendre, car, à vrai dire, elle n'est pas
un artifice didactique, mais la logique d'un autre monde dont seul
un esprit (ou un groupe représentant cet esprit) connaît les secrets.
Littérairement parlant, la préciosité ne pourra donc se concilier
qu'avec les genres qui ne baignent pas dans l'univers de tous les
hommes : on imagine difficilement une préciosité épique; en revanche,

elle se plaît dans les petits genres de la poésie lyrique, où le poète peut créer son univers et déployer ses jeux d'esprit[1].

3. **Une mystification orgueilleuse et consciente.** En effet il ne faut pas oublier que l'univers du précieux ne dépasse pas, malgré tout, le stade du jeu d'esprit et n'a rien de métaphysique. Rimbaud n'est pas précieux. Le précieux n'est jamais en transes devant les révélations d'un monde surnaturel, il n'ignore pas qu'il nous mystifie avec un sourire quand il nous introduit dans son univers de fantaisie. Mais cette conscience d'un univers qu'il crée gratuitement augmente encore sa solitude. Le symboliste véritable, s'il aspire à un monde supérieur, espère échapper à la solitude en trouvant une mystérieuse présence, Dieu, l'Idéal, l'Absolu. Il n'est pas désespéré, alors que le précieux est le premier à savoir qu'il joue un jeu, à connaître ses limites, à se regarder lui-même dans sa création d'un monde artificiel. Il n'a aucune confiance dans les forces évocatrices de la littérature, il est sceptique à l'égard de ce qu'il écrit. Ce n'est guère qu'à son propre égard, à l'égard de son talent, de son brillant qu'il échappe au scepticisme; seule l'admiration de soi (« nul n'aura de l'esprit hors nous et nos amis ») le sauve du désespoir.

Ainsi, ne voulant reconnaître ni un public (au sens large du mot) qu'il méprise ni une réalité supérieure à laquelle il ne croit pas, le précieux n'a d'autres ressources que de jouer avec lui-même et d'admirer le joueur.

III. *Les ambiguïtés de la solitude précieuse.*

Mais, dira-t-on, si le précieux joue, il ne fait de mal à personne, le jeu est innocent et chacun s'amuse comme il peut. En réalité son attitude présente certaines difficultés, parce que sa solitude n'est pas seulement un amusement, elle est un peu aussi une mauvaise foi. Le précieux est-il vraiment aussi solitaire, aussi indépendant d'un public qu'il le croit? La préciosité ne porte-t-elle pas en elle sa propre mort?

1. **Préciosité et bienséance.** Du fait qu'elle est jeu, la préciosité exige tout au moins des arbitres. C'est là une première difficulté. Le précieux n'est pas absolument libre de se donner du prix

---

1. Le cas du théâtre paraît plus complexe : *a priori* il ne devrait pas être favorable au précieux, puisqu'il est, plus que tout autre genre, large communication avec l'humanité ordinaire. Or pratiquement, de Corneille à Giraudoux, il est un lieu d'élection pour l'auteur précieux : on songe à Marivaux, à Musset, au Victor Hugo du *Théâtre en liberté*, sans compter Euripide ou Sénèque dans l'Antiquité. Il semble que le théâtre classique, qui entend présenter un univers généralement valable, ne soit pas précieux : Racine, par exemple, a le grand mérite de surmonter des habitudes précieuses et d'être en communication avec tous les hommes. Mais pour bien des dramaturges, le théâtre est la tentation par excellence de construire et de faire vivre leur univers intérieur, ce qui aboutit souvent à une préciosité renforcée, notamment dans la langue dramatique. De plus, cette sorte de solitude devant ses partenaires, qui est souvent le lot des héros de théâtre, favorise l'attitude précieuse.

comme il veut. Sa fantaisie n'est pas illimitée. Sans doute n'admet-il pas d'être jugé par l'ensemble des hommes et on peut même aller jusqu'à penser que l'échec aux yeux de la postérité lui est indifférent. Mais il tient à rester dans la norme du bon goût, dans la limite des bienséances. Le groupe auquel il s'intègre n'est pas absolument une représentation de lui : s'il choque le bon goût de ce groupe, il n'est plus un précieux. Sa solitude est donc celle de l'acteur devant un théâtre ; il s'attribue du prix, mais peut être sifflé. Ainsi une certaine soumission à ce que demande le groupe va le limiter : s'il ne veut pas être un extravagant et un isolé, s'il accepte le règne du bon goût et des bienséances, il est tout près de n'être plus précieux, il est au seuil du classicisme ! Cela signifie que la préciosité porte en elle-même un classicisme qui la tuera.

2. **Préciosité et distinction.** La préciosité va rencontrer des difficultés analogues dans son idéal moral : le précieux veut se distinguer et, en ce sens, il cherche bien à se donner du prix, à soi et pour soi, mais il veut aussi que cette distinction soit reconnue du groupe de ses égaux. Être le plus brillant, le plus subtil, le plus distingué au milieu de gens que, par définition, on considère comme ses pairs, tel va être son idéal contradictoire. Il est donc menacé par la mégalomanie solitaire, et maints grands seigneurs précieux auront du mal à se plier à l'ordre que Louis XIV entreprendra de faire régner dans la société. Mais si inversement il accepte d'être distingué au milieu de gens distingués comme lui, il devient un courtisan, un « honnête homme » certes, mais il n'est plus un précieux. Il a renoncé à cet idéal de « générosité », inséparable de l'idéal précieux, « qui fait, comme dit Descartes, qu'un homme s'estime au plus haut point qu'il se peut légitimement estimer » (*Traité des passions*, IIIe partie, article 153).

3. **Préciosité et psychologie.** Le précieux accorde aux autres beaucoup plus d'attention qu'il ne le pense et il est frappant de remarquer que, depuis les origines médiévales les plus lointaines de la préciosité, il est avant tout un psychologue. Se détournant en effet de la nature, puisque par définition l'esprit du précieux doit la corriger, il préfère s'occuper de l'homme, sans doute pas de l'homme en général, mais de l'homme dans le petit groupe qui l'intéresse et surtout de l'homme en lui. Il subtilise indéfiniment sur ses sentiments, se divertit à faire son portrait ou celui de ses amis, raffine en d'ingénieuses maximes qui montrent sans doute son esprit, mais aussi des tendances du cœur humain. Là encore, s'il veut avoir quelque matière à déployer son ingéniosité, il est au seuil du classicisme. Les La Rochefoucauld, les comtesse de la Fayette, les marquise de Sévigné montrent bien comment les précieux, pour être eux-mêmes, durent sortir d'eux et apporter à l'universalité classique le meilleur d'eux-mêmes.

Conclusion.

Le jugement de M. Bray est d'une extrême richesse : il met en évidence une attitude essentielle, non seulement à la littérature précieuse, mais encore à la morale précieuse. On peut même dire qu'il pose le problème de la distinction : est-on distingué pour les autres ou pour soi? Si on est le juge de sa distinction, comment être sûr qu'on est distingué? Si on est distingué pour les autres, alors on se soumet aux autres et peut-on encore parler de distinction au sens propre du terme? Distinction, préciosité, attitude humaine, attitude littéraire, atteignent donc leurs limites dans cette soumission classique. De nos jours, elles connaissent un curieux renouveau du fait des écoles littéraires qui visent à l'approfondissement de soi : Mallarmé, Valéry, beaucoup de symbolistes sont d'authentiques précieux, mais on peut se demander si leur préciosité n'est pas soutenue par une conviction — en elle-même extérieure à l'esprit précieux — qu'il existe réellement un monde supérieur. Symbolisme d'un côté, classicisme d'un autre, ne seraient-ils pas les deux dangers qui guettent cette instable position qu'on appelle la préciosité?

SUJETS PROPOSÉS

---

1. Étudiez ce jugement d'un critique contemporain : « Par rapport au courant de l'humanisme, (les Précieux) représentent un barrage de modernisme, en prétendant recevoir leurs principes des milieux aristocratiques et élégants, du monde, c'est-à-dire du goût féminin, non de la tradition antique. »
(Ph. Van Tieghem, *Petite histoire des grandes doctrines littéraires*, p. 26.)

2. La Préciosité a exercé sur l'esprit et sur la littérature classiques une influence certaine. Vous essaierez de préciser la nature de cette influence et vous direz si elle fut, à votre avis, bonne ou mauvaise.
(Bac.)

3. M. Jasinski définit ainsi la Préciosité au xviie siècle : « Un esprit ingénieux, épris certes d'idéal, mais qui, trop exclusivement mondain, égaré dans l'imagination romanesque et séduit par les faux brillants du style, s'écarte bientôt de la nature pour tomber dans l'outrance et l'affectation. » (*Histoire de la littérature française*, t. I, p. 261.) Commentez.

4. « Être précieuse, c'est désespérer alors qu'on espère toujours, c'est brûler de plus de feux que l'on n'en alluma, c'est tresser autour des mots révérés une toile avec mille fils et dès qu'un souffle, une pensée l'effleure, c'est le cœur qui s'élance du plus noir de sa cachette, la tue, suce son doux sang. C'est Mademoiselle de Montpensier suçant le doux sang du mot Amour, du mot Amant. C'est Mademoiselle de Rambouillet couvrant de sa blanche main tous les mots cruels, et nous les rendant ensuite, le mot Courroux, le mot Barbare, inoffensifs, comme les détectives qui changent le revolver du bandit en un revolver porte-cigares. »
(Giraudoux, *Suzanne et le Pacifique*, Grasset, édit.)

5. Étudiez cette opinion de R. Bray :
« A quelle nature s'apparente le
précieux? A aucune, puisqu'il
tourne le dos au naturel : il est
Antiphysis, dirait Rabelais. Pourtant l'antinature est encore dans
la nature : la recherche de l'artifice est humaine; elle tend à faire
surgir quelque chose qui est bien
en nous. Non en nous tous il est
vrai : le précieux est féru d'exception, hanté par l'ange du
Bizarre. »
(*La Préciosité et les précieux*, p. 393.
Albin Michel, édit.)

6. R. Bray écrit dans *La Préciosité
et les précieux*, p. 388 : « Il ne faudrait pas réduire notre littérature à la préciosité. Peut-être
n'est-ce même pas sa dominante.
Elle importe, mais elle est au
moins balancée par son antithèse : le réalisme.... Il y a deux
tendances contradictoires dans
notre tradition : celle que nous
étudions et qui vise au beau, celle
qui explique le réalisme et qui
porte au vrai. Le souci de vérité
est aussi français : Descartes est
nôtre et l'analyse est de chez
nous. Or la beauté précieuse ne
gît pas dans la vérité : Molière
combat Trissotin comme faux.
C'est que toute grande littérature est complexe, comme toute
âme collective. La préciosité est
un élément important de l'âme
française, non exclusif, non dominant. »
Commentez.

7. Expliquez et discutez cette page
de Brunetière (*Études critiques*, II,
Hachette, édit.) : « Il y a de tout
temps en France deux tendances
qui se combattent, pour ne réussir
à se concilier que dans les très
grands écrivains. Au-dessous
d'eux, les uns sont *gaulois*, les autres sont *précieux*. L'esprit gaulois,
c'est un esprit d'indiscipline et de
raillerie dont la pente naturelle,
pour aller tout de suite aux
extrêmes, est vers le cynisme et
la grossièreté. Il s'étale impu-
demment dans certaines parties
ignobles du roman de Rabelais.
Son plus grand crime est d'avoir
inspiré *La Pucelle* de Voltaire.
L'esprit précieux, c'est un esprit
de mesure et de politesse qui
dégénère trop vite en un esprit
d'étroitesse et d'affectation. Son
inoubliable ridicule c'est de s'être
attaqué, dans le temps de l'hôtel
de Rambouillet, jusqu'aux syl-
labes mêmes des mots. Il se joue
assez agréablement dans les ma-
drigaux de Voiture et dans la
prose de Fléchier. L'esprit précieux n'a consisté souvent que
dans les raffinements tout extérieurs de la politesse mondaine;
l'esprit gaulois s'est plus d'une
fois réduit à n'être que le manque
d'éducation. Le véritable esprit
français, tel que nos vraiment
grands écrivains l'ont su représenter, s'est efforcé d'accommoder
ensemble les justes libertés de
l'esprit gaulois et les justes scrupules de l'esprit précieux. »

Chapitre VII

LE CLASSICISME

20

SUJET

Paul Valéry donne aux écrivains ce conseil : « Entre deux mots il faut choisir le moindre. » Vous rapprocherez cette boutade de la définition qu'André Gide propose du classicisme : « C'est l'art de la litote. » Vous vous demanderez quel aspect du classicisme et, d'une façon générale, quelles positions littéraires sont ainsi définis.

RÉFLEXIONS PRÉLIMINAIRES

1. *Le « classicisme » intéresse de façon toute particulière les critiques, qui estiment que jamais la notion d'art n'a été élaborée à l'état pur avec un soin aussi jaloux qu'à l'époque classique. On se doit donc de faire sentir par le ton, par l'acuité de la réflexion l'intérêt des sujets qui le concernent et, au lieu d'énumérer banalement et scolairement tous les principes classiques, on doit se demander ce qu'on peut en dégager pour une connaissance plus exacte des lois de l'art.*

2. *Ici est proposé, par le biais du classicisme, un problème assez vaste : quand on veut produire un certain effet artistique, a-t-on intérêt à ménager les moyens ou à les accumuler? On parlera d'art « baroque », s'il y a surcharge des moyens par rapport à l'effet; s'il y a sobre utilisation de ces moyens, on parlera d'art « classique ». C'est sur ce « dosage » qu'on est invité à réfléchir, et le classicisme ne fournit qu'un point de repère comme le précise le libellé du sujet : « quel aspect du classicisme et quelles positions littéraires »...; de même, la pensée de Valéry ne fait pas explicitement allusion au classicisme, mais n'est qu'une expression de l'esthétique de Valéry à propos du problème posé.*

3. *D'où quelques erreurs à ne pas commettre : énumérer les principes du classicisme ou même rattacher tout de suite le problème à l'ensemble des problèmes classiques et négliger sa portée générale. De plus, on n'acceptera pas sans discussion l'idéal esthétique de la « litote », car un art qui ménage toujours ses moyens court le risque de manquer de vie; et les théoriciens du baroque font, nous l'avons vu, l'éloge de la plénitude de vie, qui, d'après eux, caractérise l'esthétique baroque.*

4. *On risque d'être incité à l'erreur par le contexte du mot de Gide, lequel est extrait d'un passage célèbre où Gide définit le classicisme comme l'art de la modestie, de la réserve (cf. sujet suivant). De là à discuter de la question des bienséances, de l'apparente banalité du classicisme, de la généralité qui est la conséquence de cette banalité, etc... il n'y a qu'un pas, qu'il serait dangereux de franchir : il convient ici de se méfier du contexte, d'autant plus qu'il y a non pas une, mais deux citations. Il est bon de noter à ce propos que si des connaissances extérieures peuvent éclairer le sujet, elles ne doivent jamais le transformer ni le modifier : ce qui est toujours l'essentiel, c'est, comme en mathématiques, l'énoncé même du problème.*

5. *De quoi donc est-il exactement question? Du moment que Valéry parle de « mots », que Gide parle de la « litote », qui est une figure de rhétorique, le problème porte sur les moyens formels de la littérature. On peut se demander, sans doute, dans un élargissement du sujet, si ce problème formel ne débouche pas sur un problème plus humain, si une pareille conception de la forme n'implique pas des qualités morales; mais ce n'est pas là le problème précis, lequel concerne les rapports de l'effet à produire et des moyens à utiliser.*

6. *Ce problème est un des grands problèmes des Beaux-Arts. On le concevra peut-être mieux par un appel aux arts plastiques et à la musique (encore que dans la dissertation on doive surtout utiliser des exemples littéraires : voir p. 8, note). Soit à produire « l'effet » suivant : « tristesse devant la brièveté de la vie ». Un peintre nous présente dans une belle campagne antique des bergers découvrant une inscription : « Et in Arcadia ego », et ce sont Les Bergers d'Arcadie de Poussin : discrétion des moyens, effet simplement suggéré. Mais Delacroix préfère nous montrer Hamlet méditant sur le crâne de Yorrick et c'est Hamlet au cimetière : ici les moyens sont largement au niveau de « l'effet ». En architecture, c'est tout le problème de l'ornement. Soit à produire « l'effet » de piété : solution gothique, suggérer l'élan de l'âme vers Dieu par l'élancement des lignes, la clarté des vitraux, la hauteur de la voûte, sans autre ornement; solution italienne, multiplier les ornements de piété, les toiles, les sculptures, les symboles, bref toute cette abondante richesse qui est souvent le propre de l'art religieux transalpin. La supériorité n'est pas forcément du côté de la sobriété : un art de type baroque peut nous sembler plus chaud, plus passionné, plus vivant. Le problème est exactement là.*

7. *En littérature, il nous faut donc étudier divers moyens d'expression dans leur rapport avec l'effet qu'ils visent à produire. Le devoir doit comporter, pour être concret, un certain nombre d'analyses formelles. Voici un exemple : Racine veut traduire l'horreur de la nuit finale de Troie et il en fait même un tableau assez coloré; ou pour rendre les cris de cette nuit d'angoisse, il dit simplement : « Songe aux cris des vainqueurs, songe aux cris des mourants. » La force du vers est incontestable, mais elle n'est pas dans la violence des épithètes (il n'y en a pas!); elle n'est même pas dans la violence de l'exclamation d'Andromaque (celle-ci dit simplement : « songe »...). Elle est d'abord dans la*

*portée dramatique du vers : le vainqueur, c'est **Pyrrhus**, les vaincus,
ce sont Andromaque et sa famille; elle est ensuite dans le rapprochement des mots : vainqueurs et mourants; elle est enfin dans les tona-
lités diverses que nous pouvons imaginer dans ces deux sortes de cris
bien différents évidemment.*

8. *Un art de ce genre est un art de l'unité, le détail empruntant toute sa
force à l'ensemble; un art intellectuel, la force provenant des rapports
subtils à établir entre les mots; un art enfin demandant quelque effort
au lecteur, puisque c'est à lui à achever le tableau avec son imagination. Ainsi nous retrouvons quelques-uns des traits essentiels de
l'esprit classique; mais, encore une fois, tout en dépassant pour le
discuter le problème précis qui est posé, c'est de lui qu'il faut partir.*

PLAN SCHÉMATIQUE ⸻⸻⸻⸻⸻⸻

Introduction.

Tout artiste veut produire un certain effet au moyen d'un certain
matériel concret (mots, couleurs, sons, pierres). Quel est le rapport
entre les moyens et les effets? Solution classique ou du moins
d'esprit classique : le minimum de moyens pour le maximum
d'effets. Valéry, Gide, esprits classiques, se rallient à cette position. Est-elle la seule? n'a-t-elle pas ses limités et ses inconvénients
(risque de sécheresse, de pauvreté)?

I. L'économie des moyens chez les classiques.

1. Examen de la rhétorique classique.

a) Cette rhétorique vise à éviter tout ce qui force la note pour
rien. Pascal fournit beaucoup d'indications à ce sujet : « Masquer
la nature et la déguiser. Plus de roi, de pape, d'évêque, — mais
auguste monarque; etc.; point de Paris, — *capitale du royaume.*
Il y a des lieux où il faut appeler Paris, Paris, et d'autres où il
la faut appeler capitale du royaume » (éd. Brunschvicg, *Pensées,*
49. Cf. en note à cette pensée la « Lettre de Miton » adressée à
Méré). Et Pascal résume ailleurs sa pensée dans une formule
saisissante : « Abus d'épithètes, mauvaise louange. » Boileau exprime
la même opinion : « Qui ne sait se borner ne sut jamais écrire »
(cf. : *Art poétique*, I, 49-63).   .

b) Elle proscrit particulièrement : d'une part, les épithètes forcées
ou même simplement celles qui imposent trop brutalement à
l'esprit du lecteur ce que l'on veut démontrer (cf. l'exemple du
« grand empereur » dans la « Lettre de Miton »); d'autre part,
les images que Pascal appelle *trop luxuriantes* et les *mots hardis*
que l'on juxtapose inutilement (« Éteindre le flambeau de la
sédition, » trop luxuriant. — « L'inquiétude de son génie; » trop
de deux mots hardis. *Pensées*, 59). Il semble que ce style cher-

chera surtout la précision des termes et plus encore l'exactitude des rapports qui donne leur force aux mots.

2. Étude d'exemples. Les meilleurs sont dans Racine, ce qui est d'autant plus paradoxal que sa tragédie est bien plus en discours qu'en spectacle. On en trouvera facilement d'aussi significatifs que celui que nous offre la célèbre entrée en scène d'Andromaque :

> « Je passais jusqu'aux lieux où l'on garde mon fils.
> Puisqu'une fois le jour vous souffrez que je voie
> Le seul bien qui me reste et d'Hector et de Troie,
> J'allais, Seigneur, pleurer un moment avec lui :
> Je ne l'ai point encore embrassé d'aujourd'hui. »

Pas une épithète, pas une image, pas un « mot hardi », mais violence de sa haine pour Pyrrhus, qu'elle traite de geôlier (*garde*), de tyran (*souffrez*); intensité de son amour pour son fils (*point encore embrassé d'aujourd'hui*); profondeur de son malheur et de ses souvenirs (*Hector, Troie, pleurer*). Tout ceci est, de plus, mis en relief par la situation, la galanterie de l'apostrophe de Pyrrhus.

II. La litote et le classicisme.

Ce goût de la litote n'est pas une simple manie, il répond à toute une esthétique :

1. Par rapport à l'objet à peindre : la litote est ce qui évite de dépasser, par l'expression, la nature, le « modèle naturel » (Pascal) qu'il faut imiter; le jargon précieux dépasse la nature, comme une femme trop chargée de bijoux écrase sa propre beauté (cf. *Pensées*, 33).

2. Par rapport à l'harmonie interne de l'œuvre : la litote porte à travailler l'harmonie d'ensemble plutôt que le détail. Celui-ci, n'ayant pas d'intensité propre, trouve son intensité dans ses rapports avec l'ensemble de l'œuvre : le classique ne fait jamais le vers pour le vers.

3. Par rapport à la personne de l'écrivain et à celle du lecteur : la litote implique une véritable attitude morale; l'écrivain ne s'impose pas, mais attend en quelque sorte que la force de ses idées soit rétablie par le lecteur. Non point qu'il suggère à la manière d'un symboliste en laissant une marge d'indétermination et de rêverie au profit de ce lecteur (l'art classique reste toujours rationnel et précis), mais il s'arrangera plutôt pour faire comprendre un rapport que pour imposer une image ou une qualité.

III. L'art baroque ou la profusion de la vie.

Précisément le danger de cet art est dans un **amenuisement** et une virtuosité desséchée.

1. A force de préférer le rapport à la couleur, on tombe dans un art intellectuel et anémié : le néo-classicisme de Voltaire, par exemple, et de beaucoup d'autres, moins grands que lui.

2. Pour rester en deçà de ce qu'on a à dire, on finit par abuser de la virtuosité : la périphrase néo-classique accomplit des prodiges d'acrobatie pour éviter le mot propre, parce qu'il s'impose trop brutalement; mais elle tombe alors dans l'énigme et le bel esprit ce qui, en un sens, rejoint les défauts de la préciosité.

3. Périodiquement la littérature éprouve le besoin de réactions baroques ou romantiques : couleur des épithètes, images luxuriantes, termes précis... (cf. les Burlesques du xviie siècle, ceux que Théophile Gautier appelle les « Grotesques » : Mathurin Régnier, Théophile de Viau...). Le but de cet art est la vie dans toute sa plénitude; c'est au nom du même étendard de la vie que les romantiques dressent leur protestation contre l'art des classiques, qu'ils accusent de ne pas nommer « le cochon par son nom » (cf. Victor Hugo, *Les Contemplations, Réponse à un acte d'accusation :* « Discours affreux! — Syllepse, hypallage, litote, Frémirent » ...). Sans doute ne faut-il pas confondre baroque et romantisme; mais il faut reconnaître qu'ils sont en réaction analogue contre un art de la litote.

Conclusion.

A partir d'un petit conseil de style donné par Valéry et d'un mot de Gide sur le classicisme, nous avons pu définir deux positions fondamentales qui continuent de nos jours à s'opposer. Valéry, Gide, plus près de nous Camus, persistent à mettre leur coquetterie dans une expression volontairement réservée, dans un refus de s'imposer qui leur semble conforme au meilleur de l'esprit français. Ils ont d'ailleurs pu y être encouragés, au lendemain du symbolisme, par certains procédés poétiques lancés par Baudelaire (suggestion, correspondance) et développés par Mallarmé, procédés qui apparentaient la poésie nouvelle au classicisme : la comparaison entre Valéry et Racine est usuelle. On peut se demander toutefois dans quelle mesure il n'y a pas, dans ce rapprochement entre l'antique litote et la moderne suggestion, un jeu sur les mots. En effet la suggestion est très différente de la litote; de même, le classicisme de Gide ne l'empêche pas de forcer sur les couleurs, sur la richesse exotique des noms (cf. *Les Nourritures terrestres*) : l'esprit classique est bien perdu et, aujourd'hui, nous attendons trop de vie de la littérature pour nous contenter d'un art de la litote. Le conseil de Valéry garde tout de même sa valeur de leçon.

21

SUJET

    Commentez cette opinion d'André Gide : « Il me semble que les qualités que nous nous plaisons à appeler classiques sont surtout des qualités morales et volontiers je considère le classicisme comme un harmonieux faisceau de vertus dont la première est la modestie. »

RÉFLEXIONS PRÉLIMINAIRES

1. *Plusieurs contresens à éviter :*

a) croire qu'il s'agit des qualités morales des personnages, par exemple des personnages du théâtre classique, alors que ceux-ci sont souvent nettement immoraux;

b) placer la morale dans le sens général de l'œuvre. Sans doute les classiques répètent-ils dans leurs Préfaces qu'une œuvre doit « instruire les spectateurs autant que divertir », mais il y a lieu de distinguer : s'ils veulent assurément « instruire et plaire », ils ont beaucoup trop le sens de l'autonomie de l'art pour jamais soumettre celui-ci à la morale. Dans Phèdre, *par exemple, les grandes victimes sont beaucoup plus Thésée, Hippolyte et Aricie, les innocents, que Phèdre, la coupable, qui se tue sans doute, mais après une sorte de réhabilitation morale « in extremis ». De même, La Fontaine, bien loin de subordonner sa fable à la seule « morale », lui donne une portée infiniment diversifiée et, s'il y a une instruction à tirer de son œuvre, elle n'est assurément pas dans les « vertus » que ses personnages déploient;*

c) orienter le devoir sur le problème de « l'honnête homme » (le chevalier de Méré, Pascal, etc...) : le sujet peut toucher à l'histoire des mœurs, mais il concerne plus exactement l'attitude de l'auteur classique au moment où il crée, et la pensée de Gide revient à peu près à ceci : au moment où l'auteur classique crée son œuvre, il est moins soumis à un ensemble de règles littéraires qu'à une certaine attitude morale dont l'essentiel est la modestie.

2. *Quelle est la signification exacte du mot « modestie »? On sait que Gide, comme Valéry, laisse volontiers à certains termes leur valeur étymologique et on pourrait être tenté d'interpréter « modestie » dans un sens plus voisin du latin « modestia » (« juste mesure ») que du sens usuel, lequel est plus voisin de l'humilité. Il est évidemment assez difficile de trancher, d'autant que Gide a souvent parlé du classicisme comme d'un art de la mesure, de la litote (figure par laquelle on mesure son expression, précisément afin d'obtenir des effets renforcés avec des moyens verbaux réduits). Mais, dans le texte qui nous occupe ici, Gide parle de vertus, de qualités morales, et il est risqué de considérer la « juste mesure » comme une qualité morale, du moins dans le voca-*

bulaire moderne. Dans tous les cas, rien n'interdit de montrer dans le devoir le passage possible d'un sens à l'autre et même d'utiliser ce retournement de sens pour un retournement du devoir.

3. *Toutefois, cette « modestie » ne pourrait guère être considérée par Gide comme une vertu, si elle était trop proche de l'humilité. L'explication du texte par son auteur nous montrera bien ce que Gide loue dans le classicisme et, du même coup, appelle moral : en bon disciple de l'Antiquité, en esthète néo-païen, il ne met pas la vertu dans un idéal transcendant ni dans l'imitation d'un modèle supérieur, mais plutôt dans une harmonie (cf. l'épithète « harmonieux » faisceau), un ordre immanent à l'homme.*

4. *Il faut donc avant tout éviter de réduire le sujet aux banalités d'usage sur l'impersonnalité classique, le refus d'étaler son « moi », etc.... Gide pense surtout à cette attitude par laquelle l'écrivain se soumet, en matière littéraire, à un ordre, à une tradition de l'art et de la raison, quitte à se sentir plein d'orgueil s'il a l'impression d'avoir répondu à cet ordre, à cette tradition. Il s'agit en somme de pénétrer au cœur de l'attitude classique et de retrouver, à partir de là, un certain nombre de développements bien connus mais qui tireront leur unité et leur force de cette vision profonde de la création classique.*

PLAN ——————————————————————

Introduction.

Alors que le mot « classique » implique de façon usuelle une certaine froideur, bien éloignée de l'élan qui nous semble propre à l'attitude morale, on a voulu voir parfois dans l'attitude du créateur classique, plus qu'une attitude esthétique et plus qu'une question d'École, une attitude devant la vie, bref une question de morale. Un esthète néo-classique, un de ceux qui, après les effusions romantiques, les rêveries symbolistes, contribuèrent au renouveau littéraire du début du XXe siècle, André Gide, nous propose de définir les qualités classiques comme des qualités morales et il précise : « Je considère le classicisme comme un harmonieux faisceau de vertus dont la première est la modestie. » Évidemment il désire nous étonner et, en un certain sens, il y parvient; pourtant les vertus d'harmonie et d'ordre, sur lesquelles il semble attirer notre attention, paraissent bien être de celles qu'on peut attribuer aux classiques et le mot n'a guère de signification que si l'on identifie la morale et l'esthétique.

I. La surprise.

Sans être vraiment très surpris par son « demi-paradoxe », nous pouvons assez bien imaginer comment Gide veut nous étonner.

1 . L'essence même de l'art classique est fort loin d'être morale :
l'artiste dont tout l'esprit consiste à « bien définir et bien peindre »
a le sentiment aigu de l'autonomie de l'art et se garde de
jouer les politiques ou les prédicateurs; il laisse ce soin aux spécialistes et se veut lui-même un spécialiste de la littérature. S'il
recommande, comme Boileau, de ne pas heurter la morale, il se
gardera d'innover en ce domaine; il ne se croit pas porteur
d'un message moral, il ne donne pas de conseils pour bien vivre,
il n'écrit pas les *Nourritures terrestres;* bref, il se réfère à la morale
existante, content de reconnaître un ordre qui n'est pas son
affaire (cf. sujet traité n° 11).

2. Mais, dira-t-on, une des ambitions fondamentales de l'art classique est d'instruire : tous les classiques répètent à l'envi que leur
but est d'être utiles; tout en croyant à l'autonomie de l'art, ils
croient à son utilité profonde et « l'Art pour l'Art », la beauté
pour la beauté, n'est pas leur fait. Toutefois le paradoxe de Gide
est de suggérer que la création classique n'est pas seulement une
leçon de morale par son contenu, mais qu'elle implique de la
part du créateur un effort moral au moment de la création.

3. Ceci nous apparaît d'autant plus étonnant qu'au centre de ces
vertus de créateur, Gide met la modestie; or il faut l'avouer, les
classiques sont, en général, loin d'être modestes : à l'arrogance
de Racine, méprisant Corneille, insultant ses maîtres de Port-
Royal, frémissant d'orgueil à la moindre critique, répondent
l'assurance de Molière après ses succès et le dogmatisme d'un Boileau, absolument certain de l'infaillibilité de ses principes.

II. L'ordre et l'harmonie, vertus de tradition.

Si le substantif « modestie » est un peu équivoque et oscille sans
cesse entre le sens de « mesure » et celui d' « humilité », l'adjectif
« harmonieux », qui souligne le caractère essentiel du « faisceau
de vertus », fournit la clef du texte.

1. La notion d'harmonie morale implique en effet que la morale
n'est pas innovation, mais reconnaissance d'un certain ordre.
Le classique est donc moral et notamment modeste, non pas
parce qu'il doute de son œuvre, mais parce qu'il sent la littérature
comme un art profondément rattaché à un certain ordre traditionnel; non pas, bien entendu, qu'il n'y ait plus rien à faire,
mais il n'y a plus qu'à travailler au développement d'un certain
nombre de valeurs bien reconnues. Tout se passe comme dans
un jeu où l'on se soumet à des règles et où l'on est forcément
modeste, tout en étant fier si l'on vient à gagner : « Qu'on ne
dise pas que je n'ai rien dit de nouveau : la disposition des matières
est nouvelle; quand on joue à la paume, c'est une même balle
dont joue l'un et l'autre, mais l'un la place mieux. » (Pascal,
Pensées, éd. Brunschvicg, I, 22.)

2. Dès lors, l'artiste ne peut guère être en opposition avec son époque et il ne saurait jouer les incompris et les grands solitaires. Tel un joueur disputant une épreuve, il est à la fois limité et soutenu par des règles connues du public — au moins dans leurs grandes lignes — au nom desquelles on le juge. En cas de contestation, il y a contestation sur l'application des règles, mais non sur leurs principes. Ne nous laissons pas abuser, au surplus, par cette image des règles, car cet accord profondément modeste de l'écrivain avec son public porte sur le fond même de l'art et chacun prendrait facilement à son compte le mot de La Bruyère : « Je rends au public ce qu'il m'a prêté. » Si le classique se refuse, par exemple, à choquer, s'il se conforme aux bienséances, ce n'est pas par académisme timoré, par goût d'une littérature édulcorée, c'est parce que l'on ne peut guère, littérairement parlant, bouleverser un accord dont vit la littérature : si l'on écrit des sonnets libertins, comme le fait Malherbe, on ne les publie pas, parce que la tradition s'y oppose.

3. Mais cette attitude, à la fois critique et conformiste, qui unit public et auteur, se retrouve chez l'auteur lui-même, seul en face de son œuvre : il se méfie, dit-on, de tout ce qui est spontané, inconscient, des mouvements profonds de la sensibilité, etc.... A vrai dire, il ne s'en méfie pas parce que c'est de lui, il n'a pas une haine *a priori* de son « moi » (quand Pascal écrit : « Le moi est haïssable », *Pensées*, VII, 455, « le mot moi — selon le commentaire de Port-Royal — ne signifie que l'amour-propre »); il se méfie de ce qui n'est pas conforme à ce fonds commun qui est la matière habituelle de la littérature. De même, s'il est si exigeant à l'égard de lui-même, s'il se juge avec une critique impitoyable, ce n'est pas par une obsession maniaque à la manière de Flaubert (obsession qui le séparerait des autres écrivains), mais, bien au contraire, pour retrouver cet ordre auquel il se soumet modestement.

III. La vertu et l'esthétique.

Il reste toutefois un peu surprenant de parler de vertu, de morale, à propos de ce que, aujourd'hui, nous considérerions plutôt comme un conformisme. N'avons-nous pas une conception plus jaillissante de la morale? La conception de Gide est plutôt celle d'une harmonie et pour lui la morale est plutôt question d'esthétique.

1. En effet la morale nous apparaît bien plus comme une invention de tous les moments que comme la reconnaissance d'un ordre : le romantique précisément nous expose volontiers les cas particuliers où la règle normale n'a pas de sens, où l'ordre établi n'est d'aucun appui pour un penseur qui est solitaire (la « modestie » de Racine l'empêche d'excuser Phèdre, mais Hugo excuse Fantine). Dès lors, le romantique est un inventeur moral : la fameuse théorie des droits de la passion n'est qu'une application de ce principe (la passion de Phèdre ne lui donne aucun droit, alors que Musset réclame au nom de la sienne). Conception dangereuse, mais plus féconde, plus vivante.

2. Gide suggère la vertu comme une harmonie et une modestie, c'est-à-dire « une juste mesure ». Bien entendu, le créateur classique peut faire preuve d'invention morale, mais dans des cadres donnés d'avance, et les fameux conflits de Racine sont précisément soumis à une morale inexorable : d'où la catastrophe. Ni Titus ni Phèdre n'inventent la morale; quand il y a conflit, il faut se séparer ou mourir.

3. Cette position a de curieuses résonances gidiennes. En effet on sait que Gide était pris entre une conception qu'il croyait « libérée » de la morale et une attitude d'esthète dont il faisait volontiers vertu. Cette modestie dont il nous parle, cette harmonie sont équilibre antique, sagesse plus que morale ou vertu au sens moderne de ces mots. En littérature, le classicisme est donc bien, pour Gide, une sagesse.

Conclusion.

Bref, partis d'une méditation sur le classicisme, nous arrivons à une conception assez personnelle, assez particulière de la morale et, d'une façon plus générale, de la vie : pour Gide le classicisme est vertu dans la mesure où la possession de soi, l'équilibre conformément à une tradition sont des vertus. Cette « sagesse », dirions-nous plutôt, qui mêle esthétique et morale, est plus peut-être une définition de Gide lui-même que du classicisme.

REMARQUE GÉNÉRALE SUR LA QUESTION DU CLASSICISME. — *Pour tout travail demandé à l'étudiant sur un problème du classicisme — qu'on entende par classicisme la période de notre littérature qui va de 1660 à 1685 ou, d'une façon plus large, une certaine tendance qui s'est développée plus particulièrement au XVIIe siècle — nous insistons sur l'absolue nécessité de se débarrasser d'un certain nombre de « clichés » et de lieux communs qui ont la vie dure. Nous rappelons à ce propos que la recherche littéraire soumet en ce moment notre XVIIe siècle et les problèmes qui s'y rattachent à une revision complète. Sans prétendre dresser un « état présent des études sur le XVIIe siècle » et sans répéter ici les indications que nous avons données dans notre Bibliographie générale, nous dirons seulement qu'un étudiant ne peut ignorer les travaux de MM. Bray, Mornet, Scherer et — naturellement — la remarquable mise au point de M. Adam dans son* Histoire de la Littérature française au XVIIe siècle. *Sur un plan plus scolaire,* Le Classicisme *de H. Bénac, l'*Art Poétique *de Boileau présenté par le même aideront à voir le XVIIe siècle d'un œil neuf.*

$$\boxed{22}$$

SUJET

Bergson, dans un article publié en 1923, estime la France « pénétrée de classicisme, d'un classicisme qui a fait la netteté de son romantisme ».

Vous semble-t-il que la littérature française ait en effet toujours préservé l'essentiel de l'apport classique?

(Sujet plusieurs fois proposé, avec de légères variantes, au Baccalauréat.)

RÉFLEXIONS PRÉLIMINAIRES ————————————

1. *Il suffit de rapprocher les termes dominants de l'opinion de Bergson, « la France pénétrée de classicisme », de la question qui suit, « la littérature française a-t-elle toujours préservé l'essentiel de l'apport classique? », pour éviter de s'égarer dans une direction fausse qui reprendrait fâcheusement le parallèle traditionnel classicisme-romantisme. La remarque, « un classicisme qui a fait la netteté de son romantisme », n'a évidemment que la valeur d'un exemple.*

2. *Le mot « pénétrée » apparaît comme très important. Il suggère quelque chose de très profond et Bergson n'a certainement pas voulu dire que toutes les écoles qui ont suivi ce qu'on appelle, traditionnellement et improprement, l'école de 1660, ont inscrit dans leurs manifestes des principes déjà exprimés par les classiques; ce serait à la fois faux et trop vrai : par exemple, il est facile de constater que le classicisme recherche la vérité et, comme il n'est guère de mouvement littéraire qui ne se réclame également de celle-ci, il serait possible alors d'estimer qu'il n'en est à peu près aucun qui ne sauvegarde « l'essentiel de l'apport classique ». On dépasserait ce que l'on veut prouver!*

3. *Bergson ne pense pas au classicisme en tant que liste des conseils formulés dans l'Art poétique de Boileau, mais à l'esprit classique et c'est ce dernier qu'il s'agit de préciser. Il est donc inutile de rappeler les grands traits (et encore moins les détails) de la doctrine classique. Non seulement cette méthode risquerait d'être ennuyeuse et monotone (car après avoir déterminé les principales caractéristiques du classicisme, il faudrait les reprendre une à une pour voir si on les retrouve dans l'ensemble de la littérature), mais encore elle risquerait fort de limiter le sujet et de le fausser. Exemple : la question de l'imitation des Anciens; les classiques les imitent, et les Parnassiens aussi. Peut-on, pour autant, parler de classicisme des Parnassiens? Évidemment non, car les classiques recherchent à travers les Anciens la raison universelle, les Parnassiens une sorte de beauté plastique, originelle et fondamentale, du monde. De même, le culte de la forme se rencontre chez les classiques et dans l'école de l'Art pour l'Art. Là encore, y a-t-il conservation de l'esprit classique? Cela est douteux, car, pour un*

classique, la forme est subordonnée dans sa perfection même à l'unité de l'œuvre; dans l'école de l'Art pour l'Art, elle prétend souvent briller pour elle-même d'un éclat privilégié.

4. *Mais, dira-t-on, comment savoir ce qui, d'après Bergson, est l'essentiel de l'esprit classique? Il suffit de prêter attention à ce nom même de Bergson donné dans le texte du sujet. Une dissertation, sans être philosophique, peut exiger quelques connaissances sur les grands systèmes philosophiques, dans la mesure où ils ont une influence littéraire : tel est le cas du « bergsonisme ». Justement, Bergson est préoccupé, pour atteindre la réalité, de renoncer à l'unité intellectuelle que la raison veut imposer aux choses. Pour lui, il faut coïncider par intuition avec la diversité du réel, avec son élan vital et telle est, en particulier, la mission de l'art. Alors que la science tâche d'unifier rationnellement le réel, l'art doit en épouser l'individualité et l'élan singulier. Probablement, si Bergson estime la « France pénétrée de classicisme », ce n'est pas pour l'en louer sans réserve. Il considère sans doute que l'art classique, c'est précisément l'art qui, au lieu de s'attacher à l'évolution lente et vitale d'une passion, en fournit une image conceptuelle, exacte sans doute, mais pour ainsi dire géométriquement unifiée, généralisée à d'autres cas possibles. Spinoza observe les passions, non pas dans leur évolution, mais* more geometrico. *De même, Racine pour peindre la jalousie de Phèdre procède d'une façon qui est certes vraie, point abstraite comme on le suggère trop souvent, mais qui ne suit point la lente maturation du réel (cf. la minutieuse étude de Proust sur la jalousie de Swann à propos d'Odette : c'est l'étude de l'évolution particulière, dans un laps de temps particulier, d'un sentiment particulier).*

5. *Qu'est-ce donc avant tout que l'esprit classique? C'est celui de tout art qui impose au réel une unité intellectuelle : en effet, il est assez faux de répéter sans cesse que les classiques sont de froids raisonneurs, que leur art est intellectuel et desséché, que l'impersonnalité en est la règle d'or, etc.... Sans doute parlent-ils souvent de la raison, ce qui brouille un peu les idées. On fait parfois des contresens sur ce mot et il faut corriger le fameux : « Aimez donc la raison » de Boileau par cette réflexion de Racine : « Le caractère de Phèdre est ce que j'ai mis de plus raisonnable sur le théâtre. » Or Phèdre est ce que nous appellerions aujourd'hui une névrosée. Où est donc la raison à son propos? Racine s'explique quelques lignes après : « Elle a toutes les qualités qu'Aristote demande dans le héros de la tragédie et qui sont propres à exciter la compassion et la terreur. En effet Phèdre n'est ni tout à fait coupable, ni tout à fait innocente. »* La *raison est donc, non pas dans l'objet de la peinture, dans son contenu, mais dans l'unité (qui peut être appuyée par certaines règles, comme ici l'exigence d'Aristote) imposée par l'artiste à sa création. En somme, en langage moderne, le mot* raison *des classiques se traduirait à peu près par unité d'effet et conformité à un modèle général.*

6. *Historiquement cette conception se vérifie; en effet le classicisme de 1660 est une réaction contre un mouvement très général qu'on appelle*

le baroque, contre une formule d'art qui disperse les effets en vue de mieux rendre la plénitude de la vie, contre un art de la surcharge et de la puissance vitale. Contre cet art, le classicisme est une réaction de l'unité et de la concentration. Prétendre, comme le veut Bergson, que la France est pénétrée de classicisme, c'est avant tout prétendre que la littérature française n'a que très rarement consenti à briser cette unité, cette concentration, pour coïncider avec la richesse dispersée du réel; c'est remarquer la cohérence profonde des œuvres de nos grands Romantiques (V. Hugo dans la Préface de Cromwell *refuse de rompre avec l'unité d'action). D'une façon plus générale, le Romantisme français n'aime pas le mystère, parce qu'il a toujours cette peur de se perdre dans le réel qui caractérise l'esprit classique. Cette opposition de deux états d'esprit a été parfaitement analysée par Renan dans sa* Prière sur l'Acropole *où il met en parallèle deux tendances : l'amour d'un art fini, volontairement limité, mais rationnellement cohérent, et celui d'un art infini, mystérieux, beaucoup plus riche, coïncidant avec toutes les forces de la vie, mais qui lui semble barbare et informe.*

7. *Telle est à peu près la limite du mot de Bergson, au moins sous la forme un peu réduite où il était proposé : il a l'air de méconnaître précisément le drame intellectuel du* XIXe *siècle, le drame de la* Prière sur l'Acropole, *celui de l'invasion dans l'art de forces que le classicisme entendait laisser hors de celui-ci. Par exemple, le* XIXe *siècle a été envahi par une dimension jusque-là à peu près méconnue par l'art, le temps, et on a dit qu'il avait été le siècle de l'histoire et des sciences biologiques. La littérature prétend assumer ce lent travail du temps : d'où le goût des épopées colossales (comme* La Légende des Siècles*), des vastes romans (comme* Les Rougon-Macquart*), des grands systèmes philosophiques du temps (Hegel, Marx); d'où surtout le bergsonisme lui-même qui met en évidence cette force d'innovation du monde et de la vie : qu'est-ce que le vivant, si ce n'est ce qui apporte de l'irréductiblement nouveau au cours du temps? Toute l'œuvre de Proust est faite de cette irréductibilité des instants les uns aux autres.*

8. *Sans doute les classiques n'ont ignoré ni le temps ni la vie ni l'histoire, mais il leur a semblé que l'art, c'était précisément de donner à ce temps fluant, à cette histoire mouvante, à cette vie changeante, l'unité et la concentration extra-temporelle de l'art. Racine sait bien qu'Agrippine est l'ambitieuse de l'époque impériale romaine, il sait bien que cette époque a ses traits distinctifs, mais son but, c'est de conférer à l'ambition d'Agrippine un visage non point intemporel sans doute, mais éternellement valable. En d'autres termes, l'esprit classique, c'est de considérer qu'il n'y a pas dans le mouvant du réel une raison suffisante pour que l'art lui-même imite ce mouvant. Au contraire, il apportera à ce mouvant l'unité, la solidité, l'éternité. Inversement le romantisme authentique, assez différent de celui qui a souvent été réalisé en France, c'est de rendre ce mouvant, cette richesse de la vie,* *de coïncider avec elle. (Voir là-dessus d'excellentes remarques dans les œuvres de Julien Benda et notamment dans* Belphégor.*)*

9. *On peut facilement penser à plusieurs types de plans :*

I. Plan par classement de thèmes : *Étudier à travers la littérature la permanence de quelques thèmes classiques, mais sans vouloir à tout prix épuiser tous les traits du classicisme. Envisager par exemple : la prédominance de la psychologie sur le goût des réalités — celle des problèmes humains, politiques et sociaux — la méfiance des œuvres informes — la portée universelle conférée aux œuvres....*

II. Plan par élargissement d'une définition :

1. Le classicisme au sens strict, défini surtout par des caractères extérieurs (imitation des Anciens, goût de la psychologie, etc...) : il se maintient en particulier au XVIIIe siècle.

2. Le classicisme au sens d'esprit classique, caractérisé par la recherche de l'universalité; les prétentions des romantiques à cette universalité.

3. Le classicisme au sens très large, entendu comme valeur humaine générale : ici aussi ne pas chercher à être exhaustif et ne pas faire un sort à tous les écrivains et à toutes les écoles!

Nous insisterons davantage sur un troisième plan qui, bien qu'il ne laisse pas d'être un peu partial, nous paraît meilleur, parce qu'il est plus concentré.

PLAN ————————————————————

Introduction.

Bergson, préoccupé de retrouver par la souplesse de l'intuition, les mouvements divers de la vie, constatait en 1923 le caractère volontiers systématique et un peu rigide de l'art français : notre littérature, lui semblait-il, loin de se disperser dans le réel, préfère soumettre celui-ci à l'unité, en un mot, elle est « pénétrée de classicisme, d'un classicisme qui a fait la netteté de son romantisme ». Sans doute bien des écoles qui se veulent révolutionnaires ont en fait gardé à l'œuvre littéraire une cohérence, une unité toutes classiques. Mais Bergson n'est-il pas injuste en ne reconnaissant pas que, périodiquement et surtout au xixe siècle, de nombreux efforts ont été tentés pour donner à la littérature, au prix même de la dispersion et de l'incohérence, une souplesse et un mystère qui rendent mieux compte de la vie?

I. L'unité volontiers classique des œuvres françaises.

1. Il est peu d'œuvres qui n'aient une unité : la plupart des grands écrivains français ont le goût de la composition et presque tous proclament la nécessité de la concentration. Balzac affirme que c'est la loi de l'art; Maupassant prétend qu'elle est indispensable au réalisme (Préface de *Pierre et Jean,* 1888) et c'est vrai à plus forte raison des auteurs du xviiie siècle, héritiers directs du classicisme : sans doute ceux-ci ne savent-ils pas toujours très bien composer (des faiblesses à ce point de vue chez Montesquieu, chez Voltaire...), mais au moins font-ils le plus souvent court, et ils pourraient dire comme La Fontaine : « Les longs ouvrages me font peur. » D'une façon générale, il n'y a guère chez nous de ces « longs ouvrages » comme *La Divine Comédie* de Dante ou *Le Paradis perdu* de Milton. Seul le Moyen Age offrirait des exemples de ce genre, tel *Le Roman de la Rose,* mais précisément cette époque a été longtemps victime d'une sorte d'ostracisme à cause du caractère informe de ses grandes productions littéraires.

2. Cette unité ne doit pas seulement s'entendre de la composition, elle doit encore s'entendre de la façon d'appréhender le réel : très souvent la littérature française, au lieu de suivre celui-ci dans sa diversité, aime le ramener à quelques lois générales. Le classicisme, admet-on généralement, s'intéresse à la nature humaine, à la psychologie, comme on dirait maintenant, mais il ne s'intéresse pas à l'homme en tant que ce dernier est imprévu et mystérieux. Même s'il étudie un monstre (Phèdre), il veut surtout en connaître les lois et les ressorts fondamentaux. Il serait plus juste de remarquer que notre littérature est une littérature de « moralistes », c'est-à-dire d'écrivains qui visent plutôt à faire la géométrie des passions ou leur algèbre, selon le mot de Stendhal, qu'à nous étonner devant un cas particulier. De même, l'attention d'un Montesquieu se portera plutôt sur les lois des sociétés que sur la couleur individuelle de tel moment du passé.

3. Au fond, et même chez les romantiques, on n'est guère sensible à l'évolution mystérieuse de la vie et du temps, à la singularité de l'être. Le goût de l'unité devient volontiers goût de l'universalité, à condition de bien signifier par ce mot, non pas une totalité des lieux ou des instants, mais une vérité générale qui échappe au temps : ainsi procède Racine quand il étudie une héroïne de la guerre de Troie. Tel est le sens exact des fameuses unités : non pas réduire à vingt-quatre heures et à un seul lieu toute une action, mais faire en sorte que le problème du temps et du lieu ne se pose pas. Il ne faut pas qu'une nuit s'écoule, parce qu'une nuit, c'est du temps à l'état pur.

4. Cette façon d'appréhender le réel en le dépouillant de sa singularité pour le transformer en une idée générale, un concept, explique l'usage classique de la langue : le mot, la phrase *signifient,* mais ne suggèrent pas.

II. *Les efforts pour coïncider avec la dispersion du réel.*

Transition. La révolution romantique parle sans cesse de rejoindre la vie. *En théorie* donc, elle se propose de briser l'unité pour rejoindre en art la dispersion et la multiplicité du réel (c'est le sens de la théorie « du sublime et du grotesque »). Mais ce qui brouille les cartes, c'est que les romantiques, *en pratique*, écrivent dans une langue des plus classiques, avec une unité de composition souvent assez rigoureuse et un désir mal dissimulé de donner à leurs sentiments une valeur universelle. En fait, la véritable révolution romantique, celle qui brise l'unité, est l'œuvre de tout le XIXe siècle, non sans hésitations et retours en arrière.

1. Le XIXe siècle découvre l'histoire ou plutôt (car la méthode historique existait bien avant), il découvre le temps comme facteur de nouveauté irréductible. C'est le sens des grands systèmes philosophiques du *temps* (Hegel, Marx) qu'engendre le XIXe siècle.

2. Parallèlement, le XIXe siècle crée les sciences biologiques : le vivant n'est pas un système de lois indéfiniment répétées, il est nouveauté de tous moments; le bergsonisme lui-même est la prise de conscience philosophique de l'importance du vivant comme innovation toujours possible. A la psychologie universelle se substitue la psychologie de Proust, où l'instant est toujours nouveauté. Et pour Gide, l'instant doit nous trouver toujours disponibles.

3. Sur le plan littéraire, on échappe pour la première fois, dans la deuxième moitié du XIXe siècle, aux œuvres qui unifient le réel; on s'efforce de s'identifier à des mondes nouveaux : mondes confusément entrevus par les poètes symbolistes, par les romanciers russes (dont l'influence est très importante vers la fin du XIXe siècle), etc.... On aboutit pour la première fois à des œuvres géantes et volontairement informes, dont la diversité veut reproduire le réel : au poème lyrique, encore trop composé, se substitue le roman sans armature *a priori*, et qui n'a d'autre mouvement que celui du réel dans le temps (cf. Zola).

4. Coïncider avec ce réel dans le temps, telle devient aussi l'ambition du langage qui prétend suggérer plutôt que signifier.

Conclusion.

Bergson marque bien une tendance irréductible de l'esprit français : après toutes les œuvres précédentes, le roman composé (Radiguet, *Le Diable au corps;* Camus, etc...) est accueilli avec faveur. Bergson n'en est pas moins injuste de méconnaître un effort dont il est lui-même la prise de conscience philosophique. Au fond, l'on peut se demander dans quelle mesure il n'y a pas toujours eu coexistence dans notre littérature d'une tendance vers l'unité pure et harmonieuse des belles œuvres et d'une autre tendance vers la vie dans sa diversité et sa confusion. Éternel « dialogue » de Ronsard et de Rabelais, de Malherbe et de Régnier, de Racine et de Saint-Simon, de Vigny et de Hugo....

SUJETS PROPOSÉS

1. « Il arrive que la notion de classicisme s'éclaire pour nous de la lumière du mythe. Alors le sens courant du terme, entendez une vérité scolastique proposée en exemple, nous paraît plat et sec, en le définissant. Non, le classicisme — au sens auquel nous revenons maintenant — ce n'est pas quelque chose d'exemplaire, en général, et hors du temps, même s'il a beaucoup et tout à faire avec les deux idées implicites ici, celle d'une forme, et celle de la précellence de cette forme. Bien loin de là, le classicisme est plutôt cet exemple tel qu'il a été réalisé, la première création d'une forme de vie spirituelle se manifestant dans la vie individuelle, ce qui a autrefois modelé un type originel, où la vie ultérieure se reconnaît, dans la perspective duquel elle se développe; il s'agit donc d'un mythe, car le type est un mythe, et l'être est retour, absence du temps, éternellement présent. En ce sens seulement, le classicisme a valeur d'exemple, non quand il désigne simplement une forme vide. L'époque classique est celle des patriarches, du mythe, de la première création de ce qui a modelé notre vie nationale.

« Car l'idée d'une première création, d'une origine, doit être liée à celle de nation, sous peine de sombrer dans l'illimité, au lieu d'atteindre à quelque point de repos et de calme, à quelque apaisement de l'esprit. Où irions-nous si nous prétendions dépouiller cette notion d'origine de ses limites? Il n'y a d'origine que définie et localisée. La suite de l'histoire mondiale est faite d'origines imbriquées les unes dans les autres, et elles renvoient toujours à une origine plus ancienne.... »
(Thomas Mann, *Lettres Françaises* du 25 février 1954. Extrait de la Revue *Heute und Morgen*, n° de fév. 1954.)

2. « Le classicisme est un équilibre, de pensée, de sensibilité et de forme, qui assure à l'œuvre d'art un intérêt humain et une diffusion universelle. L'ordre, la clarté, la plénitude, la maîtrise consciente en sont les signes apparents. Mais on ne saurait parler d' « époque classique » : en un temps donné, une littérature offre, à côté des « classiques », des retardataires et des novateurs. Il n'y a que des « auteurs classiques », ou même parfois seulement des « œuvres classiques ». »
(J. Bayet, *Histoire de la littérature latine*, A. Colin, édit.)

3. Dans la leçon d'ouverture de son cours à l'École Normale, prononcée le 12 avril 1858 et recueillie au tome XII des *Lundis* (*De la Tradition en littérature*), Sainte-Beuve s'exprimait ainsi : « Le classique, en effet, dans son caractère le plus général et dans sa plus large définition, comprend les littératures à l'état de santé et de fleur heureuse, les littératures en plein accord et en harmonie avec leur époque, avec leur cadre social, avec les principes et les pouvoirs dirigeants de la société; contentes d'elles-mêmes, — entendons-nous bien, contentes d'être de leur nation, de leur temps, du régime où elles naissent et fleurissent; — les littératures qui sont et qui se sentent chez elles, dans leur voie, non déclassées, non troublantes, n'ayant pas pour principe le malaise, qui n'a jamais été un principe de beauté. »

Vous expliquerez et, s'il y a lieu, vous discuterez cette remarque.

(E. N. S. Garçons, 1941.)

4. Sainte-Beuve : « Un vrai classique, comme j'aimerais à l'entendre définir, c'est un auteur qui a enrichi l'esprit humain, qui en a réellement augmenté le trésor, qui lui a fait faire un pas de plus, qui a découvert quelque vérité morale non équivoque, ou ressaisi quelque passion éternelle dans ce cœur où tout semblait connu et exploré; qui a rendu sa pensée, son observation ou son invention, sous une forme n'importe laquelle, mais large et grande, fine et sensée, saine et belle en soi; qui a parlé à tous dans un style à lui et qui se trouve aussi celui de tout le monde, dans un style nouveau sans néologisme, nouveau et antique, aisément contemporain de tous les âges.

« Un tel classique a pu être un moment révolutionnaire, il a pu le paraître du moins, mais il ne l'est pas; il n'a fait main basse d'abord autour de lui, il n'a renversé ce qui le gênait que pour rétablir bien vite l'équilibre au profit de l'ordre et du beau. »

(*Lundi* du 21 octobre 1850 : *Qu'est-ce qu'un classique?*)

5. Commentez cette page de Bergson : « L'essence du classicisme est la précision. Les écrivains qui sont devenus classiques sont ceux qui ont dit ce qu'ils voulaient dire, rien de moins, mais surtout rien de plus. Dans la conversation, il n'arrive presque jamais qu'on dise ce qu'on voulait dire. Il n'y a pas adéquation entre le fond et la forme, entre la conception et la réalisation. J'estime, pour cette raison, que l'œuvre qui devient classique est celle qui se présente rétrospectivement avec un air de fatalité :

aucun détail n'aurait pu, semble-t-il, être différent de ce qu'il est, parce que le tout est présent dans chacune des parties. Cette apparence de fatalité donne à l'œuvre, si personnelle qu'elle ait été, un aspect impersonnel. N'étant pas liée aux choses de son temps, elle est de tous les temps. » (*Essais et témoignages inédits*, La Baconnière, Neuchâtel, 1941.)

(C. A. Lettres Modernes, 1947.)

★ ★ ★

6. Paul Valéry, décelant en Baudelaire l'âme d'un classique, écrivait (*Variété II*) : « *Classique* est l'écrivain qui porte un critique en soi-même et qui l'associe intimement à ses travaux.... Qu'était-ce après tout que de *choisir* dans le romantisme et que de discerner en lui un bien et un mal, un faux et un vrai, des faiblesses et des vertus, sinon faire à l'égard des auteurs de la première moitié du xixe siècle ce que les hommes du temps de Louis XIV ont fait à l'égard des auteurs du xvie siècle? Tout classicisme suppose un romantisme antérieur.... Le classique implique des actes volontaires et réfléchis qui modifient une production naturelle, conformément à une conception *claire* et *rationnelle* de l'homme et de l'art.... Les romantiques avaient négligé tout ou presque tout ce qui demande à la pensée une attention et une suite un peu pénibles. Ils recherchaient les effets de choc, d'entraînement et de contraste. La mesure, ni la rigueur, ni la profondeur ne les tourmentaient à l'excès. Ils répugnaient à la réflexion abstraite et au raisonnement, et non seulement dans leurs œuvres, mais encore dans la préparation de leurs œuvres, ce qui est infiniment plus grave. »

Que pensez-vous de ce jugement sur l'attitude de l'écrivain

classique comparée à celle de l'écrivain romantique?

(C. A. Lettres Classiques, Hommes, 1952.)

7. Parlant de Baudelaire, un critique contemporain déclare qu'il fait figure de classique. En effet, selon lui :

« Classique est l'écrivain qui porte un critique en soi-même et qui l'associe intimement à ses travaux.... Qu'était-ce, après tout, que de *choisir* dans le romantisme, et que de discerner en lui un bien et un mal, un faux et un vrai... sinon faire à l'égard des auteurs de la première moitié du XIXᵉ siècle ce que les hommes du temps de Louis XIV ont fait à l'égard des auteurs du XVIᵉ? Tout classicisme suppose un romantisme antérieur.... L'essence du classicisme est de *venir après*. L'ordre suppose un certain désordre qu'il vient réduire. La composition, qui est artifice, succède à quelque chaos primitif d'intuition.... La pureté est le résultat d'opérations infinies sur le langage, et le soin de la forme n'est autre que la réorganisation méditée des moyens d'expression.... Peu comprises de nos jours et devenues difficiles à défendre, les conventions classiques n'en procèdent pas moins d'une antique, subtile et profonde entente des conditions de la jouissance intellectuelle sans mélange. »

Expliquer et apprécier cette définition de l'esprit classique.

(C. A. Histoire et Géographie, 1948.)

8. « L'art classique, estimait Paul Valéry, se reconnaît à l'existence, à l'absolutisme de ses conventions. »

Raymond Naves, dans sa thèse sur *Le goût de Voltaire* (Garnier, édit.), explique pourquoi il n'admet pas ce jugement : « C'est, écrit-il, considérer le classicisme français comme une plante fragile

et anormale.... Dans son âge historique, s'il a été l'expression d'une aristocratie, il n'a jamais été l'idole d'une chapelle; il a reposé non sur des conventions, qui sont les décisions abstraites d'un choix intellectuel, mais sur des convenances, qui résultent de l'observation concrète d'une société; loin de réclamer l'atmosphère close d'un cabinet de collectionneur ou d'une chambre de malade, il s'est accommodé des planches et du plein air, et d'un public parfois remuant et moqueur.... Le classicisme français n'est ni le résultat d'une doctrine, ni l'œuvre d'une coterie, c'est l'expression d'un goût. »

Vous définirez le problème que posent ces deux textes et vous indiquerez comment vous le tranchez pour votre compte.

(Agrégation de Grammaire, 1947.)

★   ★   ★

9. Expliquez et discutez cette réflexion d'un critique étranger, Olivier Elton, sur notre classicisme : « Le classicisme français est l'expression de qualités, qui ne sont point les plus hautes, mais qui sont fondamentales et indestructibles dans l'esprit français; si bien qu'il y aura toujours, selon toute vraisemblance, chez les Français, un désir de retourner à leur période classique et de trouver en elle un appui. »

(Bac.)

★   ★   ★

10. « Ce que le Français trouve dans sa littérature classique, écrit un critique étranger, ce n'est pas seulement la beauté de l'expression, c'est aussi l'observation réaliste du monde, l'analyse psychologique et la réflexion; c'est la connaissance des hommes et une sagesse universelle.... »

Commentez ce jugement et discutez-le, s'il y a lieu, à l'aide

d'exemples précis empruntés
aux auteurs du xviie siècle.
(Bac.)

11. On a pu se représenter le
xviie siècle comme une époque
éprise avant tout de raison et
de vérité. D'après vos lectures
des œuvres françaises composées
entre 1660 et 1680, montrez
quelle place y tiennent cependant
la souci de la vie du cœur,
les préoccupations de vie spirituelle
et même le goût des situations
romanesques.
(C. E. L. G. Poitiers, 1954.)

12. La Fontaine écrivait en 1661,
au lendemain d'une représentation
des *Fâcheux* de Molière :
« Et maintenant, il ne faut pas
Quitter la nature d'un pas. »
Bientôt, Molière dira lui-
même que « lorsqu'on peint les
hommes il faut peindre d'après
nature » (*Critique de l'École
des femmes*, sc. vi, 1663). Racine
à son tour déclarera qu'un
écrivain qui « s'écarte du naturel »
ne peut que « trahir le bon
sens » (*Britannicus*, 1re Préface,
1670). On connaît enfin le vers
fameux de Boileau au chant III
de l'*Art Poétique* (1674) :
« Que la nature donc soit votre
étude unique. »

Vous montrerez, à l'aide
d'exemples précis, comment les
poètes de l'époque de Louis XIV
s'inspirent de la nature dans
leurs peintures de l'homme, dans
leurs leçons de morale, et dans
leurs manières d'écrire.
(Bac.)

13. Expliquez et discutez ces réflexions
de J. Lemaitre : « Les
grands classiques sont pour nous
tout entiers dans leurs œuvres.
Cette œuvre étant tout objective,
quand nous l'avons définie,
nous avons tout dit sur eux; et
la connaissance de leur vie,
même agitée, n'ajouterait pour
nous rien d'essentiel à la connaissance
de leurs ouvrages. »
(Bac.)

14. Ces mots de Bossuet, dans
l'*Oraison funèbre du prince de
Condé* (1687) : « Tout tendait au
vrai et au grand », peuvent-ils
servir, selon vous, à caractériser
la littérature du xviie siècle?
(Bac.)

15. Diderot reprochait aux moralistes
du xviie siècle d'être tous
« pénétrés du plus profond mépris
pour l'espèce humaine ».
Expliquez et discutez ce jugement.
(Bac.)

Chapitre VIII

XVIIIᵉ SIÈCLE ET ESPRIT PHILOSOPHIQUE

23

SUJET

Un critique contemporain définit l'esprit du XVIIIᵉ siècle en ces termes : « Il fallait édifier une politique sans
droit divin, une religion sans mystère, une morale sans
dogme. » Dans quelle mesure et avec quelles nuances
ce jugement se trouve-t-il vérifié par les œuvres du
XVIIIᵉ siècle que vous connaissez? (Baccalauréat.)

RÉFLEXIONS PRÉLIMINAIRES

1. *Au niveau du baccalauréat on tolérerait probablement que le candidat
procédât de manière descriptive et cherchât des exemples de théoriciens
voulant :* a) *supprimer le « droit divin » (Rousseau,* Contrat social*);*
b) *fonder une religion « sans mystère » (déisme utilitaire de Voltaire,
déisme sentimental du « Vicaire savoyard »...);* c) *édifier « une morale
sans dogme » (Rousseau :* Émile*). Cette façon de prendre le sujet
amène à un plan par énumération suivant l'ordre même de l'énoncé.*

2. *Le même problème, posé en Propédeutique ou à un concours de Lettres,
doit inviter à des réflexions autrement essentielles sur l'esprit du
XVIIIᵉ siècle. De la diversité apparente des trois termes fondamentaux
du jugement (politique, religion, morale) se dégage, pour qui réflé-
chit un peu, une idée unique et centrale marquée par la répétition de
la préposition* sans *: le XVIIIᵉ siècle, d'après le critique cité ici, s'est
proposé de repenser les principales valeurs humaines sans jamais
les rattacher à rien qui les dépasse; en termes plus philosophiques,
le XVIIIᵉ siècle a fait la guerre aux transcendances. Ainsi conçu,
le devoir, malgré l'apparente invitation à l'énumération, exige une
unité très stricte : il devient difficile et demande une orientation unique.*

3. *Prêtons également une certaine attention à l'expression : « Il fallait
édifier »; le critique a l'air d'insinuer que les constructions intellectuelles du XVIIIᵉ siècle ont été quelque peu faites d'après un pro-*

gramme préétabli, tout au moins qu'elles sont le fruit d'un effort concerté et volontaire. De plus, le mot « édifier » et le mot répété « sans » suggèrent en quelque sorte une table rase du passé, en l'occurrence du XVIIᵉ siècle. Ainsi le sujet a des bases historiques qu'il ne faudra pas négliger. Enfin le ton général de la formule suggère comme une sorte d'élan rationnel et constructeur qui devra entrer en ligne de compte.

4. *Comment organiser le plan? Il nous faudra d'abord repérer avec soin notre idée directrice. Dans une première partie nous insisterons surtout sur la transition du XVIIᵉ siècle au XVIIIᵉ siècle et nous montrerons que la « Crise de la conscience européenne » vers les années 1700 n'est pas négation de toutes les valeurs du XVIIᵉ siècle, mais refus de les expliquer par des mystères qui les dépassent. Ensuite nous examinerons d'une façon plus positive le contenu de cette construction humaine, de cette « cité des hommes », comme dit Paul Hazard. Nous serons amenés alors à une troisième partie où nous signalerons les lacunes de la formule et surtout les nuances qu'elle appelle.*

DÉVELOPPEMENT

Introduction.

Quand on considère l'œuvre du xviiiᵉ siècle dans son ensemble, elle apparaît comme diverse, chaotique, voire contradictoire. Il semble presque impossible de lui trouver une unité, autrement dit de définir l'esprit du « siècle philosophique ». N'y aurait-il pas moyen, en se plaçant à la source créatrice de ses exigences intellectuelles, de voir cette unité, cet esprit dans une volonté de reconstruire les valeurs humaines, sans jamais les rattacher à quelque chose qui les dépasserait pour les justifier : alors que le xviiᵉ siècle évoquait Dieu en politique, les dogmes en morale, et le surnaturel (ce que Pascal appelait la Charité) en religion, au xviiiᵉ, « il fallait, dit un critique contemporain, édifier une politique sans droit divin, une religion sans mystère, une morale sans dogme ». Formule nette, pleine d'élan et de résolution, comme le xviiiᵉ siècle lui-même, et qu'il faut replacer dans sa perspective historique de combat; formule qui rend assez bien compte de l'œuvre des philosophes, mais que néanmoins on ne saurait considérer comme un bilan et qu'il nous est sans doute possible de compléter et de nuancer.

I. Le refus des « transcendances ».

La formule est d'abord négative. S'il fallait « édifier sans » ces principes supérieurs, c'est que le siècle précédent avait « édifié avec » eux.

1. Il est difficile pour un moderne d'imaginer ce que pouvait être l'univers des valeurs pour un homme du xviiᵉ siècle. Tout y dépendait de principes supérieurs et irrationnels qui justifiaient

toutes les difficultés et toutes les contradictions apparentes de
ce monde-ci : ce n'était point résignation à l'obscurantisme et
refus d'expliquer, mais volonté permanente de rendre compte
d'apparences absurdes. La méthode est exactement celle de
Pascal cherchant à nous étonner devant les « contrariétés » de
l'homme, mélange de misère et de grandeur, et faisant cesser
notre étonnement quand il les rattache à un double mystère :
celui de l'être humain créé à l'image de Dieu et celui de la chute
originelle. Par là, toutes les valeurs sont accrochées à des principes
qui les dépassent : la politique à Dieu, la morale à la religion,
et la religion elle-même à ses mystères. Bien entendu, le mot a ici
son plein sens théologique, et non pas affectif : il désigne les principes transcendants, inexplicables, mais inébranlables, dont se
déduit tout l'édifice théologique.

2. Ainsi, loin d'être un refus de l'explication, la pensée morale,
politique ou religieuse au xviie siècle veut toujours tout déduire
de quelques principes fixes et Pascal soulignera l'analogie de la
pensée religieuse avec la pensée mathématique, où tout se déduit
de quelques postulats inébranlables, mais eux-mêmes souvent
inexplicables. La pensée procède toujours par distinction d'ordres ;
Pascal en voit trois qui se dépassent et, dans une certaine mesure,
s'expliquent l'un l'autre : l'ordre des corps, l'ordre des esprits,
l'ordre de la Charité. Toutes les manifestations physiques ou
intellectuelles de la religion ne sont pas par elles-mêmes religieuses ;
elles sont comme la figuration du seul ordre qui soit vraiment
religieux, l'ordre du surnaturel, l'ordre de la charité. De même, en
politique ceux que Pascal appelle les demi-habiles ne voient que
des combinaisons d'intérêts et de forces, mais les esprits vraiment religieux, comme Bossuet, voient l'intervention providen-
tielle de Dieu « qui bouleverse le monde pour engendrer ses élus ».
Tel est le sens du fameux « droit divin »; Bossuet se prononce
nettement là-dessus dans son *Sermon sur les Devoirs des Rois* :
il ne s'agit pas de justifier l'arbitraire, puisque le Roi est responsable et terriblement responsable devant Dieu, mais le Roi tient
son pouvoir de Dieu et toute révolte contre le Roi est impie, car
elle est révolte contre le principe transcendant qui fonde la politique. Enfin, en matière morale, on verra, pour peu qu'on y
réfléchisse, combien toute « autonomie » morale est étrangère
au xviie siècle : chez tous les moralistes, même ceux qui ne parlent
pas de la religion, un certain climat chrétien règne en permanence,
la morale n'est jamais humaine et laïque, un La Rochefoucauld,
un La Bruyère jugent leurs semblables au nom d'impératifs
religieux, de dogmes, comme dit notre critique.

3. Contre tout cet édifice on commence à s'insurger à partir des
années 1685, et pourtant il n'est vraiment question de détruire,
chez les Saint-Évremond, les Bayle, les Fontenelle, ni la monarchie, ni la religion, ni la morale. A travers la querelle des Anciens

et des Modernes est surtout posé le problème d'un mode nouveau de pensée : alors que l'explication du xviie siècle repose sur la Foi, la Tradition, l'Autorité, seules susceptibles de justifier des valeurs qui, dans leur fondement, échappent à la raison, l'explication proposée par les novateurs de la fin du xviie siècle est surtout historique et expérimentale, elle repose sur le culte du fait, de l'observation, de la loi scientifique. Sans doute le xviie siècle n'avait-il pas nié ces bases scientifiques et Pascal avait été un des promoteurs de la méthode expérimentale, mais il ne l'utilisait pas dans tous les domaines, il la réservait « à l'ordre des esprits ». Soumettre tous les ordres au rationalisme impitoyable de la méthode expérimentale ou de la méthode historique, tel est l'apport essentiel de Bayle et de Fontenelle. Ni la monarchie ni la morale ni la religion du xviie siècle ne sont encore contestées, mais on en veut une justification rationnelle et humaine.

II. La « cité des hommes ».

A travers bien des divergences d'opinion, le xviiie siècle va donc s'efforcer de construire ce que Paul Hazard appelle la « cité des hommes », c'est-à-dire une cité où toutes les valeurs seront de l'homme et explicables par lui et pour lui.

1. En politique — pour commencer par l'aspect le plus voyant des idées nouvelles —, on s'applique moins à proposer tel ou tel système qu'à substituer à un fondement surnaturel et mystique un fondement rationnel. C'est un lieu commun de remarquer qu'aucun philosophe du xviiie siècle n'est républicain : la forme de gouvernement qu'on peut adopter est pour lui chose assez indifférente, à condition que les fondements en soient rationnellement explicables. Un monarque, un conseil, une assemblée ne peuvent justifier leur autorité que par un contrat social : toute autorité vient des hommes et il est indispensable qu'à un moment donné les citoyens aient délégué une partie de leur souveraineté à ce monarque, à ce conseil, à cette assemblée. Déjà chez Montesquieu toutes les formes de gouvernement sont possibles, même et surtout la monarchie, pourvu qu'on se réfère à des « lois fondamentales » qui les légitiment.

2. Si la politique est tout entière à niveau d'homme, la morale va être, elle aussi, humanisée, ce qui est déjà plus étrange. On se plaît à constater que l'on peut très bien être vertueux sans religion. A Pascal qui écrivait que « de tous les corps et esprits, on n'en saurait tirer un mouvement de vraie charité », Voltaire oppose constamment dans ses *Contes* des figures de sages légèrement sceptiques à l'égard de toutes les formes particulières de la religion, honorant celles-ci dans la mesure où elles sont les garanties sociales du bon ordre, mais les flétrissant quand elles conduisent à l'intolérance, au fanatisme, au meurtre. Sans doute attache-

t-on encore de l'importance à la conscience morale, sans doute
Rousseau fait-il l'éloge de cet « instinct divin » qu'Émile devra
accepter pour guide. Mais prenons bien garde qu'en obéissant à sa
conscience, Émile obéira surtout à sa nature; pour lui, comme pour
les personnages de roman du xviiie siècle qui s'écrient sans cesse :
« O vertu, ò nature! », être moral, c'est avant tout réaliser les vir-
tualités de sa nature d'homme, et non obéir aux dogmes d'une
« surnature ». N'oublions pas que c'est au xviiie siècle que Kant,
loin de faire dépendre la morale de la métaphysique, fondera sur les
impératifs de la conscience la nécessité de l'existence d'un Dieu et
d'une âme.

3. Pas plus qu'ils ne voulaient supprimer la royauté, mais la ratio-
nalisaient, les philosophes ne voulaient supprimer la religion : ils
concevaient une religion sans mystère, une religion humaine;
nous dirions aujourd'hui une religion « laïque », ils disaient, eux,
une religion « naturelle ». Les sages des *Contes* de Voltaire sont
généralement religieux. Zadig tâche de comprendre les décisions
de la Providence et aimerait voir régner chez tous les hommes
une sorte de déisme tolérant : dans la scène fameuse (*Zadig*,
ch. xii, *Le Souper*) où des marchands se querellent pour des
questions religieuses, il réussit à les calmer en leur montrant
que les divers mystères des religions sont des enveloppes à peu
près équivalentes pour un certain nombre de grandes vérités universellement admises. Ainsi, dans une sorte de déisme très souple,
est assurée la fraternité des hommes, adorant dans un Dieu
créateur l'ensemble des vertus qu'il leur faut pratiquer. Ce Dieu
assure non seulement l'ordre moral, mais encore une explication
suffisamment rationnelle de tout ce qui nous échappe : c'est le
fameux « Dieu horloger » de Voltaire. Sans doute, dira-t-on, Rousseau
cherchera dans la « Profession de foi du vicaire savoyard » à restituer
un caractère plus affectif à ce Dieu un peu froid, mais il ne lui
donne jamais les dimensions surnaturelles indispensables en
stricte doctrine chrétienne. Son Dieu est un « Être suprême »,
« un grand Être », chargé de fournir un objet à toutes les puissances
sentimentales qui sont en notre nature; il est en somme une
sorte de préposé à l'accomplissement total de notre nature, mais
il n'est pas le Rédempteur, il n'est pas la Source des grâces,
— grâces dont notre nature ne saurait, du reste, avoir besoin, puisqu'elle n'est pas considérée comme corrompue. Donc pour le
philosophe du xviiie siècle tout, même Dieu, est à mesure humaine.
Jamais la « cité des hommes » n'a besoin d'autres dimensions
qu'humaines. Politique, morale, religion, tout s'explique par
l'homme et les exigences de sa nature.

III. Nuances et réserves.

L'unité que nous obtenons ainsi est évidemment très séduisante :
l'esprit du xviiie siècle, visant des fins tout humaines avec des
moyens tout humains, serait une sorte de précurseur de l'esprit

positiviste qui régnera au XIXe siècle, rendant un culte à l'Humanité en marche vers le progrès. Or la doctrine du grand penseur positiviste A. Comte refusera le nom d'âge positiviste à l'âge des philosophes et, dans la « loi des trois états », le XVIIIe siècle sera un exemple d' « état métaphysique » succédant à l' « état théologique ». Le jugement de notre critique n'accorderait-il pas à l'œuvre de ce siècle une unité qu'elle n'a pas eue?

1. Sa formule est tout à fait incomplète; elle ne tient compte ni de l'art ni de la littérature; or si le XVIIIe siècle a bien éliminé le dogme en morale, il reste trop souvent soumis aux dogmes littéraires du XVIIe siècle. Voltaire considère que nos classiques ont atteint un apogée qu'on ne peut guère dépasser ni même égaler (« Le génie, déclare-t-il, n'a qu'un siècle, après quoi il faut qu'il dégénère »). Il imite les procédés de Racine dans sa tragédie et cherche à faire dans *La Henriade* une épopée suivant les préceptes de Boileau. André Chénier lui-même, si révolutionnaire en politique, reste un lyrique néo-classique, un peu moins froid que les autres peut-être, mais soumis pour l'essentiel aux règles de Malherbe. Enfin, sous la Révolution se prolongera une littérature fort peu révolutionnaire.

2. A nous en tenir seulement à la formule de notre critique, est-il si évident que le XVIIIe siècle n'a pas eu, plus qu'il ne semble, le goût des entités vagues et arbitraires, voire des dogmes? Décréter la corruption originelle de la nature humaine est un dogme chrétien, mais déclarer celle-ci bonne et attribuer sa corruption à la société, n'est-ce pas là un vrai dogme de Rousseau? Parler sans cesse de nature et identifier celle-ci à la vertu, n'en est-ce pas un autre, voisin du précédent? Les philosophes ont alors volontiers le goût des mots vagues et généraux, Progrès, Vertu, Nature, Liberté, Sensibilité, autant de concepts qui, sans doute, ne dépassent pas la nature humaine, mais tout au moins la définissent d'une façon bien métaphysique. Le reproche des positivistes traitant le XVIIIe siècle d'âge métaphysique est loin d'être sans justification.

3. Pratiquement il faut reconnaître que ces entités aboutiront à des résultats : la « cité des hommes » n'en sortira sans doute pas toute bâtie, mais la conviction que notre sort n'a de justification que sur le plan humain sera solidement ancrée en politique. On peut dire, même en tenant compte d'un L. de Bonald ou d'un J. de Maistre, que les penseurs ne tenteront plus de restaurer intégralement le « droit divin » et la *Politique tirée de l'Écriture Sainte* de Bossuet. En morale, même si le christianisme garde sa vigueur, une certaine morale naturelle semblera une base élémentaire qu'on peut exiger de tout être humain et la morale du XVIIIe siècle se prolonge jusqu'à nos jours dans ce Kantisme rudimentaire qu'est celui de l'école primaire. Elle repose surtout sur le culte de l'Humanité, de ses progrès et il n'est pas sûr que l'actuelle préoccupation du sort de l'Humanité prise dans son

ensemble ne soit pas une conquête de cette religion sans mystère que le xviiie siècle a voulu édifier. Quand Vigny essaiera d'établir, sur la ruine des antiques croyances, ce culte de l'homme par l'homme, ne fondera-t-il pas une religion moderne universellement admise aujourd'hui? Ainsi, malgré des restrictions dues sans doute aux contradictions et aux obscurités de la pensée « philosophique », il semble que notre critique ait bien mis l'accent sur l'apport essentiel du xviiie siècle, un apport destiné à ne pas périr.

Conclusion.

Partis d'une opposition historique entre le xviie siècle et le xviiie, nous sommes peut-être arrivés au conflit de deux grandes familles d'esprits, les uns n'admettant pas que les problèmes humains essentiels (morale, religion, politique) aient un fondement humain et préférant les déposer une fois pour toutes entre les mains d'une Tradition, d'une Révélation, d'une Foi, les autres estimant au contraire que la Raison a droit de regard dans tous les domaines et peut porter sur le destin de l'homme de suffisantes lueurs. Le xixe siècle et surtout le début du xxe seront en partie nourris de cette opposition; certains écrivains s'appliquent à restaurer le sens du sacré, tel Péguy, tel Claudel, et à montrer qu'on ne peut pas résoudre tous les problèmes de l'homme avec une logique d'ingénieur, tandis que d'autres, tel Valéry, luttent pour faire jaillir dans tous les domaines les clartés de l' « intellect ». Le monde moderne essaie, semble-t-il, de n'abandonner aucun de ces deux termes, ni la lumière de la raison, ni les prestiges du sacré; et peut-être est-ce là le secret des grandes idéologies susceptibles d'entraîner aujourd'hui l'homme.

24

SUJET

Vous examinerez ce jugement de Maine de Biran : « Les philosophes du xviiie siècle n'ont pas connu l'homme » (*C. A.*, Lettres classiques, 1949).

RÉFLEXIONS PRÉLIMINAIRES ─────────

1. *Il n'est guère possible de se tromper sur le sens du sujet : il nous invite à nous demander si les philosophes du XVIIIe siècle ont été de fins psychologues, s'ils ont contribué à allonger cette liste de grands « types » humains que nous lègue la littérature.*

2. *Le XVIIe siècle est implicitement pris comme référence et Maine de Biran pense certainement à tous ceux qui semblent avoir si bien*

« connu l'homme », aux moralistes du XVIIe siècle. Sans aller jusqu'à un parallèle explicite entre ces derniers et les philosophes, on ne perdra pas de vue certaines oppositions. Par exemple, il sera important de bien saisir la place très différente occupée par la psychologie dans la pensée du XVIIe siècle et dans celle du XVIIIe siècle : le XVIIe siècle, essentiellement moraliste, met l'étude de l'homme au premier plan et croit que les institutions valent ce que valent les hommes qui les animent; au contraire, le XVIIIe siècle, siècle plus « idéologique », place au premier plan l'étude des conditions sociales et historiques dans lesquelles se développe l'homme, si bien que l'homme, nature indéfiniment perfectible, vaut ce que valent les institutions qui le régissent.

3. *On voit dès lors quelques nuances du sujet : au fond, le XVIIIe siècle ne croit pas à la primauté du problème psychologique, il ne croit pas que le plus urgent soit de connaître cet homme éternel auquel les moralistes du XVIIe siècle attachaient tant d'importance, parce que, pour lui, il n'y a pas « l'homme » éternel, mais un homme en étroit rapport avec ses conditions historiques ou géographiques. Il a donc bien, en un sens, « méconnu l'homme », parce qu'il ne s'est pas intéressé d'emblée à sa psychologie en général; mais on peut dire qu'il a tout fait pour l'homme, qu'il a voulu le libérer de toutes les fatalités qui pesaient sur lui, montrer que les conditions qui l'expliquent sont modifiables selon les temps et les lieux et prouver qu'ainsi l'homme peut être en perpétuelle construction. En somme, il n'a pas méconnu l'homme, mais il a cherché à le construire; d'où le plan suivant qui essaie de retrouver l'itinéraire logique d'un philosophe « idéal » du XVIIIe siècle :*

I. Le philosophe du XVIIIe siècle cherche à libérer l'homme :

II. Pour cela il montre la relativité de ses déterminations,

III. Afin de l'améliorer en modifiant ses conditions de vie.

DÉVELOPPEMENT

Introduction.

On appelle volontiers le xviiie siècle, le « siècle des philosophes », marquant par là que c'est un siècle d'idéologues plutôt qu'un siècle de fins connaisseurs de l'âme humaine. C'est, en fait, un siècle mal placé, parce qu'il suit le siècle des moralistes et précède le siècle de la psychologie expérimentale. Entre les deux, les philosophes du xviiie siècle, à quelques exceptions près (Vauvenargues, Chamfort), n'apportent aucune touche nouvelle à ces nuances de psychologie sur lesquelles raffine la littérature depuis l'Antiquité; et d'autre part, ils n'ont ni les moyens ni le désir de faire des expériences de psychologie : les visions de Dorval ne sont que de brillantes fulgurations littéraires et un certain occultisme à prétention scientifique n'était pas fait pour donner une allure sérieuse à la science de l'homme. Dès lors, on comprend **la condamnation sans appel de Maine de Biran (1766-1824)** :

« Les philosophes du xviiie siècle n'ont pas connu l'homme. »
Ce jugement surprend un peu tout d'abord, quand on pense que
l'homme et l'humanité ont été la grande préoccupation des
philosophes du xviiie siècle. Voltaire n'était-il pas « l'ami du
genre humain »? Le philosophe n'est-il pas, avant tout, celui
qui veut le bonheur de l'homme? Et pourtant nous devons bien
reconnaître que le xviiie siècle n'est pas très intéressé par les
dissertations abstraites et générales sur l'homme : il est surtout
préoccupé de le libérer des entraves que le Christianisme, la Raison
au sens universel et *a priori* du mot, lès rapports qu'il entretient
avec le pouvoir, font peser sur lui. Tout au plus, renonçant aux
préoccupations trop abstraites du xviie siècle, se soucie-t-il
d'expliquer l'homme en montrant que ce que l'on prenait pour
des entraves éternelles est relatif à des conditions locales et temporelles. Ainsi en modifiant ces conditions espère-t-il construire
un type d'homme nouveau lié à une société nouvelle.

I. La libération de l'homme.

Le xviie siècle avait cru porter sur l'homme quelques jugements
éternels. Pour un philosophe du xviiie siècle ces jugements ne
sont que préjugés et, comme le dit Rousseau, « il vaut mieux être
un homme à paradoxes qu'un homme à préjugés »,

1. **La libération religieuse.** Au xviie siècle, l'homme vit dans un
monde clos et parfaitement expliqué : d'origine divine, il est
grand; mais, corrompu par la chute, il est misérable. Grandeur
et misère de l'homme, tel devait être sans doute le plan de l'apologie pascalienne et tel est le plan plus ou moins implicite de tous
les moralistes. Dans ce cadre ils raffinent à plaisir sur les misérables facultés de l'homme : imagination, amour-propre, etc....
L'homme est donc toujours plus ou moins condamné à la tentation et la plupart des tragédies de Racine sont des tragédies de la
tentation. Vision assez riche et assez nuancée de l'homme en ce
sens que toute action humaine se développe toujours sur deux
plans, le plan de la nature et le plan surnaturel, mais vision bien
figée, estiment les philosophes du xviiie siècle : dans cette perspective, aucun progrès véritable n'est permis à l'espèce humaine
et sa faiblesse est vraiment éternelle. Si, de temps en temps,
l'homme essaie d'améliorer son destin, si les foules se révoltent,
cela est impie : Bossuet, quand on lui parle de ce désir de progrès
qui anime les masses, répond qu'elles ont « dans le fond du cœur
je ne sais quoi d'inquiet qui s'échappe » et transforme ainsi l'élan
vers un avenir meilleur en une forme sournoise de la tentation
et du péché. Contre cet univers psychologique voué à une éternité
plus ou moins pécheresse, Bayle dans son *Dictionnaire*, Montesquieu dans ses *Lettres Persanes* (1721) insinuent le scepticisme
en multipliant les petits faits et les petites remarques qui montrent
le caractère dérisoire de cette éternité et la multiplicité psychologique de l'homme. Multiplier les faits de l'histoire, et ce par toute

la terre, est la meilleure arme de la philosophie naissante, parce qu'elle détruit cette conception accablante de l'homme qu'avaient échafaudée les moralistes du xviie siècle et qu'elle tend à lui substituer un homme infiniment divers, libre de toute entrave, l'homme voltairien prêt à construire la « cité des hommes ».

2. **La libération intellectuelle.** C'est par les faits qu'on essayait de montrer le caractère dérisoire de l'homme éternel des classiques, c'est par des faits aussi qu'on libérera l'homme de la tyrannie intellectuelle de la méthode déductive. Tout le xviie siècle avait déduit avec frénésie; les Spinoza, les Leibnitz, et même Descartes, enivrés par la découverte des possibilités mathématiques, cherchaient à reconstruire le monde *a priori*. Spinoza bâtissait son *Éthique* « *more geometrico* ». Les philosophes du xviiie siècle ne tardent pas à voir dans cette méthode la pire ennemie d'une connaissance réelle de l'homme : Fontenelle, dans l'épisode célèbre de la « Dent d'or » (*Histoire des Oracles*), oppose toute la science vaine et déductive des savants qui raisonnent sur le phénomène au simple bon sens de l'orfèvre qui commence par vérifier le fait. Ainsi, pour bien connaître l'homme, il ne faudra pas raisonner en vue de déduire de son essence éternelle quelques idées arbitraires, il faudra accumuler des faits et en tirer des lois : Montesquieu évitera de raisonner *a priori* sur les législations des divers peuples, mais il réunira des documents nombreux et en dégagera inductivement des principes.

3. **La libération de la sensibilité et du corps.** Notamment la méthode déductive ne pouvait guère permettre de percevoir dans l'homme les manifestations du corps et du cœur. A la rigueur, de grandes passions étaient devinées par les philosophes et étudiées par les dramaturges, mais le fait brutal et concret, le fait biologique, les replis les plus secrets de l'inconscient, voilà ce que le xviie siècle ignorait et voilà ce que le xviiie siècle, plus soucieux de faits observés, mettra davantage en lumière : les sentiments les plus exaltants, les larmes, la sensibilité maladive, voilà qui éclate dans le « drame bourgeois » de Diderot; les puissances de l'inconscient, voilà ce que nous révèlent les entretiens avec Dorval; le courant de conscience presque inconsistant d'une rêverie en barque, voilà une grande nouveauté que nous livre Rousseau. Ainsi le xviiie siècle a d'abord voulu libérer l'homme de tous les systèmes *a priori* qui pesaient sur la psychologie, il l'a fait en prouvant qu'il fallait se soumettre à l'observation minutieuse et sincère de cette réalité multiforme qu'est l'homme. Réussira-t-il d'une façon plus positive à donner de l'homme une image synthétique, littéraire et vivante?

II. *L'explication de l'homme.*

Il faut reconnaître que les philosophes du xviiie siècle ne semblent jamais avoir très bien dominé cette multitude de faits qu'ils accumulent sur l'homme. Dans leur souci de substituer à l'homme

universel des classiques un homme individuel, ils ont été surtout
soucieux de montrer comment des déterminations locales ou
temporelles pouvaient expliquer l'homme, mais précisément
ils n'ont guère su créer de héros consistants et naturels : il est
impossible de nier un certain échec à cet égard.

1. **L'homme expliqué par le lieu.** Ce n'est pas seulement pour de
simples raisons de mode que le cosmopolitisme, les récits de
voyage, le goût de l'étranger font fureur à la fin du xviie siècle
et au début du xviiie. Ce n'est pas par hasard que les « Persans »
de Montesquieu ou les héros des *Contes* de Voltaire ou le Gil Blas
de Lesage sont avant tout des voyageurs : c'est parce qu'il s'agit
de montrer à quel point l'homme peut dépendre des lieux où il vit.
L'étonnement perpétuel d'Usbek et de Rica est de découvrir
que ce qu'ils avaient pris chez eux, en Perse, pour lois éternelles
de la nature humaine est simplement relatif à un certain emplace-
ment. Et Micromégas, le géant venu de Sirius, considère avec
stupéfaction la Terre, cette planète où les hommes se croient
le centre du monde et n'ont aucun sens du relativisme. Plus
sérieusement, plus scientifiquement, Montesquieu fonde la socio-
logie en prouvant que les faits humains sont conditionnés par les
climats et que, par conséquent, il s'agit moins de connaître l'homme
comme on connaît une essence éternelle que d'expliquer la diversité des faits humains.

2. **L'homme expliqué par son temps.** Ce n'est pas seulement par le
lieu, mais aussi par le temps que les faits humains sont déterminés. Le xviiie siècle voit le premier grand essor de l'histoire,
non pas comme le xixe siècle, par goût de la couleur locale ou
par communion romantique avec la vie des masses, mais parce
que, là encore, il s'est aperçu qu'il n'y a pas d'essence humaine
éternelle, mais un homme en perpétuelle dépendance de son
époque : si les Romains ont connu tour à tour la grandeur et la
décadence, ce n'est pas parce qu'il est dans l'essence de l'homme
de passer de la grandeur à la décadence, mais c'est parce que les
conditions historiques ont changé; par exemple, quand ce ne fut
plus un pays relativement réduit, mais un immense empire que
durent défendre leurs soldats, ils « perdirent peu à peu l'esprit
de citoyens », parce qu'ils furent de plus en plus éloignés de la
métropole. Autres circonstances historiques, autres hommes.
L'homme dépend ainsi du hasard, c'est-à-dire de modifications
souvent imprévisibles des causes qui agissent sur lui, et non d'une
essence générale ou d'une fatalité divine suspendue au-dessus
de sa tête : telle est l'opinion de Voltaire qui admet toutefois que,
de temps en temps, dans des circonstances privilégiées, de grands
hommes peuvent contribuer à un certain progrès. D'ailleurs, ces
grands hommes sont en étroit rapport avec leur siècle : un
Louis XIV est à la fois source et symbole de la civilisation de
son temps.

3. Des héros sans consistance. L'étrange en tout cela est que la littérature du xviiie siècle n'arrive guère, en fait, à peindre l'homme : à force d'être expliqué par le temps et par l'espace, le héros s'évanouit souvent, privé qu'il est de toute nature humaine. Au fond, les héros les plus saillants sont des héros de l'histoire : le Charles XII de Voltaire ou son Louis XIV sont bien vivants, mais, précisément, moins par leur nature que parce qu'ils symbolisent leur époque et leur pays. On a souvent signalé l'impuissance de Voltaire à créer un héros valable et consistant, mais n'est-ce pas parce que, dans son désir de renouveler la tragédie, de lui assurer un cadre historique et géographique, il charge trop ses héros de signification passée ou présente, ce qui leur supprime toute personnalité véritable? Qu'est-ce que Zaïre, sinon le symbole du choc de l'Occident chrétien et fanatique et de l'Orient musulman et plus tolérant? Mais dans ce conflit que Voltaire croit voir au Moyen Age, que deviennent les cris éternels de la passion et de la jalousie? Force est de reconnaître qu'ils sont bien schématisés et bien froids. D'une façon générale, malgré leur extrême agitation, comme ils sont squelettiques, inconsistants, tous ces héros de roman du xviiie siècle! Souvent ce sont de simples observateurs, de simples regards posés sur le monde, tels un Gil Blas, un Candide, un Zadig; ou bien ils incarnent les idées de l'auteur, tels un Saint-Preux, un Monsieur de Volmar, une Julie d'Étanges, un Émile; ou bien, quand on veut, à toute force, comme Diderot ou Beaumarchais, leur donner une nature, on crée de purs nerveux, de brillants agités et exaltés, tels le Neveu de Rameau ou Figaro. Ainsi, pour avoir fui l'homme et sa nature éternelle, pour avoir essayé de l'expliquer dans son individualité locale et temporelle, le philosophe du xviiie siècle voit dans une certaine mesure l'homme lui échapper; on ne peut sans doute pas dire qu'il « n'ait pas connu l'homme », mais peut-être n'a-t-il pas cru en l'homme comme en un immuable sujet d'étude.

III. La construction de l'homme.

Toutefois ce perpétuel changement de l'homme ne conduit pas les philosophes du xviiie siècle au scepticisme psychologique. On peut même se demander si les héros qui les intéressent ne sont pas les héros d'action, les héros infiniment perfectibles, les héros qui dévoilent toutes les possibilités de l'homme. « Nous sommes nés pour agir », disait Voltaire. Le problème ne serait-il pas pour le xviiie siècle, plutôt que de connaître l'homme, de le reconstruire dynamiquement? Le vrai héros du xviiie siècle ne serait-il pas le héros de la civilisation en progrès?

1. La civilisation. Cette notion de civilisation est un véritable thème voltairien et on peut dire que souvent les héros de Voltaire n'ont d'existence que par la civilisation qu'ils représentent : qu'est-ce que « le Mondain » sinon l'homme heureux d'une civilisation, l'homme qui s'épanouit en elle? Cet idéal a d'ailleurs été vivement repro-

ché à Voltaire : on lui fait grief d'ignorer le tragique de la condition humaine, de superposer à l'homme éternel de Pascal l'homme
superficiel du *Mondain* et du *Temple du goût.* La xxve *Lettre
philosophique* s'était déjà efforcée de répondre à ces reproches,
mais on peut remarquer d'une façon plus générale combien
cette notion de civilisation est primordiale dans la pensée
du xviiie siècle : alors que pour un moraliste du xviie siècle la
civilisation est en quelque sorte la somme des hommes qui la
composent et que, par conséquent, il faut avant tout améliorer
moralement l'homme, pour le philosophe du xviiie siècle l'homme
existe avant tout comme civilisé, de bonnes institutions créent
un homme vertueux et ainsi le grand homme est un héros de civilisation, un Louis XIV, un Voltaire, un Diderot. Ces héros qui
civilisent les autres ou qui se civilisent eux-mêmes, ces écrivains
infiniment laborieux qui mènent à son terme l'*Encyclopédie*,
celui qui réorganise le village de Ferney, voilà les véritables
héros pour le xviiie siècle.

2. **La bonté de la nature.** On objectera que ce culte de la civilisation
n'est point commun à tous les philosophes du xviiie siècle et
qu'un Diderot ou un Rousseau font plus confiance aux forces
naturelles et spontanées de la nature qu'aux raffinements de la
civilisation. Mais on ne doit pas prêter à cette apologie de la
nature un sens trop étroit : si Rousseau avait voulu dire qu'il
faut retourner à la vie naturelle et, suivant le mot de Voltaire,
« marcher à quatre pattes », il serait vraiment l'adversaire de
cette idée, si chère au xviiie siècle, de civilisation. En réalité,
on peut se demander si ce retour à la nature n'est pas plutôt
une sorte de table rase, que l'on fait avec optimisme, pour mieux
construire l'homme. Alors que le xviie siècle nous présente un
homme toujours chargé du poids de la corruption, toujours bloqué
dans ses élans vers l'avenir par une demi-fatalité, en un mot,
alors que l'homme du xviie siècle est toujours plus ou moins
compromis par l'hérédité d'un passé mauvais, l'homme de
Rousseau, l'homme du xviiie siècle se dresse sur la terre, naturellement et profondément pur. Émile peut être, pour ainsi dire,
formé de toutes pièces par son pédagogue; dans la mesure où
un terrain préexiste au travail de formation, on admettra avec
optimisme que ce terrain de base est bon et si on a l'impression, par
hasard, de trouver des tares dans l'homme, on les attribuera non
pas à sa nature, mais à des perversions sociales, donc socialement
modifiables. Ainsi se dessine la figure du véritable héros du
xviiie siècle, un héros que l'on peut civiliser, forger de toutes
pièces, bref un homme nouveau adapté à des temps nou-
veaux.

3. **Le refus de la métaphysique et la prédominance de la morale.**
A cet homme nouveau quels buts sont assignés par les philosophes
du xviiie siècle? Tous sont d'accord sur un point négatif : l'homme

n'est pas fait pour méditer et spéculer longuement dans l'oisiveté. La pensée du xviiie siècle se méfie profondément de la métaphysique spéculative : Voltaire a dessiné peu de caricatures plus dures que celle du philosophe Pangloss, qui s'interroge perpétuellement sur les causes du mal, et il ne cesse de répéter que nous sommes nés pour agir; Rousseau, pourtant si porté au rêve, ne veut pas faire de son Émile un savant, mais un homme d'action dont le caractère, le corps, la valeur technique et manuelle ont été aussi développés que les connaissances intellectuelles. La leçon suprême que dégagent tous ces personnages de leur expérience est souvent voisine de celle de Candide : « Il faut cultiver notre jardin », c'est-à-dire : il importe moins de raisonner sur le monde et sur notre nature que de construire notre nature et d'organiser le monde. Sans doute objectera-t-on que le xviiie siècle est volontiers sentimental et épris de religiosité, qu'il aime le mystère, qu'il s'intéresse au spiritisme; mais, faisons-y bien attention, la sensibilité n'est pas très différente de la vertu morale ni Dieu de la conscience morale. La métaphysique est, en somme, toujours plus ou moins un appui sentimental de la morale. Dans la religion de Rousseau, de Robespierre ou de Saint-Just, le bon citoyen ne peut guère être un athée, mais Dieu est surtout une justification des vertus civiques. Ainsi les philosophes du xviiie siècle ont peut-être développé bien des paradoxes et c'en était peut-être un de croire la nature humaine toute bonne, mais il faut bien reconnaître que ces paradoxes ont aidé au progrès par leur foi optimiste (Rousseau) ou par leur pessimisme actif (Voltaire). Nous dirons volontiers avec Sainte-Beuve que « *pour l'avancement de l'espèce* les philosophes du xviiie siècle ont plus fait par leurs paradoxes que les superbes lieux communs des moralistes du xviie siècle ».

Conclusion.

Il nous apparaît que Maine de Biran a posé le problème sur un assez mauvais terrain : le xviiie siècle n'a pas été préoccupé de « connaître » l'homme au sens où « connaître », c'est repérer une essence immuable et en saisir les diverses modalités. Il a été préoccupé de libérer l'homme de la situation fixe et éternellement mauvaise que lui avaient faite les moralistes du xviie siècle et, pour cela, il a enfoncé l'homme dans son époque et dans sa situation géographique, afin de le montrer dépendant de conditions qu'il suffisait de transformer pour transformer l'homme. C'est cette transformation qui l'a surtout intéressé et ses vrais héros ne sont pas des types éternels, mais des types d'action et de transformation. Avouons-le, l'homme qui nous est livré ainsi, s'il est stimulant, manque de profondeur et de présence; en vue de faciliter l'action, les philosophes mettent sur le même plan des facultés que Pascal avait distinguées avec plus de profondeur : chair, esprit, charité, tout cela se confond un peu

pour eux; fraternité, raison, sensibilité s'entremêlent; il n'y a
qu'une vision sur l'homme, qu'un éclairage, qu'un aspect. D'où le
caractère un peu superficiel de leurs œuvres d'art, d'où ces
héros sans mystère, qu'éclairent d'un jour unique l'ironie de
Voltaire, le larmoiement de Diderot, les accents pathétiques de
Rousseau. Cette couleur jetée sur l'homme est un peu « passée »
de ton : les romans de cette époque sont un peu comme des
estampes du temps et la Princesse de Clèves est bien plus proche
de nous que Julie d'Étanges. Philosophiquement la vision de
l'homme est tout aussi superficielle et les notions à l'aide desquelles
on l'analyse sont bien obscures : qu'est-ce que ce « droit naturel »,
alors que le droit est l'opposition d'idéales exigences à la réalité,
donc à la nature? Qu'est-ce que cette « vertu primitive », alors
que la vertu est un effort sur soi-même? Au fond, tout se simplifie
si l'on pense que l'art du xviiie siècle s'est essentiellement voulu
utile, que l'homme y a été saisi non comme figure à peindre,
mais comme objet à transformer. Maine de Biran, philosophe
de l'effort et de la volonté, aurait dû mieux comprendre cette
façon d'appréhender l'homme.

SUJETS PROPOSÉS

1. Que pensez-vous de la définition suivante du « philosophe », donnée par Chamfort : « C'est un homme qui oppose la nature à la loi, la raison à l'usage, sa conscience à l'opinion et son jugement à l'erreur »?

   Pourriez-vous la justifier par ce que vous savez des philosophes du xviiie siècle : Montesquieu, Voltaire, Rousseau et Diderot?
   (Bac.)

2. « L'esprit philosophique est un esprit d'observation et de justesse qui rapporte tout à ses principes; mais ce n'est pas l'esprit seul que le philosophe cultive; c'est un honnête homme qui veut plaire et se rendre utile. »
   (Diderot, in *Encyclopédie*,
   article *Philosophie*.)

3. D'Holbach écrit en 1770 :
   « Toutes les erreurs des hommes sont des erreurs de physique, ils ne se trompent jamais que lorsqu'ils négligent de remonter à la nature, de consulter ses règles,

d'appeler l'expérience à leur secours. »

Vous essaierez, d'après cette phrase, de définir l'esprit philosophique du xviiie siècle.
(Bac.)

4. « Le Philosophe consume sa vie à observer les hommes et il use ses esprits à en démêler les vices et le ridicule.... Il demande des hommes un plus grand et un plus rare succès que les louanges, et même que les récompenses, qui est de les rendre meilleurs. »
   (La Bruyère,
   Les Caractères, I, 34.)

   « Le vrai philosophe défriche les champs incultes, augmente le nombre des charrues, et par conséquent des habitants, occupe le pauvre et l'enrichit, encourage les mariages, établit l'orphelin, ne murmure point contre les impôts nécessaires et met le cultivateur en état de les payer avec allégresse. Il n'attend rien des hommes et il leur fait tout

le bien dont il est capable. »
(Voltaire, *Lettre à Damilaville*,
Ferney, 1er mars 1765.)

Vous expliquerez ces textes
du xviie et du xviiie siècle en
dégageant l'acception distincte
que prend dans chacun d'eux le
mot de « Philosophe ».

(Bac.)

5. Si l'on compare les tendances
générales de la philosophie française au xviie et au xviiie siècle,
l'épithète de « rationaliste » qu'on
leur applique à toutes deux vous
paraît-elle avoir la même signification, ou bien la notion de
« raison » a-t-elle une signification différente dans l'un et l'autre
de ces courants?

(C. E. L. G. Toulouse, juin 1950.)

★   ★   ★

6. Voltaire a écrit dans *Le Siècle de
Louis XIV* (1751) : « On ne croit
pas que les souverains eussent
obligation aux philosophes, cependant il est vrai que cet esprit
philosophique qui a gagné presque
toutes les conditions, excepté le
bas peuple, a beaucoup contribué
à faire valoir les droits des souverains.... »

Que pensez-vous de cette réflexion?

(C. E. L. G. Toulouse, juin 1950.)

7. Condorcet a résumé l'effort de la
philosophie du xviiie siècle dans
ces trois mots : « Raison, tolérance, humanité. » Que pensez-
vous de ce jugement?

(Bac.)

8. Diderot écrit, en 1771 : « Chaque
siècle a son esprit qui le caractérise. L'esprit du nôtre semble être
celui de la liberté. » Il ajoute :
« Pour ma part, dans aucun autre
temps je n'eusse jamais conçu les
idées que je suis capable aujour-
d'hui de nourrir. » Ces affirmations vous paraissent-elles justes?
et peut-on montrer avec précision

ce que les œuvres de nos grands
écrivains du xviiie siècle doivent
à l'esprit de l'époque où elles
furent conçues?

(Bac.)

9. On pourra proposer le mot de
Diderot ainsi complété : « Chaque
siècle a son esprit qui le caractérise. L'esprit du nôtre semble être
celui de la liberté. La première
attaque contre la superstition a
été violente, sans mesure. Une
fois que les hommes ont osé d'une
manière quelconque donner l'as-
saut à la barrière de la religion,
cette barrière, la plus formidable
qui existe, comme la plus respectée, il est impossible de s'arrêter. Dès qu'ils ont tourné des
regards menaçants contre la ma-
jesté du Ciel, ils ne manqueront
pas, le moment d'après, de les
diriger contre la souveraineté de
la terre. Le câble qui tient et
comprime l'humanité est formé
de deux cordes : l'une ne peut
céder sans que l'autre vienne à se
rompre. »

10. Expliquer et discuter ce mot
d'Ernest Lavisse : « J'ai appris
à aimer le xviiie siècle jusque
dans ses illusions, car il fut un
siècle humain succédant à un
siècle dur. »

(Bac.)

★   ★   ★

11. Pour protester contre un projet du Sénat qui, après l'apo-
théose de J.-J. Rousseau, pré-
voyait pour Diderot les hon-
neurs du Panthéon, Maurice
Barrès écrivait en 1913 : « Le
xviiie siècle, qui voudrait durer
encore, achève de mourir. Nous
avons bien fini de lui demander
des conseils de vie. »

Sans vous attacher exclusivement à la date où il fut émis,
dites ce que vous pensez de ce
jugement.

(C. A. P. E. S. Ancien Régime
Lettres, Jeunes Filles, 1953.)

12. « On relit le xviiiᵉ siècle, écrit
Taine : sous les moqueries
légères, on trouve des idées
profondes; sous l'ironie perpétuelle, on trouve la générosité
habituelle; sous les ruines visibles, on trouve des bâtisses
inaperçues. »

(Bac.)

13. Partagez-vous l'opinion de
J.-J. Rousseau qui écrivait dans
la préface de l' « Émile » :
« La littérature et le savoir de
notre siècle tendent beaucoup
plus à détruire qu'à édifier »?

(Bac.)

14. Expliquez ces réflexions de
Mme de Staël et discutez-les, si
vous le jugez bon : « Dans le
Siècle de Louis XIV, la perfection même de l'art d'écrire était
le principal objet des écrivains,
mais dans le xviiiᵉ siècle, on
voit la littérature prendre un
caractère différent. Ce n'est plus
un art seulement, c'est un
moyen; elle devient une arme
pour l'esprit humain qu'elle
s'était contentée jusque-là d'instruire et d'amuser. »

(C. E. L. G. Montpellier,
juin 1952.)

15. Expliquez et discutez cette
affirmation de Sainte-Beuve :
« Les paradoxes du xviiiᵉ siècle
ont plus fait pour l'avancement
de l'espèce que les magnifiques
lieux communs du xviiᵉ siècle »
(*Nouveaux Lundis*, t. III, p. 235,
n. 1, 28 septembre 1862). Vous
pourrez comparer avec cette
pensée de Rousseau : « J'aime
mieux être homme à paradoxes
qu'homme à préjugés » (*Émile*,
livre II).

Chapitre IX

LE ROMANTISME

SUJET

Que pensez-vous de cette condamnation portée par Marcel Aymé contre le romantisme : « La grande habileté du romantisme, qui est aussi son crime et son abjection, a été de solliciter les régions mineures de l'humanité, de flatter les faibles dans leurs faiblesses. Alors que les classiques s'adressaient à l'homme, à sa raison, à sa conscience virile, la nouvelle école se tournait aux femmes, aux adolescents et visait leur sensiblerie, leur système nerveux. » (Extrait de *Confort intellectuel*, Flammarion, édit. Propos prêtés à M. Lepage, bourgeois classique et réactionnaire.)

(*C. A.*, Lettres classiques.)

RÉFLEXIONS PRÉLIMINAIRES

1. *Sujet en apparence* très banal *(il semble inviter au parallèle éternel du classicisme considéré comme art rationnel et du romantisme considéré comme art sentimental), mais en réalité assez délicat à aborder, car M. Aymé ne veut pas tout à fait dire que tout ce qui est raison et conscience virile est du domaine du classicisme, alors que tout ce qui est sensibilité est du domaine du romantisme (ce qui serait à la foi faux et naïf); il pe nse surtout aux* régions intellectuelles *sollicitée par l'artiste chez le lecteur ou le spectateur : alors que le classique, même s'il peint un sentiment, garde avec celui-ci suffisamment de distance pour lui donner une valeur raisonnable, le romantique écrit avec sa sensibilité pour la sensibilité du lecteur, son art est volontiers* « frénétique », *comme on disait au début du XIXe siècle. On se gardera donc d'un parallèle facile entre la raison classique et la sensibilité romantique, et on montrera soigneusement qu'il s'agit de deux* modes de peintures, de *deux* techniques.*

2. *On fera très attention notamment aux mots « solliciter », « flatter ». L'accusation porte surtout sur une sorte de démagogie du romantisme : l'artiste romantique n'est pas neutre avec les passions qu'il décrit et surtout pas avec celles qu'il pressent chez le lecteur. Il a un faible pour la belle passion, celle qui émeut les jeunes gens et les femmes ; sans doute un Racine ne prend-il pas parti contre ses héros passionnés, mais le moins qu'on puisse dire, c'est que ceux-ci n'ont pas le beau rôle : Hermione est une égarée, alors qu'Hernani est un personnage prestigieux. Racine ne blâme pas ouvertement Phèdre dans sa pièce, mais tout la désigne comme la pécheresse, et surtout sa passion est son* péché, *et non son* salut, *alors que Marguerite Gautier est rachetée par sa passion, ce qui évidemment n'est pas rationnel, mais « flatte les faibles dans leurs faiblesses ». On sera donc très attentif à l'aspect moral de l'accusation à côté de son aspect esthétique. Le romantisme est accusé sur un double plan :* artistiquement *il utilise des effets faciles (tout ce qui s'aide du système nerveux) et* moralement *il fait croire à l'homme qu'il y a une mystérieuse valeur dans sa faiblesse sentimentale.*

3. *Pour discuter correctement, on se placera sur un terrain solidement* historique. *En effet la difficulté de toute discussion sur le romantisme est de savoir exactement de quoi l'on parle, et M. Aymé vise notamment une tendance générale de la littérature moderne plutôt qu'une école bien déterminée (il met ce réquisitoire dans la bouche d'un personnage légèrement ridicule, un bourgeois d'après la Libération, qui accuse la littérature moderne d'avoir contribué au développement de l'esprit révolutionnaire en brouillant la hiérarchie des valeurs et en assurant une place de choix aux valeurs sentimentales, qui, d'après lui, favorisent le désordre social). Mais précisément il faut, en refusant de se laisser entraîner sur un terrain aussi vague, s'assurer d'une assise historique certaine qui évitera de parler de n'importe quoi à propos du romantisme.*

4. *Faut-il faire un sort à la phrase : « Les classiques s'adressaient à l'homme, à sa raison, à sa conscience virile » ? En d'autres termes, est-on appelé, si peu que ce soit, à un parallèle avec le classicisme ? Il y aurait bien des nuances à apporter à cette affirmation selon laquelle le classicisme est tout fait de raison et volonté, mais il est bien évident que le classicisme est pris simplement ici comme une référence et que M. Aymé vise surtout le romantisme. C'est donc essentiellement à celui-ci que doit s'attacher la discussion, ainsi que le suggère la question posée avant la citation.*

5. *On ne peut guère parler avec quelque précision du romantisme, sans utiliser largement, comme nous l'avons fait, l'excellent ouvrage que MM. Michaud et Ph. Van Tieghem ont consacré à la question et que nous avons cité dans la bibliographie générale.*

PLAN DÉVELOPPÉ ────────────────────

Introduction.

Le romantisme est accusé par beaucoup d'être un art trop sensible, trop affectif, un art des nerfs et de la faiblesse. Cette vision banale, un peu scolaire, M. Aymé la renouvelle en soutenant que ce qui est particulièrement grave dans le romantisme, ce n'est pas de peindre la faiblesse de l'homme, mais de la flatter, de la solliciter : « Son crime et son abjection, fait-il dire au bourgeois de son *Confort intellectuel,* a été de solliciter les régions mineures de l'humanité, de flatter les faibles dans leurs faiblesses. » Sans doute les classiques n'ont-ils pas toujours peint des actes raisonnables et volontaires, mais du moins n'ont-ils pas de complaisance pour la faiblesse, du moins ne se contentent-ils pas d'effets faciles, tirés de la sensiblerie, du système nerveux; au contraire, « la nouvelle école se tournait aux femmes, aux adolescents et visait leur sensiblerie, leur système nerveux ». Qu'il y ait eu au cours du XVIIIe siècle et au début du XIXe siècle un changement profond dans le niveau humain auquel s'adressait l'art, voilà qui est incontestable. Mais la phrase de M. Aymé ne résiste pas à un examen historique des conditions de l'avènement du romantisme, qui dans son développement allait se détourner de plus en plus de la sensiblerie et du système nerveux.

I. Les régions mineures de l'humanité.

Modification évidente au cours du XVIIIe siècle (pré-romantisme) des visées essentielles de la littérature : en France, en Angleterre, en Allemagne on note une évolution vers une sensibilité qui devient sentimentalisme, puis mélancolie, religiosité, goût du mystère et du surnaturel et aboutit au désespoir (MM. Michaud et Van Tieghem dans leur volume, pages 6 à 11, discernent une transformation dont la loi est analogue dans ces trois pays cités). Le premier romantisme, celui de *La Muse française* et de l'Arsenal, se signale par son goût d'une sensibilité rêveuse et vaporeuse, chère à la jeunesse et aux lectrices des années 1820-1825.

Cela suffit-il pour donner raison à M. Aymé? En fait, sentiment, sensibilité, passion ont toujours été le domaine de choix de la littérature. Ce qu'il faut remarquer surtout, c'est que cette sensibilité entend être non seulement la matière de la littérature, mais encore son esprit général, sa manière.

1. La sensibilité (et surtout la sensibilité mélancolique et désespérée) va donner le ton aux œuvres. Le romantisme ne se contente pas tout d'abord de présenter des héros mélancoliques ou désespérés : il lui faut encore des personnages supérieurs et exaltés par cette mélancolie ou ce désespoir; il est dominé par un climat de chute, d'affaissement, par des impressions de soir, de crépuscule, d'au-

tomne, de ruines : la plupart des déclarations de cette époque
sont un regret d'être « venu trop tard dans un monde trop vieux ».
Les romantiques vivent dans la conviction que les circonstances
leur manquent et qu'ils valent mieux que leur destinée (sentiment
essentiellement adolescent ou féminin). Dans cet affaissement
général, ils laissent l'initiative à leur « sensiblerie », à leur
« système nerveux », ils cèdent à eux-mêmes, mais ce qui est
très grave, avec orgueil, avec la conscience d'une mystérieuse
supériorité au fond de leur désolation. Ainsi le « crime et l'abjection », comme dit M. Aymé, c'est de s'enorgueillir de ces « régions
mineures » : un René, un Hernani, un Chatterton, commandés
par leurs nerfs et leur sensibilité (ce qui est le cas de bien des
héros classiques, Hermione, Oreste, Agamemnon, Phèdre, etc...),
voient en cette démission de la raison une *supériorité* (ce qui est
proprement romantique).

2. **La sensibilité va devenir le grand moyen de création littéraire.**
Érigeant la sensibilité en faculté motrice de l'homme, le romantique va donc logiquement lui assigner une place de choix dans
la création. Là encore la même distinction s'impose : tous les
écrivains, même les classiques, font de la sensibilité un élément
essentiel de leur inspiration, mais ce qui est romantique, c'est
de lui confier la *direction de l'œuvre littéraire*. Dès lors elle *est* par
elle-même créatrice; faculté supérieure, elle *est* le génie : « Ah!
frappe-toi le cœur, s'écrie Musset, c'est là qu'est le génie! »
(ce à quoi le classique répondrait que pour émouvoir il faut évidemment être ému soi-même, mais que cette émotion n'est pas
en elle-même créatrice : sans doute « le cœur seul est poète »,
comme dit Chénier, mais faut-il encore que l'art fasse les vers).
Toutes les déclarations des romantiques convergent pour nier
le rôle créateur de la raison, des techniques, des conventions.
« J'ai donné à ce qu'on nommait la Muse, au lieu d'une lyre à
sept cordes de convention, les fibres mêmes du cœur de l'homme »
(Lamartine); cela signifie que les romantiques suppriment l'invention rationnelle qu'est la « lyre », pour faire du cœur, objet de la
poésie, son moyen même, son instrument : l'artiste est seul avec
son cœur, matière de son art, mais aussi source créatrice de celui-ci.

3. **Sensibilité et système nerveux.** Le danger, c'est que, vu l'impossibilité où est un art de se passer absolument de technique, la
sensibilité, dans son travail créateur, va chercher ses moyens
au niveau le moins rationnel, au niveau des nerfs. Ainsi se créent
le genre frénétique, le roman noir, le conte fantastique (Nodier
écrivait : « Il faut réveiller la superstition de l'enfance ») et
surtout le mélodrame. De même que la sensibilité organisait
la création, c'est encore elle qui bientôt chez le lecteur ou le
spectateur préside à la compréhension des effets : le mélodrame
notamment veut toucher par des spectacles violents et surtout
directement perceptibles aux nerfs et à la sensibilité extérieure.

Aussi les lecteurs ou les spectateurs les moins formés sur le plan rationnel (ceux que M. Aymé appelle « les femmes et les adolescents ») sont-ils le public de choix du nouvel art, d'un art qui ne leur demande aucun effort, hors de l'immédiate sensibilité.

4. Sensibilité et valeur morale. Jusqu'à présent le danger nous est apparu surtout sur le plan esthétique, mais les lignes de M. Aymé laissent entendre une accusation sur le plan moral. Le nouvel art favorise les « régions mineures » de l'humanité et surtout leur laisse croire qu'elles ont des droits supérieurs : droit notamment de la passion à juger le monde, les autres hommes et soi-même en fonction de ses prétentions :

● *le monde.* Si la passion désire plus que le monde ne peut lui offrir, c'est le monde qui a tort : « On habite avec un cœur plein un monde vide. » Tel est essentiellement l'état d'esprit que constitue le vague des passions, par lequel l'homme se sent au-dessus de sa destinée (« le sentiment douloureux de l'incomplet de sa destinée », comme dit Madame de Staël);

● *les autres hommes.* On méprisera celui qui vit d'une vie honnête et moyenne, sans passion (on l'appellera « un bourgeois ») et on se détournera de tout idéal utilitaire (voir Gautier, Préface de *Mademoiselle de Maupin*), parce qu'il exclut la belle passion qui, en général, est inutile;

● *soi-même.* Et surtout la passion deviendra pour le romantique une excuse à ses propres yeux, d'abord parce que tout ce qui est de l'ordre de la sensibilité et du système nerveux est involontaire et échappe à la loi morale (Hernani dit à Doña Sol : « ... Je suis une force qui va, Agent aveugle et sourd de mystères funèbres! »); ensuite parce que la passion est, pense-t-on, purificatrice et crée pour elle-même un univers particulier (thème de la courtisane rachetée par l'amour : Marion Delorme, la Dame aux Camélias, etc..., c'est-à-dire rachetée du jour où une violente passion lui crée un univers personnel où nul ne peut la juger). Ainsi le romantisme, pris au sens assez large où l'entend M. Aymé, comporte bien un certain danger moral, puisqu'il accorde droit de jugement à des éléments aussi subjectifs que la sensibilité ou la passion; ceci apparaît encore plus nettement sur le plan religieux où il s'est souvent révélé incapable d'aller au-delà de la sensibilité religieuse, de la religiosité, au détriment des grandes valeurs surnaturelles ou morales de la véritable religion (goût des cérémonies religieuses, des émotions religieuses : voir Chateaubriand, Lamartine).

II. L'évolution du romantisme.

« In abstracto » la position de M. Aymé est relativement solide, mais historiquement elle n'est pas défendable, car le romantisme n'a pas évolué dans le sens qu'elle suggère. Ce n'est guère qu'au premier romantisme, au romantisme des années 1820-25 qu'est applicable une telle attaque : on n'aurait peut-être jamais parlé du romantisme comme d'une grande école littéraire, si précisément la tradition « vaporeuse et sentimentale » de l'Arsenal n'avait rencontré pour s'y mêler la tradition libérale et idéologique du *Globe* et du salon de Delécluze. Aussi du point de vue historique ne peut-on vraiment parler de romantisme qu'à partir du moment où 'une tendance sentimentale a été fécondée et précisée par un mouvement intellectuel et même analytique, mouvement qu'avait déjà amorcé Stendhal. C'est donc une union intime entre la sensibilité et l'intelligence qu'illustrent l'amitié de Hugo et de Sainte-Beuve, la date de 1827 et les brillants manifestes d'avant 1830. D'une façon plus générale, l'impression de chute, d'affaissement est peut-être valable chez les premiers romantiques, mais bientôt c'est une « génération de combat » (Van Tieghem) qui monte, le mal du siècle ne recouvre pas tout le romantisme, ironie et sens critique se développent à partir de 1830, donnant au romantisme français cette allure équilibrée et assez rationnelle qui le caractérise : loin d'être une sorte de délire nerveux, il se tourne délibérément vers l'action, vers l'analyse, vers le goût du moderne, reconnaît la nécessité des disciplines spirituelles et sait en appeler virilement à la conscience de l'homme.

1. **Le goût de l'action.** En effet les romantiques se considèrent très vite comme les révolutionnaires de la littérature, ils veulent « faire un 89 littéraire ». Alors que les premiers se rattachaient volontiers à la tradition chrétienne et conservatrice (ce qui ne pouvait qu'accroître leurs impressions de chute, de nostalgie) leurs successeurs regardent hardiment vers l'avenir et définissent le romantisme comme l'art des temps nouveaux, comme l'art moderne (voir la célèbre définition de Stendhal sur le *romanticisme* comme art qui convient à l'état actuel des habitudes et des croyances : cf. sujet proposé à la fin de ce chapitre, n° 6). En tout ceci aucune sensiblerie, aucune faiblesse, mais au contraire un vif désir de marcher avec son temps, désir qui poussera la plupart des romantiques à s'engager dans la lutte politique, à s'intéresser aux problèmes sociaux et socialistes, à identifier le progrès du romantisme avec celui de la civilisation et de l'humanité.

2. **Le goût de la précision scientifique.** Dans ce dernier domaine, ils sont certes victimes de beaucoup d'illusions et c'est en partie celles-ci que vise le bourgeois du *Confort intellectuel,* qui accuse les romantiques d'introduire en politique bien des utopies sentimentales. Il n'en reste pas moins vrai que, même ici, les romantiques, nourris par la tradition des idéologues, ont apporté un grand désir de précision et netteté scientifique : le saint-simonisme et le fouriérisme reposent sur l'idée que seule la science peut permettre une organisation rationnelle de la société et très vite le romantisme social fera alliance avec le positivisme (voir sujet n° 27). Quant

aux phénomènes du système nerveux et de la sensibilité, ils n'ont pas seulement été pour eux matière à lyrisme et à exaltation, mais aussi matière à de très sérieuses études scientifiques. Balzac, entre autres, attribuait un grand rôle aux manifestations diverses du système nerveux et prétendit dans de nombreux romans les observer avec minutie : sans doute y a-t-il là beaucoup « d'illuminisme » et de « recherche de l'Absolu », mais aussi le désir de véritables examens cliniques à la manière médicale. En tout cela la « raison » reprend tous ses droits et l'accusation de M. Aymé est sans objet.

3. La nécessité des disciplines spirituelles. Mais surtout il serait tout à fait faux de soutenir que le romantique met sur le même plan toutes les « régions » de l'homme, ou même privilégie les « régions mineures », alors que c'est par une ascèse (lyrique, philosophique, mystique, etc...) que l'écrivain prétend s'élever à une sorte d'absolu. Un Balzac, un Vigny, un Hugo ont pour constante préoccupation de distinguer ce qui en nous est vil et inférieur de ce qui est noble et supérieur. Qu'est-ce, par exemple, que *Le Lys dans la vallée*, sinon le combat de la chair et de l'âme chez une créature supérieure? Bien des héros romantiques sont de véritables ascètes du corps : Chatterton, Stello, Louis Lambert sont minés par leur rêve d'Absolu. Hugo, dans un manichéisme parfois un peu simpliste, dresse constamment les forces de la lumière contre les forces de l'ombre. On pourrait multiplier les exemples où les romantiques nous présentent des héros en quête d'un Absolu philosophique, religieux, poétique qu'ils opposent à la sensibilité toute charnelle du système nerveux. Il semble que peu d'arts plus que le romantisme aient eu le sens des hiérarchies humaines.

4. L'appel à la conscience virile. Aussi l'appel à la conscience virile trouve-t-il chez les romantiques des accents aussi nobles que chez n'importe quel classique. Il est presque trop facile de rappeler les hautes leçons de stoïcisme données par Vigny en des vers d'où est bannie toute sensiblerie; il le serait tout autant de dresser avec des poèmes de Hugo une anthologie où tout serait invitation à l'enthousiasme et à l'énergie. Mais il est sans doute plus significatif encore de rappeler qu'elle est de Lamartine (poète, paraît-il, efféminé et larmoyant, bon tout au plus pour les jeunes gens maladifs!) cette parole sublime : « Permets-nous d'être hommes » (*Réponse à Némésis*) et que ces hommes, Lamartine les a maintes fois généreusement célébrés (cf. par ex. : *Harmonies, Éternité de la Nature et brièveté de l'homme*).

Conclusion.

M. Aymé s'en tient au sens vulgaire et un peu facile du mot romantisme. De ce point de vue il est incontestable qu'une certaine littérature, prolongée de nos jours par le cinéma de bas étage ou les spectacles du Grand-Guignol, cherche l'émotion nerveuse à peu de frais pour l'intelligence et la raison. Dans cette acception du terme, il y a toujours eu une littérature « romantique » parallèlement à la grande littérature et dès le Moyen Age les romans de chevalerie cédaient aux effets de sensibilité les plus élémentaires. Mais historiquement le romantisme est un mouvement beaucoup plus humain et beaucoup plus viril qu'une simple réhabilitation des moyens sentimentaux en littérature : il est surtout une résolution énergique d'élargir l'art, de lui donner comme domaine toute la vie (y compris la vie sensible et nerveuse un peu délaissée par le classicisme), il est, comme disait Hugo dans la Préface de *Cromwell*, « la liberté dans l'art ». Si certains de ses représentants l'ont abaissé en un art plus affectif que rationnel, l'élan romantique lui-même ne doit pas en subir condamnation.

26

SUJET

Étudiez cette définition du romantisme que Musset met ironiquement dans la bouche d'un clerc d'avoué : « Le romantisme, mon cher monsieur, mais à coup sûr, ce n'est ni le mépris des unités, ni l'alliance du comique et du tragique, ni rien au monde que vous puissiez dire. Vous saisiriez vainement l'aile du papillon, la poussière qui le colore vous resterait dans les doigts. Le romantisme, c'est l'étoile qui pleure, c'est le vent qui vagit, c'est la nuit qui frissonne, la fleur qui vole et l'oiseau qui embaume ; c'est le jet inespéré, l'extase alanguie, la citerne sous les palmiers et l'espoir vermeil et ses mille amours, l'ange et la perle, la robe blanche des saules ; ô la belle chose, monsieur ! c'est l'infini et l'étoilé, le chaud, le rompu, le désénivré, et pourtant en même temps le plein et le rond, le diamétral, le pyramidal, l'oriental, le nu à vif, l'étreint, l'embrassé, le tourbillonnant ; quelle science nouvelle ! » (*Lettres de Dupuis et Cotonet*, première lettre, 1836.)

ESQUISSE D'UN PLAN ——————————————————

Le romantisme *ne peut pas se définir*, il n'est « rien au monde que vous puissiez dire » ; et, précisément parce qu'il ne se définit pas, il excite l'imagination des imbéciles.

Ton burlesque : lui faire sa part une fois pour toutes et voir ce que, malgré tout, on peut tirer de cette « définition », car, si Musset plaisante, il n'en passe pas moins en revue des thèmes essentiels.

I. Le contenu de la « définition ».

1. Le romantisme, ce *n'est pas* :

● « le mépris des unités » : il ne peut être caractérisé suffisamment par le rejet des règles ;

● « l'alliance du comique et du tragique » : il n'est pas non plus une technique nouvelle fondée sur le mélange des genres ;

● « la poussière qui colore l'aile du papillon » : il n'est pas une chose qu'on puisse saisir, mais une couleur des choses, une *façon de regarder la réalité*.

2. Le romantisme, *c'est* :

● une vision plus colorée du monde : un monde d'étoiles, de fleurs, d'oiseaux, de palmiers, presque « oriental » (le mot est prononcé à la fin) ; un monde plus volumineux aussi (« diamétral », « pyramidal ») ;

● un monde où « les objets inanimés ont une *âme* » : « l'étoile qui pleure, le vent qui vagit, la nuit qui frissonne », et, par conséquent, où les objets ont une sorte de radiation mystérieuse : « la robe blanche des saules ». Dans ce monde, l'homme est à la fois perdu et bienheureux : « extase alanguie », « mille amours », et surtout toutes ses sensations sont multipliées : « le nu à vif, l'étreint, l'embrassé ! » ;

● un monde onirique et quasi démentiel ; à la limite, la folie le gagne : à vouloir posséder toute la vie, il délire (ce délire est plaisant ici, comme le soulignent l'addition de mots grotesques : « le diamétral, le pyramidal, le tourbillonnant » et surtout la remarque finale : « Quelle science nouvelle ! » qui est du plus pur « Bouvard et Pécuchet »).

II. L'univers du poète.

Malgré ses bouffonneries, la définition est souvent belle et émouvante. En 1835-37, Musset écrit les *Nuits* et ce texte ne le fait pas oublier ; autant qu'une définition du romantisme, il est une définition de son auteur.

1. Les belles nuits de Musset. Sorte de *Songe d'une Nuit d'été* (du moins dans la partie relativement sérieuse de la définition), une de ces nuits de printemps ou d'été qu'il prend volontiers comme thème ou comme décor : un jardin, des fleurs, des oiseaux, des papillons, un jet d'eau, une fontaine, un chemin, un bois... nuits romantiques peut-être, mais aussi nuits de Watteau, d'un xviiie siècle de fêtes galantes.... On sait le rôle que joue chez Musset cette spirituelle et fine union du romantisme et du xviiie siècle (cf. *A quoi rêvent les jeunes filles*, par exemple).

2. Les visions de Musset. Dans ce jardin quelques visions étranges, celles « d'un ange et d'une perle » (thème de la perle très fréquent chez Musset), d'une « citerne sous les palmiers », de l' « espoir vermeil ». Apparitions très poétiques sur le fond de cette nuit d'extase....

3. L'extase nerveuse de Musset. Cette nuit d'extase est sentie par le poète à fleur de sensibilité.... Nerveuse et rapide, d'un romantisme brillant qui est propre à Musset, la scène donne l'impression d'une féerie destinée à s'évanouir à l'instant même.

III. Les limites de la définition.

C'est plutôt la définition d'un Paradis Artificiel que du romantisme. En effet :

1. Le vrai romantisme est plus sérieux, plus profond, plus douloureux. Il souffre des limites de la condition humaine (voir *René*). Musset — sans prendre nécessairement à son compte les paroles du clerc — est assez satisfait de la féerie dont se grise ce dernier.

2. Le vrai romantisme est moins irrationnel : il n'est pas vrai qu'on ne puisse le mettre en formules (sens de la liberté en art notamment : voir sujet n° 25).

3. Le vrai romantisme est plus social et plus humanitaire : surtout, en 1836, la définition du clerc est depuis longtemps dépassée. Il retarde singulièrement....

IV. La portée de la définition.

Toutefois Musset, sans peut-être bien se rendre compte lui-même et en croyant bouffonner, laisse entrevoir des perspectives assez profondes sur le romantisme et surtout sur la littérature moderne.

1. L'art moderne brise les catégories de la raison : « l'étoile pleure », « la fleur vole et l'oiseau embaume ». Ce sont déjà les correspondances de Baudelaire ou le dérèglement des sens cher à Rimbaud.

2. L'art moderne prétend saisir directement la vie : « le nu à vif, l'étreint, l'embrassé. » Il n'est pas exagéré de voir dans ces derniers mots l'amorce d'une esthétique moderne, en quelque sorte pré-bergsonienne : l'artiste cherche non pas à organiser son œuvre au nom des lois de l'art, mais à épouser les mouvements profonds du réel (cf. sujet n° 27, IV, 1 et 2).

Musset est encore trop classique pour envisager sérieusement ces perspectives. C'est peut-être précisément pour cela qu'il raille. Talent critique, il va assez bien à l'essentiel du mouvement romantique, mais ce qu'il y trouve l'effraie un peu et sa plaisanterie n'est peut-être qu'une réaction de défense.

27

SUJET

« (Le romantisme) a été la grande révolution littéraire moderne. On a parlé souvent de réactions contre
le romantisme. On a donné ce nom à des mouvements
comme le Parnasse, le réalisme, le naturalisme, le symbolisme, le néo-classicisme. Mais il ne serait pas difficile
de montrer qu'ils sont bien plutôt des décompositions
ou des transformations du romantisme. » (Thibaudet,
Histoire de la littérature française, p. 122 Stock, édit.).
Commentez ce jugement. (Baccalauréat.)

RÉFLEXIONS PRÉLIMINAIRES _____

1. *On renoncera d'avance à être exhaustif : il est bien évident que l'étude
des survivances du romantisme dans chacun des mouvements envisagés
par Thibaudet exigerait un volume spécial; d'où la nécessité, plus
impérieuse que jamais, de composer autour de quelques idées-forces
auxquelles seront subordonnés tous les développements.*

2. *C'est pourquoi on proscrira, malgré la liste d'écoles indiquées par
Thibaudet, un développement par énumération (cf. 1re Partie, chap. ii,
sujet proposé, no 3, N. B.) qui noierait les problèmes et ne laisserait
apparaître aucune idée directrice.*

3. *On évitera notamment de se perdre dans des traits romantiques secondaires. Il est, par exemple, facile de constater qu'il y a chez un Hugo, un
Zola et un Rimbaud une certaine puissance visionnaire qui, en première analyse, peut passer pour un trait romantique. De là à conclure
à un romantisme de Zola et de Rimbaud il n'y a qu'un pas. Mais
cette puissance n'est pas une caractéristique spéciale au romantisme,
on la retrouve chez un Dante ou un Shakespeare : elle est marque
spécifique plutôt d'une famille d'esprits que d'une école, donc on n'en
parlera pas.*

4. *En revanche on fera monter le devoir vers quelques thèmes majeurs,
Vie, Liberté, que le romantisme prétend libérer en face et à l'intérieur
des exigences de l'art. En effet il ne faudra pas craindre de voir très
large et de distinguer soigneusement le romantisme comme école,
phénomène de quelques années seulement, et le romantisme comme
tendance, phénomène beaucoup plus large.*

5. *Une discussion s'impose-t-elle? Sans doute avons-nous l'impression,
depuis le début du XXe siècle, qu'un courant néo-classique très solide
s'esquisse (d'ailleurs Thibaudet y fait allusion) vers plus d'ordre,
vers un souci plus poussé de l'art, etc.... De Gide à Camus, en passant
par Valéry, Benda, Proust, Giraudoux, Montherlant, Alain, etc.,
on peut avoir l'impression d'une vigoureuse réaction contre le romantisme. Mais ne s'agit-il pas là de coquetterie artistique plutôt que de*

transformation profonde? Gide ou Montherlant nous offrent peut-être les types les plus vivants de héros romantiques (Lafcadio, Alban de Bricoule, le Maître de Santiago, Malatesta, etc.) et chez un Camus le thème romantique de la révolte atteint à son expression la plus ferme et la plus complète. Chez ces derniers écrivains, plutôt que de résurrection du classicisme, il serait plus judicieux de parler d'un retour à l'humanisme : l'humanisme, du reste, par ce qu'il contient de vie ardente et de désir de liberté, peut à la rigueur faire ménage avec le romantisme (voir sujet traité n° 14 et sujet traité n° 17).

DÉVELOPPEMENT

Introduction.

Une vue classique des manuels consiste à montrer le romantisme envahissant la scène littéraire dans les années 1815 à 1830, disparaissant comme école, mais se continuant comme tendance jusqu'en 1843, date de l'échec des *Burgraves*. Le grand succès de *Lucrèce*, tragédie « classique » de Ponsard, en 1843, les débuts de Leconte de Lisle vers 1845 semblent amorcer une réaction qui ne s'interrompra plus jusqu'à nos jours. Traiter une œuvre de romantique sera dorénavant une qualification plutôt péjorative, comme si précisément on voulait souligner son caractère démodé, suranné. Or certains critiques, prenant les choses d'une vue plus large, estiment que le romantisme a introduit dans nos lettres des valeurs dont celles-ci n'arriveront jamais à se débarrasser vraiment : un Thibaudet pense par exemple que le romantisme est un mal si profond dans notre littérature moderne qu'il n'est plus possible de l'extirper, car le détruire ce serait détruire la littérature ; à son avis, en effet, le romantisme « a été la grande révolution littéraire moderne », un peu comme la Révolution française, même si ses principes ont été depuis très violemment combattus, reste la grande coupure de notre histoire et marque le début des temps modernes. De même, en littérature « on a parlé souvent de réactions contre le romantisme. On a donné ce nom à des mouvements comme le Parnasse, le réalisme, le naturalisme, le symbolisme, le néo-classicisme. Mais il ne serait pas difficile de montrer qu'ils sont bien plutôt des décompositions ou des transformations du romantisme ». Ainsi Thibaudet ne nie pas une apparente rupture, il reconnaît le paradoxe de sa position ; d'ailleurs il ne prétend pas que le romantisme a survécu, il parle de « décomposition » (d'une survivance en « pièces détachées », si l'on peut dire), certains éléments même ont été transformés : on pourra se demander notamment s'ils n'ont pas été purifiés et si le rôle de certaines écoles ne sera pas de reprendre telle ou telle notion romantique pour l'amener à un degré d'élaboration supérieur. Mais surtout Thibaudet, nous invitant à dominer un peu la question, nous suggère que le romantisme est plus qu'une école parmi d'autres, qu'il est avant tout une grande tendance artistique.

I. Le paradoxe de Thibaudet ou l'apparente rupture.

(Pour la clarté de l'exposé, il peut être bon de commencer par rappeler les principaux éléments de cette apparente réaction contre le romantisme, dont Thibaudet conteste précisément l'existence profonde.)

1. Le romantisme *avait abusé des effusions personnelles,* abus dénoncé non seulement par le Parnasse, mais encore par Baudelaire (c'est ce qu'il appelle « l'hérésie de la passion » dans son article sur Th. Gautier) et aussi par les premiers symbolistes (voir les attaques de Rimbaud contre les romantiques « qui prouvent si bien que la chanson est si peu souvent l'œuvre, c'est-à-dire la pensée chantée et comprise du chanteur. Car *Je* est un autre »).

2. Cette propension à l'effusion personnelle devient volontiers un tour d'esprit, *un goût littéraire pour le vague,* le nébuleux, l'imprécis. Là encore, réaction énergique de la seconde moitié du siècle. Au flou romantique, on oppose la rigueur scientifique, la volonté de ferme précision des écoles parnassienne, réaliste, naturaliste, néo-classique. Maurras notamment et Pierre Lasserre s'en prennent avec une extrême âpreté à ce mal romantique de vouloir sentir plutôt que comprendre. Julien Benda reprend très méthodiquement cette critique dans ses œuvres polémiques.

3. C'est surtout en *politique* que la généreuse nébulosité de ce qu'on appelle le romantisme « quarante-huitard » est le plus vivement condamnée par la réaction des diverses écoles ultérieures. Parnasse et réalisme se détournent avec violence de toute politique et, quand le naturalisme d'un Zola revient aux préoccupations sociales, c'est avec la volonté d'y appliquer une rigueur scientifique très différente du messianisme du romantisme.

4. Sur le plan proprement littéraire, c'est la *forme* des romantiques qui aura à subir les plus vives critiques. On la considérera à la fois comme relâchée et comme oratoire, elle tombera sous le double reproche d'imprécision et de rhétorique. Ce reproche de Valéry : « Les romantiques avaient négligé tout ou presque tout ce qui demande à la pensée une attention et une suite un peu pénibles », complétera l'attaque de Verlaine : « Prends l'éloquence et tords-lui son cou. » Ainsi mode de pensée, méthode de travail, but poursuivi, tout semble opposer le romantisme à la vive réaction qui a suivi.

II. La décomposition ou la survivance « en pièces détachées ».

Pourtant, de cet ensemble un peu incohérent qu'on appelle le romantisme, quelques principes se détachent pour traverser tout le xixe siècle et arriver jusqu'à nos jours.

1. **Le culte de l'humanité.** Le caractère nébuleux que nous dénoncions tout à l'heure n'est pas le propre de tout le romantisme, mais surtout du premier romantisme, celui des premières *Médi-*

tations, celui des artistes qui gravitaient autour du Salon de l'Arsenal vers 1824-25. Très vite les romantiques quittent cette phase lyrique, et, suivant une courbe que Thibaudet considère comme caractéristique de la grande poésie et des grands poètes, s'orientent vers des genres plus larges, plus humains et se mettent à rêver de cette épopée de l'humanité qui ne cessera de hanter tout le XIXe siècle. Écrire le grand poème de l'homme, telle sera l'ambition du Lamartine de *Jocelyn* ou de *La Chute d'un Ange*, du Hugo de *La Légende des Siècles* et, d'une façon plus fragmentaire, du Vigny des *Poèmes antiques et modernes*. Mais cette ambition, les écoles suivantes en héritent curieusement : Leconte de Lisle veut tracer l'épopée religieuse de l'humanité, Heredia dispose ses *Trophées* en une sorte d'œuvre cyclique qui, de la Grèce à l'Orient et de l'épopée homérique jusqu'à nos jours, veut dresser à sa manière l'inventaire du mouvement humain. De même, dans le roman, un Zola prétend faire l'histoire « d'une famille sous le second Empire » et de nos jours les vastes « romans-fleuves » d'un Jules Romains, d'un Roger Martin du Gard, d'un Duhamel, d'un Aragon ne sont-ils pas le prolongement de cette ambition romantique?

2. **Le progrès de la science.** L'humanité ainsi embrassée progresse et, notons-le bien, progresse par la science. Sans doute, dira-t-on, c'est là l'idéal consigné par un Renan ou un Taine, exploité romanesquement par un Zola, idéal qui, dès avant la fin du XIXe siècle, a connu une éclatante faillite. En fait, c'est d'abord une idée romantique et, si le romantisme n'a pas encore une conception bien précise de ces progrès par la science, il en pose néanmoins le principe avec A. Comte dès la publication du *Cours de philosophie positive* (1830-1842). Avant cette date, Saint-Simon avait déjà noté dans divers écrits, parus entre 1813 et 1824, la nécessité de la science pour les progrès de l'humanité. Cette période, qu'on appelle la « période utopique » du socialisme, sera sans doute condamnée par les doctrines du socialisme ultérieur, mais une certaine foi dans le progrès par la science sera toujours l'âme des doctrines sociales. Sur le plan littéraire, un Balzac n'a pas attendu Taine et Renan pour se laisser influencer par Lamarck, Cuvier, Geoffroy Saint-Hilaire, etc. et appliquer leurs méthodes à l'étude de l'homme et de la société. En particulier, un poète comme Vigny a une foi ardente en la science où il salue l'espoir de la libération pour l'humanité; plusieurs poèmes des *Destinées* ne permettent aucun doute à cet égard : malgré certaines protestations contre la laideur du monde scientifique, *La Maison du Berger* fait confiance à la science et surtout *La Bouteille à la mer* nous montre la valeur lu message scientifique que se lèguent les générations.

3. **Les sciences historiques.** Cette méthode scientifique n'est pas du reste tournée vers le seul futur : elle sert à la reconstitution du passé. Mais là encore ce serait une erreur de croire qu'on a attendu Leconte de Lisle et Heredia pour appliquer une rigueur scienti-

fique et archéologique plus grande aux évocations poétiques
de ce qui fut. Déjà Chénier, véritable poète romantique par son
influence (puisqu'il a été révélé au grand public en 1819), avait
indiqué cette nouvelle source pour la poésie, exploitée par un
Vigny dans les *Poèmes antiques*, qui annoncent l'inspiration
parnassienne, et même par le Hugo des *Orientales*. Il y a là une
veine de reconstitution archéologique qui ne tarira jamais et qui,
par le Parnasse, par un Pierre Louÿs, par un Moréas, par un Gide,
atteindra notre époque, avec sa manie d'un masque antique pour
des sujets modernes. D'une façon plus générale, la fameuse
« résurrection intégrale » est un apport éminemment romantique,
mais elle fut poussée plus avant par la génération de Fustel de
Coulanges, de Renan, bref par les méthodes de l'histoire moderne.

4. **Le goût de l'art pur.** Que l'on n'objecte pas que ce goût de l'histoire, trop messianique chez les romantiques, aboutit dans la
littérature ultérieure à des poèmes d'art pur, comme ceux d'un
Gautier ou d'un Heredia. Ce serait une très grande erreur que de
fonder une opposition sur l'apparition de l'art pur, car, dès l'époque
romantique, l'exploitation purement artistique des tableaux
du passé était procédé courant. Ce sont des romantiques (Cousin,
Hugo, Deschamps, Th. Gautier, Arsène Houssaye) qui lancent
l'idéal de l' « Art pour l'Art », école que du reste Baudelaire
condamnera (ce qui renverse la position scolaire d'après laquelle
l' « Art pour l'Art » aurait été une réaction contre le romantisme;
en réalité, c'est du romantisme que date une certaine tradition
artistique : voir le goût de Hugo pour l'acrobatie formelle, le *Pas
d'Armes du Roi Jean, Les Djinns*, etc.); seulement, alors que
Hugo ne séparait pas cet idéal d'art de l'ensemble de l'idéal
romantique, une scission se produit après 1830, qui va séparer
l'art pur défendu par Gautier du romantisme social et du romantisme sentimental, lesquels poursuivront leur carrière isolément.
La tradition d'art pur sera prolongée par le Parnasse, par les
soucis formels d'un Mallarmé, aboutira aux scrupules littéraires
d'un Gide, d'un Valéry.

On le voit donc, tradition sociale et humanitaire, goût de la science
et du progrès scientifique, goût du passé, culte de l'art pur, voilà
qui part du romantisme et traverse à peu près tout le xixᵉ siècle
pour arriver jusqu'à nos jours, sans doute à l'état de « décomposition », comme dit Thibaudet, mais sans transformation profonde.

III. *La transformation ou l'élaboration de notions trop
vagues.*

D'autres éléments romantiques sont non seulement conservés
par la littérature ultérieure, mais ils sont en quelque sorte purifiés, raffinés et rendus à la consommation littéraire sous une
forme bien plus nourrissante. C'est ainsi qu'il y a, à la base du
romantisme, une révolte, mais encore trop superficielle et théâtrale. Le xixᵉ siècle va reprendre, nuancer, épurer cette notion

de révolte. On peut bien dire que la littérature actuelle, nourrie de révolte, est beaucoup plus romantique que ne le fut jamais celle de 1830.

1. **La révolte contre le monde extérieur.** Le héros romantique est tout d'abord choqué par une sorte d'impression d'insuffisance du monde par rapport à ses rêves et à ses désirs (voir *René*). C'est pourquoi il réagit en mettant volontiers l'accent sur la laideur du monde, non pas, bien entendu, qu'il se complaise dans celle-ci, mais parce que le laid lui semble une insulte particulière à ce qu'il rêve, et le traduire en art, c'est une forme de protestation contre ce qui est. Le romantisme inaugure par ce détour l'esthétique réaliste, cette complaisance morbide d'un Flaubert devant la laideur, la bêtise, qui, en fait, est l'envers d'une nostalgie éperdue de ce que pourrait être le monde, s'il était à la hauteur de nos imaginations. Il suffira simplement de nettoyer ce réalisme romantique de ce qu'il a de trop pittoresque, de trop flamboyant, pour le soumettre à une observation plus précise, à un ton plus neutre, et on obtiendra cette forme très moderne de la révolte qu'est le réalisme de l'ennui, de la monotonie des choses et des· jours, le réalisme de *Madame Bovary*.

2. **La révolte sociale.** D'une façon plus active on peut aussi espérer transformer le monde, et la révolte se fait volontiers révolution. C'est ce que comprit Hugo le jour où, quittant le romantisme royaliste et chrétien de l'Arsenal, il rallia le libéralisme du *Globe* et fit du romantisme le 89 de la littérature. Évidemment il serait fort discutable d'affirmer que la révolte prendra chez tous les écrivains du siècle la forme révolutionnaire, et pourtant on est bien obligé de constater que presque tous les écrivains, même détournés ultérieurement de l'action sociale, ont eu leur période révolutionnaire : Leconte de Lisle est un dégoûté du fouriérisme; Baudelaire sur les barricades de 48 voulait fusiller son beau-père, le général Aupick; Lautréamont s'élève contre la société qui ne comprend pas les angoisses de l'enfant, et Rimbaud fut probablement communard.

3. **La révolte contre la condition humaine.** Mais la révolution, au sens social du mot, ne peut satisfaire le héros romantique. Plus qu'à la société, c'est à la condition humaine qu'il en a, et le problème religieux, notamment le silence de Dieu, le hante et le tourmente : Musset se révolte contre une religion à laquelle il ne peut plus croire, mais que son cœur appelle; Vigny se révolte contre l'abandon où Dieu laisse sa créature. Allons plus loin, c'est aux formes mêmes de la nature humaine que s'en prend le héros romantique. Musset s'insurge contre l'impossibilité où sont les hommes de communiquer vraiment entre eux : « Quelles solitudes que ces corps humains! » soupire Fantasio. Là encore, la littérature moderne va-t-elle abandonner cette révolte, va-t-elle s'apaiser en reconnaissant les limites de la condition humaine?

Point. Et la tentative symboliste, envisagée en son sens le plus profond, est la plus démesurée entreprise que la littérature ait connue contre la condition humaine. N'oublions pas que, par les correspondances baudelairiennes ou le symbole mallarméen, il ne s'agit de rien de moins que de forcer l'ordre des sensations, des catégories de l'espace et du temps et de connaître *hic et nunc* le « moi absolu », hors de toute détermination. Ne voilà-t-il pas, en un sens, la pointe du « moi » romantique (malgré ce que ce « moi » symboliste comporte d'impersonnalité)? Nous sommes en tout cas au point extrême de la révolte littéraire. C'est Mallarmé, c'est Villiers de l'Isle-Adam qui conçoivent les héros romantiques par excellence, Igitur, Axel, ces quêteurs d'inconnu qui veulent sortir des limites de l'humanité et qui répondent, à la fin du siècle, d'une façon métaphysique et quasi insensée, à la révolte du poète romantique, de Chatterton, de l'Albatros de Baudelaire.

IV. Les grands principes de l'esthétique romantique : une esthétique du contact immédiat avec la vie.

Sans doute, la révolte symboliste a abouti à un échec, mais on peut se demander si, à prendre les choses d'assez haut, toute la littérature moderne n'est pas imprégnée par la révolte romantique et notamment par ce désir si profond chez le romantique de sortir de soi pour étreindre directement la vie. Alors que l'esthétique classique admettait fort bien que l'art ne donnât aucun contact direct avec la vie, mais une simple transposition artistique de celle-ci, le romantique ne veut pas s'en contenter : il prétend obtenir par l'art un contact direct avec la vie dans sa totalité.

1. **Le bergsonisme, philosophie romantique de la vie.** A ce point de vue, certains penseurs (Benda par exemple) ont été jusqu'à prétendre que le romantisme n'avait trouvé sa vraie philosophie que de nos jours avec la doctrine de Bergson. Celui-ci en effet soutient que la véritable connaissance, notamment la connaissance artistique, n'est pas compréhension conceptuelle des choses, mais intuition, coïncidence par le dedans avec le « mouvant », avec l'élan vital. En d'autres termes, la position de l'artiste ne serait plus maîtrise de soi, domination et organisation de la nature au nom des lois de l'art, mais démission devant la totalité de la vie, dont il s'agit de reproduire, disons mieux de mimer, de revivre les mouvements les plus profonds.

2. **La vie et les instincts.** Et de fait bien rares sont les artistes modernes qui ne cherchent pas avec une passion frénétique, au mépris de toute règle formelle et proprement artistique, à célébrer avec la vie une union aussi étroite que possible. Ce n'est pas un hasard si la psychologie moderne se développe de plus en plus dans le sens de l'instinct, de l'inconscient, de toutes les forces obscures du « moi » (voir Freud et le freudisme). Certains penseurs vont jusqu'à leur reconnaître plus de vérité qu'aux forces de clarté :

« Je désire aller me reposer, me recharger loin des mesquines
efflorescences de la pensée... je me penche hors de la prison des
choses claires, sur le déroulement infini des flots obscurs », écrit
Maurice Barrès. Sans aller aussi loin, beaucoup d'écrivains
cherchent vers les années 1900 à saisir la vie d'une étreinte jamais
assez serrée à leur gré. Un Gide s'écrie dans *Les Nourritures terrestres :* « Il ne me suffit pas de *lire* que les sables des plages sont
doux. Je veux que mes pieds nus le sentent »; la comtesse de
Noailles lui fait écho en s'exclamant :

> « Je vous tiens toute vive entre mes bras, Nature! »
> (*Le Cœur innombrable*, 1901.)

Il ne s'agit pas d'étreindre seulement la vie de la nature ou des
instincts, c'est également la vie du travail que prétend appréhender le Naturisme (voir le manifeste naturiste du 10 janvier 1897) ou la vie des groupes à laquelle s'attache l'Unanimisme.
On ne peut certes pas dire que tous ces auteurs soient romantiques, mais leur attitude relève de l'esthétique romantique,
ou plus exactement, c'est le romantisme qui a modifié l'attitude
littéraire dans son ensemble (voir les éloges de la Vie qu'on trouve
chez Hugo, chez Vigny, etc...).

3. La vie et l'instant. En particulier le romantisme a substitué à
un art dont l'ambition était d'atteindre l'universel et l'intemporel,
un art qui veut rendre la vie dans la singularité de l'instant.
La philosophie classique, avec Spinoza, voit volontiers les choses
sub specie aeterni. Le grand philosophe du romantisme, Hegel,
introduit au contraire le mouvement historique et montre le
caractère unique du concret de l'histoire en chaque instant.
« Aimez ce que jamais on ne verra deux fois », peut être considéré
comme l'impératif romantique par excellence devant l'écoulement du devenir. Or presque toute la littérature moderne reste
fidèle à cette façon de saisir la vie et d'en sentir l'évolution, de
goûter le caractère unique et irremplaçable de chaque moment.
Gide se moque de ceux qui attendent le renouvellement des mêmes
joies, dans les mêmes lieux, à intervalles réguliers; il veut que
nous soyons sans cesse disponibles pour l'instant qui vient, profondément différent de l'instant précédent. Et quand la critique
moderne, la critique d'un Taine, d'un Renan, d'un Lanson explique
une œuvre moins par des règles éternelles que par un ensemble
de causes, qui dans le concret de l'histoire l'ont produite à te
moment, que fait-elle d'autre que privilégier le moment au détriment de la valeur éternelle? Là encore le romantisme a créé un
véritable état d'esprit, désormais inhérent à la littérature moderne.

Conclusion.

Évidemment, comme on peut donner à peu près l'extension
qu'on veut au mot *romantisme*, il est facile, en prenant les choses
de très haut, de relever des traits romantiques dans toute la littérature moderne! Mais, comme le mot littérature s'est lui aussi

prodigieusement élargi, s'ouvrant en somme à toute la vie, il est difficile de ne pas trouver une coïncidence entre l'extension du romantisme et l'extension de la littérature. C'est pourquoi Thibaudet pense que le romantisme n'est pas une école comme une autre, que son extension est aujourd'hui celle de la littérature et si on peut lui objecter que certains écrivains comme Malraux, Saint-Exupéry, Camus mettent leur orgueil en une lucidité et une maîtrise de soi fort peu romantiques, Thibaudet pourrait répondre aisément que ce n'est là qu'apparence, qu'en réalité un Camus et un Malraux méditent sur la révolte, un Saint-Exupéry sur le sens de la vie et qu'après tout accorder à la littérature d'aussi vastes domaines, c'est une attitude vraiment romantique. Le débat risque d'être ici un peu verbal, mais il est certain que le romantisme est en rapport évident avec un élargissement prodigieux de la littérature.

SUJETS PROPOSÉS

1. « Le Romantisme est le retour à la tradition constante du genre humain en matière de poésie : une réaction consciente, raisonnée, contre l'esthétique rationaliste du xviiie siècle et contre l'humanisme sénile qui avait préparé les voies à cette esthétique. Prendre la poésie au sérieux comme un don splendide et gratuit qui élève le poète au-dessus de lui-même, pour son plus grand bien et celui de tous, c'est l'essence même du Romantisme, son élan vital[1], sa raison d'être, sa loi — *non scripta, sed nata* (= non écrite, mais innée) — et sa justification invincible. »
(H. Bremond, *Prière et poésie*, Grasset, édit.)

1. Cf. H. Bergson (note de H. Bremond).

2. Un journal de l'époque romantique écrit : « Qu'est-ce qu'un romantique? C'est le foyer de la sensibilité incendiaire, le rendez-vous de toutes les mélancolies, l'aquilon du sentiment. »
Dans quelle mesure cette définition vous semble-t-elle justifiée?
(Bac.)

3. Expliquez et commentez, à l'aide de ce que vous savez de la révolution littéraire opérée par le romantisme, cette phrase de Victor Hugo (*Littérature et Philosophie mêlées*, 1834) : « L'art qui depuis cent ans était une littérature est devenu une poésie. »
(Bac.)

4. Un critique contemporain porte ce jugement sur l'évolution de la littérature romantique dans la première moitié du xixe siècle :
« Deux tentations, surtout, ont sollicité en sens contraire ces cinquante années : l'orgueil de la solitude et le besoin de l'action, l'individualisme et le génie social. Il n'est aucun culte que l'on ait défendu aussi farouchement que celui de soi-même. Si ce n'est celui de l'humanité. »
— Quelles expressions les grands écrivains ont-ils données dans leurs œuvres, entre 1800 et 1848, de ces deux « tentations contradictoires »?
— Dans quelle mesure peut-on leur découvrir une source commune dans les aspirations profondes des âmes romantiques?
(C. E. L. G. Clermont-Ferrand, juin 1953.)

5. Que pensez-vous de ce jugement d'un critique contemporain :

« Comptez que peu de chose est destiné à subsister du vaste fracas et fatras romantique »?

(Bac.)

N.B. Ce critique est Ch. Maurras.

★   ★   ★

6. Expliquez et commentez cette définition du romantisme :

« Le romanticisme est l'art de présenter aux peuples les œuvres littéraires qui, dans l'état actuel de leurs habitudes et de leurs croyances, sont susceptibles de leur donner le plus de plaisir possible. Le classicisme, au contraire, leur présente la littérature qui donnait le plus grand plaisir possible à leurs arrière-grands-pères. » (Stendhal, *Racine et Shakespeare*, chap. III.)

(Sujet plusieurs fois proposé au Bac.)

7. À propos de quelques grandes figures du Romantisme, Mme de Noailles écrivait (*Les Forces éternelles, Les Poètes romantiques*, A. Fayard, édit.) :

Vous qui, évaluant à l'infini la
[somme
De ce que nul ne peut étreindre et
[concevoir,
Ressentiez cependant l'immen-
[sité d'être homme
Sous le dôme distrait et fascinant
[du soir,
Vous qui, toujours louant et
[maudissant la terre,
Lui prodiguiez sans cesse un
[amour superflu,
Et qui vous étonniez de rester
[solitaire
Comme un rocher des mers à
[l'heure du reflux,
Soyez bénis, porteurs d'infinis
[paysages,
Esprits pleins de saisons, d'espace
[et de soupirs,
Vous qui, toujours déments et
[toujours les plus sages,

Masquiez l'affreuse mort par
[d'éternels désirs!
Soyez bénis, grands cœurs où le
[mensonge abonde,
Successeurs enivrés et tristes du
[dieu Pan,
Vous dont l'âme fiévreuse et
[géante suspend
Un lierre frémissant sur les murs
[nus du monde!

Dégagez et étudiez les différents traits du lyrisme romantique indiqués dans ces vers. (C. A. Jeunes Filles, Lettres, 1950.)

8. Expliquez et discutez, en l'appuyant au besoin sur des exemples à votre choix, ce jugement de Madame de Staël :

« La littérature des Anciens est chez les modernes une littérature transplantée : la littérature romantique ou chevaleresque est chez nous indigène, et c'est notre religion et nos institutions qui l'ont fait éclore.... La littérature romantique est la seule qui soit susceptible encore d'être perfectionnée, parce qu'ayant ses racines dans notre propre sol, elle est la seule qui puisse croître et se vivifier de nouveau; elle exprime notre religion; elle rappelle notre histoire; son origine est ancienne, mais non antique. » (Bac.)

9. « Le romantisme n'est précisément ni dans le choix des sujets ni dans la vérité exacte, mais dans la manière de sentir.... Pour moi le romantisme est l'expression la plus récente, la plus actuelle du Beau.... Il faut donc, avant tout, connaître les aspects de la nature et les situations de l'homme, que les artistes du passé ont dédaignés ou n'ont pas connus. Qui dit romantisme dit art moderne — c'est-à-dire intimité, spiritualité, couleur, aspiration vers l'infini, exprimées par tous les moyens que contiennent les arts. »

(Baudelaire, *Salon de* 1846.)

10. « Il n'y a que le vraisemblable qui touche dans la tragédie », déclare Racine dans la préface de *Bérénice.* Au sujet des unités de temps et de lieu, Hugo écrit dans la préface de *Cromwell* : « Ce qu'il y a d'étrange, c'est que les routiniers prétendent appuyer leur règle des deux unités sur la vraisemblance, tandis que c'est précisément le réel qui la tue. » En prenant des exemples dans le théâtre (ou le roman) du XVIIᵉ siècle vous essaierez de montrer ce que les classiques entendaient par vraisemblance et quelles exigences elle leur imposait. Vous indiquerez ensuite pour quelles raisons les romantiques attachaient moins de prix à cette vraisemblance. (C. E. L. G. Besançon, juin 1952.)

11. « Le classicisme est l'art d'exprimer le plus en disant le moins. C'est un art de pudeur et de modestie. Chacun de nos classiques est plus ému qu'il ne le laisse paraître d'abord. Le romantique, par le faste qu'il apporte dans l'expression, tend toujours à paraître plus ému qu'il ne l'est en réalité, de sorte que, chez nos auteurs romantiques, sans cesse le mot précède et déborde l'émotion de la pensée. » (A. Gide, N. R. F., févr. 1910.)

12. « L'écrivain classique est celui qui ne dépense pas tout ce qu'il possède, qui n'entreprend pas plus qu'il ne peut, qui ne parle pas plus haut que sa voix ne le lui permet, qui garde toujours des réserves, qui se contient, se fixe des règles et les observe. Le romantique est celui en revanche qui non seulement dépense tout ce qu'il a, mais encore se prodigue et s'endette. » (G. Duhamel, *Défense des Lettres*, Mercure de France, édit.)

Chapitre X

LE RÉALISME

28

Commentez cette page d'Albert Camus :

« L'art formel et l'art réaliste sont des notions absurdes. Aucun art ne peut refuser absolument le réel. La Gorgone est sans doute une créature purement imaginaire ; son mufle et les serpents qui la couronnent sont dans la nature. Le formalisme peut parvenir à se vider de plus en plus de contenu réel, mais une limite l'attend toujours. Même la géométrie pure où aboutit parfois la peinture abstraite demande encore au monde extérieur sa couleur et ses rapports de perspective. Le vrai formalisme est silence. De même, le réalisme ne peut se passer d'un minimum d'interprétation et d'arbitraire. La meilleure des photographies trahit déjà le réel, elle naît d'un choix et donne une limite à ce qui n'en a pas. L'artiste réaliste et l'artiste formel cherchent l'unité où elle n'est pas, dans le réel à l'état brut, ou dans la création imaginaire qui croit expulser toute réalité. Au contraire, l'unité en art surgit au terme de la transformation que l'artiste impose au réel. Elle ne peut se passer ni de l'une ni de l'autre. Cette correction, que l'artiste opère par son langage et par une redistribution d'éléments puisés dans le réel, s'appelle le style et donne à l'univers recréé son unité et ses limites. »

(*L'Homme révolté*, pp. 332-333.)

RÉFLEXIONS PRÉLIMINAIRES

1. *Se méfier des textes longs : isoler quelques phrases ou quelques mots essentiels pour chercher la direction fondamentale de la pensée. Ici :* « *art* formel, *art* réaliste, *refuser le* réel, *le vrai* formalisme *est silence, le* réalisme *ne peut se passer d'*interprétation ». *Et surtout, bien montrer l'importance des termes :* « unité *en art,* transformation, style ».

2. *Camus, en apparence, tient la balance égale entre le formalisme et le réalisme, mais nous éviterons de le suivre trop docilement dans cette antithèse quelque peu scolastique et nous centrerons surtout le devoir sur sa conception de l'art : la* recréation d'un univers. *On sent en effet que la sympathie de Camus va vers la conception la plus ambitieuse de l'art : donner des lois au monde.*

3. *Quelques contresens à éviter : au lieu de « art formel et art réaliste », il ne faut pas lire « art imaginaire et art réaliste », ou bien « art idéaliste et art réaliste ». Par art formel, Camus entend quelque chose d'assez précis, bien connu de ceux qui suivent le mouvement littéraire contemporain : art qui se joue de ses formes et qui utilise ses matériaux (son, couleur, mots, etc.) non par référence au réel, mais par rapport à des raisons internes.*

4. *Le « style » ne concerne pas strictement le langage, mais une allure générale qui caractérise un auteur aussi bien dans son rythme, les atmosphères qu'il crée, etc... que dans sa langue : si l'on dit d'un personnage qu' « il a un style balzacien », on ne veut pas seulement dire qu'il parle comme un personnage de Balzac. Au fond, Camus pense à cette idée familière à tous les critiques : chaque auteur vraiment original crée un climat qui lui est propre. Par exemple, Racine est le modèle de Voltaire poète tragique et pourtant l'un crée une atmosphère et l'autre ne nous envoûte pas, nous laisse extérieurs à ses créations. Pourquoi? parce qu'il y a un « style racinien » (style des personnages, des passions, etc...), tandis qu'il n'y a pas de « style voltairien ».*

5. *Il importe d'en appeler avec précision à l'histoire littéraire : si l'on fait remarquer avec juste raison que le réalisme le plus intégral ne disperse jamais ses moyens et que, même s'il reproduit la vie, il la concentre en vue d'un effet déterminé, on devra préciser qu'un des grands manifestes du réalisme, la Préface de* Pierre et Jean *(1888) de Maupassant, est entièrement en accord avec cette objection. Cela est à noter, car le réalisme français a toujours senti ses propres limites. La connaissance de l'histoire littéraire évitera donc d'attaquer comme absurde un réalisme qui n'a jamais existé. Même Zola prétend dégager des lois sociales de ses romans, c'est-à-dire donner une unité au réel : l'art « tranche de vie », l'art « épaisseur de réalité » n'a jamais été vraiment français. Le réaliste français (comme, du reste, certains réalistes étrangers) est toujours soucieux (au fond, en bon classique!) d'une thèse à démontrer, ou tout au moins, comme chez Maupassant, d'un effet unique à produire. E. Jaloux est de cet avis, quand il écrit : « Avoir lu Dickens, c'est avoir vécu une autre vie que la sienne. J'ai lu Stendhal, J.-P. Richter, Dostoïevski, d'Annunzio : ce sont des actions de l'esprit. Cela n'a rien à voir avec le fait bizarre que j'ai habité avec Florence Dombey la maison du Petit Aspirant de Marine, que j'ai serré les mains froides et gluantes de Uriah Heep.... » A la fin du XIXᵉ siècle, le roman russe tente d'exercer une nouvelle influence dans le sens du vrai réalisme. Melchior de Vogüé révèle* Anna Karénine, La Guerre et la Paix, *ces immenses œuvres, sans composition* *apparente, mais qui, par la densité du récit, plongent dans une « épais-seur de réalité ». A quel point cet art était contraire au génie français, le* Manifeste des Cinq *(paru dans* Le Figaro *du 18 août 1887) en fournit la preuve : cinq disciples de Zola (Lucien Descaves, Paul Margueritte, Gustave Guiches, G.-H. Rosny, Paul Bonnetain) s'y désolidarisent de leur maître, après la publication de* La Terre, *et protestent contre la « littérature putride » du naturalisme. On remar-quera à ce propos que l'expression « réalisme » a été peu revendiquée par les romanciers du XIXe siècle. C'est un auteur peu connu, Champ-fleury (il publie en 1857 un ouvrage intitulé* Le Réalisme *et com-prenant des textes écrits de 1853 à 1857), qui lance cette expression (voir là-dessus la* Petite histoire des grandes doctrines littéraires en France *de Ph. Van Tieghem, pp. 219-222). Mais Flaubert refuse le terme. « La forme extrême de la doctrine flaubertienne serait une œuvre romanesque de pure forme où le contenu matériel donné par l'observation serait aboli ou ne serait qu'un prétexte, une occasion de style au sens le plus large du mot, harmonie des mots et de la construction; « ce livre sur rien » que Flaubert imaginait en contem-plant sur un mur de l'Acropole le simple jeu de la lumière, roman purement abstrait dont toute la beauté serait un rapport de teintes et de lignes et résiderait dans la construction et l'éclairage. Le pur artiste prend alors, en Flaubert, le pas sur le réaliste » (Ibid., p. 227).*

6. *Plus difficile est de trouver des références littéraires à ce que Camus appelle le formalisme. Le mieux serait de se référer à de purs « artistes » et Flaubert fournirait un exemple de choix pour ces jeux qui mènent du réalisme au formalisme. Mais Camus pense d'une façon plus générale à cette tentation de la littérature moderne depuis le XIXe siècle de purifier le matériel verbal de l'écrivain pour en tirer des ressources inattendues, en somme à ce qui aboutit à la tentative de Mallarmé, soutenant qu'on fait de la poésie avant tout avec des mots. Là encore, si on raisonne sur Mallarmé (Camus y invite un peu avec sa réflexion : « le vrai formalisme est silence », qui fait songer à la « page blanche » de Mallarmé), il faut essayer de le connaître avec une certaine préci-sion et ne pas se borner à quelques banalités inexactes; il a lui-même résumé son esthétique dans son recueil* Divagations *(1897). On remarquera à ce propos que les écrivains dits « formalistes » visent en fait la plupart du temps une réalité supérieure et profonde. Par exemple Mallarmé rêve, dit M. Castex, « d'emprisonner dans le langage le pouvoir irradiant de l'idée pure dont les formes sensibles sont, croit-il, des émanations ».*

7. *Enfin la position même à laquelle se rattache Camus mérite aussi d'être appuyée sur autre chose que de vagues généralités esthétiques. En effet la théorie de l'artiste « recréateur du monde » a derrière elle une lignée, notamment romanesque, tout à fait importante : tous les romanciers de la lignée de Balzac, qui unissent réalisme et volonté de créer un monde. Il n'est certes pas interdit de tenir compte des romans de Camus lui-même (*L'Étranger, La Peste*) et de démontrer en quoi ces œuvres ont puisé dans le réel, tout en l'unifiant : elles sont*

REMARQUES POUR UN PLAN ─────────────────────

Le problème posé (art réaliste et art imaginatif) est voisin du précédent. Toutefois on notera que :

1. La date invite à une synthèse moins vaste : en 1859, Baudelaire ne peut penser, quand il parle de copie de la nature, qu'à Champfleury, à Duranty et à Murger; dans une certaine mesure à Flaubert, mais surtout aux peintres et notamment à Courbet.

Les dates essentielles sont :

1847 : Débuts du *Corsaire Satan* (revue qui groupe les premiers réalistes).

1851 : *Scènes de la Vie de bohème*, de Murger (ce roman est plus sentimental que réaliste, mais il est par la suite rattaché à l'école).

1852 : *Les Excentriques*, de Champfleury.

1853 : *Les Aventures de Mariette*, de Champfleury.

1855 : *Les Bourgeois de Molinchard*, de Champfleury.

1857 : *Le Réalisme*, manifeste de Champfleury (ce dernier dirige avec Duranty la revue *Le Réalisme*).

1860 : *Le Malheur d'Henriette Gérard*, de Duranty.

Duranty considère *Madame Bovary* (1857) comme une déformation bourgeoise du réalisme.

Baudelaire, très féru de questions d'art, songe à Courbet et à ses œuvres retentissantes :

1851 : *L'Enterrement à Ornans* (tableau).

1855 : Courbet, exclu de l'Exposition universelle, ouvre une exposition particulière de ses œuvres et, dans une sorte de catalogue-prospectus, livre un manifeste du réalisme en art.

1856 : *Les Demoiselles des bords de la Seine* (tableau).

On s'appuiera donc avant tout sur les problèmes posés par le réalisme des années 1850-1860 en n'utilisant qu'avec la plus grande précaution l'évolution ultérieure de l'école, que Baudelaire ne connaît pas encore.

2. *Les mots « imaginatif », « fantaisie » ont un sens assez particulier* sous la plume de Baudelaire. Alors que Camus attire surtout l'attention sur les problèmes du formalisme, Baudelaire oriente essentiellement l'art vers un approfondissement de la spiritualité. Pour qui se rappelle sa fameuse définition : « Qui dit romantisme dit art moderne — c'est-à-dire intimité, spiritualité, couleur, aspiration vers l'infini, exprimées par tous les moyens que contiennent les arts » (*Curiosités esthétiques : Salon de* 1846), il semble difficile de croire qu'il fait l'éloge de l'imagination désordonnée, celle qui invente des histoires extraordinaires, sans signification. A cet égard, l'expression « monstres de ma fantaisie » est un peu équivoque.

3. *Le rêve qui se réalise*, voilà, selon Baudelaire, l'œuvre d'art : pour
lui, l'embryon de celle-ci, c'est une image purement intérieure, une
intuition de la conscience. Cette image devient dominante, s'impose, s'enrichit au besoin de ce que le monde extérieur fournit.
Tel est le mécanisme des poèmes intitulés *La Vie antérieure*,
L'Homme et la mer, *La Chevelure*, *Rêve parisien*, etc.... C'est là
une conception assez différente de la conception classique, où l'on
part de la nature et où les raffinements de l'art, ses prestiges permettent de transfigurer le réel. Pour Boileau :

> « Il n'est point de serpent ni de monstre odieux,
> Qui, *par l'art imité*, ne puisse plaire aux yeux. »
> *(Art poétique*, III, vers 1-2.)

Pour Baudelaire, la nature doit être retrouvée au fond de son âme.
On pourra d'ailleurs y rencontrer un réalisme aussi violent que
dans la simple observation du monde extérieur, mais c'est seule
l'image intérieure qui compte, comme dans *La Charogne*, dans *Le
Mort joyeux*, dans *Les sept vieillards*. Ce dernier poème est particulièrement caractéristique : en première analyse on pourrait
croire qu'il s'agit d'un croquis parisien, pittoresque et réaliste ;
mais c'est au fond de l'âme de l'auteur qu'est l'image, qu'elle a
sa signification, obsédante et inquiétante. On voit à ce propos
combien les accusations de réalisme outrancier portées contre
Baudelaire ont pu être mal fondées.

4. Ces précautions prises, on pourra montrer les dangers de la position de Baudelaire, de cet *art qui tourne le dos à la vie*, comme a
l'air de l'insinuer sa formule finale : toutes les portes sont un peu
trop ouvertes par elle aux œuvres gratuites, aux œuvres de pure
compensation (ce que la vie n'apporte pas à l'artiste, il le mettra
dans son art). Ses imitateurs ne seront pas sans tomber dans ces
défauts ; de là cet aspect parfois un peu agaçant du symbolisme,
où l'on voit des poètes comme Samain, à la vie d'employé fort
médiocre, se livrer dans leurs vers à des débauches d'extase,
de langueur, d'imagination voluptueuse et quintessenciée, assez
puériles. Sans doute Baudelaire, pour son compte, garde toujours
un âpre et ardent contact avec la réalité, ce qui sauve sa poésie
de toute facile et mièvre gratuité, mais il faut bien reconnaître
que ses formules ne sont pas sans danger et préparent tout un
mouvement idéaliste qui, de Fromentin à Alain-Fournier, laissera
quelques grandes œuvres certes, mais aussi beaucoup d'artifice
(voir la peinture de Gustave Moreau, qui donne bien une idée des
somptuosités un peu gratuites de l'idéalisme issu de Baudelaire
à la fin du xixᵉ siècle).

SUJETS PROPOSÉS

1. « Le temps est passé du Beau. L'humanité, quitte à y revenir, n'en a que faire pour le quart d'heure. Plus il ira, plus l'Art sera scientifique, de même que la science deviendra artistique; tous deux se rejoindront au sommet après s'être séparés à la base. Aucune pensée humaine ne peut prévoir maintenant à quels brillants soleils psychiques écloront les œuvres de l'avenir. En attendant nous sommes dans un corridor plein d'ombres, nous tâtonnons dans les ténèbres. Nous manquons de levier; la terre nous glisse sous les pieds, le point d'appui nous fait défaut à tous, littérateurs et écrivailleurs que nous sommes. »

Que pensez-vous de ces lignes extraites d'une lettre de Flaubert à Louise Colet (24 avril 1852)? Quel intérêt présentent-elles pour la connaissance de l'état d'esprit des romanciers réalistes?

2. Que pensez-vous de cette définition de Baudelaire : « Un certain procédé littéraire appelé *réalisme*, — injure dégoûtante jetée à la face de tous les analystes, mot vague et élastique qui signifie pour le vulgaire, non pas une méthode nouvelle de création, mais une description minutieuse des accessoires »? (*Art romantique*, article sur *Madame Bovary*.)

3. Dans son roman *L'Œuvre*, Émile Zola présente dans la personne du romancier Sandoz, le type de l'écrivain naturaliste. Or Zola prête à son héros cette déclaration (citée par R. Lalou, *Histoire de la littérature française contemporaine*, tome I, p. 51) : « Oui, notre génération a trempé jusqu'au ventre dans le romantisme et nous avons eu beau nous débarbouiller, prendre des bains de réalité violente, la tache s'entête. » Quelles perspectives vous ouvre cette phrase sur le roman réaliste et naturaliste?

4. Étudiez ce jugement de Thibaudet (*Histoire de la littérature française*, p. 360) : « Quand on l'a débarrassé des théories que tentèrent, avec modération d'ailleurs, Champfleury et Duranty d'une part, les Goncourt d'autre part, quand on examine librement les œuvres et les hommes, on constate que le réalisme a consisté surtout : 1° dans un fait, raconter des histoires réelles, c'est-à-dire des histoires qui sont arrivées à l'auteur, aux amis et aux amies de l'auteur; 2° dans une carence, celle de l'imagination romanesque. L'un n'est d'ailleurs que le revers de l'autre. »

5. Commentez cette affirmation de Ph. Van Tieghem : « Sans doute le tempérament foncièrement artiste de Flaubert et des Goncourt a permis la survivance de l'art, et du plus subtil, dans l'œuvre de l'observateur. Mais le Naturalisme marque la pointe extrême de la tendance qui donne comme but à l'écrivain le vrai plutôt que le beau. En fait, ce *vrai*, que tous nos classiques avaient déjà pris comme objet, sera le vrai relatif, non le vrai absolu; depuis Balzac jusqu'à Zola, l'objet du romancier réaliste, puis naturaliste, sera l'incidence des circonstances sur le fond permanent de l'humanité. On comprend que l'idée de loi scientifique se soit dégagée de la considération de ces rapports. » (*Petite Histoire...*, p. 234.)

6. Étudiez ces lignes de Zola dans son **essai** sur *Le Roman expérimental :* « Le romancier est fait d'un observateur et d'un expérimentateur. L'observateur, chez lui, donne les faits tels qu'il les a observés, pose le point de départ, établit le terrain solide sur lequel vont marcher les personnages et se développer les phénomènes. Puis l'expérimentateur paraît et institue l'expérience, je veux dire fait mouvoir les personnages dans une histoire particulière pour y montrer que la succession des faits y sera telle que l'exige le déterminisme des phénomènes mis à l'étude. »

7. Expliquez et discutez cette phrase de Maupassant extraite de la **Préface** de *Pierre et Jean :* « Le réaliste, s'il est un artiste, cherchera non pas à nous donner la photographie de la vie, mais à nous en donner la vision plus complète, plus saisissante, plus probante que la réalité même. »

8. « L'immense classe des artistes, c'est-à-dire des hommes qui sont voués à l'expression du beau, peut se diviser en deux camps bien distincts. Celui-ci, qui s'appelle lui-même *réaliste*, mot à double entente et dont le sens n'est pas bien déterminé, et que nous appellerons, pour mieux caractériser son erreur, un *positiviste*, dit : « Je veux représenter les choses telles qu'elles sont, ou telles qu'elles seraient, en supposant que je n'existe pas. » L'univers sans l'homme. Et celui-là, l'imaginatif, dit : « Je veux illuminer les choses avec mon esprit et en projeter le reflet sur les autres esprits. » (Baudelaire, *L'Art romantique*, article sur l'œuvre et la vie d'Eugène Delacroix.)

N.B. Pour élargir l'étude de la question abordée dans le présent chapitre, on pourra se reporter à la liste des sujets proposés à la fin du chapitre III, n°s 8 à 13.

Chapitre XI

LE SYMBOLISME

30

SUJET

Après avoir écrit : « Au même Baudelaire appartient une autre initiative. Le premier parmi nos poètes, il subit, il invoque, il interroge la Musique... », Paul Valéry affirme : « Ce qui fut baptisé : le *Symbolisme,* se résume très simplement dans l'intention commune à plusieurs familles de poètes (d'ailleurs ennemies entre elles) de *reprendre à la Musique leur bien.* » (*Variété I,* Avant-propos à « La connaissance de la Déesse », pp. 95 et 97. Valéry pense à la phrase où Mallarmé parle d'un art capable « d'achever la transposition, au livre, de la symphonie ou uniment de *reprendre notre bien* ».)
Vous commenterez cette affirmation.

RÉFLEXIONS PRÉLIMINAIRES ─────────

1. *Un tel genre de sujet peut paraître hors du propos du présent manuel, où nous écartons délibérément l'étude des thèmes chez les écrivains ou dans les Écoles. Ce n'est qu'une apparence : en effet, il s'agit ici plus de réfléchir sur l'essence de la poésie à propos de ses analogies avec la musique que de traiter de la musique chez les Symbolistes (étude qui conviendrait plutôt à un mémoire ou à une thèse qu'à une dissertation).*

2. *Le mot de Valéry est loin d'inviter à un parallèle pur et simple entre la poésie et la musique. La formule finale, d'après laquelle les poètes reprennent à la musique leur bien, lui donne une tout autre portée. On attendrait plutôt en effet de lire que les poètes symbolistes ont demandé à la musique ce qui était son bien pour l'introduire dans la* *poésie (telle est l'idée couramment reçue sur « le Symbolisme et la musique »). Le texte de Valéry, plus subtil et plus original, implique :*

● *l'existence* d'un très ancien conflit, *chaque art voulant empiéter sur le domaine de l'autre et considérant qu'il a à se défendre contre une confusion des domaines : en d'autres termes, la musique a toujours tendance à considérer qu'elle est la poésie par excellence, et la poésie qu'elle est l'accomplissement dernier de la musique;*

● *une assez* curieuse conception de la musique romantique, *qui, d'après Valéry,* « avait recherché les effets de la littérature », *c'est-à-dire surtout l'expression violente de la passion, ce qui, pense Valéry, n'est pas par essence son domaine. Ainsi, pour lui, écrire une Sonate Appassionata, comme le fait Beethoven, c'est prendre à la littérature son bien;*

● *enfin la conviction implicite que la poésie est* en droit *plus large que la musique ou plus exactement qu'il y a dans la musique des éléments que la poésie, pour être tout à fait elle-même, se doit de récupérer.*

3. Méthode de composition : *La pensée de Valéry se plaçant à la limite de l'histoire littéraire et de l'analyse esthétique, on tâchera d'en respecter la souplesse en étayant d'abord sur le plan historique l'affirmation un peu surprenante qui concerne Baudelaire :* « Le premier parmi nos poètes, il subit, il invoque, il interroge la musique. » *Bien préciser en quel sens Valéry entend les expressions* « subir, invoquer, interroger la musique ». *Ensuite, aller à l'essentiel en dégageant ce qui, dans l'essence profonde du Symbolisme, est musical, est vraiment une récupération sur le domaine de la musique. Enfin il faudra nuancer abondamment une affirmation qui reste, malgré tout, un peu sommaire et assez dogmatique. On marquera bien les deux directions très différentes où s'engagent les poètes symbolistes quand ils veulent annexer le domaine musical : celui-ci est tour à tour le monde intérieur de l'inconscient, saisi dans la durée pure des sons, et la reconstitution, par les puissances symphoniques, du Monde, du « Cosmos », dans toutes ses Correspondances, dans sa profonde unité. Autrement dit, on ne saurait parler d'un « bien » unique : reprendre son bien à Schumann ou le reprendre à Wagner, ce n'était pas du tout, pour un Symboliste, la même chose. Valéry le suggère, quand il parle de ces* « familles de poètes ennemies entre elles ».

4. *Pour une discussion, on montrera que les difficultés mêmes de la formule de Valéry sont un peu les difficultés du Symbolisme : celui-ci, qui était à l'origine découverte de l'Inconnu, s'épuise et s'amenuise dans des recherches formelles de fusion des arts. On peut donc reprocher à Valéry, malgré la référence à Baudelaire, d'attirer beaucoup plus l'attention sur le Symbolisme des années 1886 et suivantes que sur l'art des grands maîtres et initiateurs.*

DÉVELOPPEMENT ─────────────────

Introduction.

Musique, poésie, deux termes qui ont toujours été rapprochés au point de sembler parfois confondus. Dans l'Antiquité grecque, c'est une même expression (la « lyrique ») qui désigne la poésie et le chant, et inversement la « musique », c'est d'une façon très ample l'art des Muses, pas seulement celui des sons. En latin *carmen*, c'est le chant envoûtant et c'est le poème. Au Moyen Age, nombreux sont les poèmes à forme fixe dont le nom suggère leur accompagnement musical ou chorégraphique (chant royal, chanson de toile, ballade, rondeau, etc.). Aussi sommes-nous un peu surpris de lire sous la plume de Valéry que Baudelaire est le premier de nos poètes qui « subit, invoque, interroge la Musique ». Bien plus, généralisant à tout le Symbolisme cette proposition, Valéry ajoute : « Le *Symbolisme* se résume très simplement dans l'intention commune à plusieurs familles de poètes (d'ailleurs ennemies entre elles) de *reprendre à la Musique leur bien.* » Que veut-il dire exactement? En quoi consiste cette initiative musicale? Est-elle aussi simple que Valéry a l'air de l'imaginer? Ne met-il pas l'accent sur l'une des difficultés essentielles du Symbolisme, sans, par ailleurs, réussir à caractériser totalement celui-ci? Telles sont les questions que soulève ce jugement péremptoire.

I. Y a-t-il initiative musicale du symbolisme?

Bien qu'historiquement la thèse de Valéry soit étonnante, elle s'explique si l'on comprend bien ce qu'il veut dire et si l'on fait attention à la formule finale relative aux poètes qui « reprennent à la musique leur bien ». Il va de soi que les cas un peu faciles de la poésie descriptive, celle qui relève du fameux *Ut pictura poesis* d'Horace, ou de la poésie plastique à la manière de Théophile Gautier ou de Leconte de Lisle ne se posent pas, car leur domaine n'a évidemment rien de commun avec celui de la musique : chacun chez soi! Valéry, quand il laisse entendre qu'il y a eu confusion des domaines, pense plus subtilement à la conception ornementale, oratoire et sentimentale de la poésie.

1. **La poésie ornementale** (conception classique et néo-classique des xviie et xviiie siècles). Il s'agit de traduire une idée d'une façon *harmonieuse*, cadencée, imagée, etc., bref musicale. En ce cas, une confusion des domaines s'établit, puisque le poète, étant donné telle ou telle parole à exprimer, doit l'*orner par l'harmonie*, besogne tout à fait analogue à celle de l'auteur d'un opéra qui *orne* les paroles qu'un librettiste lui fournit. On remarquera du reste que, si le poète fait souvent un travail musical, le musicien fait souvent un travail poétique, puisque lui aussi, au lieu de faire de la musique pure, fait souvent de la musique ornementale

(d'où en particulier la vogue de l'opéra aux époques classiques : dans l'opéra italien, le morceau par excellence, c'est « le grand air », qui relève d'une conception ornementale de la poésie et de la musique). Devant cette situation, le poète sera un jour ou l'autre tenté de récupérer son domaine propre, de « reprendre à la musique son bien ».

2. **La poésie oratoire, pathétique et sentimentale** (conception romantique). Avant que soit tentée cette distinction des domaines qui sera la besogne par excellence des Symbolistes, la confusion ne fait que s'accroître à l'époque romantique. La poésie devient sans doute plus personnelle et plus passionnée, mais la musique, qui prend son bien à la littérature, suit le mouvement. Elle se charge de la violence des sentiments (amour, désespoir, etc.) et garde de ce contact avec la littérature un caractère volontiers oratoire et déclamatoire, très apparent, par exemple, dans les opéras de Verdi. Valéry pense également à Berlioz : « Par Berlioz, dit-il, la musique romantique avait recherché les effets de la littérature. »

On voit donc que ce serait un grave contresens de croire que, pour Valéry, il n'y ait eu aucun rapport entre musique et poésie avant Baudelaire. Mais, pense-t-il, avant Baudelaire, il y avait la plus extrême *confusion* entre les deux domaines, poétique et musical, et plutôt *influence des littérateurs sur les musiciens* que l'inverse.

On pourrait sans doute lui objecter qu'un Théophile Gautier avait mis à la mode les transpositions d'art (voir sa *Symphonie en blanc majeur* dans *Émaux et Camées*), avait utilisé l'air du *Carnaval de Venise* dans le poème qui porte ce titre, qu'antérieurement un Musset avait suggéré l'Espagne, ses chansons et ses guitares. En réalité, on ne peut pas parler là d'influences profondes, mais d'un simple goût du pittoresque. Ni les uns ni les autres ne subissaient, n'invoquaient, n'interrogeaient la musique.

II. *Invoquer, interroger, subir la musique, est-ce là l'essence du symbolisme?*

Quelle que soit la définition que l'on propose du Symbolisme, il est incontestable que, dès le début, dès l'article de Baudelaire sur Théophile Gautier, cette École, ou plutôt cette tendance qu'on n'appelle pas encore le Symbolisme, cherche à retrouver la notion de poésie dans toute sa pureté et aussi dans toute son extension. Dans cette quête, pour toute une série de raisons, le Symbolisme rencontre la musique.

1. **La poésie pure.** Baudelaire, Mallarmé, Valéry sont en accord absolu sur cette question : tout ce que l'on pourrait aussi bien dire, expliquer, exprimer en prose n'est pas poétique. La poésie, c'est ce qui reste quand on a éliminé tout ce qu'on peut traduire

en prose (sur cette question, voir : Baudelaire, article cité ci-dessus; Mallarmé, *Crise de vers;* Valéry, notamment contexte du passage à commenter; abbé Bremond, *La poésie pure* : cf. IIIe Partie, ch. xiii, sujet proposé n° 37). Bien entendu, cette poésie pure n'est qu'une limite inaccessible tant qu'on se sert des mots. Mais *cette limite,* beaucoup de symbolistes inclinent à croire que *c'est précisément la musique.* L'esthéticien anglais, Walter Pater, très admiré des Symbolistes, écrivait que « tous les arts aspirent à rejoindre la musique ». En effet quand on exclut de n'importe quel art tout ce qui est didactique, tout ce qui est matière, on trouve une pure harmonie, voisine de la musique (voir par exemple l'architecture, si chère à Valéry : quand on chasse du monument tout ce qui est utilité, pesanteur, pierres mortes, etc., il subsiste de pures harmonies d'ordre quasi musical). Précisément, le but par excellence du poète symboliste, c'est d'atteindre avec des mots de plus en plus légers, de plus en plus impalpables, de plus en plus réduits à leur pure puissance incantatoire, sinon la musique, au moins le degré de pureté de l'art musical : on pense naturellement à Verlaine, à cette musique qu'il réclame « avant toute chose », à cet Impair « sans rien en lui qui pèse ou qui pose ».

2. Les suggestions de la vie profonde. Mais, objectera-t-on, cet art désincarné et ainsi allégé ne présente plus aucun rapport avec la vie. En fait, à ce degré de pureté, l'art, qu'il soit musical, poétique, ou autre, se borne à suivre et à suggérer les mouvements mêmes de la vie inconsciente. D'une façon plus générale, musique ou poésie pure sont des arts « de participation » et non de représentation. Plus simplement, ils ne sont que pure durée et *sont* la vie intérieure de celui qui les compose et de celui qui les écoute. On reconnaît là un idéal tout à fait symboliste, celui que l'on peut sommairement appeler l'idéal de la suggestion, en prenant bien garde toutefois que la suggestion n'est pas nécessairement la subjectivité et que le flux poétique ou musical ne suggère pas *n'importe quoi.* A ce sujet notamment Baudelaire insiste beaucoup : entendant l'ouverture de *Lohengrin,* il prétend trouver bien des traits communs dans les analyses qu'en proposent le programme du Théâtre Italien, le musicien Liszt et lui-même. Sans doute les « impressions », comme on dit improprement, ne sont pas les mêmes, mais elles émanent d'un registre commun que Baudelaire définit par l'isolement, une lumière qui grandit et diminue ensuite, une sensation d'espace et de béatitude. C'est que la musique, comme la poésie, donne accès, par-delà le monde intérieur, à un univers mythique et mystique. Musique et poésie sont des instruments de pénétration du monde, « d'opération spirituelle, de révélation ».

3. La musique et les « Correspondances ». Comment s'explique ce mystérieux pouvoir des mots ou des sons, indépendamment bien entendu de leur valeur signifiante? C'est ici que la réflexion

sur la musique va nous mener au cœur même du Symbolisme :
les sons ne sont pas un phénomène isolé; dans le monde des
Correspondances, tout se tient : « Les parfums, les couleurs et les
sons se répondent. » Et même peut-on penser que les sons, qui
sont moins nécessairement représentatifs que les couleurs, sont
un moyen de choix pour pénétrer au cœur de cet Univers unifié.
Très souvent c'est une mélodie qui crée l'unité d'un poème baude-
lairien, tel l'air de violon qui domine *Harmonie du soir :*

« Les sons et les parfums tournent dans l'air du soir....
Le violon frémit comme un cœur qu'on afflige. »

Il est plus délicat de se servir des mots proprement dits, car on a
toujours tendance à accorder la primauté à leur sens; mais certains procédés d'audition colorée, tels que les suggère le fameux
sonnet des *Voyelles* de Rimbaud, permettent de les utiliser comme
clef pour l'unité mystique d'un univers qu'il s'agit de déchiffrer.
Sans aller si loin, parler des grands bois amènera à évoquer l'orgue,
citer certains grands peintres fera invinciblement penser à certains musiciens (Baudelaire voit un rapport évident entre Delacroix et Weber, entre Watteau et un air de valse). Mais la Correspondance la plus fréquente dans *Les Fleurs du Mal* est celle
de la musique et de la mer (voir le poème intitulé *La Musique*),
parfois par l'intermédiaire des grottes marines et des orgues
basaltiques (voir le sonnet *La Vie antérieure*). Dans le jeu subtil
des Correspondances, des Symboles et des Analogies, la musique
permet de multiples passages.

Bref, les Symbolistes sont littéralement hantés par la musique :
celle-ci est l'asymptote de toute « poésie pure », elle est l'art de
la suggestion et de la durée par excellence. Enfin, naturellement
idéaliste, elle est un moyen de choix pour faire sentir l'idéalité
du monde; à la fois immédiate et transcendante, tombant sous
les sens sans aucun effort et pourtant stimulant l'esprit et l'imagination, elle est une merveilleuse source de symboles : les poètes
symbolistes tireront des effets surprenants des violons, des cloches
des voix. Quoi de plus étrange, par exemple, que l'inflexion d'une
voix :

« Et, pour sa voix, lointaine, et calme, et grave, elle a
L'inflexion des voix chères qui se sont tues. »
(Verlaine, *Mon rêve familier*, in *Poèmes saturniens.*)

Pourtant ils n'abdiquent jamais devant la musique, ils engagent
la lutte avec espoir et orgueil : leur bien, pensent-ils, c'est la
musique qui l'a pris, il ne tient qu'à eux de le récupérer.

III. *Les familles de poètes ennemies entre elles.*

Examinons donc sur quel plan les poètes symbolistes vont engager
la lutte; parcourons rapidement ce domaine qu'ils accusent la
musique d'avoir usurpé à son profit exclusif; essayons d'étudier
les instruments et les résultats de leur lutte. Nous pouvons relever

deux directions essentielles, qui sont à la fois les deux directions essentielles du Symbolisme et les deux grandes tendances de l'art musical.

1. **La lutte avec le « mode mineur » (Verlaine) ou les suggestions de l'inconscient.** On distinguera :

a) *Les instruments avec lesquels le poète rivalise.* Ce sont de préférence des instruments isolés, indépendamment de l'orchestre ; par exemple, le violon, mais le violon de la musique de chambre ou mieux encore le violon des tziganes dans la rue, les « violons de l'automne » ; généralement des instruments anciens et un peu grêles : luth, clavecin, mandoline, ou un peu vulgaires : l'orgue de Barbarie, les hautbois ; ou des instruments qui n'en sont pas vraiment, comme la cloche, la voix humaine. Presque toujours ils chantent en sourdine, ils sont un accompagnement discret.

b) *Le but de cette musique.* Cette musique vise à suggérer les mouvements de l'inconscient, le flux de la vie immédiate et murmurée et plus particulièrement la nostalgie de *tout ce qui revient du passé.* Très souvent elle est liée au mythe symboliste de la vie antérieure (voir Baudelaire, *La Vie antérieure*, et Nerval, *Fantaisie :*

> « Un air très vieux, languissant et funèbre....
> Or, chaque fois que je viens à l'entendre,
> De deux cents ans mon âme rajeunit :
> C'est sous Louis XIII... »)

et à celui, non moins symboliste, du « vert paradis des amours enfantines » (Baudelaire entend les « violons vibrant derrière les collines »). Chez Verlaine, cet air du passé devient volontiers la chanson du remords :

> « Tout suffocant
> Et blême, quand
> Sonne l'heure,
> Je me souviens
> *Des jours anciens*
> Et je pleure. » (*Chanson d'automne*)

> « Dis, qu'as-tu fait, toi que voilà,
> *De ta jeunesse?* » (*Sagesse*)

ou la chanson des vagues regrets :

> « Il pleure sans raison
> Dans ce cœur qui s'écœure. » (*Ariette oubliée n° 3.*)

Le même Verlaine utilise abondamment ce « mode mineur » et cette chanson du passé pour évoquer les héros de ses *Fêtes galantes :*

> « Tout en chantant sur le *mode mineur*
> L'amour vainqueur et la vie opportune,
> Ils n'ont *pas l'air de croire à leur bonheur*
> Et leur chanson se mêle au clair de lune. »

Telle est incontestablement une des puissances de ce « mode mineur » : dire tout ce qui en nous est nostalgie, regrets, tout ce

qui peuple nos vagues rêveries, nos échecs et nos dégoûts, tout
ce qui aurait pu être et qui n'a pas été.

c) *Les moyens de la lutte.* Comment rivaliser avec cette puissance
de la musique? En aucun cas, bien sûr, il ne s'agira d'imiter par
les sonorités des mots les instruments et les airs correspondants,
du moins chez les plus grands des Symbolistes. On aura recours
à des substitutions habiles, ou, plus exactement, on cherchera
ce qui, dans les *ressources propres* de la poésie, lui permet d'obtenir
des effets aussi suggestifs : on empruntera beaucoup, par exemple,
aux chansons populaires, aux vieilles romances, aux ritournelles,
à toute la poésie de l'incantation primitive et spontanée. Ce procédé, Rimbaud a pu l'indiquer à Verlaine en écrivant : « J'aimais...
la littérature démodée, latin d'église, romans de nos aïeules,
contes de fées, petits livres de l'enfance, opéras vieux, refrains
niais, rythmes naïfs » (*Une Saison en Enfer. Délires, II : Alchimie
du Verbe*) et Verlaine l'a particulièrement développé (le titre seul
de *Romances sans paroles* est significatif et l'on peut se reporter
par exemple à « Tournez, tournez, bons chevaux de bois », in
Paysages belges, ou à « C'est le chien de Jean de Nivelle », in
Ariettes oubliées); il n'est du reste pas particulier au symbolisme
(Musset l'avait employé; voir la *Chanson de Barberine*) et connaîtra
une grande fortune jusqu'à nos jours par Moréas, Apollinaire,
Cocteau, etc. On évitera soigneusement les rythmes pairs trop
oratoires, trop nets, trop sonores. On préférera le rythme impair
et d'une façon générale les harmonies légèrement syncopées, plus
musicales parce qu'elles se prolongent davantage dans l'âme
du lecteur (cf. Baudelaire, *L'Invitation au Voyage*). On fuira le
continu, trop logique et trop facilement harmonieux, au profit
des effets disloqués de la musique impressionniste (voir Debussy,
Fauré). On proscrira tout ce qui pèse et tout ce qui pose, on
allégera au maximum, mais on laissera subsister, à la manière
de Wagner, certaines phrases mélodiques dont la répétition
créera l'obsession nécessaire à l'envoûtement du lecteur (voir
Romances sans paroles : « Dansons la gigue », in *Aquarelles,
Streets* I). Enfin, mais assez tardivement dans l'histoire du Symbolisme, on éprouvera péniblement les entraves du vers régulier :
Laforgue, G. Kahn mettront au point le vers libre qui, d'après
eux, suit beaucoup mieux le rythme de la mélodie intérieure que
les anciens mètres, trop oratoires. Bien qu'il ait été voué à une
histoire assez brève et assez insignifiante, le « verslibrisme »
peut être considéré comme l'extrême pointe de la lutte symboliste
pour prendre à la musique tous ses prestiges.

2. **La lutte avec le drame lyrique ou les puissances de synthèse.**
L'aspect de la lutte avec la musique que nous venons de définir
est le plus connu, mais n'est peut-être pas le plus important,
car il ne fait en somme que perfectionner l'élégie romantique
et ses « voix intérieures ». Mais le Symbolisme, s'il s'intéresse à
l'inconscient, entend toujours le dépasser. En creusant le moi,

il prétend trouver l'idéalité suprême, l'unité profonde du monde, mais, en cette voie aussi, la musique l'avait devancé. On peut dire que Wagner avec ses drames lyriques, avec ses grandioses synthèses a littéralement obsédé presque tous les grands poètes symbolistes.

a) *L'obsession de Wagner.* Dans cette voie qu'on peut appeler celle du mode majeur, Wagner est à lui tout seul l'idéal musical visé par la plupart des Symbolistes. Baudelaire déjà, dans son article sur *Richard Wagner et Tannhäuser à Paris* (8 avril 1861), définit le « bien » que les poètes entendent reprendre à Wagner, c'est-à-dire essentiellement le spectacle complet, choral, symphonique, à la fois dramatique et lyrique, symbolique d'un autre drame spirituel et cosmique qui se joue au niveau du monde entier. Il loue Wagner d'avoir supprimé, dans un concert donné à Paris en 1860, le solo d'instrument en faveur du chœur et, plus généralement, d'avoir fait prédominer les puissances complètes de l'art sur le « morceau de bravoure ». Wagner est l'artiste qui a réalisé un spectacle au niveau des anciens cultes, un spectacle où la musique n'est qu'un élément de la liturgie, comme la musique religieuse, si goûtée par le des Esseintes ou le Durtal de Huysmans, n'est qu'un élément de la Messe où Mallarmé voyait la « pièce » par excellence.

b) *L'ambition majeure du Symbolisme.* Quel était donc ce bien à reprendre à Wagner? Qu'est-ce qu'un poète pouvait jalouser dans le spectacle wagnérien? Traduire le monde entier dans un livre, telle est l'ambition majeure de Mallarmé et du Symbolisme : donner aux rapports entre les mots, les sonorités, etc., la puissance constructive et cosmique de la musique wagnérienne, voilà le rêve insensé dont s'enivraient les poètes de ce temps en sortant des spectacles de Wagner! On peut bien dire que les premières représentations de Wagner à Paris (1860) furent comme la bataille d'*Hernani* du Symbolisme. Non seulement Mallarmé voit son *Hérodiade* comme un drame lyrique dont il compose « l'Ouverture », non seulement il écrit son *Coup de Dés* comme une symphonie, mais des prosateurs même prétendent rivaliser avec l'immense orchestration wagnérienne : tel est notamment le dessein de Villiers de l'Isle-Adam dans *Axel*.

c) *Les moyens de la lutte.* Mais, pour être francs, les poètes symbolistes durent reconnaître la pauvreté de leurs moyens; quelque habile que soit l'agencement des mots, il peut difficilement produire des effets symphoniques : les dispositions typographiques du *Coup de Dés* furent un effort sans lendemain, malgré Apollinaire et ses *Calligrammes*. Aussi les symbolistes en furent-ils réduits à remarquer que Wagner pratiquait la synthèse des arts : il concevait lui-même sa musique, son texte, sa mise en scène, sa chorégraphie. Mais les symbolistes tombaient ici sur une fâcheuse contradiction, car ils affirmaient, d'une part, que la poésie par ses propres puissances pouvait conduire à un spectacle total, et, d'autre part, ils admettaient l'utilité de la synthèse des arts, ce qui était bien concéder que la poésie devait s'enrichir de la musique et de la danse (Baudelaire du reste le reconnaît quand, dans son article cité ci-dessus, il écrit à propos de Wagner : « Il lui fut impossible de ne pas penser d'une manière double : poétiquement et musicalement, l'un des deux arts commençant sa fonction là où s'arrêtent les limites de l'autre »; mais ses successeurs, souvent moins honnêtes, soutiendront que la poésie peut reproduire et même créer la totalité du monde). Pratiquement ils hésitèrent fort : il semble en général qu'ils aient refusé le concours des autres arts, quitte à n'enregistrer que des échecs dans cette ambition d'égaler par la seule poésie les effets de la grande musique. Ils ont sans doute eu tort, car, en collaboration avec des musiciens ou des danseurs, ils auraient pu nous proposer des spectacles de choix. Un des derniers venus parmi les symbolistes, Valéry, est toutefois l'auteur de livrets tels l'*Histoire d'Amphion* ou la *Sémiramis* destinée à la musique de Honegger et aux ballets de l'Opéra. Ces deux livrets nous permettent de pressentir ce qu'aurait pu être un effort symboliste dans ce sens : ces poètes auraient pu devenir de très grands créateurs de mythes et nous laisser des œuvres complètes au lieu des « débris épars de leur grand jeu », comme dirait le même Valéry. Ainsi le Symbolisme enregistre peut-être son principal échec (l'impossibilité d'une grande œuvre symbolique et synthétique), comme conséquence de l'attitude double qu'il n'a cessé d'entretenir à l'égard de la musique, et notamment de Wagner, admiration passionnée et pourtant refus de poètes orgueilleux d'admettre que quoi que ce soit ne fût pas *en droit* du domaine de la poésie. C'est pourquoi les poètes symbolistes veulent reprendre à la musique non seulement leur bien, mais encore le bien propre à la musique. Ils refusent de l'accepter comme collaboratrice. Ils ne tiennent pas compte des conditions matérielles de la création. Ils sont perdus par l'orgueil!

IV. Difficultés et insuffisances de la définition de Valéry.

La définition de Valéry est donc particulièrement riche, car elle attire nettement l'attention, comme nous venons de le voir, sur une ambition secrète, une sorte de « raison d'État », si l'on peut dire, et, en même temps, sur une des grandes difficultés de l'École. Mais elle est sans aucun doute insuffisante, car le symbolisme a des ambitions plus claires et plus avouées, qu'elle néglige totalement.

1. Difficultés de la définition.

a) *Les rapports du mode majeur et du mode mineur.* La plupart des symbolistes ont beaucoup de mal à concilier le mode majeur et le mode mineur. Très souvent le mode majeur les éloigne de toute musicalité, le mode mineur tombe dans la mièvrerie. Par exemple, chez un Samain il y a une véritable manie de musique confidentielle, de frissons d'archets, de mains sur le piano, de violes, de musique sur l'eau, d'arpèges qui se prolongent et se pâment, de musique dans les fleurs : tout cela finit par être exaspérant et les meilleures réussites ne sont pas supérieures à l'élégie romantique et à la chanson d'Elvire dans *Le Lac.* Parfois aussi le mode mineur devient l'intimisme verlainien, c'est-à-dire qu'il ne dépasse pas le « moi » du poète, ce qui est contraire aux ambitions symbolistes dans toute leur ampleur.

b) *Difficultés techniques.* Si les plus grands des symbolistes ne sont pas très embarrassés pour reproduire à l'aide de mots les prestiges musicaux, au moins dans le mode mineur, leurs successeurs, ne voyant pas que la musique des mots est bien plus dans leur pouvoir d'incantation que dans leur sonorité intrinsèque, n'hésitent pas à entreprendre une étude pseudo-scientifique de la valeur musicale de tel ou tel timbre vocal. Ce sont, par exemple, les excès de l'École instrumentiste de René Ghil qui, exploitant systématiquement le sonnet des *Voyelles,* va jusqu'à indiquer les équivalences instrumentales et morales de tel ou tel son. Ainsi Rimbaud avait suggéré une équivalence entre l'*E* et le blanc. René Ghil est bien plus audacieux : il estime que, dans une symphonie poétique, dans une série sonore, *E* tient le rôle de la harpe et engendre dans l'âme de l'auditeur des idées de souveraineté. De même *I* n'est pas seulement bleu, c'est le violon et, au sens moral, la passion, etc. Tel est le principe de « l'instrumentation verbale ». René Ghil finit par tomber tout naturellement dans une sorte de pseudo-scientisme poétique. Mais, sans aller aussi loin dans le ridicule, il est bien évident que le désir de reprendre à la musique le bien du langage risque toujours d'aboutir à des *équivalences un peu naïves.* Si le langage est une musique, il est assez naturel en effet de chercher des notes et des instruments. C'est ainsi que, plus près de nous, l'École de M. Jean Royère, qu'il nomme aujourd'hui le « Musicisme », proclame que le Symbolisme n'est rien d'autre qu'une « création verbale » et invite le poète à se préoccuper de recherches linguistiques plus que d'expérience intime ou de recherche de l'Absolu. Valéry, par sa définition, ouvre donc la voie à une *conception trop formelle* du Symbolisme qui n'a pas été celle des grands initiateurs, qui n'a surtout pas été celle de Baudelaire dont il se réclame pourtant. C'est aux épigones plus qu'aux ancêtres qu'elle peut s'appliquer. Ce faisant, elle a le mérite de souligner une des ambiguïtés du Symbolisme, qui oscille sans cesse entre l'idéal mystique du Voyant et l'idéal artiste de l'Alchimiste des mots.

2. Inexactitudes et insuffisances.

a) *L'omission de l'aspect idéaliste.* Valéry omet en effet totalement tout l'aspect idéaliste et philosophique du Symbolisme : celui-ci, dans ses ambitions majeures, repose sur une conception du monde héritée de la tradition platonicienne et occultiste, suivant laquelle tout est un et les apparences elles-mêmes peuvent se réduire à cette « ténébreuse et profonde unité ». Il paraît singulier, dans une définition du Symbolisme, de négliger cet aspect, même si nous avons pu le retrouver par le biais de la musique wagné-rienne.

b) *L'omission de l'aspect antipositiviste.* Même si l'on refuse une définition aussi philosophique, bien d'autres ambitions profondes sont communes à la plupart des symbolistes. Ils réagissent tous, par exemple, contre une conception scientiste du monde, ils privilégient l'inconscient, l'intuition, les « données immédiates » au détriment de la raison et de la science.

c) *L'importance des autres arts : peinture, danse, etc.* D'autre part, à s'en tenir sur le plan formel, il y a quelque abus à souligner exclu-sivement les influences musicales : le génie de Rimbaud est plus lié à des visions et à des couleurs qu'à des sons. Plus générale-ment, l'influence de la peinture apparaît constante sur le Symbo-lisme depuis les préraphaélites anglais jusqu'à Gustave Moreau et Odilon Redon. Il ne faudrait pas non plus éliminer la danse, qui suggère à Mallarmé et à Valéry lui-même des *réflexions* essen-tielles : l'un et l'autre voient dans la danseuse une suite de sym-boles plus qu'une femme réelle qui danse.

Conclusion.

Valéry nous propose une formule qui est insuffisante historique-ment, comme définition d'une École. Mais, esthétiquement, on peut dire qu'il met le doigt sur un véritable guêpier, sur ces rap-ports toujours incertains, faits à la fois d'admiration et d'envie, que musiciens et poètes ont souvent entretenus. Ses difficultés sont peut-être les difficultés mêmes du Symbolisme, pris entre les deux ambitions essentielles de la Musique (suivre la vie incon-sciente et construire de grands ensembles symphoniques) et inca-pable pour son compte de réussir une synthèse de deux tendances aussi contradictoires. Mais n'est-ce pas la difficulté de toute poésie : parler à l'âme, suivre son rythme changeant et quasi musical, rester pourtant une construction, un ensemble archi-tectural, et ne pas tomber malgré tout dans la rhétorique et l'emphase?

SUJETS PROPOSÉS

1. Huysmans écrit, dans *A Rebours* (Fasquelle, édit. 1884) : « La Nature a fait son temps; elle a définitivement lassé, par la dé-goûtante uniformité de ses pay-sages et de ses ciels, l'attentive patience des raffinés. Au fond, quelle platitude de spécialiste confinée dans sa partie, quelle petitesse de boutiquière tenant tel article à l'exclusion de tout autre, quel monotone magasin de prairies et d'arbres, quelle banale agence de montagnes et de mers!... A n'en pas douter, cette sempiter-nelle radoteuse a maintenant usé la débonnaire admiration des vrais artistes, et le moment est venu où il s'agit de la remplacer, autant que faire se pourra, par l'artifice. »

Vous expliquerez et commenterez ce texte en vous demandant ce qu'il nous révèle de l'état d'esprit des Décadents et des Symbolistes.

2. Baudelaire écrit (*Art romantique, Réflexions sur quelques-uns de mes contemporains : Victor Hugo*) : « Tout est hiéroglyphique et... les symboles ne sont obscurs que d'une manière relative, c'est-à-dire selon la pureté, la bonne volonté ou la clairvoyance native des âmes. Or qu'est-ce qu'un poète (je prends le mot dans son acception la plus large), si ce n'est un traducteur, un déchiffreur? Chez les excellents poètes, il n'y a pas de métaphore, de comparaison ou d'épithète qui ne soit d'une adaptation mathématiquement exacte dans la circonstance actuelle, parce que ces comparaisons, ces métaphores et ces épithètes sont puisées dans l'inépuisable fonds de l'*universelle analogie*, et qu'elles ne peuvent être puisées ailleurs. » Expliquez et commentez.

3. Étudiez cette page de M. Marcel Raymond : « Littérateurs, artistes, les symbolistes étaient conduits à envisager les questions de forme *pour elles-mêmes*. De là, leur recherche d'une imagerie suggestive leur recours à l'histoire des mythologies, à la légende et au folklore, leur tendance à concevoir le symbole comme une idée que l'on revêt ensuite « des somptueuses simarres des analogies extérieures » (Moréas), c'est-à-dire comme un rapport à deux termes inclinant vers l'allégorie ou l'emblème. Certes, les images des faunes, des sirènes des cygnes et des dames du songe sont à ce point chargées de signification humaine et esthétique

qu'elles se prêtent à merveille aux jeux de l'imagination; encore faut-il descendre assez profondément en soi pour approcher de la source où sont nés ces rêves, de façon à incarner en eux quelque chose de sa propre vie. » (*De Baudelaire au Surréalisme*, p. 55.)

4. Quelles réflexions vous inspire ce texte de Rimbaud : « Je dis qu'il faut être *voyant*, se faire *voyant*. Le Poète se fait *voyant* par un long, immense et raisonné *dérèglement de tous les sens*. Toutes les formes d'amour, de souffrance, de folie; il cherche lui-même, il épuise en lui tous les poisons, pour n'en garder que les quintessences. Ineffable torture où il a besoin de toute la foi, de toute la force surhumaine, où il devient entre tous le grand malade, le grand criminel, le grand maudit, — et le suprême Savant! — Car il arrive à l'*inconnu!* Puisqu'il a cultivé son âme, déjà riche, plus qu'aucun! Il arrive à l'inconnu, et quand, affolé, il finirait par perdre l'intelligence de ses visions, il les a vues! Qu'il crève dans son bondissement par les choses inouïes et innombrables : viendront d'autres horribles travailleurs; ils commenceront par les horizons où l'autre s'est affaissé! » (Lettre à Paul Demeny, du 15 mai 1871, *Œuvres complètes*, Bibliothèque de la Pléiade, p. 254.)

5. Que pensez-vous de cette définition de l'École symboliste que propose M. Marcel Raymond (*op. cit.*, p. 49) : « Un moyen, peut-être, de ramener à l'unité un si grand nombre de tendances diverses et de tentatives particulières, serait de les considérer en leur principe comme autant de protestations contre l'existence sociale moderne et contre une conception positive de l'univers. Le sens de la vie profonde de l'esprit, une certaine intuition du mystère et de l'au-delà des phé-

nomènes, une volonté nouvelle
— du moins en France — de
saisir la poésie en son essence et
de la dégager pour cela du didactisme et de l'émotion sentimentale, voilà ce que l'on constate le
plus souvent à la source de l'activité des poètes de la génération
de 1885. »

6. Ce bilan du symbolisme, que propose M. Lalou (*op. cit.*, p. 228),
vous satisfait-il : « Si l'on considère l'évolution générale de notre
littérature, on n'hésitera même
pas à dire que la révolution symboliste fut plus profonde que
l'insurrection romantique. Car
les symbolistes ont compris que
le problème fondamental était
celui du langage. Achevant l'œuvre de Baudelaire et de Nerval,
Rimbaud et Mallarmé ont rendu
au chant lyrique sa valeur d'incantation. Ils ont persuadé leurs
disciples que la parole du poëte
était à la fois expression et suggestion »?

7. Étudiez cette opinion de
M. A. Chaumeix (*in* Bédier-
Hazard, *Littérature française*, éd.
Larousse, t. II, p. 371) : « (Le
symbolisme) a rendu à la poésie
des nuances délicates et la magie
de la variété; il a rappelé la
puissance mystérieuse du vers;
et, si toute notre histoire littéraire, et même la plus récente
avant le symbolisme, prouve que
ces vertus n'avaient jamais été
ignorées des poètes véritables, il a
eu le mérite d'inviter les écrivains
à retourner aux sources du lyrisme et de tenir compte de tous
les pouvoirs de l'esprit. »

Chapitre XII

LE SURRÉALISME

31

Commentez ce jugement de M. Philippe Van Tieghem :
« Le Surréalisme est foncièrement anti-mystique, puisque
le mysticisme suppose un monde second et le transfert
d'un monde à l'autre; la négation du mysticisme
évite le déchirement de l'homme et rend l'individu
cohérent dans un monde cohérent. » (*Petite histoire des
grandes doctrines littéraires en France*, page 295.)

RÉFLEXIONS PRÉLIMINAIRES

1. *Nous arrivons avec cette étude à l'extrême pointe du « modernisme »
universitaire. A notre connaissance, aucun sujet concernant le
Surréalisme n'a été proposé à un examen de Lettres, depuis le
Baccalauréat jusqu'à l'Agrégation. Toutefois on voudra bien considérer que le temps n'est plus où le Parnasse constituait l'avant-garde
un peu audacieuse de ces sujets, que l'Université tend de plus en plus
à abolir la différence entre auteurs classiques et auteurs contemporains
(des écrivains très récents, comme Valéry, ont fait l'objet de thèses, et
des collections scolaires, par exemple 'es « Classiques Illustrés Vau-
bourdolle », ouvrent désormais leurs portes à des vivants comme Maurois, J. Romains, Montherlant, etc.), et que bien des sujets amènent
à embrasser, sinon le Surréalisme en particulier, du moins l'esprit de
la littérature contemporaine dans son ensemble : c'est ainsi que le
sujet proposé en 1944 aux candidats à l'E. N. S. les invitait, à propos
d'un mot de V. Hugo sur la poésie, à réfléchir sur « le développement
de la poésie française depuis l'époque romantique jusqu'à nos jours »
et que le sujet donné au même concours en 1952 concernait le problème
de l'obscurité poétique. (Cf. notamment les sujets proposés, IIIᵉ Partie,
ch. XIII, nᵒˢ 32 à 35.) Dans ces cas et dans plusieurs autres, le Surréalisme pouvait fournir des arguments de choix. Par conséquent,
un étudiant sera bien avisé, pour éviter toute surprise, de poursuivre
jusqu'à nos jours l'étude des tendances et des Écoles.*

2. *Parmi celles-ci, le Surréalisme est particulièrement important, moins peut-être à cause de ses réalisations que parce que de nombreux écrivains modernes ont traversé cette École, et surtout parce qu'elle apparaît dans presque tous les domaines poétiques comme le terme de l'évolution du XIXe siècle. Aussi, réfléchir sur une question poétique à propos du Surréalisme, est-ce presque toujours aller à l'essence de cette question et, par là, à l'essence de la poésie. Les sujets proposés à la fin du présent chapitre conduisent souvent à creuser à fond le problème de l'image, de la folie, etc., en poésie.*

3. *Les lignes de M. Philippe Van Tieghem nous amènent directement au cœur d'un problème capital en poésie, celui du mysticisme. Cette question nous semble au surplus capitale pour comprendre quoi que ce soit du Surréalisme : habituellement celui-ci est présenté comme le point d'aboutissement extrême de cette tendance, qui traverse tout le XIXe siècle poétique, des Romantiques allemands aux Symbolistes, suivant laquelle le poète est l'explorateur d'un autre monde, une sorte de mystique, laïc ou religieux, qui a la clef d'un univers supérieur. Or, dit M. Van Tieghem, le Surréalisme pousse sans doute à la limite cette tendance, mais, en même temps, il en modifie complètement l'esprit, car, d'après les Surréalistes, tout ce que les poètes ont cherché avant eux dans la direction de l'Absolu, ils avaient raison sans doute de le chercher, mais ils avaient tort de le supposer dans un autre monde. En réalité, ces visions nouvelles que cherchaient tous ces prédécesseurs sont de ce monde et justement ces prédécesseurs ont échoué parce qu'ils les cherchaient hors du monde : c'était ce monde-ci qu'il fallait simplement mieux voir, d'une façon plus large et plus complète.*

4. *Ainsi un paradoxe apparent, une vérité incontestable, telles nous apparaissent les lignes que nous avons à commenter. Elles ne sont toutefois pas sans appeler une certaine discussion, dans la mesure où presque tout l'essentiel de l'attitude mystique (passivité, culte des mystérieux trésors qu'on porte en soi, etc.) est gardé par le Surréalisme, que certains critiques catholiques, comme M. André Rousseaux, voient avec la plus vive sympathie. On peut se demander dans quelle mesure aussi la conception de la mystique à laquelle se réfère M. Ph. Van Tieghem n'est pas un peu erronée. La plupart des mystiques, s'ils admettent en effet un monde second, refuseraient sans doute d'accorder qu'ils se transportent d'un monde à l'autre et surtout qu'il y a pour eux déchirement entre les deux mondes et incohérence (au contraire, aux yeux de la Charité, du troisième ordre, comme dirait Pascal, le monde est beaucoup plus cohérent qu'aux yeux de l'homme ordinaire). De toute façon, le texte à commenter est l'occasion de méditations fécondes sur « Mystique et Poésie », et le Surréalisme est déjà important parce qu'il amène à remettre totalement en cause les valeurs et les positions.*

5. *On parlera avec précaution du Surréalisme envisagé comme un mouvement qui a évolué depuis sa fondation à l'époque de Dada (vers 1920) et qui se poursuit encore actuellement. Du reste, dans l'idée de son chef,*

André Breton, il s'agit moins d'une École que d'une méthode de travail, en sorte qu'il y a eu des Surréalistes bien avant le Surréalisme comme il y a eu de véritables expériences scientifiques bien avant Claude Bernard et ses travaux sur la méthode expérimentale. Au fond, le Surréalisme se borne à explorer systématiquement ce que, d'après les Surréalistes, tous les grands poètes avaient déjà plus ou moins entrevu.

6. *Nous en parlerons donc comme d'une méthode et d'un esprit, en négligeant volontairement son histoire et son évolution. Nous croyons bon toutefois, aussi bien pour fixer les idées que pour rendre service à l'étudiant, de rappeler ici les principales dates, qui ne sont pas toujours bien connues, car certains manuels présentent le Surréalisme comme mort dès les années 1930-35, tandis que d'autres vont jusqu'à déclarer qu'il est dénué d'importance ou se refusent même absolument à le prendre au sérieux, ce qui nous semble témoigner d'un fâcheux parti pris ou d'un goût singulièrement timoré.*

Rappel chronologique :

1916 : *fondation par Tristan Tzara, à Zurich, du mouvement Dada, destructeur et purement négatif.*

1919 : *fondation par Aragon, André Breton, Ph. Soupault, de* Littérature, *revue primitivement dadaïste, qui devint à partir de 1922 une revue surréaliste.*

1924 : *la grande année du Surréalisme;*
  — A. Breton : Premier Manifeste du Surréalisme;
  — *1er décembre 1924 : premier numéro de* La Révolution surréaliste, *revue qui prétend apporter moins des textes littéraires que des documents pour un travail de recherches;*
  — *enfin, fondation du « Bureau des recherches surréalistes »,*
  15, rue de Grenelle.
  En tout cela, il est frappant de voir les écrivains vouloir faire œuvre plus scientifique et documentaire que littéraire et poétique.

1925 : *à partir de cette date commencent à se poser les problèmes politiques. Le Surréalisme, qui veut libérer l'homme, est amené à s'allier au communisme, mais se défie de lui parce qu'il le considère comme trop étroit (le communisme veut libérer surtout sur le plan social, alors que le Surréalisme veut libérer sur tous les plans).*

1925 : *exclusion de Pierre Naville, qui s'inscrit au parti communiste.*

1928 : *A. Breton :* Le Surréalisme et la peinture. *Le mouvement recherche l'alliance des peintres, notamment de Salvador Dali.*

1929 : Second Manifeste surréaliste. *Breton précise sa position politique et la raison pour laquelle il n'adhère pas au parti communiste, mais il entend rester avant tout un révolutionnaire comme l'indique le nouveau titre qu'il donne à sa revue :* Le Surréalisme au service de la Révolution *(la revue paraîtra sous ce titre jusqu'en 1933).*

1930 : A. Breton et Paul Eluard publient ensemble L'Immaculée Conception. *C'est un volume de recherches sur la vie intérieure; on remarquera le goût de la collaboration chez les surréalistes pour assurer à leurs œuvres une allure plus objective et moins littéraire.*

1931 : Aragon passe au communisme après le Congrès de Kharkhov.

1935 : A. Breton : Position politique du Surréalisme.

1936 : Exposition surréaliste à Londres.

1938 : Breton rencontre Trotsky avec lequel il sympathise vivement, ce qui est assez naturel, vu sa position politique (importance capitale dans l'histoire des idées contemporaines du conflit de Breton et du marxisme : c'est à peu de choses près le conflit de l'urgence sociale et des revendications de l'homme intégral).

1942 : Prolégomènes à un Troisième Manifeste du Surréalisme ou non, *New York.*

1947 : Exposition surréaliste à Paris.

Pour la compréhension de la doctrine elle-même, indépendamment de son évolution historique, notre bibliographie en tête de l'ouvrage servira de point de départ, mais nous recommandons tout particulièrement de commencer par les quelques pages que Monsieur Philippe Van Tieghem consacre au Surréalisme dans l'ouvrage d'où est extraite la citation à commenter et qui sont d'une remarquable netteté.

DÉVELOPPEMENT

Introduction.

Jusqu'au XVIIIe siècle, la tendance innée chez l'homme vers l'évasion spirituelle et la vie mystique trouvait dans la religion une satisfaction suffisante. Mais à partir du XVIIIe siècle, à partir du moment où un idéal positif et scientifique prétend se substituer à l'idéal religieux, la tendance mystique doit se chercher certains dérivatifs. Le XVIIIe siècle hésite un peu, se tourne vers l'illuminisme, vers l'occultisme, crée une espèce de religion humaine, poétique et « sensible », puis, quand les difficultés philosophiques de cette position lui en montrent l'insuffisance, c'est à l'occultisme encore, à la poésie ensuite que l'individu s'adresse pour satisfaire ses besoins mystiques. Tout le XIXe siècle peut se représenter comme un conflit entre un esprit scientifique de plus en plus positif et utilitaire, et un esprit poétique de plus en plus exalté vers des aventures mystiques et surnaturelles. Incontestablement il s'ensuit un certain « déchirement de l'homme », une certaine incohérence : comme être humain, il vit dans un monde utilitaire et dépoétisé, comme poète, il tend vers un Absolu, une Surnature, un monde supérieur, dont le nôtre n'offre que des échos, des signes qu'il faut savoir déchiffrer (sur cette question de la mystique et de la poésie au XIXe siècle, voir M. Raymond :

De Baudelaire au Surréalisme, pages 11 et 12). Quand, au xxᵉ siècle, le Surréalisme se propose de reprendre et de pousser à l'extrême
l'héritage du xixᵉ siècle poétique, va-t-il poursuivre et réussir
cette quête de l'Absolu où tous ses prédécesseurs ont échoué?
D'après M. Philippe Van Tieghem, le Surréalisme entend garder
tout l'acquis de ses prédécesseurs, mais il fait une complète
volte-face sur la question de la mystique : il refuse de « supposer
un monde second et le transfert d'un monde à l'autre ». La raison
en est que « le Surréalisme est foncièrement anti-mystique », proposition qui ne laisse pas de surprendre au premier abord et qui est
pourtant essentielle si l'on veut comprendre l'esprit sérieux, on
dirait presque scientifique, du Surréalisme. Pointe de paradoxe,
vérité capitale, et pourtant quelque inexactitude peut-être sur
l'esprit réel de la mystique, tels sont, nous semble-t-il, les points
essentiels à étudier pour essayer de voir clair sur cette question.

I. La pointe de paradoxe.

En replaçant le texte à commenter dans un contexte historique
et doctrinal, on fera mieux apparaître l'importance du problème
qu'il pose.

1. Le paradoxe historique. Le Surréalisme se présente en effet comme
l'héritier de toute une tradition qui revendique pour le Poète
le privilège d'ouvrir l'accès à un autre univers et de forcer par
tous les moyens le voile des apparences au profit d'une réalité
supérieure.

a) Les Anciens. Cette conception est aussi vieille que la poésie :
pour Platon (*Ion*) le poète est l'Inspiré qui est possédé, transporté
par la Divinité et mis en liaison avec un autre monde.

b) Les Romantiques. Pour eux, le poète est celui qui lit dans les
étoiles les desseins de Dieu, il est le Mage de Hugo, le Moïse de
Vigny (Moïse parle à Dieu face à face, ce qui est une situation
mystique par excellence).

c) La tradition issue du romantisme allemand. Mais la tradition
qui a le plus influé sur nos poètes modernes est moins celle des
romantiques français, un peu tapageuse, un peu vaniteuse, que
celle des romantiques allemands (J.-P. Richter, Novalis, Hölderlin)
d'après lesquels toute poésie est rêve et voyage dans un mystérieux pays. Nerval, très influencé par la lyrique allemande, poursuit la tradition des Traversées de l'Achéron, poussant même
le voyage dans l'Au-delà jusqu'à des crises de folie. Parmi les
Symbolistes, c'est plutôt à la tendance de Lautréamont et de
Rimbaud que se rattache le Surréalisme, parce que cette tendance
est plus passive, moins volontairement constructive que celle
de Baudelaire, Mallarmé et Valéry, esprits moins mystiques et
plus soucieux de recherches organisées et conscientes.

d) La généralisation de la théorie des Correspondances. Enfin
l'héritage mystique du xixᵉ siècle apparaît avec le plus de netteté
dans la façon dont les Surréalistes s'emparent de la théorie des

Correspondances : dans l'univers merveilleux où ils s'efforcent de parvenir, « Tout est comparable à tout, tout trouve son écho, sa raison, sa ressemblance, son opposition, son devenir partout » (Paul Eluard). On reconnaît là les « forêts de symboles », les « longs échos », la « ténébreuse et profonde unité », chers au Baudelaire du sonnet des *Correspondances* : c'est la grande tradition mystique issue de l'illuminisme et de l'occultisme.

2. **Le paradoxe doctrinal.** A examiner — rapidement — les principaux textes doctrinaux, la proposition de M. Ph. Van Tieghem semble aussi paradoxale que sur le plan historique.

a) *La lutte contre l'intelligence.* Comme les mystiques, les Surréalistes proclament l'échec du rationalisme. Celui-ci ne satisfait que le « moi » superficiel, alors que tout progrès véritable est à attendre d'un approfondissement de soi, des forces profondes du monde, d'une Surnature, d'une Surréalité. L'intelligence est discréditée, car elle nous détourne de l'essentiel. C'est là exactement une position mystique.

b) *Les apparences démasquées.* Cette intelligence en effet n'a de prises que sur les apparences, mais précisément il faut dépasser les apparences, il faut les regarder comme un voile : « Si nous étions débarrassés de ces fameux arbres!... dit André Breton. Le secret du Surréalisme tient dans le fait que nous sommes persuadés que quelque chose est caché derrière eux. »

c) *Des moyens d'exploration passifs.* Enfin, pour aller au-delà de ces apparences, les Surréalistes font appel, non pas à cette fameuse raison discréditée d'emblée, mais aux fonctions les plus passives de l'esprit. Dans leur pensée, cette passivité qu'il faut apporter à la recherche est tout à fait essentielle. Breton la rappelle avec insistance dans sa fameuse définition en forme d'article de dictionnaire, extraite du *Premier Manifeste* : « *Surréalisme* = n. m. Automatisme psychique pur.... Dictée de la pensée en l'absence de tout contrôle exercé par la raison. » Les principaux moyens d'exploration et d'enquête préconisés sont très voisins des moyens mystiques. Ils reviennent tous à nous laisser descendre en nous sans nous arrêter à aucune considération logique ou raisonnable : rêves, crises de folie, réelle ou simulée, « écriture automatique », autant de moyens qui visent à imposer silence en nous à tout ce qui dit *non* à nos Voix profondes. Il semble donc tout à fait légitime de placer le Surréalisme à la pointe de la mystique poétique. On ne s'est du reste pas gêné pour le faire et, très souvent, Surréalisme est synonyme de mysticisme déréglé à l'usage de littérateurs dépravés.

II. *Le Surréalisme comme enquête sérieuse sur le réel.*

Et pourtant, à ne retenir que les éléments précédents, à ne voir dans le Surréalisme que l'aboutissement d'une tradition mystique, on risquerait d'en fausser totalement l'esprit. Sur le plan histo-

rique et sur le plan doctrinal, on peut en effet aussi bien écrire
du Surréalisme qu'il est une anti-mystique, on aimerait presque
dire une *méthode scientifique*, disons en tout cas une méthode
d'investigation *objective* et désintéressée.

1. Les antécédents scientifiques et philosophiques.

a) *Le réalisme.* On n'oubliera pas tout d'abord que le Surréalisme,
par la simple appellation qu'il s'est choisie, entend remonter
au réalisme et le compléter. Les Surréalistes en effet n'ont aucune
hostilité (à l'inverse des Symbolistes) contre la volonté des romanciers réalistes de décrire exactement le réel et de chercher les rapports de cause à effet que leurs personnages entretiennent avec
ce dernier. Seulement, ces romanciers se sont trompés en n'allant
pas assez loin : ils se sont bornés à l'apparence des choses, ils ont
vu un système élémentaire de causes et d'effets entre le milieu
et les personnages. En réalité, ils auraient dû voir tout le mystérieux — réel, lui aussi — dont se charge le moindre objet et
les rapports d'imagination qui unissent les hommes et les choses,
rapports objectifs, eux aussi : ils étaient dans la bonne voie,
mais ils ont été trop timides.

b) *Découverte des limites de la science avec Bergson.* La découverte
de Bergson fit justement comprendre à ceux qui devinrent les
Surréalistes pourquoi les réalistes ne s'étaient pas assez avancés
dans le réel lui-même. Ils s'étaient bornés à cette vision utilitaire,
pratique et simplifiante qui n'est pas la plus vraie, qui est seulement celle qui réussit le mieux. Bergson, en mettant au centre de
son système l'intuition et en trouvant, notamment dans son
Évolution créatrice (1907), une curieuse correspondance entre
l'intuition de notre vie intérieure et les forces profondes du monde,
allait être une illumination pour les Surréalistes. On dira sans doute
que Bergson a abouti plus tard à réhabiliter précisément vie
religieuse et mystique dans une certaine mesure. Mais les Surréalistes s'attachèrent surtout au côté positif et méthodologique de
sa pensée : pour ce philosophe, la Science traditionnelle était trop
étroite, il fallait lui substituer une méthode scientifique « ouverte »,
non limitée à la raison logique, non pas mystique certes, mais en
appelant à toutes les forces de l'homme, y compris l'imagination.

c) *Les découvertes scientifiques : le hasard.* Les réflexions des
Surréalistes furent encore enrichies par les progrès que faisait
la physique au début du xxe siècle dans le sens de l'indétermi-
nisme. La physique classique, en effet, avait éliminé le hasard
et semblait donner raison à une vision déterministe et logique
de l'univers. Or, au début du xxe siècle, diverses découvertes
montrent aux physiciens le rôle du hasard (par exemple dans le
mouvement brownien) et font ainsi sauter les cadres de la logique
traditionnelle (voir en géométrie les théories non euclidiennes,
en astronomie les découvertes d'Einstein, en physique les découvertes de la mécanique ondulatoire, etc.). Tout ce mouvement

conduisit les Surréalistes à se demander si la poésie, celle qui
accorde la plus grande part à l'imagination, qui élimine les synthèses logiques et volontaires, qui attend tout du hasard intérieur,
n'était pas une *nouvelle méthode*, analogue à ce rationalisme
« ouvert » qui triomphait à la même date dans les sciences. Comme
dit Breton, le Surréalisme, c'est « une raison tellement plus large
que l'autre! ». En tout ceci rien de mystique, mais plutôt un
élargissement de la logique.

d) *Les découvertes de Freud sur l'inconscient.* Restait à appliquer
cette logique revue à ce domaine humain qu'est par excellence la
poésie. C'est alors que les Surréalistes rencontrèrent Freud et sa
méthode pour étudier notre monde intérieur. Comme les physiciens
de la nouvelle école, Freud proclame que tout ce qui en nous
échappe à la logique traditionnelle, loin d'être négligeable, est
peut-être ce qu'il y a de plus important à étudier. En effet
notre conscience claire est notre conscience sociale, utilitaire et
pratique, alors que notre conscience profonde, où nous ne voyons
que hasard, absurdité, imagination, est notre conscience vraie et
qu'elle nous révèle, sur nous et nos rapports avec le monde, des
choses tout à fait essentielles. Mais en tout ceci non plus, rien de
mystique. Au contraire; car, lorsqu'ils entendaient ces voix de la
conscience obscure, ces voix que le bon sens social et la logique
pratique nous forcent à refouler, les anciens poètes les attribuaient
à un monde supérieur, mystérieux et transcendant, alors que
Freud ne les attribue qu'à nous et, loin de vouloir leur laisser leur
mystère, essaie de les amener à la conscience claire, de les
rationaliser, si l'on peut dire. De même, les Surréalistes, loin de
se perdre dans leurs images et leurs visions comme les mystiques,
s'appliquent à ramener au jour, à objectiver dans une certaine
mesure ces images du monde profond.

2. Une doctrine de recherche sérieuse et objective. Enrichis par
toutes ces influences, les Surréalistes vont se mettre au travail,
ils vont même éviter tout ce qu'il y a d'un peu subjectif dans
l'œuvre d'art individuelle, ils vont préférer les recherches collectives à cette « inspiration » dont les poètes isolés aiment trop à
parler : l'inspiration, quand elle est authentique, n'est pas un état
subjectif, c'est un moment privilégié où l'on voit les choses et
soi-même avec la nouvelle raison élargie que nous venons de définir,
mais il y a avantage à associer plusieurs inspirations, exactement
comme les savants associent leurs découvertes; aussi en 1924
les Surréalistes fondent-ils le « Bureau des Recherches Surréalistes ».
D'une façon plus générale, le but littéraire et artistique de leur
travail leur semble tout à fait secondaire, puisqu'il s'agit, pour
ainsi dire, d'une nouvelle science. Comme toute science, celle-ci
implique des postulats méthodologiques, des matériaux d'observation, des expériences; comme toute science également, elle est
désintéressée en elle-même, mais susceptible d'applications
pratiques et, sinon utilitaires, du moins humaines.

a) *Le postulat de base.* De même que la science classique postule
une certaine unité entre les lois de l'intelligence et les lois du
monde, les unes et les autres régies par le principe du déterminisme,
de même le Surréalisme *postule une identité totale entre les mou-*
vements de l'imagination et ceux du monde, les uns et les autres
étant profondément régis par le hasard (mais le hasard ne veut
pas dire « n'importe quoi » et, comme dans la science moderne,
il y a une sorte de sens général du hasard). L'état poétique n'est
autre que ce nouveau point de vue sur le monde, celui où l'esprit,
se laissant passivement aller à tous les instincts, à tous les désirs
refoulés qu'il porte en lui, comprend que les associations, les
images, etc... qui le traversent sont un meilleur point de vue
pour regarder le monde que l'étroite logique du bon sens classique.
La Surréalité, c'est donc le réel regardé, non plus avec les œillères
de la logique, mais avec les fortes vues de l'imagination désintéressée (c'est-à-dire jouant hors de toute visée utilitaire). Ainsi
on peut bien affirmer que *tout est poétique,* comme en un sens
tout, dans l'ancienne logique, était scientifique. Bref, au réalisme
et au rationalisme étroits on substitue un Surréalisme et un Surra-
tionalisme, un réalisme « ouvert » et un rationalisme « ouvert »,
comme on dit dans la science moderne. On voit dans tous les
cas que le point de vue surréaliste est aussi peu mystique que
possible.

b) *Les méthodes de recherche.* Le Surréalisme est en effet une véritable méthode de recherche. Il comporte de véritables expériences
dont la plupart sont devenues célèbres, sans qu'on ait toujours
très bien compris leur caractère profond. Le plus souvent l'étude
des rêves, l'imitation des crises de folie, les « objets surréalistes »,
l' « écriture automatique » visent à nous mettre méthodiquement
dans cette nouvelle logique, à laquelle autrement nous n'attein-
drions que par éclairs fugitifs, comme, par exemple, dans ces
journées où nous avons l'impression que tout se déroule ainsi
que dans un rêve, suivant les lois de l'imagination et du hasard
plus que suivant celles du bon sens. Mais il faut bien comprendre
qu'en aucun cas il ne s'agit d'occultisme ou de spiritisme. Quand
je rêve ou quand je crois rêver, je ne suis pas dans un autre monde,
je suis dans ce monde-ci et plus pleinement peut-être que celui
qui tourne son attention vers l'enchaînement logique et utile
des choses. Ceci est si vrai que Breton a considéré comme infidèle
à la doctrine la revue *Le Grand Jeu,* qui orientait le Surréalisme
vers des expériences occultistes et ésotériques : c'était là dévia-
tion mystique, on ne peut plus condamnable. Les expériences
que le Surréalisme préconise sont toujours des plus naturelles;
il s'agit en quelque sorte d'exploiter méthodiquement et d'agrandir, si possible, les instants où nous avons eu par hasard connaissance du point de vue nouveau que le Surréalisme recommande :
prolongeons nos rêves en les racontant et en évitant de les ramener
à la logique traditionnelle, cherchons à simuler la folie et à nous
mettre dans l'état d'esprit du fou qui, comme la célèbre Nadja

de Breton, vit toujours suivant cette logique supérieure du Surréa
liste; cherchons ce coup d'œil sur les objets, qui les voit, non pas
par rapport à nous et à notre utilité, mais par rapport à leur mystérieuse puissance de suggestion (l'objet surréaliste est un objet
de la vie ordinaire, mais détourné de son usage pour être regardé
en lui-même; soit une brouette dont le fond est garni de satin :
elle ne sert plus à transporter les choses, elle doit donc être regardée
en elle-même et dans ce qu'elle évoque). C'est de cette façon
que nous baignerons dans le merveilleux, que nous tiendrons le
surnaturel sous la main, que nous vivrons dans un univers
enchanté, sans pourtant jamais quitter ce monde-ci, et même en
le voyant mieux que les autres. Les Surréalistes sont, par exemple,
très sensibles au merveilleux des monuments, des villes et des
châteaux : ils créent ainsi toute une mythologie de Paris, tel
Aragon dans son *Paysan de Paris* (1926), donnant son visage de
mystère au Passage de l'Opéra. Ils reprennent aussi la tradition
des châteaux enchantés (A. Breton, *Le revolver à cheveux blancs;*
Julien Gracq, *Au château d'Argol*), ce qui ne veut pas dire des
châteaux hantés (ou du moins lorsqu'on a cru un château hanté
on a eu à la fois tort et raison : tort de s'imaginer qu'un autre
monde se mêlait à celui-ci, mais raison de voir dans un château
autre chose qu'un assemblage de pierres tenant selon les lois de
l'architecture). Notre monde baigne donc dans le mystère et le
merveilleux, mais le mystère est en nous et dans les choses. Il y
a la voix de notre imagination en accord avec la voix du monde,
il n'y a pas de voix surnaturelle.

c) *Le but visé : élargissement de l'homme.* Le Surréalisme est si peu
mystique dans son esprit qu'il ne se contente pas d'une nouvelle
vision du monde, mais il veut encore élargir l'homme aux dimensions de cette nouvelle vision. Reprenant la théorie de Freud
suivant laquelle l'homme souffre des contraintes que lui impose la
société, des mutilations de la « censure » et du refoulement, il
entend le libérer de toutes les façons. D'abord, il faudra agrandir
le monde à la mesure des désirs de l'homme (voir ces « vastes et
étranges domaines » — *Calligrammes : La jolie Rousse* — qu'Apollinaire désire ouvrir à l'homme) par la poésie et par l'action.
Ensuite on récupérera toutes les forces, toutes les énergies perdues
de l'homme, tous ces désirs inconscients que celui-ci refoule parce
qu'il faut bien être « raisonnable », comme dit la société (mais la
« raison » qu'impose la société est, en l'occurrence, un asservisse-
ment qui n'a d'autre fonction que la conservation de la société).
Une meilleure science de l'homme évitera ce divorce où l'homme
ne pouvait se réaliser et était en quelque sorte déchiré entre un
être raisonnable et social, plein de refoulements, et un poète
qui libérait tous ses refoulements, mais dans un monde transcendant et imaginaire qui ne pouvait le satisfaire (d'où l'échec
des Symbolistes : ils avaient raison de vouloir satisfaire leur
imagination, mais ils avaient tort de renoncer pour cela à ce monde-
ci et de se tourner vers un Absolu inexistant). On peut bien dire

qu'il n'y aura plus à l'avenir de « poète », au sens où ce mot implique un homme à part, perdu dans ses rêveries et dans un autre univers, mais un homme intégral, dont l'imagination sera sans frein, en face d'un monde lui-même libre. Ainsi le Surréalisme aboutit tout naturellement à un mouvement révolutionnaire : il a le dessein de forger cet homme nouveau, cet homme intégral, et ceci dès cette terre et par cette terre. Inutile que l'homme se fuie et fuie la terre pour se réaliser. Qu'il ose simplement être tout lui-même, qu'il ne mette pas son besoin d'Absolu hors du monde. L'idéal surréaliste débouche donc beaucoup plus sur un humanisme du monde moderne et de l'homme nouveau que sur une mystique. Il est beaucoup plus dans le prolongement de l'Unanimisme, du Futurisme ou d'Apollinaire que dans celui de Baudelaire ou de G. de Nerval. Il a des visées pratiques et efficaces; il a contracté alliance avec le communisme mondial et, s'il se défie un peu du marxisme-léninisme, c'est parce que celui-ci se préoccupe, un peu trop exclusivement à son gré, de la libération sociale (pour un Surréaliste, si le social est très important, il n'est pas tout), mais non à cause d'une énergie révolutionnaire qui lui agrée pleinement.

III. Discussion : qu'est-ce exactement qu'une mystique?

Il semble difficile de contester dans son fond le jugement de Ph. Van Tieghem. En revanche, on peut se demander s'il est très juste de parler d'anti-mystique sous prétexte que le Surréalisme évite soigneusement de se référer à un monde second. Bien entendu, il ne s'agit ici que d'une querelle de termes, mais elle n'est pas sans intérêt, car on a souvent identifié la poésie à la mystique (par exemple, pour l'abbé Bremond il y a identité absolue entre Prière et Poésie). Devons-nous donc penser que, parce qu'il refuse un monde second, le Surréaliste doit être considéré comme le contraire d'un mystique? En fait, les surréalistes eux-mêmes se réfèrent souvent à l'attitude mystique et, comme nous l'avons déjà suggéré, ils ne sont pas loin de penser qu'ils en ont gardé tout ce qui était valable, éliminant simplement un univers transcendant purement imaginaire, et du reste élément de déception pour le mystique ou le poète qui n'y atteignent jamais vraiment. Nous discuterons donc sur deux plans : d'une part, nous tâcherons de montrer que le Surréalisme rejoint souvent l'attitude mystique et, d'autre part, partant de cette dernière, nous préciserons qu'elle est peut-être moins nécessairement liée au transfert d'un monde à l'autre que n'a l'air de le penser M. Ph. Van Tieghem.

1. Une attitude mystique, plus qu'un but mystique.

a) Faire le vide. Le premier temps de l'attitude surréaliste est assez analogue au point de départ du mystique. Dans les deux cas, il faut faire taire la raison et accorder un certain crédit au vide intellectuel et personnel de l'esprit. Dans les deux cas, il faut se laisser porter par quelque chose qui, en soi, est plus pro-

fond que soi. En un mot, il faut imposer silence aux voix superficielles pour mieux écouter les voix profondes.

 b) *La défiance de l'œuvre d'art.* Surréalistes et mystiques se défient
assez de l'œuvre d'art, parce qu'elle a tendance, pensent-ils, à trop
fixer sur elle et sur la beauté de sa forme une attention que rien
ne doit détourner du vrai message qu'ils ont à transmettre.
Comme tout auteur moderne, le Surréaliste éprouve une certaine
impatience à l'égard du langage et il préfère son message à son
œuvre. De même que les mystiques, il supporte mal d'être obligé
de s'exprimer : il aimerait mieux faire saisir intuitivement sa
vision.

 c) *L'impatience à l'égard du monde ordinaire.* Les uns et les autres
éprouvent également une certaine impatience à l'égard du monde
tel qu'il est, et ils voudraient en briser les barrières ; ils sont attirés,
non pas par la nature, mais par les objets humains qui se char-
gent plus facilement de mythes. De toute façon ils sont mal à
l'aise dans la condition humaine ordinaire et ils voudraient *hic
et nunc* sortir de ses limites. C'est là encore une attitude assez
profondément mystique.

2. **Le mystique est dans le monde.** Sans doute, dira-t-on, y a-t-il
une certaine identité de méthode et d'attitude entre mysticisme
et Surréalisme, mais la différence essentielle reste que le mystique
veut s'évader de ce monde-ci et connaître dès maintenant la
félicité de l'autre vie. Nous répondrons que c'est peut-être là
conception un peu « angélique » du mysticisme. Non seulement celui-ci comporte des degrés et, de toute façon, la vision
face à face semble théologiquement impossible ici-bas, mais
surtout il est assez faux de croire que le mystique n'est plus de
ce monde. La plupart du temps il n'y a pas pour lui transfert
d'un monde à l'autre, il y a plutôt une tendance, une attitude
par laquelle, suivant le mot de saint Augustin, le Christ lui est
« plus intime que soi-même ». Mais il ne perd pas de vue la terre,
on pourrait même dire qu'il la comprend mieux parce qu'il la
voit de plus haut. Lui aussi, comme le Surréaliste, il a accès à une
unité supérieure d'où sa contemplation est plus pleine et plus
complète. Lui aussi, il est « cohérent dans un monde cohérent »,
car l'attitude unifiante est par excellence une attitude mystique.
En tout cas, les écrits des principaux mystiques ne laissent guère
soupçonner un déchirement de l'homme entre deux mondes. On
peut même dire qu'ils agissent d'autant plus fortement dans ce
monde-ci qu'ils ont l'impression d'y voir plus clair dans l'autre
(l'activité des plus grands d'entre eux, notamment de sainte
Thérèse d'Avila, a été prodigieuse). Les Surréalistes eux-mêmes
proclament qu'il n'y a rien dans l'attitude mystique avec quoi ils
soient en désaccord, si ce n'est qu'il leur semble de mauvaise
méthode d'attribuer à un autre univers ce qui s'interprète parfaitement dans le nôtre, dans notre univers intérieur ou extérieur.

Conclusion.

Bien sûr, cette dernière différence est très importante. On pourrait peut-être dire, parodiant une formule célèbre, que les Surréalistes, sans nier la valeur de l'attitude mystique en poésie, ont ramené la mystique du ciel sur la terre. C'est évidemment une révolution de poids qui, suivant le sens exact qu'on donne au mot mystique, sauve, l'essentiel de cette attitude ou la détruit totalement. De toute façon, il est certain que, sur le plan littéraire, il existait jusqu'au Surréalisme un déchirement profond entre la prose et la poésie, entre le comportement scientifique et pratique, d'une part, et la vision poétique, d'autre part. Ce déchirement avait été très bien senti par un Rimbaud qui dut renoncer à la poésie pour vivre comme le commun des mortels. Inversement, si l'on ne voulait pas renoncer à la poésie, à ce monde de la contemplation pure, il fallait se tuer comme le font Axel et Sarah à la fin de la célèbre pièce de Villiers de l'Isle-Adam. Sans aller si loin, la plupart des Symbolistes souffraient cruellement du déchirement entre la vie quotidienne («Ici-bas est maître », dit Mallarmé) et « les grands trous bleus que font méchamment les oiseaux ». Quand le Symbolisme vit qu'il ne pourrait pas atteindre ce domaine de l'Absolu, il se tourna vers des recherches formelles, pendant que la grande poésie revenait au monde moderne, au monde de l'Industrie, de la Science, de la Politique (Naturisme, Unanimisme, influence de Whitman, Futurisme de Marinetti, Apollinaire). Le Surréalisme eut le mérite de ne vouloir s'amputer ni de ce monde de la vie moderne et quotidienne ni du rêve symboliste, il posa fermement que l'action est sœur du rêve et que c'est un faux déchirement de les opposer. Seulement il faut chercher dans la bonne direction : la place de l'Opéra est à la fois un endroit où l'on vit, où l'on passe, et elle est aussi un mythe. Les mythes sont devant nous, en nous, ils sont nous. L'attitude mystique a raison de nous pousser à aller au cœur de nous-mêmes, mais il faut bien savoir que nous n'irons pas plus loin.

SUJETS PROPOSÉS

1. Expliquez et commentez cette définition de M. André Breton (*Manifeste du Surréalisme*, éd. du Sagittaire 1924), présentée sous forme d'article de dictionnaire :

« *Surréalisme* = n. m. Automatisme psychique pur par lequel on se propose d'exprimer, soit verbalement, soit par écrit, soit de toute autre manière, le fonctionnement réel de la pensée. Dictée de la pensée en l'absence de tout contrôle exercé par la raison, en dehors de toute préoccupation esthétique ou morale.

« Encycl. = *Philosophie*. Le Surréalisme repose sur la croyance à la réalité supérieure de certaines formes d'association négligées jusqu'à lui, à la toute-puissance du rêve, au jeu désintéressé de la pensée. Il tend à ruiner défini-

tivement tous les autres mécanismes psychiques et à se substituer à eux dans la résolution
des principaux problèmes de
la vie. »

2. Expliquez et commentez cette
définition de M. Louis Aragon
(*Le Paysan de Paris*, N. R. F.,
1926) : « Le vice appelé Surréalisme est l'emploi déréglé et
passionnel du stupéfiant image,
ou plutôt de la provocation sans
contrôle de l'image pour elle-
même, et pour ce qu'elle entraîne
dans le domaine de la représentation de perturbations imprévisibles et de métamorphoses; car
chaque image à chaque coup vous
force à reviser tout l'Univers »....

3. Commentez ce texte de M. Gaëtan
Picon (*Panorama de la nouvelle
littérature française*, p. 43) : « Un
abîme sépare le Surréalisme de la
poésie d'un Cocteau, d'un Cen-
drars, de la prose d'un Giraudoux. Pour ceux-ci, la T. S. F.,
l'auto, les trains de luxe apparaissent comme les symboles de
la joie de vivre, ceux d'un certain pouvoir de l'homme moderne.
Ce sont des objets pittoresques,
nouveaux, séduisants. Pour le
Breton de *Nadja*, pour l'Aragon
du *Paysan de Paris*, le passage des
Panoramas, le café Certa, le
Mannequin, le Téléphone inter-
viennent comme condensateurs
des rêves profonds. Ce ne sont
pas des objets : ce sont des *mythes*.
Le Surréalisme, s'il est un réalisme, c'est afin de dégager le
halo magique du réel — d'être
un sur-réalisme. »

4. « Le Surréalisme exact et intégral
deviendrait pure expérience scientifique ou entreprise occultiste
ou gouffre de suicide; il est donc
resté le plus souvent partiel et
mélangé; et ses exécutants, hommes de lettres, ont délayé leur
extrait de parole secrète dans
une eau de littérature.... Tels

quels, les Surréalistes n'ont été
qu'approximativement sincères
dans leur espoir mi-naïf mi-far-
ceur de trouver à l'homme ses
ultimes raisons de vivre. »
(Clouard, *Histoire de la littérature
française du Symbolisme à nos
jours*, t. II, p. 154). Discutez.

5. Expliquez et discutez ces lignes
de M. Raymond (*De Baudelaire
au Surréalisme*, p. 297) : « On
pourrait reprocher à la plupart
des tenants du Surréalisme de
s'attarder à des compromis, de
railler l'Art sans oser rompre avec
lui autrement qu'en parole, sans
parvenir à se délivrer de leurs
souvenirs, de leurs habitudes, de
leur mauvaise conscience de littérateurs (tout en prétendant travailler pour la science, en empruntant à Freud, plutôt que des
méthodes, d'ailleurs discutables,
une mythologie). »

6. « Une partie importante de la
littérature moderne s'est donné à
communiquer — non l'état final
des impressions, l'état d'avoir
saisi, débrouillé, organisé, démê-
lé — mais l'état initial, celui
d'avoir à comprendre, de retar-
der sur le choc, — l'état problé-
matique, confus, sentimental et
sensoriel. Au lieu d'écrire les
formules, elle écrit les données,
sous forme de fonctions implicites — un peu comme les définitions modernes se font par
postulats indépendants et non
plus par une seule phrase. »
(Ce texte de P. Valéry est cité
par R. Bray dans *La Préciosité et
les Précieux*. En se reportant à
cet ouvrage, p. 358, on trouvera
les éléments d'un fécond parallèle
entre « poésie valéryenne », Préciosité et Surréalisme.)

7. Étudiez ce bilan du Surréalisme
proposé par M. Gaëtan Picon
(*op. cit.*, p. 45) : « Qu'avons-nous
conservé, qu'avons-nous rejeté
du Surréalisme? Dans une large

mesure, il est encore et toujours *notre poésie : la poésie moderne tout entière prenant conscience d'elle-même, et allant jusqu'au bout.* Toute poésie, à l'heure actuelle, veut être autre chose que poème, fabrication rythmique, jeu inoffensif d'images et de mots : confusion ardente avec la vie. Et, du même coup, le Surréalisme a exprimé l'ambition commune de la littérature actuelle (et non pas de la seule poésie) d'être *plus que littérature* : expression d'une attitude de vie, transformation de la vie. Ce caractère est celui que Jean Paulhan désigne, dans ses *Fleurs de Tarbes,* sous le nom de *Terrorisme :* il donne au langage,

en effet, la situation de suspect pour le destiner à une fonction qui le dépasse. Mais Paulhan englobe dans le Terrorisme des œuvres qui nous ont paru classiques (celles de Gide, de Claudel même) parce qu'elles acceptent les lois de leur langage. Le véritable terrorisme, c'est dans le Surréalisme que nous le voyons éclater pour la première fois. Or presque toutes les œuvres dominantes, aujourd'hui, sont gouvernées par une sorte d'impatience à l'égard du langage : messagères, plus que « langagières », elles renonceraient à elles-mêmes si elles n'avaient la conviction de transmettre une décisive révélation. »

N. B. André Breton a réédité les *Manifestes du Surréalisme* (Le Sagittaire, 1955) avec des éphémérides de 1916 à 1955.

TROISIÈME PARTIE

LES GRANDS GENRES LITTÉRAIRES

$$\boxed{32}$$

INTRODUCTION : UN SUJET D'ENSEMBLE

On divise habituellement la production littéraire en genres. Expliquez ce que l'on entend par là. Discutez et appréciez cette division (*C. E. L. G.*, Nancy).

RÉFLEXIONS PRÉLIMINAIRES ─────────────

1. *Nous avons déjà parlé du problème de l'événement littéraire (sujet nº 1) et du problème des écoles (sujet nº 15). Il nous faut examiner ici une autre de ces grandes notions utiles aux exposés d'histoire littéraire. En effet, alors même que les auteurs ne s'astreignent plus à suivre les règles qui séparaient impérieusement les genres, les historiens de la littérature considèrent encore comme commode de diviser leurs livres ou leurs études en chapitres qui correspondent très souvent à ces genres.*

2. *Or une notion peut-elle être à la fois commode et absolument dénuée de fondement objectif? Cela paraît douteux. En tout cas, la notion de genre, dont bien des écoles littéraires ont annoncé la mort depuis le romantisme, semble assez vivace. On peut même se demander si la littérature moderne n'a pas multiplié les genres, tel un Gide inventant « la sotie » romanesque, un Valéry « l'exercice » poétique (il ne veut pas appeler* La Jeune Parque *poème lyrique, épique, etc., mais « exercice »), un Camus intitulant* La Peste *« chronique », etc. Il suffit de parcourir les sous-titres des ouvrages parus à la N. R. F. pour s'apercevoir de cette étonnante vivacité de la notion de genre.*

3. *On répondra avec précision au questionnaire impliqué par le sujet : il est demandé d'abord de définir la notion; on notera qu'elle n'est pas simple, car on parle de « genre théâtral », mais aussi de « genre burlesque » ou de « genre baroque ». En d'autres termes, elle oscille entre l'idée de* cadre, *purement formelle, et celle de* ton, *déjà beaucoup plus profonde. On « débrouillera » avec soin ces nuances.*

4. *Pour une discussion, on commencera par rechercher les* fondements
de la notion dans l'histoire littéraire *et là encore on oscillera entre
des exigences matérielles et des fondements beaucoup plus abstraits,
en montrant entre ces deux positions les nuances nécessaires.*

PLAN ───

Introduction.

Toute enquête méthodique implique un classement des objets
qu'elle prétend étudier. En littérature, le premier stade de toute
étude sérieuse des œuvres consiste à les classer en genres. Mais
le classement ainsi obtenu se présente non seulement comme
un point de vue critique, mais comme un point de vue de création. Il n'est pas indifférent pour un créateur de savoir s'il va
faire une pièce de théâtre, un roman, un Journal, une poésie
lyrique, etc.... Comme toute classification, comme toute distinction intellectuelle de ce que souvent la vie confond, la distinction des genres a été respectée aux époques d'ordre classique et
attaquée par les écoles baroques ou romantiques, qui cherchent à
réhabiliter en art l'unité de la vie. Que reste-t-il à l'heure présente
de cette division? Que pouvons-nous en tirer au point de vue du
critique? au point de vue du créateur? C'est ce que nous déter-
minerons en tâchant d'abord de montrer que la notion n'est pas
simple et qu'elle a notamment évolué suivant les origines qu'on peut
lui attribuer. Et sans doute nous sera-t-il alors possible de mettre
en valeur toute sa souplesse et toute sa vitalité encore actuelles.

I. Les sens du mot.

Ce mot n'est pas simple, car on parle de genre théâtral, de
genre lyrique, de genre burlesque, de grand genre. Ce sont là sans
doute des notions voisines, mais point identiques.

1. Le genre comme forme. A examiner les œuvres de façon tout
extérieure, on découvre des différences formelles frappantes qui
constituent, surtout dans la critique ancienne, l'essentiel de la
distinction des genres. Un poème lyrique, par exemple, se caractérise par des strophes de forme fixe et un retour périodique de
certains éléments. Dans l'Antiquité, le genre élégiaque peut
traiter de n'importe quel sujet (il y avait même des élégies politiques, comme celles de Solon); ce qu'il faut seulement, c'est qu'il
se présente comme un poème assez court, formé de distiques
hexamètre-pentamètre. La critique antique notamment prend
soin de réserver, autant que faire se peut, certaines combinaisons
métriques à des genres déterminés : le rythme iambique est propre
au théâtre, le rythme dactylique à l'épopée ou au genre didactique, etc.... Bref un auteur se trouvait, et se trouve encore du
reste, en face d'une certaine *tradition formelle* qui constituait
le genre et qu'il avait à utiliser au mieux.

2. Le genre comme ton. Très vite on a voulu mettre cette forme
— évidemment insuffisante à elle seule — en harmonie avec un
certain *ton* et c'est en se plaçant à ce point de vue qu'Horace, dans
son *Epître aux Pisons*, distingue les genres : il part évidemment de la
distinction formelle que nous venons de suggérer, mais il expose qu'à
chaque mètre correspond un ton particulier, par exemple l'iambe
est le ton de la colère et, par conséquent, de l'action théâtrale :

> « Archilochum proprio rabies armavit iambo ;
> Hunc socci cepere pedem grandesque cothurni,
> Alternis aptum sermonibus, et populares
> Vincentem strepitus, et natum rebus agendis. » (Vers 79 à 82.)

(« La rage arma Archiloque de l'iambe, qui lui appartient :
mais les brodequins et les hauts cothurnes prirent ce pied
propre au dialogue, dominant le bruit du public et né pour l'action. » Trad. Villeneuve, « Les Belles Lettres », édit.)

et il conclut en affirmant la nécessité pour un mètre de ne pas
sortir du ton qui lui est propre :

> « Singula quaeque locum teneant sortita decentem. » (Vers 92.)

(« Que chaque genre garde la place qui lui convient et qui a
été son lot. » *Ibid.*)

La distinction des genres devient donc la distinction des tons
et cette distinction répond aux différents *mouvements psychologiques*
que l'art peut avoir à exprimer :

> ... « Tristia maestum
> Vultum verba decent, iratum plena minarum,
> Ludentem lasciva, severum seria dictu. » (Vers 105 à 107.)

(« Les paroles seront tristes avec un visage affligé, chargées
de menaces s'il est irrité, enjouées s'il est riant, sérieuses
s'il est grave. » *Ibid.*)

C'est ainsi qu'il peut être question de genre sans qu'il y ait de
véritable différence formelle ; le genre s'identifie presque au ton
exigé par les circonstances ou par le mouvement de l'âme : par
exemple, on parle de genre burlesque, de genre baroque, Diderot
parlera au théâtre du « genre sérieux », etc....

3. Classification et hiérarchie. Dès lors une classification apparaît
possible, non seulement d'une façon formelle, mais d'une façon
profonde, pour ainsi dire humaine. Classer les genres, ce sera en
quelque sorte *classer les mouvements de l'esprit* (héroïsme, tendresse, action, tragique, comique, badinage, enjouement, sévérité, etc...) et on pourra même proposer une hiérarchie des genres
répondant à la hiérarchie que la psychologie classique établit
volontiers entre les mouvements de l'esprit. La tragédie,
qui exprime l'effroi de l'homme devant le destin, est un grand
genre, alors que la fable, qui enseigne une sagesse pratique et
usuelle, est un petit genre. L'épopée, qui traduit les mouvements
héroïques de l'âme, est un genre noble, alors que le conte est un

genre familier, parce qu'il narre des aventures pour le simple amusement, etc.... Une distinction formelle, une distinction de ton, une distinction psychologique, voilà donc ce que nous apporte, en première analyse, la fameuse distinction des genres. Mais cette notion a peut-être évolué et n'a sans doute pas toujours eu la même signification : nous nous heurtons à des ambiguïtés historiques et nous allons tenter de les débrouiller rapidement.

II. *Les ambiguïtés historiques de la notion de genre.*

1. La séparation matérielle. Primitivement il y a surtout entre les genres une séparation matérielle : l'épopée naît vraisemblablement de la récitation orale par l'aède ou par le trouvère, alors que le roman s'adresse plutôt à un public qui lit. Le théâtre sort du lyrisme choral, quand, au lieu d'un récitant et d'un chœur, on a l'idée de faire dialoguer plusieurs récitants devant ce chœur (origine du théâtre tragique grec). Il est lui-même lié au culte, et au Moyen Age il est un développement semi-laïc de la liturgie. Au Moyen Age encore, la poésie lyrique est essentiellement différenciée de la poésie épique ou didactique par des nécessités musicales ou chorégraphiques (le poème lyrique est celui qui se chante et même se danse). A cette étape, la distinction des genres est très claire, elle est une nécessité matérielle, non point arbitraire, mais justifiée par l'effet artistique recherché.

2. L'avènement du goût. Dans une pareille perspective, les genres sont assez clairement divisés, mais d'une façon tout extérieure. Au fur et à mesure des progrès de la culture mondaine, le tact, le bon goût, le sens des situations vont imposer d'autres fondements à la distinction des genres. On se rendra compte assez vite qu'on n'écrit pas une lettre comme un discours et on assistera à une spécification très fine : alors qu'un Guez de Balzac compose encore des lettres oratoires, plus soucieux de belle prose que de bon goût, une Madame de Sévigné s'attache, sans aucun dogmatisme, à trouver le ton exact de la lettre. Elle crée véritablement le *genre épistolaire*, non pas qu'il n'y ait pas eu avant elle de bons épistoliers, mais parce qu'elle est la première à comprendre qu'il y a un ton aussi caractéristique de ce genre que le fait, tout matériel, de s'adresser par écrit à quelqu'un qui n'est pas là. Sans doute cette circonstance est-elle à l'origine du genre, mais il restait à trouver le ton exact, et beaucoup de ses prédécesseurs tâtonnent; elle, va droit au ton adéquat : souci du correspondant, allure primesautière, mais non négligée, du style et de la composition, volonté d'amuser sans bouffonnerie, etc.... Dès lors le genre est né, il a ce que les classiques appelleront ses *règles*.

3. Le genre posé en raison. Le genre est au bord de la dernière transformation qu'il lui reste à subir : nécessités des genres, lois des genres, voilà ce que les classiques vont *poser en raison*.

Il devient ainsi une sorte d'essence éternelle correspondant :

a) à *la diversité et à la hiérarchie des esprits* (voir Boileau, *Art poétique*, I, 13-18).

« La nature, fertile en esprits excellents,
Sait entre les auteurs partager les talents :
L'un peut tracer en vers une amoureuse flamme;
L'autre, d'un trait plaisant aiguiser l'épigramme;
Malherbe, d'un héros peut vanter les exploits;
Racan, chanter Philis, les bergers et les bois »;

b) à *la division des mouvements naturels du cœur* (voir Horace *Epître aux Pisons*, vers 105-107 cités plus haut);

c) à *la nécessité des règles rationnellement déduites* de l'idée même qu'on se fait du genre. En d'autres termes, la règle du genre, au lieu d'être une sorte de remarque tout empirique (« quelques observations aisées, que le bon sens a faites sur ce qui peut ôter le plaisir que l'on prend à ces sortes de poèmes », Molière, *Critique de l'École des Femmes*, scène vi), aboutit à une loi absolue, liée à l'essence même du genre (voir, par exemple, les règles impératives que formule Boileau pour la tragédie : comme c'est à l'essence même du tragique qu'il s'attache, il n'admet aucune collusion avec le comique, avec le romanesque, avec le galant, ou avec le baroque).

III. Discussion.

Ainsi poussé à l'extrême, le genre va devenir une sorte d'être de raison, fort étroit. Il va risquer de se couper de ses origines vivantes et se figer : telle est exactement son histoire au cours du xviiie siècle post-classique. Voltaire le juge absolument intangible et, même s'il sent la nécessité de rendre un peu de vie à la tragédie par exemple, comme il ne veut toucher en rien à des lois sacro-saintes, sa tentative est vouée à un demi-échec.

1. **Condamnation du genre au nom de la vie.** Contre cet être de raison, les écoles romantiques et baroques se dressent au nom de la vie : elles soutiennent que celle-ci ignore la distinction des genres; comme le dit Hugo, elle est sublime *et* grotesque et l'art doit proscrire des divisions qu'elle n'admet pas. Aussi les écoles baroques ou romantiques s'attachent-elles de préférence aux genres mixtes qui représentent mieux la diversité sans frontière de la vie : la pastorale, intermédiaire entre le roman et le théâtre; le roman lui-même, genre très souple, sans règles et sans limites.

2. **Scepticisme à l'égard des genres parce qu'ils évoluent.** Mais surtout la critique moderne a fait une découverte qui devait être fatale à une conception trop stricte : on s'est aperçu que les genres évoluaient et que, loin d'être des entités échappant au mouvement de la vie, ils étaient pris dans la vie elle-même et dans ses transformations. Brunetière (cf. son *Évolution de la Critique*) notamment, à la suite des travaux de la biologie évolutionniste,

a étudié systématiquement cette évolution, allant jusqu'à soutenir qu'un genre pouvait parfaitement se muer en un autre.
C'est ainsi, d'après lui, que l'éloquence de la chaire du xviie siècle
s'est littéralement *transformée* en poésie lyrique au xixe siècle.
Sans doute pour Brunetière ceci ne prouve rien contre une notion
qu'il considère comme véritablement indispensable. Il n'en reste
pas moins vrai que le plus grand scepticisme devient de rigueur
à partir du moment où le genre ne peut plus être considéré comme
une essence éternelle. Il est un cadre commode pour un moment
de la littérature; il n'a point de valeur absolue.

3. Le genre comme point de vue esthétique. Pourtant ce qui reste
essentiellement des analyses de Brunetière, c'est que la notion
de genre ne saurait véritablement disparaître. Sa suppression
complète équivaudrait à reconnaître la possibilité d'un art totalement informe. En réalité, sa nécessité est liée à celle d'une
optique, d'un *point de vue;* optique, point de vue qui peuvent se
transformer, mais non cesser d'exister. On s'en est bien aperçu
de nos jours avec l'apparition de l'art cinématographique dont
on avait espéré un moment qu'il éliminerait toute préoccupation
esthétique, puisqu'il reproduit la vie sans aucune interprétation.
Or, très vite, on s'est rendu compte que c'était là un genre nouveau, qui avait ses règles particulières; que le rythme, la qualité
des images, par exemple, ont leurs lois propres, qu'on ne peut
absolument pas confondre, sous peine de graves mécomptes,
avec celles du théâtre. En d'autres termes, un point de vue cinématographique s'est créé en art pour appréhender le monde,
à telle enseigne même que nous avons parfois l'impression dans la
réalité de saisir de véritables séquences, toutes prêtes pour un
montage cinématographique. Il y a donc bien là un nouveau
genre, puisqu'il y a une *nouvelle optique* sur le monde : en ce sens
la notion de genre est éternelle.

Conclusion.

Cette notion a de nos jours assez mauvaise presse comme toutes les
notions un peu figées que le classicisme nous a léguées; mais il
suffit de lui rendre son dynamisme vivant pour s'apercevoir de
sa valeur profonde. On constate alors que la nécessité du genre ne
fait que traduire la *nécessité d'un point de vue,* qui est nécessité
même de l'art. De même qu'aujourd'hui on admet assez volontiers
qu'un artiste ait son point de vue personnel, de même on tolère
qu'il multiplie les genres, qu'il les mêle, qu'il en invente. Peut-
il vraiment s'en passer? Cela semble difficile.

Chapitre XIII

LA POÉSIE

SUJET

Expliquez et discutez ces lignes de Mallarmé :
« La Poésie est l'expression, par le langage humain ramené à son rythme essentiel, du sens mystérieux des aspects de l'existence; elle doue ainsi d'authenticité notre séjour et constitue la seule tâche spirituelle. » (Stéphane Mallarmé, Lettre du 27 juin 1884 à M. Léo d'Orfer, texte repris dans la revue *La Vogue* en 1886, cité par Henri Mondor dans *Propos sur la Poésie* de S. Mallarmé, page 118.)

RÉFLEXIONS PRÉLIMINAIRES

1. *Mallarmé, répondant à une injonction brusque — « Définissez la poésie! » —, s'efforce d'embrasser dans son ensemble le phénomène poétique. Il ne faut donc pas considérer ce texte comme une définition de la poésie de Mallarmé. Tout au plus peut-on admettre que cette formule, vaste, quasi didactique, en tout cas très ambitieuse et très complète, représente l'idéal poétique de Mallarmé. Or entre celui-ci et les œuvres que Mallarmé a effectivement réalisées, il y a une grosse différence.*

2. *D'où deux contresens à éviter : le premier serait de ne pas tenir compte de Mallarmé et notamment des habitudes mallarméennes de style (par exemple pour saisir le sens exact de l'expression « seule tâche spirituelle »); le second, presque aussi grave, serait de vouloir à toute force retrouver dans la poésie de Mallarmé tous les éléments de cette définition : il serait peut-être plus juste de replacer celle-ci dans le cadre des recherches critiques par lesquelles tâchait de se préciser, vers les années 1884-1886, le programme symboliste.*

3. *La dissertation devra donc répondre largement et généreusement aux divers aspects soulevés par ces lignes de Mallarmé, claires et logiquement déduites. Quatre points essentiels sont en effet dégagés; Mallarmé :*

1° assigne à la Poésie : a) un but (sens mystérieux des aspects de l'existence); b) et des moyens (langage humain ramené à son rythme essentiel);

2° et déduit (ainsi) sa fonction : a) dans la vie humaine; b) et, plus particulièrement, dans la vie spirituelle.

Pratiquement il faudra reprendre soigneusement chacun de ces points en soulignant l'ambition qu'ils ont, ainsi réunis, d'envisager dans sa totalité le problème poétique.

4. *On évitera d'identifier trop vite Mallarmé aux autres symbolistes, malgré le caractère en somme banal que revêtirait cette déclaration aux yeux de tout symboliste. Non seulement les mots n'y ont peut-être pas tout à fait le sens qu'ils auraient pour un Baudelaire ou un Rimbaud, mais, répétons-le, ils sont plus peut-être un aveu de l'échec et de la nostalgie de Mallarmé qu'un plaidoyer pro domo; d'où la nécessité de beaucoup de souplesse dans le plan, en particulier dans la discussion.*

5. *Bien que l'expression soit historiquement impropre, nous engloberons sous le nom de « poètes symbolistes » Baudelaire, Rimbaud, Verlaine, Mallarmé, etc.... En fait, on ne devrait pas parler de symbolisme et de symbolistes avant le Manifeste de Moréas, qui fonda l'École symboliste en 1886 pour donner un contenu plus positif à ce que l'on appelait alors « esprit décadent ». Toutefois, il n'est pas absolument abusif, puisque Moréas lui-même reconnaît comme maîtres de la nouvelle École les poètes que nous venons de nommer, de les appeler symbolistes. C'est le drame littéraire du symbolisme d'avoir eu ses grands écrivains avant la constitution de l'École (cf. sujet traité n° 15, II, 2).*

DÉVELOPPEMENT

Introduction.

Jusqu'au xixe siècle, la poésie, malgré les diverses Écoles, est universellement reconnue comme descriptive : pas d'objection vraiment sérieuse au « Ut pictura, poesis » d'Horace, d'ailleurs mal interprété. Sans doute la description poétique doit-elle être touchante, sans doute peut-elle peindre, à côté des brillants aspects de la nature, les mouvements et les transports les plus secrets de l'âme. Encore doit-elle, avant tout, faire comprendre, faire voir et n'est-elle émouvante que par surcroît et comme au second degré. Racine met bien autour de Phèdre un halo de poésie, mais enfin il prétend surtout nous rendre sensibles au mal de Phèdre. D'une façon encore obscure et équivoque, le romantisme opère le grand retournement et il était réservé au symbolisme d'en prendre nettement conscience : à la conception descriptive on oppose la conception suggestive de la poésie, qui ne garde absolument « de rien que la suggestion » (Mallarmé), c'est-à-dire abandonne comme éminemment antipoétique tout ce que la prose pourrait aussi bien expliquer. Dès lors, le but de la poésie ne peut être que de suggérer *le sens mystérieux des aspects de l'existence* à l'aide d'un langage spécialement élaboré, non plus pour raconter ou décrire, mais pour faire allusion, mystérieusement, à un objet ou à une situation en eux-mêmes suffisamment clairs : ce langage *sera ramené à son rythme essentiel*, ce qui signifie qu'il ne s'arrêtera pas à la surface des choses, mais qu'il ira à ce que Mallarmé appelle leur Idée, c'est-à-dire leur vérité authentique, profonde. On s'explique ainsi que la poésie soit parmi nous non comme un amusement descriptif, mais comme une fonction essentielle *qui doue d'authenticité notre séjour*, qui nous met au cœur d'une réalité que l'accoutumance nous fait envisager dans de simples rapports utilitaires ou familiers : Mallarmé prétend qu'elle est *la seule tâche spirituelle*, prétention bien orgueilleuse, dira-t-on, mais qui découle directement d'une conception aussi « intime » de la poésie — en donnant à cet adjectif le sens que lui donnait Hugo quand il écrivait : « La poésie c'est tout ce qu'il y a d'*intime* dans tout. » Il est difficile d'imaginer formule plus nette, plus vaste et en un certain sens plus banale que celle de Mallarmé : à la reprendre point par point, c'est tout le programme de la poétique moderne depuis Baudelaire, mais peut-être est-ce aussi toute sa démesure. Mallarmé lui-même ne s'y est-il pas quelque peu brisé les reins? et nous, qui avons sous les yeux non seulement ce plan de campagne, mais encore les résultats des batailles, pouvons-nous n'inscrire à l'actif de ces hautes ambitions que des bulletins de victoire? Pour trouver les vrais triomphes de la poésie, ne devrons-nous pas nous adresser à une conception plus large, plus fraternelle, plus vivante?

I. Le programme de la poétique moderne.

Si le texte n'était pas signé de Mallarmé et à condition de n'en pas regarder de trop près les termes, nous pourrions sans trop de mal l'attribuer à un Baudelaire, ou même à un Rimbaud. Toute la poésie qui, à la suite de l'auteur de « *Correspondances* », prétend suggérer l'essentiel trouverait ici son Art poétique.

1. « Le sens mystérieux des aspects de l'existence. » Mallarmé va, si l'on peut dire, droit à l'essence de cette poétique, quand il parle de « sens mystérieux ». Plongeurs d'inconnu (« Plonger au fond de l'inconnu, enfer ou ciel, qu'importe », dit Baudelaire), Voleurs de feu, Voyants, nouveaux Prométhées qui voudraient « sortir des Nombres et des Êtres » (*id.*), artistes qui « de leurs javelots piquent dans le but de mystique nature » (*id.*), demi-déments qui ont « deux fois vainqueurs traversé l'Achéron » (Nerval), tous les poètes depuis Nerval sont d'accord pour considérer leur aventure comme le forcement de mystérieux secrets que, souvent malgré eux, il leur faut déchiffrer. Ce n'est pas, comme on le dit à la légère, que leur poésie soit *métaphysique*, ni qu'ils décrivent en vers un monde supérieur et idéal (Sully-Prud-

homme retombe souvent dans ce danger, dans la vieille formule
d'une poésie explicative), mais en présence de chaque réalité,
du plus familier des objets (par exemple, un vase « Surgi de la
croupe et du bond » pour Mallarmé, une chevelure pour Baudelaire,
etc...), le poète éprouve, au cœur même de son émotion poétique,
qu'il lui faut dépasser cette apparence, ou plus exactement — car,
poète, il ne peut abandonner les chatoiements des objets — cet
objet se creuse sous son regard de mille sens mystérieux, devient
symbole, c'est-à-dire — au sens étymologique — *signe de recon-*
naissance pour de nombreux mystères. Ainsi le poète moderne
prétend, non pas, comme on le dit quelquefois, connaître un
monde supérieur à ce monde matériel, mais en quelque sorte
vivre dans un univers « poreux », un univers « qui l'observe avec
des regards familiers » (Baudelaire), regards auxquels, bien
entendu, sa mission est de répondre.

2. « Le langage humain ramené à son rythme essentiel. » Si cet univers
« poreux » révélait une présence divine ou une entité philosophique,
le poète répondrait par la prière, l'effusion mystique ou la compréhension philosophique. En fait (malgré le platonisme de la
Charogne et certaines déclarations de Mallarmé sur le monde des
Idées), le poète n'a que des pressentiments sur cet univers et,
pour le dialogue, il dispose essentiellement du moyen par lequel,
de tout temps, on a prétendu dompter les choses, le langage.
C'est donc, nous dit Mallarmé, *par le langage ramené à son rythme*
essentiel que le poète fera ses découvertes. Allons plus loin, la
poésie *est* langage, elle *est* expression, dit Mallarmé. En effet ne
pouvant que suggérer cet univers, objet de sa quête, le poète
doit faire de son langage un véritable instrument de « forage »
pour atteindre ces aspects mystérieux. Au langage explicatif, il
s'efforcera de substituer des mots « purs », des mots séparés du
contexte logique auquel ils sont liés d'habitude, des mots « choisis
non sans quelque méprise », ces mots qu'évoquent les fleurs de
la *Prose pour des Esseintes* :

> « Telles, immenses, que chacune
> Ordinairement se para
> D'un lucide contour, lacune,
> Qui des jardins la sépara. »

Toute une savante alchimie verbale va s'élaborer, non pas,
comme certains le croient, pour rendre obscur le langage (du point
de vue de la suggestion, il n'y a ni clarté ni obscurité), mais pour
éviter tout ce qui est explication et exploiter systématiquement
les puissances de suggestion. Plutôt que de le décrire, on nommera
l'objet et, plutôt que de le nommer, on l'entourera d'allusions.
Ainsi supprimera-t-on la syntaxe sous son aspect logique, ainsi
disloquera-t-on les alliances usuelles de mots, ainsi fera-t-on apparaître, plus que l'objet, le manque et comme la nécessité de l'objet.
A peu près tous ces poètes sont d'accord sur cette nécessité de

décharger le langage de tout ce qui est explicatif. Rimbaud
lui-même, malgré toute sa spontanéité, recherche les suggestions
profondes des voyelles; et le premier poète à formuler la théorie
d'un univers « poreux », d'une « forêt de symboles » accessibles
aux seuls poètes, est en même temps le premier à concevoir la
notion de poésie pure : Baudelaire, dans *L'Art romantique* (article
sur Th. Gautier), dénonce sous toutes ses formes « l'hérésie de l'enseignement » et déclare, d'une façon un peu équivoque, que la poésie
n'a d'autre but qu'elle-même — déclaration qu'on put interpréter comme parnassienne, mais qui, en réalité, si on la rattache
à sa théorie des « Correspondances », marque le lien intime entre
le refus d'une langue explicative et la quête du « sens mystérieux
des aspects de l'existence ».

3. « **Elle doue d'authenticité notre séjour.** » C'est en effet à ses aspects
essentiels que toutes les recherches verbales empruntent leur
signification : pour les symbolistes, le monde où nous vivons,
notre « séjour », n'est pas « authentique », parce qu'il est profondément marqué par le hasard. Pour Mallarmé notamment le
hasard est une véritable obsession; même la pensée, dans les
conditions humaines, lui est soumise : pourquoi naît-elle à tel
ou tel moment, de telle ou telle condition? et il conclut avec
tristesse *Le Coup de Dés* par cet aphorisme sec : « Toute Pensée
émet un Coup de Dés. » Mais le hasard, qu'est-ce pour nous,
sinon l'expression de la nécessité où nous sommes de vivre dans
les catégories du temps et de l'espace? C'est donc à celles-ci que
veut échapper le poète symboliste et, quand Mallarmé rêvait
d'enfermer le monde entier dans un Livre, il rêvait tout simplement de saisir une fois pour toutes l'authenticité des choses et
de s'affranchir, ainsi que nous-mêmes, de cette double nécessité.
On sait à quel point Baudelaire est un obsédé et un martyr de
l'horloge, à quel point il voudrait retrouver :

> « Une Idée, une Forme, un Être
> Parti de l'azur et tombé
> Dans un Styx bourbeux et plombé
> Où nul œil du Ciel ne pénètre. »

Certains critiques modernes, comme Albert Béguin, vont même
jusqu'à voir dans cette volonté de se délivrer de l'espace et du
temps, la pointe de la tentative symboliste, comme une sorte d'impie et prométhéenne audace pour transformer une vision poétique
en une élévation surnaturelle, aboutissant même parfois au
sacrifice de la condition humaine, au suicide de G. de Nerval,
au silence de Rimbaud, à la page blanche de Mallarmé. Un extraordinaire fragment en prose de ce dernier nous présente un mystérieux héros, Igitur, préoccupé d'échapper à sa race et au temps,
d'atteindre à l'Absolu en une aventure surhumaine. Sans aller
nécessairement si loin, il est frappant de voir Mallarmé parler
ici à propos de la poésie *de seule tâche spirituelle.* Bien que, dans un
vocabulaire mallarméen, cet adjectif ne soit pas absolument

synonyme de religieux, il n'en indique pas moins comme la prétention de suffire par la poésie à tous les besoins d'élévation de l'homme au-dessus de la matière. Et il y a bien quelque chose de religieux et de sacerdotal même dans la poésie moderne : en plein xixᵉ siècle positiviste et scientiste, celle-ci prétendait restaurer le sens du sacré. Un Claudel, un Péguy trouveront un terrain poétique tout préparé.

II. De la définition à la réalisation.

Telle est du moins l'ambition poétique dans toute son ampleur. A examiner de plus près la définition de Mallarmé et surtout à la comparer avec les réalisations, une certaine déception ne peut pas être totalement évitée.

1. **Où placer cet aspect mystérieux de l'existence?** La formule que propose Mallarmé pour définir le but de la poésie a l'air très simple et pourtant elle soulève bien des équivoques : sans doute Mallarmé, par son épithète de « mystérieux », les accepte-t-il d'avance, encore faudrait-il savoir dans quel domaine il place ces « mystérieux aspects ». En effet ce qu'on appelle, d'un terme assez ambigu lui aussi, l'idéalisme de Mallarmé ne laisse pas de souffrir de deux interprétations possibles, mais très différentes : ce monde des Idées, ce monde « idéal » est-il au cœur de la conscience ou au cœur des choses? Sans cesse Mallarmé oscille de l'un à l'autre domaine : est-ce au cœur des choses ou au fond de son propre cœur que son Faune vit son aventure amoureuse et poétique? On répondra sans doute qu'il ne faut pas confondre subjectivité et univers spirituel, en d'autres termes que le Faune n'étale pas ses états d'âme, mais des créations de son esprit, prouvant ainsi que rien n'existe que l'esprit et la vie spirituelle. Il n'en reste pas moins que cet idéalisme n'arrive presque jamais à poser une réalité spirituelle. De nombreux poèmes de Mallarmé ont précisément comme sujet cette impuissance à créer de sa propre pensée tel aspect mystérieux que l'existence lui demande. Ainsi le sonnet « *Surgi de la croupe et du bond* » traduit son regret de ne pouvoir évoquer le bouquet de fleurs absent qui compléterait le vase. Arrive-t-il au moins, au point extrême de son idéalisme, à atteindre une réalité spirituelle? En fait, il ne dévoile jamais un Dieu ou un Être, mais se contemple lui-même, et ce n'est pas un hasard si le mythe de Narcisse est comme l'aboutissement de tout symbolisme, si le Faune enfermé dans ses sensations ou Hérodiade dans la stérile admiration de soi sont par excellence les héros mallarméens, si Gide et Valéry sont hantés par le personnage de Narcisse.

2. **Une volonté cosmique, mais un univers de bibelots.** Dès lors il serait presque cruel et ironique de comparer l'univers mallarméen, tel que les poésies nous le dessinent, avec la volonté d'*authenticité, la tâche spirituelle, les aspects mystérieux de l'existence* dont

parle cette déclaration à l'allure d'oracle : parti pour conquérir l'univers spirituel dans son ensemble, pour enfermer dans un Livre tous ses rapports, que nous livre-t-il en réalité? Le petit monde du poète, même pas les êtres qui l'entourent (car ce serait de l'élégie romantique), mais quelques bibelots (éventails, vases, dentelles, glaces), quelques meubles (son salon la nuit, des crédences, la « fulgurante console », un lit, etc...), quelques femmes, mais dont il retient surtout la chevelure, les bijoux, la sinuosité. Sans doute ce monde est-il transparent à l'extrême, ouvert à tout ce qu'il peut suggérer; encore est-il un peu étroit, un peu artificiel pour qui a prétendu faire si large. Bien sûr n'y a-t-il pas, dans une conception suggestive de la poésie, de sujets privilégiés, bien sûr n'y a-t-il pas lieu de mépriser *a priori* le petit sujet, mais alors pourquoi Mallarmé a-t-il toujours été hanté par l'œuvre synthétique, par le drame (*Hérodiade*), par l'opéra (Wagner), par le Livre qui serait « l'explication orphique de la terre, qui serait le seul devoir du poète et le jeu littéraire par excellence »? Sans doute ne faut-il pas aller jusqu'à dire qu'il est grand plus par l'œuvre rêvée que par l'œuvre écrite, mais il n'en reste pas moins que toute son œuvre réalisée se détache et s'enlève sur un fond de grandes œuvres manquées, qu'elle est, comme dit Valéry parlant des esquisses de Léonard, « les débris d'on ne sait quel grand jeu ».

3. **Un langage qui révèle surtout son créateur.** Si la grande œuvre rêvée n'a jamais été écrite, si jamais Mallarmé n'est fidèle à ses promesses, peut-être est-ce après tout que la tentative de la *tâche spirituelle* assignée à la poésie tenait un peu de la chimère et de la mystification. Aucun des « voleurs de feu » n'a ramené ce feu aux hommes et, en tout cas, aucun ne l'a enfermé dans l'éblouissante révélation d'un livre. Sans doute ont-ils tous leurs « recettes » pour donner à la poésie ces mystérieux pouvoirs : au fameux « dérèglement de tous les sens » de Rimbaud, Mallarmé préfère une alchimie verbale qu'il appelle ici *le langage humain ramené à son rythme essentiel*. Mais là encore la formule n'est pas sans équivoque. Qu'est-ce exactement que ce rythme essentiel? Évidemment ce n'est ni le rythme oratoire ni le rythme logique, c'est probablement le rythme incantatoire de la formule magique, un rythme qui donne à l'homme l'impression de retrouver en lui de très vieux et très essentiels souvenirs :

> ... « dans la forêt où mon esprit s'exile,
> Un vieux Souvenir sonne à plein souffle du Cor! »
> (Baudelaire.)

Mais précisément, n'y a-t-il pas, dans le raffinement de ces recherches, quelque exil pour l'esprit, en lui-même plus qu'en des réalités essentielles? En d'autres termes, plutôt que l'exil du mathématicien dans l'obscurité apparente de signes qui sont la clef d'une réalité supérieure, Mallarmé, devant ses mots, ne nous offre-t-il pas le spectacle de l'exil du collectionneur devant des richesses réelles sans doute, essentielles même d'une certaine façon, mais n'ayant de signification que dans le jeu d'une pensée un peu maniaque, de ce jeu que le Maître du *Coup de Dés* n'a pas eu la force de « jouer en maniaque chenu »? Bref, dans cette tentative sur le langage comme dans toutes les ambitions poétiques de Mallarmé ne finit-on pas par retrouver d'un biais ou d'un autre le Poète? Si le thème qui revient avec le plus de complaisance dans cette poésie est l'inspiration poétique plutôt qu'une réalité supérieure, si le poète et ses efforts généralement stériles constituent le fond de bien des poèmes, n'est-ce pas parce que cette poésie qui voulait atteindre le ciel des essences n'a, en réalité, atteint que la personne de son créateur?

III. Les sources majeures du lyrisme.

Ainsi exténuée, la poésie avait-elle un avenir? Sans doute d'autres reprendront-ils les tentatives mallarméennes au point où il les avait laissées, sans doute le *Coup de Dés* ouvrait-il des ressources nouvelles à la technique poétique, sans doute le thème du Narcisse devait-il avoir quelque postérité, il n'en reste pas moins qu'à un certain degré de solitude et de pureté le lyrisme était touché à mort. On peut se demander avec Thibaudet, qui pourtant n'est pas suspect de partialité contre Mallarmé, si la phase lyrique et personnelle n'est pas un stade littéraire insuffisant, si la poésie ne doit pas, à un moment donné, chercher de plus vastes occasions. Hugo et Lamartine vont du lyrisme au drame et à l'épopée, selon la courbe normale de tout lyrisme sain qui aspire à se dépasser. Malgré tout son désir de pureté, Mallarmé lui-même compose la plupart de ses poèmes à l'appel d'une circonstance. Dès lors n'est-il pas plus simple d'admettre que la poésie n'est pas un domaine pur, mais une façon de répondre à des sollicitations extérieures? S'il est à peu près indiscutable qu'elle n'a pas à *décrire*, comme l'abbé Delille *décrivait* les saisons, peut-on contester qu'elle embrasse tout l'humain? Pourquoi, dans ce cas, limiter son domaine à quelques aspects mystérieux de l'existence? son langage à quelques rythmes essentiels? son authenticité à la vie un peu artificielle du poète? Ne peut-on opposer à la conception de Mallarmé une poésie qui serait tout l'humain, « toute la lyre », toute la vie?

1. **Tout l'humain.** La limitation de Mallarmé à quelques aspects *spirituels* et *mystérieux* de l'humain semble bien arbitraire quand on examine l'œuvre de tous les poètes forts et puissants. On peut même se demander si le bouillonnement des forces de la matière n'a pas eu souvent sur eux plus d'attrait que la vie un peu trop amenuisée de l'esprit. Shakespeare dit quelque part que ce sont les esprits de la terre qui inspirent les poètes et, effectivement, les Lucrèce, les Jean de Meung, les Hugo sont d'assez puissants « terriens ». Avec quelle joie un Lucrèce contemple ses atomes

tournant dans l'espace! ou un Hugo « regarde la forêt formidable manger » (*Le Satyre*)! Écouter les voix du monde, les messages de la nature, l'âme des objets inanimés, telle a été de tout temps une des fonctions de la poésie majeure; et qu'on n'objecte pas que cette poésie prête à la nature les forces spirituelles qu'elle s'imagine y voir, car sa joie et sa vigueur viennent surtout du contact plénier avec les choses drues et concrètes, tel qu'il est atteint dans les passages les plus puissants d'un Verhaeren ou d'un Claudel. Est-il même nécessaire que le poète se borne au seul aspect *mystérieux* de cette existence? Encore une élimination arbitraire : sans doute percer les mystères est fonction essentielle du poète, mais n'y a-t-il pas aussi une poésie des grandes choses simples et claires, des grands sentiments élémentaires et primitifs? L'indéniable poésie d'Homère ou d'Hésiode est celle de l'amour, de la haine, de la vengeance, de l'aventure, des besognes manuelles, des « travaux et des jours ». En tout ceci nul inconnu à explorer, nulle porte à forcer, un simple contact large, direct, humain. Quoi de plus poétique que cette lutte un peu simpliste, que Hugo se plaît à imaginer entre les champions du Bien et les champions du Mal? Cette division a beau être celle des plus mauvais mélodrames et des films les plus faciles, elle ne nuit pas à l'intensité d'un univers véritablement poétique.

2. **« Toute la lyre. »** La raison en est qu'il n'est peut-être pas absolument nécessaire, en poésie, que tout soit, par soi-même, purement poétique. La théorie de Mallarmé, suivant laquelle le langage poétique doit « être ramené à son rythme essentiel » pour être uniquement puissance d'incantation, n'est sans doute qu'un leurre : c'est un peu comme si, sous prétexte que dans une œuvre théâtrale ce sont les coups de théâtre qui sont dramatiques, un dramaturge tentait une pièce faite uniquement de coups de théâtre et de mots de situation! Le résultat serait certainement ridicule. A. France note quelque part que la difficulté n'est pas de faire un mot cornélien, mais d'assurer la liaison entre des répliques sublimes; de même en poésie : plus que de juxtaposer des effets de poésie pure, la difficulté pourrait bien être de composer une œuvre poétique où la pure poésie éclate dans des sommets mis en valeur par leur situation privilégiée. Ainsi Baudelaire laisse-t-il souvent entre des vers incantatoires de larges pans de mots plus prosaïques, ainsi Hugo rend-il souvent prestigieux par l'intensité et la chaleur du mouvement des vers qui, par eux-mêmes, seraient plutôt plats. Mais c'est alors retourner à l'oratoire, à la composition, au continu, toutes valeurs que Mallarmé méprisait profondément.

3. **Toute la vie.** C'est que ces derniers éléments sont, avant tout, moyen de communication avec les hommes, et que, pour Mallarmé' l'authenticité dont la Poésie doue « notre séjour » doit nous détourner de la communion un peu facile avec l'humanité. Mais vraiment on ne peut s'empêcher de penser que c'est là une assez étrange

authenticité que celle qui détourne le poète des autres hommes,
qui va même jusqu'à nier leur existence : on rapporte que Mallarmé laissait entendre à ses visiteurs qu'ils avaient pour lui moins
de réalité qu'un de ses songes! Le cri de tout lyrique, fort et sûr
de son art, n'est-il pas toujours plus ou moins celui de Villon :
« *Frères humains,* qui après nous vivez! », celui de Hugo : « Ah!
insensé qui crois que je ne suis pas toi! » et, plus subtilement,
celui de Baudelaire : « Hypocrite lecteur! mon semblable, mon
frère! »? Il est significatif que la plus vive réaction que le xxᵉ siècle
commençant ait connue contre les recherches quintessenciées du
Parnasse ou du Symbolisme soit l'Unanimisme, c'est-à-dire un
mouvement dont la volonté essentielle est la fraternité humaine,
un mouvement féru lui aussi d'authenticité (quel poète refuserait
ce mot?), mais trouvant celle-ci dans le bien commun des hommes,
dans « les groupes faits d'hommes, les plus petits et les plus vastes,
les couples, les rassemblements, les foules, les villages, qui menaient
depuis des siècles une vie mystérieuse et muette », et convaincu
que le poète doit être « la parole, l'expression humaine de ces êtres
multiples et vivants qui continueront l'évolution de la vie par-
dessus et par-delà l'homme » (Jules Romains, *La Revue bleue,*
7 septembre 1909). Cette fraternité n'est du reste pour le poète
qu'un moyen d'atteindre un but encore plus vaste, la vie « qui
nous entoure et nous dépasse » (*Id.*), la vie à laquelle Mallarmé
tourne si soigneusement l'épaule et qui est pourtant le pain
quotidien des grands lyriques. Car s'il y a lyrisme dans la fraternité humaine, cette fraternité ne peut s'éprouver que dans la
joie de vivre. Non pas, bien entendu, que le poète ait pour mission un optimisme sempiternel et béat, mais, quand, suivant
le mot de Duhamel, il nous met « en possession de notre bien »,
il nous indique tous les liens profonds qui nous relient à la vie.
Il peut chanter le désespoir, car le désespéré est l'homme qui a
perdu ses raisons de vivre, mais qui sait au moins qu'il pouvait
y avoir pour lui des raisons de vivre. En revanche il ne peut chanter
bien longtemps la stérilité, le dédain de la vie, l'artificiel, lui qui est
par excellence celui qui nous donne sa joie, ses moments privilégiés et qui, d'une façon ou d'une autre, nous dira comme Valery
Larbaud :

> « J'ai senti pour la première fois toute la douceur de vivre
> Dans une cabine du Nord-Express, entre Wirballen et Pskow. »
>
> (*Europe.*)

Mot typique de poète qui veut nous livrer toute la chaleur
radiante de la vie, de sa vie.

Conclusion.

Mallarmé est à louer d'avoir réussi à enfermer dans une formule
d'une brièveté lapidaire toute une conception de la poésie.
Examinée attentivement et comparée aux réalisations de son
auteur, cette formule provoque presque nécessairement une

réaction dans le sens d'une poésie plus large et plus vivante. Elle a donc le mérite de prendre nettement parti et de stimuler les tenants de l'une et de l'autre tendance : notre étude ne saurait prétendre présenter une conclusion au dialogue éternel, mais peut-être Mallarmé nous a-t-il permis de préciser l'opposition fondamentale en poésie entre ceux qu'on pourrait appeler au sens large de ces termes les Classiques et les Alexandrins; cette opposition est si complète que ceux-ci ne peuvent même pas voir les œuvres de ceux-là, ni ceux-là les œuvres de ceux-ci telles qu'elles sont en réalité. Déjà au IIIᵉ siècle avant J.-C. les critiques alexandrins voulaient découvrir dans le « classique » Homère une mine d'allégories et de symboles, ne pensant pas qu'il y eût poésie en des histoires si naturelles et si familières. Inversement, combien de critiques veulent « expliquer » l'œuvre de Mallarmé comme si cet art « alexandrin » pouvait trouver un commun dénominateur avec l'art « classique »! En définitive, il ne saurait guère y avoir de compromis entre les poètes qui travaillent à assumer en eux le plus d'humanité et d'influence possible et ceux qui cherchent à se raréfier et à s'élaborer sur les limites d'une impossible pureté.

34

SUJET

D'après Mallarmé il faut, en poésie, « céder l'initiative aux mots ». Vous expliquerez et discuterez cette déclaration.

RÉFLEXIONS PRÉLIMINAIRES —————————————

1. *Sujet très classique sur Mallarmé et, d'une façon générale, sur le formalisme en poésie; encore faut-il ne pas le réduire à une étude sur l'emploi du mot comme moyen poétique chez Mallarmé. En effet :*

a) ce serait une banalité qui ne caractériserait pas Mallarmé, puisque tout poète, quelle que soit sa tendance, utilise les mots (comme un musicien les sons, ou un peintre les couleurs);

b) et surtout cela ne ferait guère l'objet d'une dissertation, puisque n'importe quel livre sur Mallarmé traite la question (voir Thibaudet, La Poésie de Stéphane Mallarmé, livre II, chapitre IV : les mots, p. 218).

2. *Mallarmé ne parle pas seulement de l'importance des mots, mais de leur* initiative. *C'est donc sur ce terme qu'il convient avant tout de faire porter l'analyse. « Initiative » vient du latin* initium *(commencement, entrée en matière) et Mallarmé laisse entendre que, dans la création ou dans la lecture poétique, le premier temps n'appartient pas à l'idée ou à la description (comme en prose ou dans la vieille* *conception descriptive de la poésie), mais aux mots. Autrement dit, le poète n'est pas d'abord celui qui pense ou celui qui écrit, il est d'abord celui à qui s'imposent des schèmes verbaux. A l'extrême limite, le poète sera un obsédé du mot, tel qu'il apparaît dans l'histoire mi-plaisante, mi-sérieuse de la mort de la Pénultième* (Poèmes en prose, Le Démon de l'Analogie).

3. *On notera bien qu'il ne s'agit en l'occurrence que d'initiative, que de début, qu'il ne s'agit en aucune façon d' « écriture automatique ». Mallarmé, dont un des soucis essentiels est d'éliminer le hasard, ne peut pas vouloir dire que les mots à eux seuls feront tout le travail. Au contraire, il était soucieux de précision dans ses arrangements de mots, de volonté lucide et réfléchie dans le travail poétique. Mais ce qu'il ne veut pas, c'est que, pour commencer, le poète (ou le lecteur) se raidisse intellectuellement, veuille imposer, à des mots qui n'en veulent pas, une idée, un raisonnement, une suite logique. Non pas qu'il faille dire que l'œuvre terminée n'offrira ni suite ni même une certaine logique, mais, à l'origine, il ne doit pas y avoir suite « élocutoire », c'est-à-dire une suite faite par et pour la progression rhétorique.*

4. *Aussi le poète doit-il céder l'initiative, disparaître (Mallarmé dit lui-même, « disparition élocutoire du poète », dans le contexte de la citation qui nous occupe :* Crise de vers, in Divagations; éd. de La Pléiade, in Variations sur un sujet, *p. 366) non pas pour livrer les ressources de son inconscient, mais précisément pour éliminer son « moi », dont la tendance naturelle et spontanée est de « raconter des histoires » dans ses vers : raisonnements, aventures sentimentales, etc.... C'est précisément s'ils tombaient dans la description et dans le récit que les mots risqueraient de se suivre au hasard, puisqu'ils auraient à tenir compte moins de leur nécessité propre que de l'agencement du récit ou de la description; au contraire, si le poète (ses raisonnements et ses histoires) disparaît, c'est alors qu' « une ordonnance du livre de vers poind innée ou partout, élime le hasard; encore la faut-il, pour omettre l'auteur »* (éd. de La Pléiade, p. 366).

5. *Comme d'habitude, le contexte est double :*
a) contexte précis : utile à connaître, parce qu'il montre que Mallarmé oppose l'initiative des mots à la présence « élocutoire » du poète, et ainsi il permet de mieux orienter la discussion;
b) contexte au sens large : la connaissance de Mallarmé et des problèmes de la poésie symboliste doit largement suffire pour éviter les contresens possibles (notamment faire de Mallarmé un pur musicien des mots ou un champion du hasard surréaliste).

ESQUISSE D'UN PLAN ——————————————

I. On organisera le développement en distinguant et approfondissant les sens du mot « *initiative* » (voir l'analyse qu'en donne Thibaudet dans son *Histoire de la littérature*, pp. 480-81).

1. L' « initiative » du mot, c'est tout d'abord sa *présence obsédante.*
En voici, emprunté à Mallarmé lui-même, un exemple très suggestif : « Je sortis de mon appartement avec la sensation propre
d'une aile glissant sur les cordes d'un instrument, traînante et
légère, que remplaça une voix prononçant les mots sur un ton
descendant : « La Pénultième est morte », de façon que

> *La Pénultième*

finit le vers et

> *Est morte*

        se détacha de la suspension fatidique plus
inutilement en le vide de signification » (*Le Démon de l'Analogie,*
in *Poèmes en prose,* éd. de la Pléiade, p. 272). Tous les poètes, du
reste, et même beaucoup d'intellectuels, ont de ces obsessions.

2. C'est, en deuxième lieu, sa *présence à la rime,* « initiative » que
déjà le Parnasse avait remarquée et utilisée : Banville s'amuse à
composer des poèmes autour de rimes extraordinaires qu'il s'agit
de mettre en valeur (il fait rimer « Syracuse » et « cire accuse »,
« escalier » et « a lié », ce qui est, notons-le, plus qu'un simple jeu
de mots, un inventaire des puissances profondes des mots « Syracuse » et « escalier »). Cet exercice, qui est ancien, s'appelle les
« bouts rimés ». C'est autour des rimes notamment que Mallarmé a composé le fameux sonnet : « Ses purs ongles très hauts
dédiant leur onyx. » Toutefois, dans les « bouts rimés » il n'y a
qu'un souci de la difficulté, alors que, chez Mallarmé, il y a déjà
dans le choix des rimes un souci des effets : ainsi, dans le sonnet
qui vient d'être cité, les rimes en *-or* ou en *-ore* sont choisies en
liaison avec les rimes en *-yx* ou *-ixe.*

3. D'une façon déjà un peu plus organisée, l'initiative cédée aux
mots peut être celle d'un *ensemble verbal,* d'une sorte de *schème*
où plusieurs mots sont possibles, mais pas n'importe lesquels,
et très souvent le poète dans ses brouillons montre qu'il en a essayé
plusieurs : il suffit d'étudier quelques variantes de Mallarmé
pour s'apercevoir qu'il modifie plutôt les mots que la ligne verbale, à laquelle manifestement il « cède l'initiative » (un exemple
entre beaucoup : dans le sonnet : « Dame sans trop d'ardeur à la fois
enflammant », il écrit d'abord :

> « la rose qui cruelle ou déchirée et lasse »

mais une variante donne :

> « la rose qui splendide et naturelle et lasse ».

Les deux idées, les deux tableaux suggérés sont très différents,
mais la ligne mélodique est à peu près la même).

4. Enfin, même au niveau du travail et de la technique, très réfléchie
et très volontaire, on peut encore dire que, d'une certaine façon,
Mallarmé « cède l'initiative aux mots ». Sans doute est-ce lui qui
les choisit et qui les ordonne, mais ce sont les *exigences propres*

des mots qui décident en premier et en dernier ressort. Ces exigences sont à envisager sur plusieurs plans :

a) Les exigences purement *sonores et mélodiques :* le mot a une certaine « initiative » par son harmonie, mais, malgré la prétention de Mallarmé à créer une œuvre musicale, il ne faut pas croire que la suite des mots doive être mélodieuse, au sens classique et un peu banal de ce terme. En réalité, l'harmonie ne doit pas favoriser le cliché, comme elle le fait trop souvent chez les poètes romantiques : les mots doivent se suivre d'une façon un peu syncopée — au sens où l'on parle de musique « syncopée » — qui surprenne et suggère (voilà pourquoi il est assez faux de dire qu'il suffit de se laisser bercer par la poésie de Mallarmé sans chercher à comprendre). Il faut certes reconnaître que, de temps en temps, Mallarmé se permet un vers mélodieux et facile, mais ce vers aussi surprend dans un contexte disloqué.

b) Les exigences de la *suggestion :* le mot a « l'initiative », surtout parce qu'il est lourd de tout un contenu suggestif, illimité et infini sans doute, mais non indéterminé. Par exemple, le mot « septuor » suggère — et il ne dépend pas du poète qu'il ne suggère pas — un concert, une harmonie (mais un peu étrange, car on entend plutôt prononcer le mot « quatuor »), un jeu de lumière stellaire (on pense vaguement aux sept étoiles de la Pléiade); en outre le mot « fait riche », somptueux, surtout par cette finale en -*or*. Mais certains harmoniques sont strictement interdits à ce mot : il n'évoquera ni un spectacle humain et familier ni un spectacle naturel (sept arbres), etc.... Ainsi le mot a une existence autonome, et son initiative, c'est un certain rayonnement, « lucide contour », qu'il impose et qui est la matière fondamentale de la poésie. Tel est à peu près le sujet de la *Prose pour des Esseintes* (voir sujet précédent, 1re partie).

c) Mais le mot n'est pas seulement envisagé dans son isolement, il est envisagé aussi dans les *répercussions qu'il a sur les mots voisins.* De cette façon, les mots ont encore « l'initiative », car on ne peut pas les unir comme on veut. Leur « lucide contour » implique des harmoniques qui peuvent être contradictoires entre eux ou s'associer pour des effets que le poète n'a pas voulus : le mot « septuor » s'associe fort bien par son « contour » au mot « scintillations » (« De scintillations sitôt le septuor »); mais on l'unirait difficilement à « illuminations », mot moins stellaire et plus quotidien. Le poète veillera donc, plus qu'au sens des mots (ce serait alors l'idée qui aurait « l'initiative »), à la juxtaposition de ces atmosphères, de ces vapeurs de suggestion que chaque mot laisse après lui et qui doivent produire, en union avec les voisins, les effets que veut le poète et rien qu'eux.

d) Enfin (cas particulier du précédent) les mots mêmes, sans qu'on s'attache à leur sens précis, sont riches d'*images latentes :* il est faux, en effet, de dire que la poésie de Mallarmé ne représente rien; seulement là encore, ce sont les mots qui ont l'initiative et qui font lever les images qu'il leur plaît. Si le poète veut changer ses images, qu'il change ses mots. Ceux-ci imposent, de par leur nature, de par leurs résonances, certaines visions qui constituent, non pas, à vrai dire, le sujet du poème, mais par leur accumulation, l'évocation progressive d'un manque, d'un appel qui devient, si l'on peut encore employer ce terme, l' « image » centrale du poème. Le mot a vraiment l'initiative, parce qu'il n'est pas, en quelque sorte, contraint par une idée directrice à exprimer une image (l'image classique est une somme des mots et de leur sens), mais parce que chaque mot pose au profit d'une image absente la touche d'une sensation nouvelle. On reconnaît là la technique impressionniste où l'initiative est, pour ainsi dire, laissée à la couleur, où le peintre, refusant en quelque sorte les mélanges de tons, laisse à ceux-ci le soin de s'unir comme il leur plaît.

5. Ainsi Mallarmé cède en quelque sorte « l'initiative » aux mots comme le mystique à son Dieu (Thibaudet) ou plus exactement comme le savant au phénomène. Mais, comme le mystique et comme le savant, il n'entend pas s'en tenir à leurs seules puissances immédiates. Il les considère comme des instruments ou plus précisément comme des *chemins* qu'il n'y a qu'à suivre pour atteindre le monde supérieur et ineffable des Idées. Ici évidemment il s'éloigne beaucoup des autres poètes; alors que, dans les procédés précédents, il ne faisait que « céder l'initiative » à des ressources que les autres poètes connaissaient, mais qu'ils se bornaient à exploiter parfois en vue de traduire leurs impressions ou de raconter leurs histoires, Mallarmé aboutit à une véritable *foi* dans le mot, laquelle repose sur la conviction philosophique qu'il y a une unité profonde entre le langage et la réalité essentielle qu'est le monde des Idées. En somme, renouvelant une très vieille philosophie religieuse du langage, il considère que le mot n'est pas seulement une simple étiquette extérieure aux choses, mais participe à l'Essence du monde. Seulement l'usage banal que nous faisons du mot nous détourne ordinairement de sa fonction profonde, au profit d'une simple fonction commerciale (« mettre dans la main d'autrui en silence une pièce de monnaie », *Crise de vers*, éd. de la Pléiade, p. 368). Pour retrouver cette fonction profonde, le poète purifiera le mot, il retournera à son sens premier, initial, et là encore c'est le mot qui a l'initiative, qui commence, qui est à-la-tête-de... : « Au commencement était le Verbe. » Le poète n'a qu'à suivre, ce qui ne veut pas dire se laisser aller, pour découvrir un monde idéal.

II. Si nous avons retenu ce sujet, c'est que, rien dans son énoncé ne force à limiter le problème à Mallarmé; on est, au contraire, invité explicitement à discuter, c'est-à-dire, non pas à faire à Mallarmé de pauvres reproches sur son obscurité, sa stérilité, mais à repérer la tendance poétique qu'il représente et à lui opposer d'autres tendances.

1. Chez Mallarmé lui-même, et malgré les nuances que nous avons distinguées tout à l'heure, l'« initiative » n'est pas toujours cédée aux mots. Il y a des *sujets*, notamment le grand sujet mallarméen du poète enfermé dans l'univers idéaliste qu'il construit (*Le Faune, Le Cygne, Les Tombeaux*).

2. Ceux de ses contemporains eux-mêmes qui poursuivent un rêve analogue (Flaubert qui rêve d'un livre sans sujet et qui tiendrait par la seule vertu du style) ne peuvent s'avancer aussi loin, car le mot doit encore avoir un prétexte pour être employé. Dans *Bouvard et Pécuchet*, la tentative apparaît nettement avec ses ambitions et ses limites; seuls les mots peuvent donner vie à ce sujet quasi inexistant : deux imbéciles faisant le tour de la sottise humaine; encore y a-t-il un sujet et, par un étrange renversement, ce roman qui s'est voulu formaliste est considéré aujourd'hui comme le triomphe du réalisme!

3. Bref, on peut se demander si cette « initiative cédée aux mots » n'est pas, en littérature, une manifestation extrême de l'esprit « artiste », cet esprit artiste qui domine la deuxième moitié du XIXe siècle et qui attache l'importance moins à découvrir des sujets nouveaux qu'à préciser les ressources propres à la littérature. Or le mot, en tant qu'expression d'une idée, n'est pas spécial à la littérature, il ne lui est spécial que comme instrument de suggestion. Ainsi la conception (suggestive) de Mallarmé a comme limite l'autre grande conception, la conception descriptive et expressive. (Ici on retomberait sur certains développements de la dissertation précédente : nous avons l'exemple de deux sujets qui se rejoignent quelque peu, mais, on l'a vu, les deux points de départ étaient tout à fait différents.)

Conclusion.

Montrer que ce paradoxe de Mallarmé provient, comme dit Thibaudet, de la « crainte du verbe, du respect des mots — comme la crainte et le respect de Dieu pour un mystique ». La comparaison est juste, car Mallarmé a eu le mérite de concevoir la force du mot pur, indépendante de ce qu'on veut lui faire exprimer. Toutefois on peut se demander dans quelle mesure il n'y a pas démission (*céder* l'initiative). Sans doute avons-nous vu que le poète reste le maître du jeu, mais il semble bien que Mallarmé n'ait pas été fâché d'avoir un peu peur des mots, comme un enfant qui se fait peur en répétant tel ou tel mot. Il feignait de les croire un peu extérieurs à lui-même, oubliant que si le « saint langage est l'honneur des hommes », c'est parce que c'est une « belle chaîne en qui s'engage le dieu dans la chair égaré » (Valéry). Précisément « l'honneur » est d'enchaîner le dieu et de ne pas renoncer à exprimer parce qu'on suggère, à avoir son idée pour tenir compte seulement des idées des mots. L'œuvre de Valéry, disciple de Mallarmé, a peut-être consisté à joindre « l'initiative » d'une raison à « l'initiative » des mots.

$$\boxed{35}$$

SUJET

Dans sa *Défense et Illustration de la langue française,*
le poète Joachim du Bellay a écrit : « Celui-là sera
véritablement le poète que je cherche en notre langue,
qui me fera indigner, apaiser, réjouir, douloir, aimer,
haïr, admirer, étonner; bref qui tiendra la bride de mes
affections (= sentiments), me tournant çà et là à son
plaisir. » Quel est, parmi les poètes que vous connaissez
et aimez, celui qui a le plus complètement réalisé cette
belle définition?   (Baccalauréat.)

RÉFLEXIONS PRÉLIMINAIRES _____

1. *Question d'esthétique poétique assez délicate, parce que la conception
moderne de la poésie, conception plus sentimentale qu'active et plus
incantatoire que sentimentale, nous rend assez étranger ce problème des
puissances de la poésie sur le lecteur ou l'auditeur.*

2. *Mais dans la lyrique ancienne, celle de l'Antiquité gréco-latine,
reprise par le XVIe siècle, le poète était avant tout l'être privilégié qui
tient des dieux le mystérieux pouvoir d'agir sur les autres hommes et
de modifier leurs sentiments à son gré. Cette conviction des forces
extraordinaires de la poésie est exprimée dans de nombreux mythes,
dont le plus connu est sûrement celui d'Orphée apaisant les bêtes
féroces et allant jusqu'à entraîner les pierres. On raconte aussi l'histoire de Tyrtée, poète non légendaire, que les Spartiates chargeaient
d'entraîner au combat leurs jeunes soldats. Ces puissances de la poésie
semblaient si exorbitantes à certains penseurs qu'ils allaient jusqu'à
considérer les poètes comme des êtres dangereux. Platon les chasse
de sa République, parce que, s'ils consacrent cet extraordinaire pouvoir
à exciter des passions dissolvantes, ils peuvent ruiner la Cité; il admet
toutefois, précisément à cause de cette puissance, une poésie mâle et
« dorienne », qui soutiendra la Cité.*

3. *Ainsi ne pas faire de contresens : du Bellay ne veut pas dire, ce qui
serait une évidence sans intérêt, que la poésie provoque en nous certains
sentiments, mais que le poète tient véritablement à sa disposition les
mouvements les plus profonds de notre âme comme l'amour ou la
haine, l'admiration ou le mépris (« me tournant çà et là à son plaisir »).
Il faudra donc remarquer successivement l'originalité de cette conception par rapport aux conceptions modernes, étudier ensuite l'effet
produit chez le lecteur et les moyens de cet effet. Le devoir peut débou-
cher sur une intéressante discussion des rapports de la poésie et de
l'éloquence, de la poésie et du classicisme, etc.*

4. *Le sujet était évidemment trop difficile pour être, tel quel, un sujet de baccalauréat. Aussi était-il simplifié par une question jointe, invitant à raisonner sur un poète du choix du candidat. Cela changeait évidemment tout. Nous ne tiendrons pas compte de cette restriction.*

PLAN SCHÉMATIQUE ——————————————————

Introduction.

Nous avons actuellement une conception esthétique de la poésie. La critique ancienne en avait plutôt une conception *efficace :* le poète est celui qui « tiendra la bride de mes affections », dit du Bellay.

I. Une conception qui nous surprend un peu.

1. La poésie moderne est plutôt sentimentale. Depuis le romantisme, la poésie est devenue synonyme d'émotion un peu rêveuse. Les sources essentielles du lyrisme romantique sont : l'émoi amoureux, le sentiment de la nature, l'angoisse de la mort et du néant. Or du Bellay nous propose des sentiments très variés, comme l'admiration, l'indignation, la haine, l'étonnement. De pareils sentiments ne nous semblent pas, en eux-mêmes, poétiques.

2. La poésie moderne est plutôt introspective. Même les sentiments que nous reconnaissons comme poétiques dans le texte de du Bellay (la joie, la douleur) restent plutôt « intérieurs » dans la poésie moderne : la poésie moderne, c'est plutôt l'émotion de l'amour que la déclaration d'amour, c'est plutôt rêver d'amour que vivre l'amour.

3. C'est pourquoi la poésie moderne est plutôt passive. Un poète qui rêve de lui me fait rêver de moi, alors. que le poète ancien me fait agir. Ronsard veut *se faire* aimer de Marie ou d'Hélène, Tyrtée veut *faire combattre* les Spartiates.

La poésie moderne est donc assez loin de la conception de du Bellay. Qu'on ne dise pas que ce que nous appelons poésie moderne, c'est seulement le fruit d'un mauvais romantisme. Parnasse et Symbolisme ont contribué à détourner la poésie de toute influence sur les hommes. Agir en se servant de la poésie serait céder à ce que Baudelaire appelle « l'hérésie de l'enseignement ». Par son culte de la poésie pure, de l'incantation qui trouble mais n'incite pas à l'action, ne modifie pas nos passions, la poésie moderne nous rend très étrangère la conception de du Bellay. Or, à examiner les choses historiquement, on peut constater que cette conception moderne n'est *qu'une* conception de la poésie, conception sans doute issue de la tendance mondaine et précieuse où le poète raffine plutôt qu'il n'agit. Mais elle n'est pas la seule. Même de nos jours une autre conception la double, qu'on peut appeler la conception des poètes « entraîneurs ».

II. La lignée des poètes « entraîneurs ».

Ce sont ces poètes auxquels pense du Bellay, des poètes capables de vous prendre votre âme, d'y verser les passions qu'ils veulent, de provoquer les grands mouvements humains : la haine, l'amour, l'admiration.

1. **Les divisions antiques de la poésie répondent aux différents mouvements que celle-ci peut causer.** Dans l'Antiquité, les genres lyriques sont divisés suivant leur pouvoir sur le lecteur et l'auditeur. Veut-on réjouir? on compose une ode bachique. Veut-on susciter la haine? on dispose alors de l'épigramme, de l'iambe, de la satire. Veut-on indigner contre les désordres politiques? c'est la satire et notamment la «Satire Ménippée», genre que reprendra le xvie siècle. Veut-on apaiser? c'est l'ode ou l'élégie. Veut-on provoquer le sentiment amoureux? c'est encore l'élégie, par laquelle le poète cherche à attendrir sa cruelle maîtresse. Veut-on soulever l'admiration pour un athlète vainqueur? c'est le genre pindarique qui livre à l'admiration publique les vainqueurs d'Olympie. Le poète dispose de tous les sentiments des hommes. Il les pousse au combat comme Tyrtée, à l'enthousiasme patriotique comme Virgile. Archiloque força même, dit-on, un homme à se suicider en l'accablant sous ses traits satiriques. Le xvie siècle, admirateur des Anciens et toujours porté à placer haut le rôle du poète dans la cité, reprend cette conception. Ronsard cherche à inspirer la sagesse à Charles IX, le patriotisme au peuple de France, l'amour au cœur de Marie ou d'Hélène. D'Aubigné attise l'ardeur de ses coreligionnaires et Malherbe calme les Français en célébrant l'œuvre de Henri IV (*Prière pour le Roi allant en Limousin*).

2. **Quelques procédés de cette poésie « entraînante ».** Les Anciens n'étaient pas loin de parler d'un pouvoir magique (*carmina*, disaient-ils, c'est-à-dire formules magiques). Nous pouvons déceler tout de même quelques-uns des procédés de cette puissance poétique :

a) *Poésie entraînante, elle utilise surtout les rythmes bien adaptés.* L'iambe (ᴗ -), pied entraînant (un temps faible, suivi d'un temps fort), convient aux attaques satiriques; l'élégie, qui fait alterner l'hexamètre et le pentamètre, est au contraire douce et apaisante, etc....

b) *Poésie généralement large et ample, elle ne craint pas les répétitions*, ne cherche pas la subtilité et le fini, mais vise plutôt à une puissance un peu élémentaire (Homère, Hésiode; de nos jours, Hugo, Péguy, Claudel).

c) C'est qu'il s'agit, non pas de raffiner sur quelques sentiments rares, mais de faire pénétrer profondément *quelques sentiments simples* : cette poésie se nourrit des grands lieux communs de la vie et de la mort, des passions et des idées les plus générales (patriotisme, affections familiales, goût de la table et du vin, sagesse épicurienne ou politique, fierté civique, etc...); elle se garde bien de *démontrer* ses sentiments, mais elle s'efforce de les *inspirer* par une lente imprégnation (voir de nos jours les répétitions infinies de Péguy autour d'une ou deux grandes idées : l'Espérance, par exemple). Il va de soi qu'une pareille poésie ne doit avoir aucune peur du ridicule, aucun goût de l'originalité, du brillant, de la subtilité. C'est le contraire de ce que l'on peut appeler l'art « alexandrin ».

d) Toutefois cette poésie se permet *certains ornements, comme les images*, dont elle fait un grand usage. Mais ce sont les images les plus simples et les plus vastes qui l'inspirent, images généralement tirées des préoccupations du lecteur ou de l'auditeur, par exemple images de guerre chez Homère, images mythologiques chez Pindare, etc. Elle use aussi volontiers de symboles élémentaires (pour du Bellay lui-même, se rappeler le « petit Liré », la cheminée qui fume, symboles suggestifs de l'amour du pays natal).

Ainsi se définit pour nous toute une lignée poétique que nous avons tendance à méconnaître, parce qu'elle n'a pas, peut-être de par son apparente banalité, de théoriciens très marquants. Et pourtant en notre siècle elle a été défendue par de fort grands noms : Péguy et Claudel déjà cités; plus près de nous Aragon, Eluard et les poètes sortis de la Résistance. Enfin nous n'aurons garde d'oublier son grand maître, Hugo, représentant gigantesque des puissances antiques de la poésie, insufflant la haine contre Napoléon III, ou le patriotisme lié au souvenir de « Ceux qui pieusement sont morts pour la Patrie »....

III. Le mauvais destin de la poésie « entraînante ».

Il faut pourtant convenir que, dans notre littérature, ce genre de poésie n'a pas de chance. Il subit de vives attaques :

1. **De la part des classiques.** Ceux-ci en effet, s'ils admettent les lieux communs et les images banales de cette poésie, s'ils tolèrent son caractère volontiers oratoire, en acceptent difficilement la puissance, les répétitions, le caractère un peu populaire. C'est une poésie qui fait appel à la partie trop grossièrement sentimentale des êtres pour leur plaire et surtout une poésie trop peu soucieuse de mesure, de limitation des effets. En un mot, elle ne satisfait pas à cet art de la litote qu'est le classicisme. Aussi les classiques se rallieront-ils bien, à la suite de Malherbe, à cette conception de la poésie dans la mesure où elle est nourrie d'idées générales et d'éloquence imagée, mais ils voudront lui donner l'harmonie, le bon sens, la discrétion et la distinction. Ils ne réussiront qu'à l'affadir : qu'y a-t-il de pire qu'une poésie faite de lieux communs, quand elle renonce à la puissance? Un Pindare sans puissance et sans démesure, voilà le Boileau de l'*Ode sur la prise de Namur* et à sa suite la lyrique néo-classique du XVIIIe siècle.

2. **De la part des détracteurs de l'éloquence.** Les classiques, eux, admettaient encore le caractère volontiers oratoire de cette poésie.

Mais toute une réaction va se développer au xixe siècle, notamment lorsqu'on reprochera aux romantiques de n'avoir pas su éliminer totalement de leurs poèmes la rhétorique traditionnelle. Baudelaire soutiendra que tout ce que la prose éloquente pourrait aussi bien exprimer n'est pas poétique. On peut dire de presque tout le mouvement symboliste qu'il est une vaste protestation antioratoire (« Prends l'éloquence et tords-lui son cou », Verlaine, *Art poétique*) dans la mesure où l'éloquence, c'est le rythme, la continuité, les images persuasives, le désir d'emporter la conviction et de provoquer certaines passions chez le lecteur ou l'auditeur. Or, nous l'avons vu, presque toute cette rhétorique est commune à l'éloquence et à la poésie de ceux que nous avons appelés les « entraîneurs » (penser à Corneille). La condamnation de l'éloquence allait donc amener la condamnation de toute poésie qui veut imposer des sentiments au lecteur. Valéry en arrivera même à considérer comme particulièrement grossier l'acte de convaincre, vu que, d'après lui, les procédés pour convaincre font appel à trop d' « impureté ».

3. **La réhabilitation d'une poésie de l'action et de la conviction à l'époque moderne.** Pourtant, à la suite surtout des bouleversements du monde moderne, la poésie qui cherche à provoquer des passions chez le lecteur ou l'auditeur allait renaître plus puissamment que jamais. Et cela non seulement du fait des poètes eux-mêmes, qui appellent aux armes, qui veulent inspirer le dégoût de l'adversaire et l'amour de la cause qu'on défend, mais, peut-être, plus encore du fait de certains régimes marxistes qui comprendront le pouvoir d'entraînement des grands mythes poétiques et n'hésiteront pas à penser qu'une politique, pour être vraiment entraînante, a besoin avant tout d'une Poésie (cf. Maïakovski). Nous avons déjà vu (cf. sujet n° 31, II, 2, c) que le Surréalisme avait l'ambition d'agir sur l'homme et de le transformer, ainsi que le proclamait Eluard dans sa conférence sur l'*Évidence poétique* (1936) : « Le temps est venu où tous les poètes ont le droit et le devoir de soutenir qu'ils sont profondément enfoncés dans la vie des autres hommes, dans la vie commune. »

┌─────┐
│ **36** │
└─────┘

SUJET

Gœthe disait : « Toutes mes poésies sont des poésies de circonstance », et il encourageait les jeunes poètes à traiter, au jour le jour, tous les petits sujets qui se présentent, même en apparence insignifiants, pourvu qu'ils s'y intéressent personnellement. Définissez, en vous appuyant sur les « poésies de circonstance » que vous connaissez, la portée, les avantages et les inconvénients d'une telle méthode de travail. (Baccalauréat.)

RÉFLEXIONS PRÉLIMINAIRES ————————————————

1. *Attention aux deux sens possibles de l'expression* « poésie de circonstance » :
    — *dans la langue courante, elle désigne plutôt la poésie de com-
mande, que cette commande soit payée (cas du poète courtisan) ou
simplement imposée à titre d'amusement par un groupe social dont le
poète fait partie (vers pour accompagner un cadeau par exemple);*
    — *dans la langue de la critique, elle désigne une poésie née d'une
circonstance de la vie du poète, circonstance qui l'a frappé profondément, qui, comme le dit Gœthe, est en apparence insignifiante, mais
à laquelle le poète a attaché, lui, une importance particulière.*
    *Il n'y a pas d'ailleurs cloison étanche entre les deux genres, mais, en
théorie, ils sont assez distincts. Il semble qu'on écrive plutôt poésie de
circonstancEs dans la première acception, et poésie de circonstance
dans la seconde. Rien ne nous empêche de tenir compte de cette distinction des deux sens pour amorcer notre plan.*

2. *On ne confondra pas, d'autre part, poésie de circonstance et poésie
intime. A notre avis, la poésie de circonstance a tendance à choisir ses
sujets dans ceux qui sont du domaine de la poésie intime (la vie des
intérieurs, des rues, des petites gens et des petites choses). Mais il
nous semble que la première implique plutôt une* attitude créatrice,
*une sorte de croyance en la richesse du quotidien, alors que la deuxième
est plutôt un* domaine *ou, si l'on préfère, une attitude mentale volontiers un peu frileuse, qui se replie sur soi et sur son petit monde. On
pourra approfondir et nuancer cette différenciation. Mais ce n'est
pas tout à fait le lieu dans le sujet qui nous intéresse. On marquera
simplement que l'attitude intimiste est souvent une* conséquence *de la
poésie de circonstance.*

PLAN ————————————————————————————————

Introduction.

Deux grands types de poésie : d'une part, la poésie des grands
sujets et des grandes œuvres, les grandes compositions, les « grandes
machines », comme on dirait en peinture (l'*Énéide*, les *Odes*
d'Horace, *La Divine Comédie*, les *Odes* de Ronsard, *Le Paradis
perdu* de Milton); et, d'autre part, la poésie des petits sujets de
la vie quotidienne, traités dans des poèmes courts, écrits au jour
le jour (l'*Anthologie grecque*, certains poèmes de Catulle, d'Ovide,
les *Regrets* de du Bellay, certaines œuvres de Baudelaire, de
Mallarmé). Gœthe, malgré son goût pour les « grandes machines »
(*Hermann et Dorothée*, les deux *Faust*), fait l'éloge de la poésie
de circonstance. Dans tout ce qui se présente au jour le jour,

il n'y a pas de petits sujets, pense-t-il, il n'y a que les sujets qui intéressent le poète et ceux qui ne l'intéressent pas : traiter ce qui nous intéresse au jour le jour, c'est faire de la *poésie de circonstance.*

I. Le préjugé.

L'expression a mauvaise presse; elle suggère habituellement :

1. L'insincérité du poète. On pense plutôt, quand on lance cette expression comme une condamnation, aux poètes courtisans du xvie siècle (Marot, Desportes), à Malherbe (ce dernier écrit par exemple des vers pour célébrer les maîtresses successives de Henri IV); plus près de nous, on évoque toute la partie frivole de l'œuvre de Mallarmé réunie sous le titre de *Vers de circonstance* : adresses rimées, dédicaces de livres ou de photographies (voir notamment les dédicaces qu'il fait à divers amis de son *Après-midi d'un Faune*), envois de fleurs ou de bonbons pour le Nouvel An. Toute cette poésie est brillante, pleine d'acrobaties ou de virtuosité, mais elle semble sans sincérité et loin de la vie.

2. Une conception « basse » de la poésie. Dans ces conditions le poète semble un amuseur, une sorte de saltimbanque, de baladin, indigne de la haute idée que d'autres se font de la poésie. C'est peut-être le reproche le plus grave qu'un du Bellay ou un Ronsard adressent à Marot : il met sa poésie au service des grands qu'il cherche à distraire, alors que, pour les jeunes aristocrates de la Pléiade, le poète est un *Vates*, un inspiré divin qui doit construire de grandes œuvres.

3. Une poésie frivole et précieuse. Enfin, dans une littérature comme la nôtre, où, malgré des tentatives sans cesse renouvelées, la préciosité n'a pas tellement bonne presse, la poésie de circonstance tombe sous l'accusation de mondanité légère. On la juge plus jolie que belle, destinée à périr avec le petit fait qui l'a engendrée : on « berne » Voiture, on écrit quelques *Impromptus* sur ce sujet et, quelques jours plus tard, tout est oublié, l'aventure réelle et la poésie qu'elle a inspirée. Or le *Poète* est celui qui travaille pour l'immortalité : celui qui sait « l'art de faire des couronnes » avec les « belles feuilles toujours vertes » du laurier consacré à Apollon et qui est capable de donner « une louange Qui demeure éternellement » (Malherbe, *Ode à la Reine, mère du Roi, sur les heureux succès de sa régence*).

Ainsi la poésie de circonstance serait une poésie insincère, facile, éphémère.

II. La conception de Gœthe.

Ce n'est pas tout à fait à ce genre de poésie que pense Gœthe : dans sa bouche, la poésie de circonstance est la plus sincère, la plus profonde, la plus humaine des poésies.

1. La sincérité. C'est la plus sincère, parce qu'elle renonce honnête-
ment aux grands sujets qui impliquent une tension et une raideur
de l'écrivain, lequel forcément finit par n'être plus sincère, même
si au début il l'a été. Le poète de circonstance, celui qui cherche
et exploite au jour le jour les petits sujets que lui offre la vie
quotidienne, suit les mouvements mêmes de la vie, avec fraîcheur,
modestie et joie. Il dit comme La Fontaine : « Les longs ouvrages
me font peur », parce que le grand ouvrage en arrive très vite à
se copier lui-même, si l'on peut dire : le milieu et la fin y doivent
répondre au commencement, suivant les conseils d'Horace et de
Boileau, mais alors, pour être fidèle à lui-même, il n'est plus
fidèle à la vie. Or c'est cette dernière fidélité que recherche avant
tout le poète de circonstance.

2. La profondeur. Mais cette fidélité, dira-t-on, soucieuse qu'elle est
de suivre le quotidien, est superficielle. Il n'en est rien, car, en
réalité, dans l'éclair de l'événement quotidien, le poète a souvent
l'impression d'un coup d'œil qui le fait pénétrer très loin en lui
et dans les choses. Baudelaire a exploité cette impression, qu'on a
souvent dans la vie de chaque jour, de l'éclair révélateur. Par
exemple, il croise une femme dans la rue, incident insignifiant,
mais tout d'un coup il a la certitude absolue et intuitive que c'est
cette femme qu'il aurait aimée et qu'elle partage avec lui cette
certitude. Ils ne se parleront pas et, par timidité, ils laissent
passer le bonheur : « O toi que j'eusse aimé, ô toi qui le savais »
(*A une passante*). — Une autre fois il aperçoit sept vieillards, tous
semblables, et cette vision, à la fois réaliste et fantomatique, lui
donne le frisson d'une plongée dans un autre monde : « Ces sept
monstres hideux avaient l'air éternel ! » (*Les Sept Vieillards*).
Dans les *Poèmes en prose* ou *Le Spleen de Paris* il exploitera systématiquement ces ouvertures sur l'inconnu que sont souvent les
rencontres quotidiennes; en ce cas, on peut dire que la poésie
de circonstance est la plus profonde.

3. L'humanité. Ce n'est pas toujours sur le poète, mais aussi sur les
autres hommes que la « circonstance » jette de singulières lueurs.
Baudelaire voit un vitrier, des veuves, des saltimbanques, des
enfants, de petits pauvres, des chiens; et à chaque fois il perce les
secrets d'une humanité qu'il ne connaissait pas bien auparavant.
C'est, par exemple, le thème des *Petites Vieilles* (*Les Fleurs du Mal*)
repris dans *Les Veuves* (*Poèmes en prose*). Devant ces vieilles
femmes rencontrées dans la rue ou dans les jardins publics, il
éprouve avec certitude tout le drame d'une existence, il communie
avec elles dans une fraternité douloureuse, il se sent presque leur
père (*Les Petites Vieilles*, vers 75). En ce cas, on peut bien dire
que la poésie de circonstance est la plus humaine.

III. Les voies de la poésie de circonstance.

Poésie sincère, poésie profonde, poésie humaine, la poésie de circonstance nous apparaît comme une riche source. Elle nourrira

le symbolisme, favorisera l'attitude intimiste, se spécialisera dans l'humour attendri.

1. **La circonstance comme symbole.** Le mouvement d'approfondissement que nous avons déjà signalé à propos de Baudelaire, sera systématiquement exploité par les symbolistes, surtout par Mallarmé qui empruntera ses meilleurs symboles au monde quotidien (son salon, ses bibelots), sans doute pour les élaborer bien au-dessus et bien au-delà de la circonstance qui les a fait remarquer, mais sans guère arriver à s'en dégager totalement (voir sujet nᵒ 33, II, 2). Au fond, pour un symboliste comme pour un poète de circonstance il n'y a pas de petits symboles, il n'y a que l'intérêt que nous leur portons.

2. **La circonstance dans la poésie intimiste.** Plus naturellement, l'attitude du poète de circonstance conduira à la poésie intimiste. En effet, dans cette vie quotidienne qui est la matière du poète de circonstance, la vie intime joue naturellement le plus grand rôle. Ce n'est pas tous les jours qu'on croise la passante qu'on aurait aimée, mais c'est tous les jours qu'on peut faire le *Voyage autour de (sa) chambre*, c'est tous les jours qu'on est introduit dans l'intérieur de ses amis ou de ses relations. Ainsi la poésie de circonstance favorise le développement riche — quoique toujours un peu mineur — de cette lignée intimiste qui, de Sainte-Beuve à nos jours, traverse avec continuité la poésie française. Sainte-Beuve en a à peu près défini tous les thèmes essentiels : goût des appartements et sens aigu de leur signification morale (*Volupté*, page 37, chap. III, éd. Jonquières : « J'eus toujours le goût des intérieurs... un intérieur nouveau où je pénétrais était toujours une découverte agréable à mon cœur... j'en construisais les moindres rapports »). Ce goût est d'ailleurs symbolique d'un autre goût de la poésie intimiste, le goût pour les « particularités de la vie secrète et ses plus circonstanciés détours » (*ibid.*). Cette poésie est volontiers frôleuse de la vie des autres (« Je vis vos jours perdus », dit Baudelaire aux *Petites Vieilles*, vers 78), elle s'insinue plus qu'elle n'analyse, elle préfère entrer par les « grilles de derrière » (cf. *Volupté* : « Les grilles de derrière des jardins abandonnés me recomposaient un monde... ») plutôt que par la grand-porte, elle a le sens aigu des heures et des jours (une heure du matin, heure plus nocturne que minuit, la mélancolie des dimanches, ou les « rayons jaunes » de l'automne, etc...). Bien qu'elle ne connaisse pas de très grandes réussites, cette poésie, dont Sainte-Beuve essaie dans son *Joseph Delorme*, de donner les premiers modèles, s'épanouira dans le Hugo intime, dans le Baudelaire des *Tableaux parisiens*, des *Poèmes en prose* ou de la *Servante au grand cœur*, dans certains poèmes de Verlaine (*Après trois ans*), dans quelques réussites de Coppée.

3. **La circonstance et l'humour attendri.** Enfin cette poésie trouvera un ton assez particulier, à vrai dire rare dans notre littérature

et dont les Anglais avaient proposé les meilleurs modèles, le ton de Sterne ou de Dickens, celui qui consiste à parler des choses de la vie quotidienne avec humour, familiarité et quelque attendrissement moqueur. C'est sans doute Baudelaire, dans ses *Poèmes en prose*, qui l'a le mieux transposé chez nous : se moque-t-il ou s'attendrit-il, quand il nous présente ce vitrier dont il brise toute la verrerie parce que le « pauvre homme » n'a pas de verres de couleur qui fassent voir la vie en beau (*Le Mauvais Vitrier*), ce vieux saltimbanque qui n'attire aucune clientèle (*Le Vieux Saltimbanque*), ce pauvre qu'il faut battre pour lui rendre quelque dignité en l'amenant à battre son bienfaiteur (*Assommons les Pauvres*), ces *Bons Chiens* qui « vont à leurs affaires » et qui sont « très exacts sans carnets, sans notes et sans portefeuilles »? En Allemagne, on pensera à Heine (dans ses *Tableaux de Voyage*).

IV. Les dangers de la poésie de circonstance.

Mais il est d'autres voies plus dangereuses où risque de conduire la poésie de circonstance.

1. **La mièvrerie.** Un Mallarmé lui-même n'échappe pas à ce danger et, plus généralement, c'est la tentation des genres mineurs : le goût de Baudelaire pour la « circonstance » l'amène à mettre Constantin Guys, peintre de la vie quotidienne sous le Second Empire, sur le même plan que Delacroix, auteur de « grandes machines ». Or aujourd'hui, tout de même, Constantin Guys est remis à une plus juste place.

2. **Le prosaïsme et le tableau de genre.** Danger évident, surtout si l'on succombe à la tentation descriptive, si l'on *explique* en long et en large la « circonstance »; il est difficile de nier la médiocrité poétique, malgré leur valeur technique, des tableaux de genre du *Repas ridicule* de Boileau. Autre danger voisin, l'attendrissement naïf à la Coppée, vieux Parisien qui s'extasie un peu trop facilement dans la rue.

3. **L'artifice.** Enfin il n'y a rien de plus artificiel que la poésie de circonstance quand on l'exploite trop systématiquement. Il y a un temps pour elle et un temps pour les grandes œuvres. Certains sujets nécessitent, *pour ne pas paraître artificiellement traités*, la stylisation et l'élaboration des grands genres. Le défaut, c'est de vouloir s'en tenir exclusivement aux poèmes de circonstance. En général, c'est une question de dosage : celui-ci est habile chez du Bellay et chez Ronsard, ou chez Baudelaire lui-même qui, dans ses *Fleurs du Mal*, sur 151 poèmes n'en consacre que 18 aux *Tableaux parisiens* (et encore tous les *Tableaux parisiens* ne sont pas œuvres de circonstance) et réserve plutôt ce dernier genre un peu mineur pour ses *Poèmes en prose*. Mais l'artifice devient insupportable quand cette poésie s'imagine être un grand genre, quand elle se prend trop au sérieux, comme chez Coppée.

Conclusion.

La position esthétique de Gœthe est riche et moderne : le monde parle au poète, lui fait des signes. Le poète doit les comprendre au passage, vite, avant qu'ils ne soient évanouis. Mais pourquoi Gœthe se défie-t-il tant de la technique, de la rhétorique? Au fond, il y a peut-être moins d'opposition qu'il ne le pense entre les grands poètes et la vie. Son esthétique est une esthétique de romantique qui privilégie la vie et ses instants et se défie de toute rhétorique comme d'une prétention à l'Éternel. Or il semble bien qu'il n'y ait de très grands poètes que bâtisseurs et bâtisseurs pour l'éternité.

SUJET

$$\boxed{37}$$

Expliquer et discuter cette opinion de Pierre Loti en s'appuyant sur des exemples précis : « Les vrais poètes, dans le sens le plus libre et le plus général du mot, naissent avec deux ou trois chansons qu'il leur faut à tout prix chanter, mais qui sont toujours les mêmes : qu'importe, du reste, s'ils les chantent chaque fois avec tout leur cœur!... » (Baccalauréat.)

REMARQUES POUR UN PLAN ────────────

1. Le texte de Loti est difficile à orienter parce que, tout en étant extrêmement naïf, il touche un des problèmes essentiels de la poésie. Il faut donc, pour l'appréhender correctement, éliminer les naïvetés qui sont dues à une certaine maladresse de l'auteur dans le maniement de la langue critique et théorique et aussi à un désir assez manifeste de justifier la monotonie de son art personnel.

2. Les naïvetés du texte :

● une conception enfantine de l'inspiration (les poètes *naissent* avec deux ou trois chansons). Sans doute Loti reprend ici le célèbre *nascuntur poetae*, mais il le fait sans aucune nuance et il a l'air d'admettre comme une évidence le caractère primitif et originel de l'inspiration;

● une sentimentalité poétique bien superficielle et presque « fleur bleue ». Loti ne se demande pas si l'essence de l'émotion poétique n'est pas plus pure et plus élaborée. Selon lui, le poète « chante avec tout son cœur » : c'est là une expression presque puérile, en tout cas un lieu commun sans profondeur.

Ainsi l'affirmation est des plus superficielles et témoigne de l'incapacité de Loti à discuter le problème de critique qu'il évoque.

3. Le texte a un peu l'accent d'un plaidoyer *pro domo* : son explication par l'auteur est plus que jamais de rigueur. On pense
invinciblement à ces quelques thèmes qui traversent, obsédants
et un peu monotones, les romans de Loti : les « ailleurs », la mer,
l'Islam, la nostalgie du passé, la mort, un pessimisme violent et
peu nuancé. Rien de tout cela ne vaut par la profondeur de l'analyse, mais plutôt par un envoûtement dû à l'impression que
donnent ces refrains, de surgir par vagues lentes et profondes de
l'âme, en quelque sorte hantée, de leur auteur.

4. C'est par ces biais que ce jugement, un peu court de pensée, un
peu naïf d'expression, rejoint un des problèmes fondamentaux
de la création poétique. Éliminant les naïvetés ou l'apologie
personnelle, nous irons à l'essentiel : la poésie n'est-elle pas *la
remontée à la surface de la conscience et la mise en chanson de
quelques obsessions très profondes* que le poète porte en lui? Ce
problème est tout à fait précis et n'est plus du tout une naïveté
sans consistance. En effet le poète, et surtout le poète moderne,
apparaît souvent comme une sorte de doux entêté qui ramène
constamment de ses profondeurs quelques obsessions toujours
identiques. Ce n'est ni un technicien du vers comme le voulaient
les classiques, ni un « poète penseur » comme le demandait Vigny,
ni un « écho sonore » comme le concevait V. Hugo, ni même un
rêveur, car le rêveur se laisse solliciter par mille influences étrangères; c'est un homme qui a sa nécessité interne (« deux ou trois
chansons qu'il lui faut à tout prix chanter »), et qui, pour ainsi
dire, éclaterait s'il ne pouvait s'épancher.

5. Historiquement cette conception n'a guère trouvé de défenseurs
et de représentants avant Baudelaire et avant le Symbolisme.
Toutefois en prenant, comme le veut Loti, le mot « poète » dans
son « sens le plus libre et le plus général », on peut constater que
les grands écrivains de la vie intérieure et poétique répondent
assez bien à sa définition. Rousseau et Chateaubriand notamment fournissent des exemples très intéressants; leurs thèmes
les plus profonds sont peu nombreux, mais ils compensent par
leur intensité obsédante ce qu'ils n'ont pas en richesse numérique;
ainsi chez Rousseau l'exaltation par la solitude, chez Chateaubriand le décalage entre les désirs et la réalité sont sans cesse
repris, analysés, nourris d'images (la Sylphide chez Chateaubriand
incarne la femme qu'il n'a pas trouvée). Mais c'est surtout après
le romantisme que la poésie se livre à une quête délibérée et obsti-
née de ces « deux ou trois chansons que le poète doit à tout prix
chanter ». Baudelaire fait systématiquement appel aux suggestions de l'inconscient et du rêve : le monde extérieur lui-même,
par un subtil jeu d'analogies, n'a pour rôle que de favoriser l'apparition de ces suggestions; ainsi le paysage typiquement baude-
lairien est un paysage d'eaux, de marbre, de métal et de reflets
(*Rêve parisien, L'Invitation au Voyage*, etc...). De même, certains moments de la journée font particulièrement surgir du fond

de la conscience le regret du passé, le paradis perdu et les amours enfantines. Sans doute l'art des principaux Symbolistes, art très savant, très réfléchi, ne semble pas aller tout à fait dans le sens de Loti, lequel suggère un art plus primitif, plus spontané. Néanmoins l'art raffiné d'un Mallarmé ne doit pas nous dissimuler l'obsession de quelques chansons : la chanson des « transparents glaciers » et des « purs bijoux », la hantise de l'azur, des miroirs et de la stérilité. Même le très intellectuel et très rigoureux Valéry n'est pas exempt de ces obsessions qui traduisent une vraie nature de poète : les eaux, les fontaines, les palmes, les cyprès et les colonnes, la sécheresse impitoyable de la raison et de la nature méridionale, voilà qui compose un univers peut-être plus nécessaire à l'art de Valéry que toutes les pensées « exquises » qu'il y renferme. Et c'est avec Verlaine que cet art des obsessions semble atteindre sa plus parfaite utilisation poétique.

6. Pour la discussion, il convient de se placer sur un certain nombre de plans soigneusement distingués :

a) On pourra d'abord, tout en *restant d'accord* avec Loti sur le caractère obsédant et nécessaire de « deux ou trois chansons » fondamentales, souligner qu'elles prennent chez les grands poètes un caractère plus élaboré qu'il ne le suppose. Même l'art d'un Verlaine, qui se réduit à quelques « chansons » assez superficielles, est extrêmement élaboré; et c'est souvent par une alchimie verbale très poussée que les Mallarmé et les Valéry arrivent à rendre leurs obsessions profondes : Loti paraît penser plus à la chanson populaire qu'à la grande poésie!

b) On pourra ensuite *s'opposer* beaucoup plus radicalement à Loti, en remarquant qu'une conception tout à fait différente de la poésie transforme le poète en une sorte de « déchiffreur de l'Univers », sensible à tous les signes que celui-ci nous adresse. Baudelaire et Rimbaud ont évidemment une idée plus subtile de la poésie et Hugo assigne au poète une fonction infiniment plus grandiose. Pour eux, comme pour bien d'autres, la poésie est riche comme le monde et le poète n'est pas nécessairement un plagiaire quand il va trouver ses chansons « ailleurs qu'au fond de son âme » (Loti) : il est, comme l'affirme Hugo, une « âme de cristal », une « âme aux mille voix » qui résonne à tous les vents, à tous les souffles, ou, selon Rimbaud, une sorte de « voyant ».

c) On pourra enfin *objecter* à Loti que la poésie est beaucoup plus peut-être dans le travail verbal que dans la sincérité des thèmes. Telle est l'opinion des classiques, telle est également, en un sens assez différent, l'opinion des « poètes purs » pour qui la poésie, « c'est avant tout des mots », suivant la boutade de Mallarmé (mais on n'insistera pas trop sur ce point, qui mènerait un peu loin du sujet).

$$\boxed{38}$$

SUJET

« Les plus désespérés sont les chants les plus beaux
Et j'en sais d'immortels qui sont de purs sanglots. »
(Musset, *Nuit de Mai*.)
Commentez.

RÉFLEXIONS PRÉLIMINAIRES ─────────────────

1. *Sujet clair, ne prêtant guère au contresens, si ce n'est sur le mot purs.*
« *Purs sanglots* » *ne signifie pas* vrais *sanglots, comme, dans le langage courant, un* pur *chef-d'œuvre signifie un* vrai *chef-d'œuvre. Musset veut dire que, en purifiant les sanglots, on peut en faire des chants qui atteignent le plus grand degré de* pureté *poétique* possible.

2. *La souffrance est envisagée ici comme* source *d'inspiration et non pas comme un thème à traiter : on ne se bornera donc pas à observer que Musset et les autres romantiques ont une tendance à raconter des histoires tristes (ce qui serait sans intérêt, car la souffrance fait le sujet de bien des œuvres classiques), mais on montrera que leur poésie trouve souvent ses sources dans les souffrances du poète, ce qui est exactement le problème posé. En d'autres termes, il s'agit d'une analyse de l'inspiration du poète plutôt que d'une revue des thèmes qu'il traite.*

PLAN SCHÉMATIQUE ─────────────────────

Introduction.

Depuis le romantisme, non seulement bien des œuvres poétiques sont consacrées à la souffrance, mais encore beaucoup de poètes vont jusqu'à croire qu'elle est par excellence la source de l'inspiration :
« Les plus désespérés sont les chants les plus beaux
Et j'en sais d'immortels qui sont de purs sanglots. »

I. La théorie romantique de la souffrance, notamment chez Musset.

1. **D'abord un problème de culture,** ou plutôt de réaction contre cette culture. Musset souffre — comme les autres romantiques — de l'insincérité de la lyrique néo-classique du XVIIIe siècle. Il l'attaque indirectement dans *La Nuit de Mai*, où, à propos de l'allégorie du pélican et des souffrances des poètes, il écrit : « Ce n'est pas un spectacle à dilater le cœur »; en d'autres termes, la poésie n'est pas un amusement, elle est charnelle et sanglante.

2. Ensuite un problème moral et religieux. Pour Musset la souffrance est essentiellement une purification. Cette théorie, très importante dans la pensée romantique, a été mise au point notamment par Joseph de Maistre (*Soirées de Saint-Pétersbourg*, 1821) et de Bonald : reprenant et majorant l'idée chrétienne suivant laquelle la souffrance est une expiation des péchés, ces penseurs vont jusqu'à soutenir qu'elle est indispensable dans une société, puisqu'elle purifie celle-ci des fautes collectives et particulières. Le Bourreau est le personnage sacré par excellence, puisqu'il contribue à cette mission divine de purification. Le poète est dans une situation analogue : il est à la fois son bourreau et sa victime, il est une sorte de « bouc émissaire », choisi par Dieu pour souffrir, et ainsi pour expier les fautes des autres hommes. Il est donc en quelque sorte « maudit », mais Dieu lui réserve, en échange de son sacrifice, un sort privilégié. Du reste, son martyre n'est que l'envers de sa pitié pour ses frères. On reconnaît là des idées qui seront reprises par Baudelaire, notamment dans le poème intitulé *Bénédiction*.

3. Enfin un problème d'esthétique. Si « les chants désespérés sont les chants les plus beaux », c'est parce qu'ils sont ceux qui viennent le plus directement du cœur. Or le poète, qui est poète surtout à cause de sa souffrance, crée directement avec son cœur : le cœur est donc à la fois créateur et organe de souffrance :

> « Ah! Frappe-toi le cœur! C'est là qu'est le génie!
> C'est là qu'est la pitié, la souffrance et l'amour. »
>
> (Musset, *A mon ami Édouard B.*, 1832.)

II. Valeur générale de la thèse de Musset.

Malgré son caractère un peu démodé, ce point de vue de Musset n'en est pas moins riche de perspectives authentiquement poétiques.

1. Les chocs révélateurs de la souffrance. Psychologiquement, il est certain que la souffrance provoque un choc qui mène souvent les écrivains à la limite d'eux-mêmes (voir Hugo, *A Villequier;* voir Musset lui-même, poète d'envergure encore limitée avant son aventure avec George Sand, qui devient le grand poète des *Nuits,* parce que sa maîtresse l'a fait souffrir).

2. Toute profondeur humaine est douloureuse. D'autre part, si la poésie lyrique est lumière profonde dans le cœur de l'homme, elle ne peut qu'être douloureuse. A un certain degré d'intensité et de profondeur, les sentiments humains sont souvent source de douleur, même l'amour heureux : voir à ce sujet le beau poème d'Aragon (*Il n'y a pas d'amour heureux, La Diane française,* 1944) :

> « Il n'y a pas d'amour qui ne soit à douleur
> Il n'y a pas d'amour dont on ne soit meurtri »

3. La souffrance signe d'inquiétude. Enfin toute souffrance, sans être *a priori* signe d'intelligence ou de distinction, est *a priori* signe d'inquiétude, signe que le poète n'est pas en accord béat avec le monde, signe qu'il regrette ce qui n'est pas et pourrait être : par exemple, la souffrance de Vigny, hanté par le problème du Mal, par le silence de Dieu. Toute poésie chrétienne est dans une certaine mesure souffrance, souffrance d'un monde imparfait, de cette « vallée de larmes » où le Christ est souffleté sans cesse par le péché (cf. la souffrance de Baudelaire, qui est avant tout dégoût du « spectacle ennuyeux de l'immortel péché », *Le Voyage*).

Si donc la poésie est un regard en profondeur jeté sur l'homme, la souffrance est incontestablement une des sources les plus poétiques.

III. Nuances et réserves.

Musset est trop absolu.

1. La nécessité d'un recul. En admettant que Musset ait raison d'attribuer à la souffrance une valeur inspiratrice, il est à peu près certain qu'au moment même où on l'éprouve elle n'est pas créatrice. Il faut au poète un apaisement, un recul :
« Sois sage, ô ma douleur, et tiens-toi plus tranquille », ce mot de Baudelaire est plus ou moins le mot de tout poète désireux de transformer ses sanglots en de *purs* sanglots. Diderot va même jusqu'à soutenir que le grand poète n'a pas le temps d'être sensible. Il est sûr, en tout cas, que le poète doit prendre un certain recul avec sa blessure : Musset lui-même laisse la sienne se cicatriser avant d'écrire les *Nuits*, car, tant qu'il souffre son martyre, il avoue son impuissance :

> « ... le moins que j'en pourrais dire,
> Si je l'essayais sur ma lyre,
> La briserait comme un roseau. »

Dans certains cas même, c'est en écrivant que l'auteur se libère de sa peine : écrire, c'est dès lors la supprimer en la mettant au jour, c'est lui donner la stylisation d'une œuvre d'art (dans *Les Jeunes Filles* de Montherlant, l'écrivain Costals, qui a souffert du fait de Solange, se libère d'elle en faisant une œuvre d'art de leur aventure).

2. Les dangers de la complaisance. De toute façon la thèse de Musset est dangereuse, car elle ouvre la porte à toutes les complaisances doloristes, aux génies méconnus, à tous ceux qui considèrent leurs souffrances comme un signe infaillible de distinction. C'est un des éléments du « bovarysme ». La littérature féminine se délecte volontiers de ces raffinements souvent un peu gratuits (Mme de Sévigné, George Sand, Desbordes-Valmore).

3. L'inutilité d'un « palmarès ». Enfin, pourquoi établir une hiérarchie aussi dogmatique? Pourquoi *les plus* désespérés seraient-ils *les plus* beaux? En un sens, comme le dit quelque part Alain, la souffrance est chose facile : il suffit de consentir à descendre la pente. Plus virils sont les chants d'espoir : voir Claudel, Péguy (*La Petite Espérance*), voir encore les écrivains qui, sans être aussi optimistes, mettent leur coquetterie à présenter allégrement un monde auquel ils ne font pas confiance (Giraudoux).

Conclusion.

Pensée malgré tout un peu romantique au mauvais sens du terme, culte moderne et un peu décadent de la douleur. L'Antiquité a beau être souvent pessimiste, elle n'a jamais ce culte de la douleur. Pour elle être poète, c'est inspirer aux hommes les grands sentiments humains.

39

SUJET

« Poésie! ô trésor! perle de la pensée!...
O toi! des vrais penseurs impérissable amour!
Comment se garderaient les profondes pensées,
Sans rassembler leurs feux dans ton diamant pur
Qui conserve si bien leurs splendeurs condensées?
Ce fin miroir solide, étincelant et dur,
Reste des nations mortes, durable pierre
Qu'on trouve sous ses pieds lorsque dans la poussière
On cherche les cités sans en voir un seul mur. »

(Vigny, *La Maison du Berger.*)

Vous dégagerez la définition de la poésie implicitement contenue dans ces vers. Vous vous demanderez quels sont parmi les grands poètes du XIXᵉ siècle ceux qui auraient pu accepter et quels sont, au contraire, ceux qui auraient vraisemblablement refusé d'y souscrire.

(C. A. Lettres classiques.)

REMARQUES POUR UN PLAN

Comme toujours bien partir du texte : c'est au texte de Vigny qu'il faut demander avec méthode la conception que se fait son auteur de la poésie. Toutefois ce texte est découpé de façon à orienter le devoir vers le problème de la *poésie philosophique*. Aussi croyons-nous utile, pour guider les recherches, de signaler que la poésie philosophique peut s'entendre dans de nombreux sens.

1. La poésie philosophique peut d'abord être celle qui *expose un système philosophique*. Elle revêt deux formes :
a) Si le système n'est pas organisé, on parlera de *poésie gnomique :* le poète se borne à des maximes, à de courtes pièces didactiques;

ce genre fut très développé dans l'Antiquité, notamment à l'époque des premiers philosophes ioniens (et cf. les poètes Solon, Théognis, Phocylide).

b) Si le système est organisé, on a affaire à la *grande poésie philosophique*, celle d'un Lucrèce (*De natura rerum*), d'un Chénier (*Hermès*), d'un Sully-Prudhomme (*La Justice, Le Bonheur*).

Dans un cas comme dans l'autre, le vers a essentiellement un but didactique, mnémotechnique. Il s'agit de faciliter la mémoire et aussi de donner un certain attrait (par les images, les digressions mythologiques ou historiques, etc...) à des idées abstraites et par elles-mêmes rebutantes pour un lecteur (c'est ainsi que Lucrèce veut amener son « cher Memmius » à étudier le matérialisme d'Épicure).

2. La poésie peut être philosophique en ce sens qu'elle vibre d'une *passion philosophique*. Elle expose des idées, certes, mais les exalte et les sent. Elle n'apporte pas d'idées nouvelles, mais une angoisse nouvelle. Ainsi font souvent Lucrèce et Pascal. C'est le cas de Vigny fréquemment (pas dans le texte qui nous intéresse, mais dans d'autres poèmes, surtout des *Destinées*) : devant le silence de Dieu, il éprouve une inquiétude à la fois *métaphysique* et *personnelle*.

3. La poésie peut être philosophique en ce sens qu'elle donne aux idées philosophiques une sorte de chair qui les *représente et les incarne*. Le moyen par excellence de cette incarnation est le *symbole*. Cas typique chez Vigny où l'on peut distinguer deux sortes de symboles :

a) une *anecdote* tirée de l'histoire ou de la légende : *Le Déluge, Samson et Dalila;*

b) un *objet ou un être particulier* : *La Bouteille à la Mer, Le Loup.*

Dans les deux cas, le symbole, qui aboutit à la poésie symbolique, mais n'a rien à voir avec l'usage qu'en fera la poésie symboliste, est surtout une façon de transmettre la pensée et de lui assurer la pérennité. Voir *Daphné :* la religion, d'après Libanius, est un ensemble d'images et de récits variables suivant les époques, mais destinés à préserver et à mettre à la portée du peuple des vérités morales qui autrement lui seraient inaccessibles. On peut dire que la religion est le *symbole* de la morale. Il faut donc admettre que les formes symboliques peuvent changer, ce qui du reste n'a pas grande importance, pourvu que les nouvelles formes continuent à propager aussi bien que les précédentes les vérités philosophiques. Aussi l'empereur Julien a-t-il tort de s'obstiner à défendre le paganisme antique contre le christianisme des barbares, car ce dernier reprendra la mission du précédent et préservera aussi bien que lui la morale. Voir anecdote de la momie : celle-ci est très belle, mais un cristal l'enveloppe, la rend plus belle encore et surtout assure sa durée. Tel est le rôle des dogmes religieux en particulier et de tous les symboles à l'égard des vérités morales : les embellir, les conserver et accepter que d e nouveaux symboles viennent à leur tour remplir la même mission.

4. *La poésie, sans cesser d'être symbolique, peut être philosophique en ce sens qu'elle ne se borne pas à « garder » la pensée, mais encore qu'elle la condense et lui donne plus d'éclat.*

Telle est la signification exacte du texte proposé ici. Il ne faut pas comprendre, du reste, que la poésie philosophique se borne à résumer la pensée, ce qui relèverait encore de la poésie gnomique. Elle en est en quelque sorte la quintessence brillante, la concentration lumineuse, la précieuse concrétion. Aussi la poésie philosophique est-elle « diamant », « miroir », « splendeur condensée », « perle »; du même coup, elle sera persistante et solide : c'est en ce sens qu'il faut entendre les vers « durable pierre Qu'on trouve sous ses pieds lorsque dans la poussière On cherche les cités sans en voir un seul mur ». Ne pas faire d'erreur en les attirant vers un sens plastique et artistique qui annoncerait les théories de Gautier dans le poème *L'Art :* « L'art robuste Seul a l'éternité. Le buste Survit à la cité. »

5. Enfin la poésie peut être philosophique, non parce qu'elle expose une idée ou la condense, mais parce qu'elle *conduit* par elle-même et par ses sortilèges *au monde des Essences, des Idées.* La poésie est alors philosophique, non parce qu'elle transmet des idées, mais parce qu'elle espère rivaliser avec la philosophie et conquérir à la pensée des domaines nouveaux. En ce sens on peut bien dire que la poésie des symbolistes est philosophique, mais il s'agit d'une conception différente de celles qui précèdent.

40

SUJET

En 1735, Voltaire écrivait à M. Desforges-Maillard (un avocat de province qui lui avait envoyé des « vers trop faciles ») : « Je n'estime la poésie qu'autant qu'elle est l'ornement de la raison. »
Vous expliquerez et vous discuterez ce jugement.

(Ce sujet a été plusieurs fois proposé au Baccalauréat.)

REMARQUES POUR UN PLAN

1. Voltaire se rallie à une conception formelle et ornementale : en d'autres termes, pour lui la poésie n'a pas de domaine spécial. Tout ce qui relève de la raison (il faut entendre ici le mot au sens classique : ce qui est conforme à la vraisemblance, et surtout à un certain modèle universellement valable) peut faire partie de la poésie ou plutôt est susceptible d'ornementation poétique. On aurait tort de croire que Voltaire prêche exclusivement pour la poésie didactique et rationnelle à la manière de l'*Hermès* d'André Chénier.

2. Cette position s'explique par le climat de l'époque en matière poétique : déjà la querelle des Anciens et des Modernes avait débouché sur une querelle de la poésie. Houdart de la Motte (*Odes avec un discours sur la poésie en général*, 1709. *Discours sur la tragédie*, 1730) semble s'opposer à Voltaire, mais en réalité ils sont à peu près d'accord : tous les deux considèrent que la poésie n'est que dans la forme; seulement, en face de Houdart, qui veut la proscrire, Voltaire pense que ce n'est pas un ornement à dédaigner.

Houdart, représentant le point de vue le plus avancé des Modernes, estime que le vers tyrannise le bon sens et doit être supprimé : lui-même donne l'exemple et essaie l'ode en prose. Il pense que, s'il y a un domaine propre à la poésie, il n'a rien à voir avec la versification et il définit ce domaine : « la hardiesse des pensées, la vérité des images et l'énergie de l'expression »; toutes valeurs, pense-t-il, qui s'accommodent de la prose. Il méconnaît la puissance affective de la poésie et l'incantation rythmique: « Je fais, déclare-t-il, quelque honte à des hommes raisonnables d'estimer plus un bruit mesuré que les idées qui les éclairent et les idées qui les touchent. » En somme, il met la poésie dans le fond et ce fond est pour lui rationnel et oratoire : cette confusion avec l'éloquence domine tout le débat et durera jusqu'au romantisme inclus.

Voltaire, au contraire, qui lui a répondu, lui signale le mérite du vers et de « l'harmonie chantante qui naît de cette mesure difficile ». Mais il croit, comme son adversaire, que le fond doit être identique à celui de la prose et que la poésie « n'est que l'*ornement* de la raison ». Seulement, lui, Voltaire, attache de l'importance à cet ornement, alors que Houdart est persuadé qu'on peut s'en passer.

3. Cette conception est celle de tout le XVIIIe siècle. On dira alors : « beau comme de la prose ». On verra dans la poésie un exercice difficile. Si, dès le début du siècle, l'abbé Du Bos essayait de réhabiliter la valeur du sentiment (mais hors de la rime et de la versification), il faut attendre Chénier pour que soit rappelé le pouvoir spécifique du vers. L'apport du romantisme, ce sera la réconciliation de trois éléments que le XVIIIe siècle n'arrivait pas à bien associer : versification, pouvoir spécifique du vers, sentiment.

4. Pour une discussion, nous devrons nous demander à quelles tendances s'oppose le point de vue voltairien. Il se heurte à deux conceptions :

a) d'abord à la conception de ceux qu'on pourrait appeler « les poètes purs ». Par l'association de mots heureusement choisis on parvient à provoquer un effet presque magique, incantatoire, sur la sensibilité humaine : cet effet n'est ni rationnel ni sentimental, il est spécifique, propre au vers. Voir là-dessus l'abbé Bremond, *Racine et Valéry;* il signale :

> La fille de Minos et de Pasiphaé (Racine);
> Le prince d'Aquitaine à la tour abolie (Nerval).

Baudelaire, Mallarmé, Valéry cherchent systématiquement des effets de ce genre;

b) ensuite à la conception de ceux pour qui le poète est le prêtre d'un art quasi divin, chargé de révéler aux hommes des vérités essentielles sur le monde et sur eux-mêmes (nombreux adeptes de cette conception : déjà dans Platon : *Ion* — la Pléiade — les romantiques : Hugo, Vigny — certains symbolistes : Rimbaud pour qui le poète est un voyant, etc...). Pour eux, la poésie a un domaine à part, domaine quasi métaphysique : le secret du monde, le « moi » le plus intime. Baudelaire avec sa théorie des « correspondances » est à l'origine du courant moderne suivant lequel la poésie est un mode de connaissance supérieure.

5. La théorie de Voltaire risque donc de nous sembler désuète et superficielle; est-ce à dire, comme on est tenté souvent de le faire, qu'elle mérite d'être condamnée sans appel? Il faut bien s'en garder, car on peut se demander dans quelle mesure elle n'annonce pas la poésie « engagée ». Évidemment Voltaire poète est un mondain, et ces « ornements » de poésie auxquels il pense sont légers, frivoles et destinés à amuser une société qui veut se distraire. Mais si l'on accorde une signification plus profonde à sa réflexion, Voltaire devient le porte-parole de tous ceux pour qui la poésie n'est pas une esthétique rare et raffinée, mais doit apporter une nourriture précise sous une forme qui attire l'attention. Dans la poésie moderne, il y a tout un courant qui tend à revenir à cette conception moins spécifique, moins pure de la poésie. Des poèmes comme *La Diane française* d'Aragon iraient assez dans ce sens. Plus classiquement, la poésie antique répondrait bien à la définition de Voltaire : Virgile, dans les *Géorgiques*, veut *orner* des connaissances rationnelles et sans doute assez peu attrayantes sur l'agriculture, sur les origines de Rome, etc....

6. On voit en tout cas, en ce qui concerne la méthode, combien une telle étude devra être traitée sans perdre de vue l'histoire littéraire. Les sujets sur la poésie sont toujours une tentation pour le bavardage et les impressions personnelles un peu vagues. Or, il est peu de matière dont il faille parler avec plus de rigueur d'esprit que cet art qui semble si flottant.

41

SUJET

Victor Hugo a écrit : « Du reste, il y a du drame dans la poésie, et il y a de la poésie dans le drame. Le drame et la poésie se pénètrent comme toutes les facultés dans l'homme, comme tous les rayonnements dans l'univers. L'action a des moments de rêverie : Macbeth dit : « Le « martinet chante sur la tour. » Le Cid dit : « Cette obscure

« clarté qui tombe des étoiles. » Scapin dit : « Le ciel s'est
« déguisé ce soir en Scaramouche. » Nul ne se dérobe
dans ce monde au ciel bleu, aux arbres verts, à la nuit
sombre, au bruit du vent, au chant des oiseaux. Aucune
créature ne peut s'abstraire de la création.

« De son côté, la rêverie a des minutes d'action. L'idylle
à Gallus est pathétique comme un V^e acte, le IVe livre
de l'*Énéide* est une tragédie, il y a une ode d'Horace
qui est devenue une comédie de Molière. *Donec gratus
eram tibi*, c'est *Le Dépit amoureux* » (*Les Rayons et les
Ombres*, Préface, 1840).

Étudier, avec quelques exemples précis, ces rapports
de la poésie et du drame.

(C. A. Jeunes Filles, Lettres 1947.)

RÉFLEXIONS PRÉLIMINAIRES ─────────────

1. *Le texte a « de l'allure », il est plein d'idées intéressantes, mais Hugo
ne s'est sans doute guère soucié de leur portée exacte dans l'histoire
littéraire et ses exemples semblent fort discutables. Il faudra donc
tenir compte de ces derniers, mais les discuter soigneusement, sinon
dans la copie, du moins dans la préparation du devoir; ainsi l'exemple
de Scapin n'est pas bien convaincant : il s'agit d'une réflexion jetée
en passant et elle contribue simplement à la manière un peu fantaisiste de Comédie italienne qui caractérise les Fourberies; de même,
parler de rêverie à propos du vers du Cid : « Cette obscure clarté qui tombe
des étoiles » est nettement abusif (Rodrigue, loin de rêver, fait au roi
un récit de combat et le détail a surtout une valeur stratégique). Enfin
il est arbitraire de considérer le IVe chant de l'Énéide comme un
livre particulièrement tragique (c'est plutôt un épisode romanesque, à la
manière alexandrine, au sein d'une épopée classique).*

2. *Malgré tout, on fera très attention au texte de Hugo, riche d'avenues
diverses. D'abord une voie essentielle : le théâtre, étant le monde
ramené à l'unité, est éminemment lyrique par sa nature même; donc
tous les genres qui ramènent le monde à l'unité sont à la fois lyriques
et dramatiques (idée féconde qui est à la base de toute la dramaturgie
de Wagner). Ensuite, des voies secondaires :*
*a) une idée dramatique intéressante : au théâtre, quand l'action s'arrête,
il y a place pour le lyrisme (nombreuses confirmations historiques);*
*b) inversement, de la rêverie sort souvent l'action. Ici les conceptions
de Hugo paraissent un peu confuses et les exemples qu'il donne ne
sont pas de nature à les éclairer; il veut dire probablement que des
poèmes lyriques peuvent facilement fournir le sujet de pièces de théâtre,
ce qui semble juste, mais n'est pas très riche de conséquences. Pour
nous, il sera intéressant de dépasser cette idée pour remarquer que le
lyrisme a une tendance interne qui le pousse au théâtre (voir notamment dans l'Antiquité la lyrique chorale engendrant la tragédie).*

3. *Pour simplifier le débat et malgré l'exemple de l'Énéide, nous rai-
sonnerons exclusivement sur la poésie lyrique. Si l'on veut s'engager
dans les rapports de la poésie didactique, épique, etc... avec le théâtre,
on n'en sortira jamais. De même, nous ne chercherons pas trop
à préciser le sens du mot* drame. *Les exemples de Hugo sont tirés de
Shakespeare, Corneille, Molière : par* drame, *il entend tout simplement le genre théâtral.*

*Nous ne traiterons pas directement le sujet donné au C. A., mais
nous proposerons quelques éléments pour un parallèle entre le lyrisme
et le drame.*

ÉLÉMENTS POUR UN PARALLÈLE ENTRE LE LYRISME ET LE DRAME

I. Historiquement, le parallèle s'impose.

A. **Dans l'Antiquité grecque,** le théâtre sort de la grande lyrique
chorale. Mécanisme de transformation : la lyrique grecque comporte un récitant qui raconte les aventures du héros et un chœur
qui dit son admiration. Du jour où l'on met deux, puis trois
récitants qui dialoguent devant le chœur, le théâtre est né.

Ce théâtre reste longtemps lyrique : en effet le chœur continue
à exister, il apprécie l'aventure des héros, en tire la leçon religieuse
et morale. Pour cela, il use toujours des formes lyriques (strophes,
antistrophes, épodes). L'action est menée d'une façon qui con-
firme tout à fait la thèse de Hugo, par alternance d'*épisodes*
(dialogues et action) et, dans les temps d'arrêt, de *stasima*, c'est-
à-dire de pauses, réservées au lyrisme choral. On peut donc bien
dire : « L'action a des moments de rêverie. »

B. Dans notre littérature.

1. Au Moyen Age, les rapports sont un peu moins nets, mais pourtant
on peut les déceler :
a) dans les Mystères : bien qu'on y insère moins souvent que dans
les romans des morceaux lyriques, il est certain que l'émotion
théâtrale est surtout une communion lyrique, puisque l'intrigue,
portant sur l'Histoire Sainte, est connue, ne cherche pas les coups
de théâtre, mais l'exaltation religieuse, c'est-à-dire une sorte
d'élévation lyrique;
b) d'autre part, toute la liturgie n'est qu'un lyrisme théâtral, un
dialogue du prêtre et de la foule. Certains morceaux célèbres
sont des esquisses, à la fois lyriques et théâtrales (dialogue des
Saintes Femmes au tombeau du Christ). De plus, le plain-chant
est toujours plus ou moins un *dialogue* entre les chanteurs. C'est
donc une sorte de lyrisme polyphonique, une sorte de *Cantate*
à trois voix (ou plus), comme dira plus tard Claudel.

2. Le XVIe siècle hérite de cette tradition, en ce sens que la tragédie naissante est pathétique plus que dramatique. Les héros y sont avant tout des héros dolents qui disent leurs malheurs plus qu'ils n'agissent vraiment pour y parer. Ils s'élèvent ainsi tout naturellement au lyrisme. Dans *Les Juives* de Garnier, il n'y a guère de progression dramatique, mais une espèce de mélopée plaintive des femmes juives devant des malheurs qu'elles ont seulement à subir.

3. Au XVIIe siècle, la tragi-comédie reste longtemps lyrique avec les Stances, qui subsistent jusque dans *Le Cid*. La pastorale, l'opéra, de nombreux genres dramatiques font appel au lyrisme. Toutefois la distinction des genres s'impose et le progrès de la dramaturgie classique amène une élimination progressive du lyrisme. Mais « l'écriture » théâtrale sera longtemps encore lyrique. Certains critiques modernes en voient une persistance dans les règles du quatrain, c'est-à-dire dans le groupement des vers par véritables strophes de quatre quand le mouvement du texte devient plus animé de sentiments et de passion (Schérer, *Dramaturgie classique*, pp. 297 et suiv.).

II. Esthétiquement, on peut établir un double mouvement.

1. Le lyrisme conduisant au drame.

a) Le lyrisme primitif contient les germes du drame. D'après ce qui précède, on voit que c'est le mouvement le plus naturel des civilisations jeunes. Il semble qu'elles soient lyriques avant d'être dramatiques, ou du moins que ce qu'un peuple primitif connaît du drame, il le connaisse à travers la lyrique et l'orchestique. Si bien que, dans cette lyrique primitive, il y a les germes d'un dialogue dramatique : par exemple, la lyrique chorale grecque est divisée en strophes, antistrophes et épodes, division qui correspond à un véritable dialogue des deux demi-chœurs (strophes et antistrophes) dont les voix se fondent dans l'épode. Des observations analogues seraient faciles à faire sur les danses nègres, etc....

b) La poésie lyrique prépare au drame. Hugo a très bien vu que rêver, c'est très souvent amorcer l'action. Corneille le sait bien qui laisse parfois ses héros, au moment d'une grande résolution à prendre, rêver assez longuement dans des stances lyriques (stances de Rodrigue, de Polyeucte : rêveries avant l'action qui va décider de leur destinée).

c) Le lyrisme moderne aspire au drame. Enfin plus récemment, depuis que le poète cherche à saisir le monde « dans une ténébreuse et profonde unité » (Baudelaire), il tend volontiers à considérer le lyrisme comme insuffisant pour exprimer cette unité du monde, il a l'impression qu'il lui faudrait un genre plus vaste et il a la nostalgie du théâtre. Les symbolistes admirent les artistes qui semblent avoir déjà esquissé ce théâtre symphonique du monde entier, notamment Wagner (voir sujet n° 30). Mallarmé déclare que la Messe, représentation théâtrale d'un drame cosmique, est le spectacle par excellence. On peut bien dire du symbolisme qu'il est un vaste effort pour conquérir la scène, effort où Mallarmé ne pourra pas réussir malgré ses essais (*Hérodiade, Igitur*), où Villiers de l'Isle-Adam sera un peu plus heureux avec son drame « idéaliste » d'*Axel* et où les grands succès seront remportés par un poète chrétien, converti par Rimbaud, Claudel, qui fera tenir le monde entier sur la scène et toutes les relations que l'homme y entretient avec la création et le Créateur.

2. Le drame tenté par le lyrisme (mouvement, semble-t-il, le plus fréquent).

a) Le lyrisme, repos du drame. C'est la remarque que suggère Hugo quand il dit : « L'action a des moments de rêverie », remarque tout à fait fondée du point de vue scénique. Quand l'action s'arrête et que le choc des faits ou des idées retentit longuement chez les héros, on est nécessairement en plein lyrisme. Mouvement très fréquent chez Corneille : quand, après une discussion serrée, les héros, Rodrigue ou Chimène, Pauline ou Sévère, viennent de fixer avec netteté leur position réciproque, quand l'accord — ou le désaccord — est bien précisé, alors les héros ne se séparent pas tout de suite; ils laissent mourir en eux des vagues de lyrisme :

> « O miracle d'amour! — O comble de misères!
> — Que de maux et de pleurs nous coûteront nos pères!... »
> (*Le Cid*, III, iv, vers 985, ssq)

> « O devoir qui me perd et qui me désespère!
> Adieu, trop vertueux objet, et trop charmant.
> — Adieu, trop malheureux et trop parfait amant. »
> (*Polyeucte*, II, ii, vers 570-572).

Ainsi le lyrisme permet des repos; il empêche que le spectateur soit toujours haletant à suivre l'action comme dans un film policier; le lyrisme est *stasimon*, c'est-à-dire, au sens propre du terme, temps d'arrêt.

b) Le lyrisme, argument de choix dans le dialogue théâtral. Mais, même au sein de l'action, c'est-à-dire, au théâtre, au sein du dialogue, le lyrisme n'a-t-il pas une place de choix? En effet, au théâtre comme dans la vie, la meilleure façon de convaincre n'est pas de raisonner ou d'argumenter, mais de toucher et, pour toucher, de faire voir, de faire lever dans l'âme de l'interlocuteur des images. Racine y excelle particulièrement et ainsi naît un lyrisme spécifiquement théâtral de l'argumentation. Andromaque veut persuader Céphise qu'il y a entre elle et Pyrrhus un fossé infranchissable. Argumente-t-elle? Non, elle dit simplement : « Songe, songe, Céphise, à cette nuit cruelle »... (*Andromaque*, III, viii, vers 997 et suiv.). Iphigénie veut persuader son père de ne point la sacrifier. Discute-t-elle? Lui donne-t-elle une leçon d'humanité? Non, elle évoque simplement des souvenirs d'enfance : « Fille d'Agamemnon, c'est moi qui la première, Seigneur, vous appelai de ce doux nom de père » (*Iphigénie*, IV, iv, vers 1193 ssq). Phèdre veut persuader Hippolyte de l'aimer. Lui explique-t-elle ses sentiments? Non, elle imagine et évoque ce qui se serait passé, si tous deux ensemble ils s'étaient perdus dans le Labyrinthe : « Et Phèdre au Labyrinthe avec vous descendue, Se serait avec vous retrouvée, ou perdue » (*Phèdre*, II, v, vers 661-662). Ainsi, indépendamment des artifices lyriques encore inhérents à la tragédie classique (monologues, songes, prophéties, etc.), se forme une lyrique propre au dialogue et qui, par là-même, prend pied au cœur du genre théâtral : cette lyrique, Hugo la développera abusivement, au point de lui faire perdre toute valeur d'argumentation. Quand Hernani veut convaincre Doña Sol de ne pas l'épouser, il lui montre la vie qu'il mène et lui dépeint ses compagnons comme de vrais brigands, ce qui est, évidemment, un argument valable; mais est-il nécessaire alors de lui montrer la beauté lyrique de cette vie et de s'écrier : « Ils sont tous tombés dans la montagne, Tous sur le dos couchés, en braves, devant Dieu, Et si leurs yeux s'ouvraient, ils verraient le ciel bleu! » (*Hernani*, III, iv, vers 978-980). Ici nous saisissons le danger du lyrisme du dialogue : le dramaturge cède à la tentation de l'accentuer pour lui-même.

c) *Le lyrisme dans le drame cosmique.* Le lyrisme devait encore gagner du terrain dans le drame, quand celui-ci, à partir du romantisme, prétendit de plus en plus représenter toute la vie. Le théâtre classique impliquait une séparation rigoureuse du tragique et du comique et subordonnait tous les éléments de la pièce à l'action et surtout à l'harmonie générale de l'œuvre. Il se bornait donc à la représentation d'une aventure, d'une « action simple chargée de peu de matière ». Mais de plus en plus, et Hugo le dit nettement dans le texte à étudier, le drame prétend représenter dans leur totalité les rapports de tous les êtres entre eux et avec le monde. Comme il se trouve qu'à peu près à la même époque le lyrisme a les mêmes prétentions, les deux genres vont se rapprocher de plus en plus jusqu'à fusionner dans certaines œuvres. Le lyrisme acquiert l'immensité du drame, et le drame, pour rejoindre le lyrisme, renonce à être la progression dans un temps déterminé d'une aventure limitée; il devient une sorte de tableau de la création dont, comme le dit Hugo, « aucune créature ne peut s'abstraire ».

d) *Le lyrisme, difficulté du drame moderne.* Ainsi le drame moderne va osciller entre deux positions que fréquemment il saura mal concilier : très souvent (et ce sera peut-être là une des causes de l'échec de Hugo dramaturge et du drame romantique en général) il voudra garder la vieille *armature* de la dramaturgie classique, son unité, ses progressions bien articulées et malgré tout y faire entrer *un monde.* *Hernani*, par exemple, c'est une histoire de vieillard amoureux, d'empereur qui renonce à celle qu'il aime

pour être plus digne de l'empire, etc.... Rien que de très classique
en tout cela, mais *Hernani*, c'est aussi le xvie siècle, le Saint-
Empire Romain Germanique, c'est la politique internationale
de l'époque, etc.... La dualité est encore plus nette dans *Les Burgraves*, qui sont à la fois un sombre mélodrame tout à fait
caractéristique, et une évocation gigantesque du monde médiéval
et germanique. Hugo sent bien la difficulté et, dans son *Théâtre
en Liberté*, publié en 1886, il se libérera totalement de la dramaturgie classique, fera dialoguer les hommes et la forêt, les bêtes
et les plantes, dans un ton sans doute badin et précieux, mais
purement lyrique. De même, Claudel prendra carrément comme
scène l'univers, comme sujet de son théâtre l'homme, Dieu et
le monde.

III. Dangers des confusions.

On a intérêt à ne pas confondre les deux genres :

1. **Les vrais dramaturges ne sont pas des lyriques.** Quand un dramaturge ne peut pas sortir de soi et se tourne vers le ton lyrique,
il y a là la plus dangereuse des impuissances ; le génie dramatique,
c'est avant tout « être les autres », selon la formule frappante
de V. Hugo, qui proclame : « Génie lyrique, être soi. Génie dramatique, être les autres. » Exemple de cette impuissance : Mallarmé
incapable d'un dialogue dans *Hérodiade :* la nourrice est ridicule ;
seule Hérodiade, qui représente l'idéal mallarméen, parle bien.

2. **Le lyrisme, ambiance du théâtre.** En réalité, il semble que le grand
lyrisme au théâtre soit surtout dans l'ambiance. Il y a une ambiance
lyrique de Racine, lourde, fatale, mystérieuse (poésie du sérail
dans *Bajazet*, de la mythologie primitive dans *Phèdre*, etc...).
Dans Corneille, il y a un lyrisme ambiant de la jeunesse et de l'action.
Même Platon, dans ses dialogues philosophiques, tient à créer
une discrète atmosphère poétique : l'Attique, les cigales, la lumière
et l'ombre, l'Ilissos (cf. Prologue du *Phèdre*).

3. **Les dangers du théâtre pour les lyriques.** A vrai dire, ces dangers
semblent moins grands que les dangers inverses : le lyrisme ne peut
que gagner en force, en variété, en ampleur à tendre vers le drame.
Ce n'est pas parce que Claudel met « trois voix » dans sa *Cantate*
qu'elle est moins lyrique, au contraire. Ce n'est pas parce que
Péguy fait dialoguer Jeannette, Mme Gervaise, Hauviette que le
Mystère de la Charité de Jeanne d'Arc perd de sa valeur lyrique.
Le risque toutefois, c'est que, dans ses prétentions polyphoniques,
le lyrisme ne dépasse ses possibilités et surtout les possibilités
de son auteur. Il est dangereux de prétendre au grand lyrisme
théâtral quand le talent n'est pas à la hauteur : c'est un peu
l'aventure de Ronsard, aspirant à une grande lyrique chorale,
alors qu'il était plutôt doué pour une lyrique horatienne et
personnelle.

SUJETS PROPOSÉS

Définitions générales.

1. « Il n'y a que la Beauté — et elle n'a qu'une expression parfaite, la Poésie. »
(Mallarmé, *Lettre à Cazalis*, 1867, *Propos sur la Poésie*, p. 79.)

2. « Le principe de la Poésie est, strictement et simplement, l'aspiration humaine vers une Beauté supérieure, et ·la manifestation de ce principe est dans un enthousiasme, un enlèvement de l'âme; enthousiasme tout à fait indépendant de la passion, qui est l'ivresse du cœur, et de la vérité, qui est la pâture de la raison. »
(Baudelaire, *L'Art romantique*, article sur ·Th. Gautier.)

3. « (La poésie) est la langue complète, la langue par excellence, qui saisit l'homme par son humanité tout entière, idée pour l'esprit, sentiment pour l'âme, image pour l'imagination et musique pour l'oreille. »
(Lamartine.)

4. « On demande comment la poésie étant si peu nécessaire au monde, elle occupe un si haut rang parmi les Beaux-Arts. On peut faire la même question sur la musique. La poésie est la musique de l'âme, et surtout des âmes grandes et sensibles. »
(Voltaire, *Dictionnaire philosophique*, article *Poète*.)
Que pensez-vous de cette idée?
(Bac.)

Les « puissances » de la poésie.

5. « La poésie s'adresse à la sensibilité, non au savoir, à la connaissance intuitive, non à la raison discursive, à l'imagination, non à la logique. Elle s'efforce, non de prouver, mais d'émouvoir et d'éveiller dans le cœur des échos prolongés. »
(V. Hugo.)

6. « Le poète est celui qui inspire, bien plus que celui qui est inspiré. »
(Éluard, *L'Évidence poétique*, Éditions G. L. M., 1937.)

7. Commentez et illustrez par quelques exemples cette définition d'Alain : « *Poésie :* genre de composition littéraire qui s'inspire premièrement des harmonies physiologiques et des affinités sonores cachées dans le langage, et qui, par ce moyen, outre qu'elle découvre des nuances de nos pensées jusque-là invisibles, communique aux pensées les plus ordinaires une force et une efficacité dont l'orateur et le prosateur ne peuvent donner l'équivalent. » (*Définitions*, Gallimard édit.)
(*C. E. L. G.*, Rennes, juin 1953.)

Poésie et description.

8. Alain, voulant définir la poésie, écrit : « Elle est une chanson selon le poète, et qui exprime premièrement la nature du poète et disons même son corps. Cette chanson ne se soumet jamais à la chose extérieure, au contraire, elle la plie et la déforme selon l'inflexible chant. »
Après avoir expliqué cette manière de voir, vous direz si elle répond à votre conception personnelle de la poésie.
(*C. E. L. G.*, Aix, juin 1952.)

9. « La poésie est l'essence des choses, et il faut bien se garder d'étendre la goutte d'essence

dans une masse d'eau ou des flots de couleur. La poésie ne consiste pas à tout dire, mais à tout faire rêver. »

(Sainte-Beuve.)

10. « La poésie est à la fois Musique, Statuaire, Peinture, Éloquence; elle doit charmer l'oreille, enchanter l'esprit, représenter les sons, imiter les couleurs, rendre les objets visibles, et exciter en nous les mouvements qu'il lui plaît d'y produire; aussi est-ce le seul art, complet, nécessaire, et qui contienne tous les autres. »

(Th. de Banville *Petit traité de Poésie française*, Fasquelle, édit.)

11. « La poésie est une imitation et une peinture. »

(Fénelon.)

12. « L'art par excellence, celui qui surpasse tous les autres, parce qu'il est incomparablement le plus expressif, c'est la poésie. »

(V. Cousin.)

13. « La poésie pleure bien, chante bien, mais elle décrit mal. »

(Lamartine.)

14. Alain écrit (*Propos de Littérature*) : « La poésie sans poésie, comme est celle de l'abbé Delille, décrit beaucoup et ne fait rien paraître. La vraie poésie décrit peu, souvent par de hardies métaphores qui sont très loin de la chose, mais la vraie poésie fait aussitôt paraître quelque chose. » Et Cocteau (*Le Secret professionnel*, Stock, édit.) : « L'espace d'un éclair nous voyons un chien, un fiacre, une maison pour la première fois. Voilà le rôle de la poésie. Elle dévoile dans toute la force du terme. Elle montre nues, sous une lumière qui secoue la torpeur, les choses surprenantes qui nous environ-nent et que nos sens enregistraient machinalement. »

Ces deux définitions voisines, qui permettent de rapprocher, par-delà les différences de doctrine ou de goût, quelques-uns de nos plus grands poètes, vous semblent-elles caractériser suffisamment la poésie?

(C. A., *Lettres Classiques*, 1952.)

Poésie et connaissance de soi.

15. Que pensez-vous de cette affirmation de Rimbaud : « La première étude de l'homme qui veut être poète est sa propre connaissance entière. Il cherche son âme, il l'inspecte, la tente, l'apprend. Dès qu'il la sait, il la doit cultiver. »

(C. E. L. G., Rennes, oct. 1952.)

16. « La poésie lyrique s'exprime au nom de l'auteur même; ce n'est pas dans un personnage qu'il se transporte, c'est en lui-même qu'il trouve les divers mouvements dont il est animé. »

(Madame de Staël, *De l'Allemagne*, II, 10.)

Les poètes lyriques que vous connaissez vous semblent-ils justifier cette définition?

(Bac.)

17. « Les grands poètes, comme les grands acteurs, sont les êtres les moins sensibles; ils sont trop occupés à regarder, à reconnaître et à imiter pour être vivement affectés au-dedans d'eux-mêmes. »

(Diderot, *Paradoxe sur le Comédien*.)

18. Lamartine, dans sa **Préface des Méditations**, caractérise ainsi son œuvre : « Ce n'était pas un art, c'était le soulagement de mon cœur. » Il en explique par là le succès.

Au contraire, Leconte de Lisle, s'adressant à la foule, s'écrie :

« ... Dans mon orgueil nu,
dans ma tombe sans gloire,
Dussé-je m'engloutir
   pour l'éternité noire,
Je ne te vendrai pas mon
      ivresse et mon mal,
Je ne livrerai pas ma vie
         à tes huées,
Je ne danserai pas sur ton
         tréteau banal. »
(*Poèmes Barbares*, Lemerre édit.)

Exposez les deux conceptions
de la poésie qui sont ici en
présence.

Laquelle vous semble dans le
vrai et pourquoi?

(Bac.)

Poésie et idées.

19. Commentez cette pensée d'un
critique moderne : « Le plus
grand poète est celui qui revêt
d'une forme parfaite les sentiments les plus simples. Seuls
les lieux communs, si le génie
les éclaire, sont de tous les
temps. »
(*C. E. L. G.*, Alger, juin 1952.)

20. « Comme la mer, a écrit Victor
Hugo dans son *William Shakespeare*, la poésie dit chaque
fois tout ce qu'elle a à dire; puis
elle recommence avec une ma-
jesté tranquille et avec une
variété inépuisable qui n'appartient qu'à l'unité. »
C'était définir l'importance
du lieu commun dans la poésie.
Montrez, d'après vos lectures
et vos goûts personnels, et en
vous appuyant sur le texte ci-
dessus, comment un même lieu
commun a pu, à diverses époques, être traité de façon différente, avec autant de valeur
humaine ou esthétique, par
plusieurs poètes.

(Bac.)

21. « La poésie n'est grande que si
elle complète le rêve par l'idée,
l'idée par l'action. »
(Clovis Hugues,
Credo poétique, 1905.)

Utilité de la poésie.

22. « Ne t'imagine pas que les
œuvres des poètes soient uniquement destinées à distraire tes
loisirs. Elles ont une mission
moins évidente, plus belle, celle
de te mettre en possession de
ton bien. »
(G. Duhamel, *Possession du
monde.*)

23. « La poésie est plus sérieuse et
plus utile que le vulgaire ne le
croit. »
(Fénelon.)

24. Montesquieu dans les *Lettres
persanes* définit les poètes :
« Ces auteurs dont le métier est
de mettre des entraves au bon
sens et d'accabler la raison sous
les agréments, comme on ense-
velissait autrefois les femmes
sous leurs parures et leurs ornements. » De même l'abbé de
Pons, dans sa *Dissertation sur le
poème épique* (1738), écrit : « Je
crois que l'art des vers est un
art frivole; que si les hommes
étaient convenus de le proscrire, non seulement nous ne
perdrions rien, mais que nous
gagnerions beaucoup. »
Pourquoi cette condamnation
de la poésie? et qu'en pensez-
vous?

(Bac.)

Poésie et technique.

25. Quelle est l'importance, dans
l'histoire de la poésie française
au xixe siècle, de ce principe
posé par Théodore de Banville :
« De notre temps, dans l'artiste
et le poète, on n'a voulu voir
que le penseur, le *vates*, qui,
certes, existe en lui; mais il doit
contenir aussi un ouvrier, qui,
comme tous les ouvriers, doit
avoir appris son métier par
imitation et en connaître la
tradition complète. » (*Petit traité
de Poésie française.*)   (Bac.)

26. Commentez et discutez, en vous aidant d'exemples précis, ces réflexions de V. Hugo :

« L'art n'a que faire des lisières, des menottes, des bâillons, il vous dit « va », et vous jette dans le grand jardin de poésie où il n'y a pas de fruit défendu. L'espace et le temps sont au poète. Que le poète aille où il veut, en faisant ce qui lui plaît ; c'est la loi. »

(Préface des *Orientales.*)
(*C. E. L. G.*, Montpellier, 1953.)

27. Appréciez ce jugement de Montaigne (*Essais*, I, 27) :

« A certaine mesure basse, on peut juger la poésie par les préceptes et par art. Mais la bonne, l'excessive, la divine est au-dessus des règles, de la raison. Quiconque en discerne la beauté d'une vue ferme et rassise, il ne la voit pas non plus que la splendeur d'un esclair. »

1º Ce texte ne vous paraît-il pas poser, sur la nature de la poésie et sur le rôle de l'inspiration et de l'art dans sa production, un problème que nos écoles littéraires successives ont résolu diversement?

2º Qu'en pensez-vous vous-même? La distinction faite par Montaigne entre la « basse » et la « divine » poésie vous paraît-elle absolue et fondée? Entre les deux quelles sont vos préférences?

(Bac.)

28. Paul Valéry a dit :

« L'enthousiasme n'est pas un état d'âme d'écrivain. »

De son côté, Julien Benda écrit :

« C'est pour moi un des grands signes de l'impuissance moderne de dire : « J'écris mes livres sans « ordre, parce que, si j'ordonnais « mon émotion, je la perdrais. » C'est tout simplement escamoter le problème de l'art, qui est précisément de l'ordonner sans la perdre. Mieux, de l'intensifier par l'ordre qu'on y insère. »

Quelle est, selon vous, dans le domaine de la poésie, la portée de telles affirmations?

(*C. E. L. G.*, Paris, juin 1950.)

Le « sublime ».

29. « La poésie veut quelque chose d'énorme, de barbare et de sauvage. C'est lorsque la fureur de la guerre civile ou du fanatisme arme les hommes de poignards, et que le sang coule à grands flots sur la terre, que le laurier d'Apollon s'agite et verdit. Il en veut être arrosé. Il se flétrit dans les temps de la paix et du loisir. Le siècle d'or eût produit une chanson peut-être ou une élégie. La poésie épique et la poésie dramatique demandent d'autres mœurs.

« Quand verra-t-on naître des poètes? Ce sera après les temps de désastres et de grands malheurs, lorsque les peuples harassés commenceront à respirer. Alors les imaginations, ébranlées par des spectacles terribles, peindront des choses inconnues à ceux qui n'en ont pas été les témoins. »

(Diderot, *De la poésie dramatique*, XVIII.)

30. « Il faut, pour concevoir la vraie grandeur de la poésie lyrique; errer par la rêverie dans les régions éthérées, oublier le bruit de la terre en écoutant l'harmonie céleste, et considérer l'univers entier comme un symbole des émotions de l'âme.

« L'énigme de la destinée humaine n'est de rien pour la plupart des hommes : le poète l'a toujours présente à l'imagination. L'idée de la mort, qui décourage les esprits vulgaires, rend le génie plus audacieux, et le mélange des beautés de la nature et des terreurs de la destruction excite je ne sais quel délire de bonheur et d'effroi, sans lequel l'on ne peut ni comprendre ni décrire le spectacle du monde. La poésie lyrique ne raconte rien, ne s'astreint en rien à la succession des temps, ni aux limites des lieux; elle plane sur les pays et sur les siècles; elle donne de la durée à ce moment sublime, pendant lequel l'homme s'élève au-dessus des peines et des plaisirs de la vie. Il se sent au milieu dés merveilles du monde comme un être à la fois créateur et créé, qui doit mourir et qui ne peut cesser d'être, et dont le cœur tremblant, et fort en même temps, s'enorgueillit en lui-même et se prosterne devant Dieu. »

(Mme de Staël, *De l'Allemagne*, II, x.)

Poésie et mystère.

31. Expliquez et discutez la conception de la poésie qu'un poète a exprimée en ces termes : « ... Le domaine de la poésie est illimité. Sous le monde réel il existe un monde idéal, qui se montre resplendissant à l'œil de ceux que des méditations graves ont accoutumés à voir dans les choses plus que les choses.... La poésie n'est pas dans la forme des idées, mais dans les idées elles-mêmes. La poésie, c'est tout ce qu'il y a d'intime dans tout. »

(*E. N. S., Jeunes Filles*, 1952.)

32. « Pour que le sortilège des beaux vers s'accomplisse, il y faut du rêve et de l'au-delà, de la pénombre morale et du mystérieux. »

(P. Bourget.)

33. Dans cette phrase de Mallarmé : « Un poème est un mystère dont le lecteur doit chercher la clef », un critique a relevé du « mépris

pour le lecteur profane en même temps que le plaisir de l'irriter par des rébus ». D'autres ont remarqué que, du Moyen Age au symbolisme, la poésie française a souvent côtoyé le mystère.

En mettant à profit votre connaissance personnelle de la poésie française, vous expliquerez et discuterez la pensée de Mallarmé et les deux observations qui la commentent.

(*E. N. S., Jeunes Filles*, 1948.)

34. « Toute chose sacrée et qui veut demeurer sacrée s'enveloppe de mystère. Les religions se retranchent à l'abri d'arcanes dévoilés au seul prédestiné : l'art a les siens... j'ai souvent demandé pourquoi ce caractère nécessaire a été refusé à un seul art, au plus grand. Je parle de la Poésie....» (Mallarmé, *L'Art pour tous*, éd. de La Pléiade, p. 257.)

Cette revendication d'un art hermétique et fermé vous semble-t-il légitime? Dans quelle mesure un poète a-t-il le devoir et même le droit d'écarter la foule profane, et, pour ce, d'être obscur?

(*C. E. L. G.*, Bordeaux, juin 1952.)

35. Malherbe, Boileau ont proclamé que tout poète avait le devoir de rechercher, dans l'expression, la plus grande clarté. De fait, la poésie française classique, et même la poésie romantique, posent rarement des problèmes d'interprétation littérale.

Pendant la seconde moitié du XIXe siècle, cependant, des poètes et des théoriciens ont soutenu que la poésie devait être soustraite aux servitudes de l'universelle intelligibilité. Stéphane Mallarmé, par exemple, dans un article de *L'Artiste*, publié en 1862 et intitulé *L'Art pour tous*, affirme que « toute chose sacrée et qui veut demeurer sacrée s'enveloppe de mystère », déplore que « les premiers venus entrent de plain-pied dans un chef-d'œuvre » et s'étonne qu'aucun poète n'ait inventé « une langue immaculée, — des formules hiératiques dont l'étude aride aveugle le profane et aiguillonne le patient fatal ». Vingt-quatre ans plus tard, le même écrivain, répondant à une enquête de *La Vogue*, écrit encore : « La poésie est l'expression par le langage humain ramené à son rythme essentiel, du sens mystérieux des aspects de l'existence humaine. »

Vous préciserez la portée de ces déclarations; vous indiquerez quelle sorte d'exigences a pu pousser un certain nombre de poètes modernes à être obscurs; et vous vous demanderez si cette obscurité est ou non une loi de la création poétique. Le débat devra être illustré d'exemples aussi précis et nombreux que possible, empruntés à l'histoire de la poésie française.

(*E. N. S., Hommes,* 1952.)

Signification et portée de la poésie.

36. « La poursuite de la vérité, enivrante par son dynamisme, est parfois une chose décevante : on croit saisir une forme stable; il ne reste entre les mains du savant qu'une ombre fugitive et presque évanescente, et c'est avec une série de ces ombres qu'il s'agit de reconstituer une réalité substantielle. Mais, contrairement aux prisonniers enchaînés de la caverne de Platon, les savants savent aujourd'hui distinguer les ombres de la réalité et ils se résignent à ne connaître cette dernière que par ses reflets. Ils renoncent ainsi à terminer une œuvre, sachant que les édifices qu'ils construisent sont des palais

provisoires et caducs. Les poètes sont mieux partagés : il leur est donné d'atteindre du premier coup à ces accords mystérieux entre le rêve et la nature et à ces transpositions de la réalité plus vraies que la réalité. Nausicaa nous émeut encore, alors que la biologie d'Aristote nous apparaît comme un prestige écroulé. »

(Professeur Remy Collin,
biologiste : *Les Hormones,*
A. Michel, édit.)

37. « Tout poème a en quelque sorte deux sens, celui qu'il exprime directement, immédiatement, précisément et qui est prose — l'impur; celui qu'il respire, si j'ose ainsi parler, et qui seul est Poésie — le pur. Un second sens, qui, à proprement parler, n'est pas un sens, mais qui est gros des significations les plus riches; sens non formulé, non formulable, que seuls, je ne dis pas comprennent, mais saisissent, palpent, s'approprient, soit le poète lui-même, soit les heureux qui lisent *poétiquement.* Ce sens inexprimable, que nul jugement ne peut étreindre, comment passe-t-il de l'âme profonde du poète, dans un tissu de phrases abstraites, de symboles, pour passer de là, et par l'intermédiaire actif de ces mêmes phrases dans l'âme du lecteur, c'est tout le miracle de la Poésie et tout son mystère. »

(Abbé Bremond, *La Poésie pure.*)

38. « Pour juger des poètes, il faut savoir sentir, il faut être né avec quelques étincelles du feu qui anime ceux qu'on veut connaître, comme pour décider sur la musique ce n'est pas assez, ce n'est rien même, de calculer en mathématicien la proportion des tons : il faut avoir des oreilles et de l'âme. »

(Voltaire.)

39. Dans un « Fragment sur l'art d'écrire », Buffon dit : « On a comparé de tout temps la poésie à la peinture, mais jamais on n'a pensé que la prose pouvait peindre mieux que la poésie. La mesure et la rime gênent la liberté du pinceau. Le style, qui n'est que l'ordre et le mouvement qu'on donne à ses pensées, est nécessairement contraint par une formule arbitraire, ou interrompu des pauses qui en diminuent la rapidité et en altèrent l'uniformité. » Au contraire Voltaire écrit, à peu près à la même époque (*Dict. philo.*, art. « Poète») : « Un mérite de la poésie, dont bien des gens ne se doutent pas, c'est qu'elle dit plus que la prose, et en moins de mots que la prose. »

Commentez et appréciez ces jugements contradictoires.

40. Un « philosophe » du XVIIIe siècle a écrit : « Notre siècle ne reconnaît pour bon en vers que ce qu'il trouverait excellent en prose. » Cette conception de la poésie vous paraît-elle encore valable? **(Bac.)**

41. Voltaire écrivait : « Pour être bons, les vers doivent avoir l'exactitude de la prose. Pour juger s'ils sont mauvais, mettez-les en prose, et si cette prose est incorrecte, les vers le sont aussi.
(*Commentaire sur Corneille.*)

Valéry considérait que « mettre des vers en prose » est un « exercice scolaire absurde » et que « la poésie n'existe que pour ceux aux yeux desquels cette opération est impossible ».
(*Variété III.*)

Quelles réflexions vous inspirent ces deux opinions?

42. « On croit être poète quand on a parlé ou écrit en mesurant ses paroles. Au contraire, bien des gens font des vers sans poésie: et beaucoup d'autres sont pleins de poésie sans faire des vers. »
(Fénelon.)

La poésie française.

43. « Nos meilleurs poètes lyriques en France, ce sont peut-être nos grands prosateurs : Bossuet, Pascal, Jean-Jacques, etc. Le despotisme des alexandrins force souvent à ne point mettre en vers ce qui serait pourtant de la véritable poésie. » — Commenter cette phrase de Mme de Staël dans son livre *De l'Allemagne*. Était-elle vraie à cette époque (1810)? Dans quelle mesure l'est-elle encore?
(Bac.)

44. André Chénier a dit : « De toutes les nations de l'Europe, les Français sont ceux qui aiment le moins la poésie et qui s'y connaissent le moins. » Renchérissant sur ce jugement, Baudelaire écrivait : « La France éprouve une horreur congénitale de la poésie. »

Enfin, un critique contemporain, G. Lanson, déclare : « Le lyrisme n'est qu'un accident chez nous, la création en a été tardive et laborieuse; la source du lyrisme s'ouvre en effet assez rarement au fond de l'âme française. »

En rapprochant ces divers jugements et en vous appuyant sur des exemples précis, vous vous demanderez si l'évolution de la poésie lyrique en France justifie une pareille sévérité.
(Bac.)

Chapitre XIV

LE THÉÂTRE

42

SUJET

Un dramaturge contemporain, Armand Salacrou soutient qu' « une pièce n'est pas faite pour les personnages, mais les personnages pour la pièce ». Vous expliquerez et discuterez cette opinion en vous fondant sur des exemples choisis dans le théâtre français de toutes les époques.

(La citation de Salacrou est extraite de sa *Note sur le Théâtre*, qui réunit des fragments écrits à des dates très diverses et qui est publiée dans le tome II de son *Théâtre*, édit. Gallimard.)

RÉFLEXIONS PRÉLIMINAIRES

1. *Salacrou, se proposant de montrer le processus de la création dramatique, soutient que les personnages apparaissent à leur créateur comme une conséquence d'un ensemble théâtral, qu'ils ne sont que « les notes » de la mélodie qui chante au cœur du dramaturge et qui seule importe; au contraire, la plupart des critiques, jugeant une pièce, isolent arbitrairement les personnages et laissent entendre qu'un auteur de théâtre a voulu avant tout faire œuvre de psychologue réaliste et que c'est sur la fidélité d'observation de sa psychologie qu'on a le droit de le juger.*

2. *Cette dernière position trouve d'autant plus de crédit auprès du public que la culture classique en fait presque une méthode de travail pour apprécier les pièces : par exemple, nous admirons traditionnellement chez Molière l'humanité et la vérité des principaux héros, alors que nous ne prêtons guère attention (à tort) à ses intrigues, aux atmosphères burlesques ou poétiques qu'il crée loin de toute observation (cf. Le Sicilien, Amphitryon, la fin du Bourgeois gentilhomme) Lui-même, d'ailleurs, baptise très souvent ses comédies d'un titre psychologique : Tartuffe ou l'Imposteur, Le Misanthrope ou L'Atrabilaire amoureux, L'Avare, Le Bourgeois gentilhomme, etc.... Même, étudiant Racine, nous n'avons pas l'habitude de nous attacher*

*à la composition générale de la pièce, à l'univers poétique qu'il crée;
nous admirons plutôt la richesse de ses caractères, le naturel et la
poésie de son dialogue, les lueurs profondes que jettent sur la destinée
ses dénouements atroces, etc.... Thierry Maulnier réagit contre cette
méthode dans son ouvrage sur Racine, montrant précisément que
Racine a tout subordonné à l'unité de l'effet théâtral et que c'est en
fonction de celui-ci que tous les autres mérites de ses tragédies doivent
s'expliquer.*

3. *Ainsi la position de Salacrou mérite d'être examinée comme celle d'un
homme de théâtre (on insistera un peu sur son œuvre dramatique,
brillante, fertile en situations variées) qui entend bien être distingué
d'un romancier hanté par des êtres à qui il doit donner le jour. L'homme
de théâtre est avant tout celui qui crée une situation, une atmosphère,
un réseau de relations entre les personnages, plus que la puissance
solitaire d'un héros qui écrase tous les autres.*

4. *On se gardera toutefois de faire un contresens sur les mots « pièce »
et « personnages », tels que les emploie Salacrou :*

a) *Quand il parle de « personnages faits pour la pièce », il ne faudrait pas comprendre « personnages faits pour illustrer » une théorie
quelconque, dramatique, philosophique, morale, etc.... On peut, dans
un plan complet, ne pas éliminer totalement ce sens, mais on remarquera que Salacrou pense surtout à ce qu'il appelle la « vie poétique
de la pièce », son « harmonie » générale.*

b) *Le mot « personnages » n'est pas très clair, lui non plus : désigne-
t-il le caractère d'un héros avant toute élaboration dramatique, ou au
contraire ce curieux mélange de vie et de simplification qu'on appelle
« personnage théâtral »? Rien n'interdit, dans un plan assez souple,
de jouer sur les deux sens du mot et de montrer que c'est précisément
là peut-être qu'il y a jour pour une discussion : un personnage théâtral
est un curieux mélange de vie autonome, indépendamment de la pièce
qui l'a vu naître (quand on dit un Harpagon, pense-t-on à L'Avare
de Molière comme pièce organisée?), et de vie théâtrale, plus schématique et plus conventionnelle, étroitement liée à un système dramatique
qui lui donne ses nécessités et ses limites (Guignol est-il concevable
hors des aventures qu'on lui attribue?). Dans le plan, on examinera
donc successivement les cas élémentaires où Salacrou a parfaitement
raison et on nuancera une discussion autour de cette dualité : vie
autonome et vie théâtrale du personnage.*

PLAN

Introduction.

On peut introduire sur le problème de la création littéraire :
alors que, dans la création romanesque, il semble bien que ce soit
avant tout ses personnages que rencontre l'auteur (en lui et dans

la vie), un dramaturge contemporain estime que ce ne sont pas des personnages qui s'imposent d'abord au créateur théâtral, mais un réseau de relations humaines et poétiques, ce qu'il appelle une « pièce » : « Une pièce n'est pas faite pour les personnages, mais les personnages pour la pièce », affirme en effet Armand Salacrou. On voit le caractère un peu paradoxal de la formule, surtout si l'on pense à l'explication « psychologique » à laquelle le théâtre classique a habitué le spectateur; mais, à la réflexion, il apparaît que très souvent le dramaturge a une « mélodie » scénique à jouer plus que des personnages à faire vivre, ce qui ne veut pas dire que le personnage théâtral ne vit pas, mais il vit d'une manière particulière, dans un monde particulier.

I. La primauté des liens scéniques.

(Écarter des cas intéressants, mais faciles, où l'auteur veut appliquer des théories ou exposer des idées.)

1. Primauté du système théâtral. De nombreuses pièces doivent le jour à la volonté d'illustrer une dramaturgie; par exemple, entre bien d'autres, la *Cléopâtre* de Jodelle et surtout divers drames romantiques : *Hernani* de Hugo, *Othello* de Vigny, etc....

2. Primauté d'un système d'idées. D'autres auteurs veulent illustrer une thèse : certains défendent un véritable système philosophique (Curel, Gabriel Marcel, Gide, etc...), mais, sans même aller si loin, la plupart sont préoccupés d'étudier un certain type de rapports humains qui, généralement, caractérise leur théâtre : Corneille semble plus soucieux d'enfermer Chimène, Rodrigue, Don Diègue et Don Gormas dans un mécanisme où éclateront leur « gloire » et leur « générosité » que de peindre en détail un héros de son choix. La meilleure preuve en est qu'il peut faire jouer son système théâtral avec des individus moralement méprisables, comme la Cléopâtre de *Rodogune*. C'est que le théâtre, plus que lente et fine psychologie, est rapports entre les personnages. On parlera plus facilement de situation théâtrale que de situation romanesque (quand on parle de « situation romanesque », on ne se réfère pas tellement au genre du roman, on veut dire situation extraordinaire comme dans les mauvais romans; au contraire quand on parle de situation théâtrale, on pense expressément au genre littéraire correspondant).

3. Primauté d'un univers dramatique. Les cas précédents sont encore un peu particuliers, car ils s'appliquent à des auteurs qui ont une certaine conception du genre théâtral ou de l'homme. Ce que veut signifier exactement Salacrou, c'est que, de par la nature même du genre, un dramaturge conçoit plutôt sa pièce que ses personnages. En d'autres termes, ce qui est premier, c'est la volonté d'imposer une certaine unité dramatique, une certaine harmonie qui est proprement théâtrale. Salacrou pense à la « vie poétique de la pièce » : ainsi *Andromaque* de Racine n'est ni l'illustration d'un système dramatique ni la présentation d'un certain nombre d'idées sur l'homme, c'est avant tout un certain univers où tous les personnages poursuivent une ombre, ombre d'un amour qui échappe ou ombre d'un mort — univers de l'irréel où chacun voit les autres comme il voudrait qu'ils soient. Le destin même qui domine cette pièce n'est guère une *idée* sur l'homme, mais là encore une sorte d'atmosphère étroitement en harmonie avec cette passion de l'impossible. Salacrou semble être en accord avec les plus grands créateurs; la primauté d'un caractère unique, amoureusement travaillé par son auteur est bien souvent une faute théâtrale : bien souvent ce héros privilégié qui hante son auteur n'est autre que l'auteur lui-même. Rostand, Montherlant trouvent précisément leurs limites dans cette incapacité à sortir de quelques caractères toujours semblables et Mallarmé dut renoncer au théâtre faute de pouvoir concevoir un personnage différent de lui-même (cf. Hugo qui déclarait : « Génie dramatique : être les autres »).

II. Puissance de vie du personnage théâtral.

Et pourtant une fois l'œuvre écrite, si elle est bonne, il est incontestable que certains personnages se lèvent pour vivre d'une vie puissamment indépendante de celle de la pièce : d'où il résulte cette illusion que la pièce a été créée pour ces personnages.

1. **L'illusion psychologique.** En effet pour le spectateur, l'importance du personnage est extrême : la présence physique de l'acteur la lui impose, alors que l'harmonie scénique, plus subtile, peut lui échapper en partie. Le commentaire le plus simple du spectateur moyen porte sur le personnage : « Il est ceci, il est cela »…. Le spectateur populaire va même jusqu'à prendre parti, à le juger moralement, comme un vivant, mais un vivant plus significatif et mieux tranché. Le spectateur plus lettré, celui notamment qui *lit* la pièce, est plus sensible au dialogue, ce qui accroît encore l'illusion que la psychologie est le but de la création théâtrale.

2. **Le théâtre, grand fournisseur de types.** Pour toutes ces raisons le théâtre laisse avant tout des souvenirs de types plus que d'intrigues (souvent difficiles à saisir) ou de descriptions, qui sont rares. Aussi toute une humanité théâtrale se mêle à nos pensées : qu'il y ait conflit entre la morale et la loi et nous songeons à Antigone, qu'un jeune homme souffre de la destinée et c'est un Hamlet, qu'un homme trop vertueux veuille corriger ses semblables et on l'appelle un Alceste; devant le malheur d'une femme veuve et mère, l'ombre d'Andromaque nous suggère une noble pitié, etc….

3. **Ces types sont indépendants de leur intrigue particulière.** Le plus curieux, c'est que ces types, si liés à l'atmosphère théâtrale sur laquelle ils se détachaient, vivent dans leur puissante simpli-

fication indépendamment de toute aventure particulière (voir sujet n° 8). On a même l'impression qu'ils se sont imposés tels quels à l'auteur et que celui-ci a créé sa pièce pour mettre en valeur tel ou tel type. En réalité, quand le personnage s'est présenté au dramaturge, il n'avait pas du tout cette force convaincante qu'il tirera précisément du drame. Andromaque existe bien avant Racine, mais, dans Homère ou dans Virgile, c'est une des nombreuses victimes de la guerre de Troie et elle n'a pas ce relief tragique que lui donnera Racine. Pirandello, dans sa fameuse pièce *Six personnages en quête d'auteur*, montre bien comment l'aventure de ces personnages n'a aucun style tragique avant qu'on ait trouvé leurs rapports théâtraux exacts. Le problème pour le dramaturge n'est pas tellement de créer ces six personnages, mais de *créer la pièce* pour laquelle ils sont faits, pièce d'ailleurs qu'ils ne connaissent pas exactement, mais dont ils sentent le besoin, si bien que *pour vivre pleinement ils ont besoin d'un auteur.*

III. L'univers dramatique.

S'il est incontestable que les types théâtraux vivent puissamment hors de leur pièce, perdent-ils tout lien avec l'univers dramatique auxquels ils doivent naissance? Leur existence n'est-elle pas, même hors de cet univers, à jamais dramatique?

1. **La constitution d' « emplois » au théâtre.** La plupart des « théâtres » (comédie latine, farces médiévales, comédie italienne) ont très vite abouti à la constitution de « types » ou d' « emplois » : le *miles gloriosus* de la Comédie latine, le Sganarelle de la farce, les Arlequin ou les Colombine de la Comédie italienne, voilà des êtres bien curieux qui vivent moins de nécessité psychologique que de rôles qu'ils ont tenus. Dès lors, se demander si la pièce est faite pour Colombine ou Colombine pour la pièce est une question un peu vaine. En réalité, Colombine est l'ingénue de l'univers dramatique auquel se limite son existence.

2. **Un personnage de théâtre peut-il sortir de son emploi?** Comment imaginer en effet la vie de ces êtres hors des pièces qui les utilisent? Se poser la question semble même étrange : comment Léandre gagne-t-il sa vie, quel est son avenir? Comment s'est formé Tartuffe? A quel moment Alceste est-il devenu misanthrope, Célimène coquette? Ces questions restent sans réponse. De même chez les personnages tragiques : pourquoi Phèdre a-t-elle épousé Thésée? a-t-elle eu des espoirs et des rêves de jeune fille ou de jeune femme? Nous n'en savons rien. Éternellement présente, éternellement lointaine, Phèdre appartient au monde des héros tragiques, monde qui n'a guère d'existence en dehors de quelques pièces (cf. un texte amusant de Giraudoux cité *in* Chevaillier-Audiat, *XXe siècle*, p. 222, édit. Hachette, et extrait de *Juliette au Pays des Hommes*, édit. Grasset : « C'était bien son nom. Rodrigue et Juliette! etc... »).

3. Psychologie théâtrale et psychologie romanesque. Quand Phèdre
s'appelle Madame Bovary, nous connaissons bien plus de choses :
ses rêveries de jeune fille, ses bonheurs passagers, toutes ses genèses
nous sont familières. Mais aussi Madame Bovary n'a-t-elle pas
la grandeur, la force de présence de Phèdre. De même, le Père
Grandet nous est bien plus clair, bien plus transparent qu'Harpagon : nous savons tout de Grandet, l'origine de sa fortune,
son milieu social, familial, jusqu'à sa mort. Que connaissons-
nous d'Harpagon? Voilà un avare dont nous ne savons même
pas comment il s'est enrichi et pourtant il est l'Avare à tout
jamais, une des plus puissantes figures du théâtre, un type qui
hantera toujours les comédiens. A ce point de vue, l'exemple le
plus caractéristique est peut-être celui de Don Juan, ce héros
dont nous ignorons tout, ses origines comme ses procédés de séduction, et qui est pourtant l'immortel Don Juan, rôle dont rêvent
tous les acteurs!

Conclusion.

Le mot de Salacrou souligne bien une des équivoques du théâtre :
le théâtre qui apparaît au spectateur comme un art psychologique est en fait un art symphonique pour l'auteur. Il s'agit
pour ce dernier de réussir une pièce, mais quand cette pièce est
réussie, il se lève alors, dans un univers assez spécial, « des vies
merveilleuses, des destins uniques et complets qui croissent et
s'achèvent entre des murs et pour quelques heures » (Camus,
Mythe de Sisyphe). Il n'est pas facile d'avoir accès à cet univers :
« n'est pas théâtral qui veut », dit encore Camus. Une pièce est-
elle faite pour « ces silhouettes uniques, entêtantes, à la fois
étranges et familières » ou bien ces silhouettes sont-elles faites
pour la pièce? En réalité, l'une et les autres convergent vers le
style de vie théâtral à la fois différent et révélateur de notre vie.

43

SUJET

Montherlant écrit dans ses *Notes de Théâtre* (*Théâtre*,
Bibliothèque de la Pléiade, p. 1075) : « Une pièce de
théâtre ne m'intéresse que si l'action extérieure, réduite
à la plus grande simplicité, n'y est qu'un prétexte à
l'exploration de l'homme; si l'auteur s'y est donné
pour tâche non d'imaginer et de construire mécaniquement une intrigue, mais d'exprimer avec le maximum
de vérité, d'intensité et de profondeur un certain nombre
de mouvements de l'âme humaine. » Expliquez et
discutez.

(*C. E. L. G.*, Nancy, 1951.)

REMARQUES POUR UN PLAN ─────────────────

1. On serait tenté de croire que le problème posé est exactement
le même que dans le sujet précédent, à cela près, bien entendu,
que la solution de Montherlant est diamétralement opposée à
celle de Salacrou. A celui-ci qui demande : « les personnages pour
la pièce », celui-là répond : « la pièce pour les personnages » et
même quelquefois, pourrait-on ajouter, « la pièce pour un personnage » (cf. dans le théâtre de Montherlant l'importance sans
contrepartie de certains héros comme Ferrante, Don Alvaro,
Malatesta).

2. Mais est-ce exactement le même problème (indépendamment
de l'opposition entre les deux solutions)? Comme toujours, on
sera attentif aux termes du sujet : Salacrou disait : « personnages —
pièce », Montherlant dit plutôt : « intrigue, action — âme humaine,
exploration de l'homme ». En fait, parler de *personnages*, ce n'est
pas tout à fait parler *d'exploration de l'homme* : la première
expression est d'un dramaturge, la deuxième est d'un moraliste.
De même, le mot « intrigue » est moins *théâtralement* complet que
le mot « pièce ». En somme, Salacrou s'exprime plutôt en homme
de théâtre qui examine curieusement la construction de l'œuvre
dramatique, Montherlant en psychologue classique qui interroge
les œuvres sur le profit humain qu'il peut en tirer.

3. Dès lors, le problème se révèle assez limité : il s'agit de situer
le profit moral et intellectuel qu'on peut attendre de la représentation ou même de la lecture d'une pièce (les problèmes matériels
et techniques du spectacle théâtral ne sont pas du tout en question ici). Montherlant renouvelle au fond, dans cette citation,
une vieille opposition entre les « pièces d'intrigue » et les « pièces
de caractère ». Naturellement, comme il n'est pas question de
peindre un caractère sans aucune intrigue, on entendra dans le
sens de « construction mécanique » cette intrigue qui « ... enlacée
et roulée en feston, Tourne comme un rébus autour d'un mirliton »
(Musset, *Une Soirée perdue*).
    Et l'on s'efforcera de montrer que :
a) *pratiquement,* les auteurs très habiles et très attachés à la fabrication d'une intrigue sont obligés de sacrifier à une psychologie
toute conventionnelle : exemples nombreux notamment au
xixe siècle chez Scribe (c'est probablement à lui que pense Musset
dans *Une Soirée perdue*), chez Augier, chez Victorien Sardou, etc....
Quand Corneille complique ses intrigues, ses personnages ne
sont plus que des marionnettes entre ses mains. On fera la contre-
épreuve en rappelant la simplicité des intrigues de Molière dans
ses grandes comédies de caractère, ainsi que les déclarations
de Racine demandant : « une action simple et chargée de peu de
matière » (cf. l'expression de Montherlant : « réduite à la plus grande
simplicité ») ;

b) théoriquement, le caractère mécanique et un peu extérieur d'une intrigue s'accommode mal avec ce que Montherlant appelle : « les mouvements de l'âme humaine », leur « intensité » et leur « profondeur ». Ainsi une intrigue « bien construite », tout extérieure amènerait Alceste à épouser Célimène. Mais l'intensité et la profondeur du caractère d'Alceste exigent de Molière ce peu scénique dénouement où le Misanthrope quitte (mais est-ce bien définitif...?) Célimène et la vie mondaine. D'où le caractère généralement peu satisfaisant pour le spectateur moyen des *dénouements* des grandes pièces psychologiques : on a souvent l'impression que le dénouement du *Cid*, le dénouement d'*Andromaque*, le dénouement de *Don Juan* ne terminent pas tout, qu'il y a encore bien des incertitudes, des situations non réglées; n'est-ce pas parce qu'il est impossible de refermer brusquement et comme mécaniquement les complexités de l'âme humaine libérées par la pièce? — Les dénouements ne sont pas les seules parties de l'intrigue à souffrir de cette importance de l'analyse psychologique. *Dans le cours même de la pièce*, de très grands auteurs vont presque jusqu'à sacrifier toute intrigue organisée à l'étude d'une âme humaine : c'est une trame bien lâche que celle qui unit les diverses scènes de *Bérénice*, du *Misanthrope*, même de *Cinna*. Chez Montherlant, une pièce comme *Malatesta* n'est guère qu'une suite de traits de caractère composant progressivement le visage d'un héros.

4. Malgré toutes ces autorités classiques, la position de Montherlant est-elle inattaquable? *Une discussion* s'impose, assez facile du reste si l'on remarque combien Montherlant force l'opposition entre l'action tout « extérieure », l'intrigue toute « mécanique » et les mouvements de l'âme dans toute « leur intensité, leur vérité et leur profondeur ». Pratiquement, suivre cette position jusqu'au bout aboutirait à méconnaître l'importance de la *situation* du personnage pour saisir la vérité de son âme. Les « mots » si fameux (le « Vous y serez, ma fille ! » d'Agamemnon, le « Sortez ! » de Roxane, le « Qu'il mourût ! » du vieil Horace) prennent toute leur valeur de la situation, c'est-à-dire, en somme, de l'intrigue. Mais, allant plus loin, on se demandera si la complication même de certaines intrigues, si leurs mécaniques savantes sont toujours inutiles pour saisir certains mouvements de l'âme humaine. Les machinations les plus noires et les plus compliquées autour d'un Nicomède, n'est-ce pas un intéressant prétexte à l'étude d'un caractère? (par exemple, quelle ne doit pas être la générosité d'un héros capable de rester au-dessus de tant de vilenies !).

5. Somme toute, opposition un peu forcée de moraliste classique, qui défend une œuvre théâtrale, intense sans doute, mais quelquefois plus psychologique que proprement dramatique (on sait toujours quel est le porte-parole de l'auteur); opposition qu'on nuancera en tenant compte des exigences propres au genre.

$\boxed{44}$

SUJET

Francisque Sarcey affirmait : « Je suis convaincu qu'un drame excellent doit se pouvoir jouer dans une grange et y réussir, tout aussi bien que sur une grande scène, où s'ajoute pourtant au mérite de l'œuvre, la séduction du décor et du costume. » (*Quarante ans de théâtre*, tome VII, 1900-1902, Librairie des Annales.) Expliquez et discutez.

REMARQUES POUR UN PLAN _____

1. Le sujet se rapproche des deux précédents en ce sens qu'il nous invite à réfléchir sur l'essence du spectacle théâtral : cette essence est-elle dans le spectacle (« séduction du décor et du costume ») ou dans ce que Sarcey appelle d'un mot assez vague « le mérite de l'œuvre »?

2. Mais il est beaucoup plus large, puisque Sarcey oppose à une décoration tout extérieure le mérite intrinsèque d'une pièce : la psychologie, l'intrigue et peut-être même le jeu des acteurs, la mise en scène, en excluant évidemment de cette dernière tout ce qui est lié à une richesse proprement visuelle.

3. Tel est sans doute le sens du mot « grange », qui ne suggère pas (contresens qui serait assez grossier, mais pas tout à fait impossible) un spectacle familier pour villageois! La « grange », où effectivement les troupes « comiques » d'autrefois ont joué plus d'une tragédie, symbolise ici l'absence presque totale de moyens matériels et réduit le spectacle à une sorte de vision abstraite des rapports entre les personnages, vision que l'auteur veut imposer à des spectateurs; en somme, elle se rapproche assez fortement de ces représentations de pièces classiques en complet veston et en robe de ville que l'on a parfois tentées dans des interprétations modernes.

4. Il semble donc qu'il faudra d'abord comprendre la position de Sarcey et essayer de dégager tout ce qui dans un *drame* (ce dernier mot mériterait une petite explication : Sarcey veut dire sans doute « toute œuvre destinée à être représentée », sans donner au terme le sens étroit que le xviiie siècle, puis le romantisme lui ont conféré) peut constituer le « mérite » de l'œuvre, indépendamment de la séduction du décor et du costume : finesse de la psychologie, mouvement de l'intrigue, force théâtrale, art d'imposer les situations, les mots, les coups de théâtre..., en se gardant évidemment d'une énumération, mais en montrant à chaque fois comment tous ces mérites sont indépendants d'une somptueuse décoration et se satisferaient « d'une grange » aussi bien que d'une « grande scène ». De bons exemples pourront être tirés du théâtre contemporain de Sarcey, de celui sur lequel s'exerça sa critique, notamment du théâtre d'Émile Augier et de celui d'Alexandre Dumas fils. On n'écartera pas, bien entendu, la tragédie classique et encore moins le « genre sérieux » du XVIIIe siècle, mais il semble que Sarcey pense surtout aux pièces à la fois sociales et psychologiques qui ont fait la transition entre le drame romantique, trop attaché au flamboiement des décors, et le Théâtre Libre, qui revient, par goût du réalisme, à une certaine primauté de la mise en scène et qui pense que le décor, « complément indispensable de l'œuvre, doit prendre, au théâtre, la place que la description tient dans le roman » (Antoine). Sarcey, normalien de la promotion 1848, se consacre exclusivement à la critique dramatique entre 1860 et 1900 et applaudit volontiers à la conception traditionnelle, qui continue à voir dans le théâtre un conflit de passions et d'intérêts plus qu'un spectacle. Cette tradition traverse à peu près tout le XIXe siècle, de *La Dame aux camélias* aux œuvres de Porto-Riche ou de Bernstein, sans jamais, du reste, s'opposer violemment et nettement au drame romantique. (Il serait assez maladroit d'interpréter le sujet comme une attaque contre le drame romantique.)

5. Ce sujet appelle nécessairement une discussion, car l'opposition établie par Sarcey entre « le mérite d'une œuvre » et la « séduction du décor et du costume » est assez difficile à maintenir jusqu'au bout. En effet, du moins sous la forme où cette opposition nous est présentée, on dirait que le mérite d'une œuvre est chose tout abstraite et intellectuelle : la discussion consistera à observer que, si le costume et le décor ne doivent jamais s'imposer pour eux-mêmes, s'ils doivent toujours garder leur valeur de *signe*, on ne conçoit guère un quelconque « mérite » théâtral qui se passerait de toute représentation concrète; elle devra donc offrir l'analyse de quelques cas particuliers où il y a comme une transition insensible et nécessaire entre le mérite psychologique et humain et le décor (exemple : le *maquillage*, presque indispensable à l'interprétation psychologique; mais si on admet le maquillage, comment refuser la « séduction » du costume ou du moins un costume qui souligne certains effets? De même les feux de la rampe, le *projecteur* qui isole et met en valeur tel personnage, la *corpulence* plus ou moins prestigieuse des acteurs; qui songerait à faire jouer Achille par un acteur petit?). On en conclura que la position de Sarcey est intenable et que, malgré toute son hostilité, le théâtre reste un genre qui doit représenter par des signes un univers stylisé suivant certaines exigences qui lui sont propres : le décor de *Phèdre* ne sera évidemment pas une reconstitution somptueuse et archéologique de la Grèce légendaire, mais, de toute façon, ce sera plus ou moins cette Grèce légendaire « telle que je me la représente », telle que l'exige le « ton » de la pièce. A la rigueur, on pourrait imaginer un décor tiré d'une mythologie indienne ou scandinave primitive. Phèdre en princesse aztèque n'est pas rigoureusement impossible : la petite-fille du Soleil, la demi-sœur du Minotaure pourrait avoir vécu sa brûlante aventure dans le passé millénaire du Mexique. Mais de toute façon, il faudra, si l'on veut garder le ton convenable, trouver des analogies dans la mise en scène, le décor, le costume. Il n'est pas nécessaire, comme le dit Sarcey, que le décor soit « séduisant », il faut qu'il soit juste, « signifiant » et envoûtant (très souvent le décor, dès le lever du rideau, fait pressentir que « quelque chose ne va pas », que l'univers où va se dérouler l'action est dérangé). D'ailleurs, Sarcey ne le nie pas à proprement parler, et il faudra se garder de lui faire doctement la leçon, en l'accusant de n'avoir pas le sens de la réalité concrète du spectacle théâtral. Peu de critiques ont mieux que lui senti les lois irréductibles du théâtre et la psychologie du spectateur, la nécessité pour un dramaturge de plaire et de réussir. Il a été très sensible, en matière dramatique, à la primauté de la technique. Mais, assez conservateur, il n'appuya pas les tentatives nouvelles (Théâtre Libre, introduction d'Ibsen, etc...) et fut ainsi un peu trop étroitement le représentant d'une conception humaine et psychologique du théâtre, pour laquelle la citation que nous étudions serait à peu près justifiée. Pour les drames psychologiques de la vie bourgeoise et mondaine, drames qui firent fureur jusqu'en 1914, les ressources matérielles les plus rudimentaires pouvaient suffire. Et ce n'est pas là un hasard car ce théâtre, comme l'a montré M. Scherer, garde l'essentiel des formules de la dramaturgie classique.

45

SUJET

Thierry Maulnier écrit dans son *Racine* (p. 70, Gallimard, édit.) :

« Montrer sur la scène des monstres ou des meurtres, montrer du sang, montrer de brillants costumes ou des foules ou des batailles, tout cela est bon pour des primitifs, des romantiques ou des enfants. La grandeur et la gloire de l'homme sont d'avoir cessé de montrer parce qu'il a appris à dire. L'art le plus affiné et le plus complexe est nécessairement l'art où le langage — honneur des hommes, dit le poète — a la place éminente et le rôle royal. »

Expliquez et discutez à la lumière de ce que vous savez sur l'évolution du théâtre en France.

RÉFLEXIONS PRÉLIMINAIRES ⸺⸺⸺⸺⸺⸺

1. *Texte en apparence très esthétique, très général et bien tentant pour une discussion de dramaturgie; mais il doit être d'abord considéré comme polémique et plein d'allusions à l'histoire littéraire :*

monstres : — *du théâtre primitif (Le Cyclope).*
            — *du théâtre romantique (Triboulet dans* Le Roi s'amuse*).*
            — *du théâtre enfantin (L'Ogre, Frankenstein).*

monstres *moraux :* Lucrèce Borgia.

meurtres : — *pour les classiques, ne pas ensanglanter la scène est un précepte impératif (c'est dans la « coulisse » que Camille est poignardée, que Britannicus est empoisonné, etc.).*
            — *pour les romantiques, la mort constitue un spectacle (c'est devant les spectateurs que Doña Sol et Hernani se suicident, que Triboulet traîne le cadavre de sa fille, etc.).*
            — *on pourra comparer de ce point de vue l'empoisonnement général qui termine* Lucrèce Borgia *à la « grande tuerie » finale de* Bajazet.

brillants costumes : *goût de la couleur locale (Espagne, Italie, Allemagne). Sans doute les acteurs classiques ont une garde-robe somptueuse, mais beaucoup plus conventionnelle et notamment insoucieuse de reconstitution fidèle.*

foules : — *les conjurés dans* Hernani,
       — *les courtisans dans* Le Roi s'amuse, *etc.... Le classicisme évite au contraire de multiplier :* Corneille *ne présente qu'un* Horace, *qu'un* Curiace.

batailles : *Shakespeare en offre des exemples variés. Et l'on peut songer au* Cyrano de Bergerac *et à* L'Aiglon *de* Rostand.

primitifs, romantiques, enfants : *hostilité de Th. Maulnier, disciple de Maurras, au romantisme; mais l'état d'esprit romantique lui semble déborder de beaucoup le romantisme, historiquement parlant. Il attaque le goût moderne du primitif, de l'enfantin qui nous fait souvent trouver plus admirable une scène de folklore qu'une œuvre intellectuelle. Le rapprochement des trois termes se veut, à lui seul, impertinent.*

2. *Problème d'esthétique, assez général sans doute, mais surtout technique. Quel est le matériel fondamental de l'art théâtral : les mots ou le spectacle? Ce grand choix se pose aux gens de métier et on tend vers deux limites suivant les tempéraments des auteurs, des acteurs, des metteurs en scène : le mime, la grande parade de foire d'une part; la conversation, la discussion d'autre part. Si le théâtre ne sait pas être à la fois spectacle et discours, il risque de mourir, comme il mourut à Rome où l'on avait renoncé à cette synthèse : on produisait plutôt des revues à grand spectacle (on se rappelle les plaintes de Cicéron : trop de statues, de tapisseries!) et pendant ce* *temps les tragédies de Sénèque n'étaient pas représentées, mais lues dans les « recitationes ».*

3. *Il ne faut pas s'orienter trop vite vers une critique générale. Le texte vise manifestement une certaine conception un peu schématique du théâtre classique dont Th. Maulnier se fait un idéal. On reconnaît ici le culte de la raison en art qui caractérise le néo-classicisme moderne (Valéry, Benda, Maurras, la critique d'*Action française*), lequel oppose volontiers les littératures méridionales et classiques représentant la pure Raison, d'une part, et, d'autre part, les littératures nordiques, brumeuses, accordant un rôle excessif à la sensation et à l'irrationnel (politiquement, certains de ces critiques aspirent à l'ordre, qui leur semble classique et combattent l'esprit révolutionnaire, qui leur semble romantique). Pratiquement il sera bon de déterminer l'atmosphère de cette citation et de se demander dans quelle mesure théâtre classique et théâtre romantique ne sont pas plutôt pris par Th. Maulnier comme des références que comme des réalités historiques. La tragédie est beaucoup plus un spectacle qu'il ne le pense et une sérieuse étude historique du rôle qu'y joue le discours devra s'attacher à préciser ce point.*

4. *On n'oubliera pas que la citation est extraite du* Racine *de Th. Maulnier, où le but de l'auteur est de démontrer que la tragédie classique est tout entière orientée vers l'action, non pas, bien entendu, que celle-ci tienne du mélodrame, mais parce qu'elle est très fortement centrée, parce qu'elle a une unité très intense. Le langage y est comme une somme de rapports intellectuels tendus vers le drame : ni psychologie, ni discours gratuits. Mais Th. Maulnier méconnaît la part de « pompe », d'ornementation oratoire et il faudra être plus près que lui des réalités historiques.*

5. *De même sur le romantisme, il conviendra d'apporter quelques réserves. Le théâtre romantique est coulé dans des moules classiques beaucoup plus que ne le croyaient les romantiques eux-mêmes. Notamment en ce qui concerne le langage, il reste oratoire, utilise la « tirade ». La vérité est peut-être qu'il veut renoncer aux beautés d'ornementation qui caractérisent la tragédie classique, à la « pompe » précisément, au spectacle noble et digne qu'elle offrait. Il livre combat sur le terrain du théâtre (terrain essentiel : il y a des batailles théâtrales célèbres, comme celle d'*Hernani*, alors qu'il n'y a pas de grandes querelles de la poésie lyrique), parce que c'était peut-être l'endroit littéraire où triomphait le plus la noblesse, la fameuse « tristesse majestueuse » dont parle Racine. Le public du XVIIe siècle était avide de spectacle; l'opéra, les pièces à machines le ravissaient et la tragédie classique n'est peut-être qu'un de ces spectacles que Racine, par un miracle exceptionnel, a chargé d'une richesse et d'une pureté profondes. Nul doute que les contemporains n'aient vu un « beau spectacle » dans les « peintures » de Racine : le sérail de* Bajazet*, l'écroulement de* Mithridate*, le camp d'*Agamemnon*, le temple de Jérusalem dans* Athalie*. On n'oubliera pas la présence des foules.* Andromaque

*se termine par une révolution dans Buthrot, Narcisse est lynché
à la fin de Britannicus, dans Mithridate le peuple gronde aux portes
du palais, Iphigénie est retentissante de rumeurs militaires, Athalie
est presque une pièce à grand spectacle (au dénouement « les troupes »
sont en scène). Bref, il ne faut pas, pour les besoins d'une cause,
faire du théâtre racinien un théâtre intellectuel. Sans doute tout n'est
pas montré par Racine, mais ce sont les fameuses « bienséances » qui
semblent souvent s'opposer au spectacle direct.*

PLAN DÉVELOPPÉ ────────────────────

Introduction.

Le théâtre a toujours exercé sur les intellectuels un curieux
mélange d'attrait et de répulsion. Art du spectacle, parlant aux
sens plus qu'à l'esprit, ne connaissant de vrai succès que sous la
forme populaire, il relève souvent, aux yeux des gens cultivés,
des accusations portées contre l'imagerie facile, la « montre »,
la parade pour badauds. Cicéron se détournait déjà du déploie-
ment de statues et de tapisseries du théâtre ancien. On connaît
de nos jours le mépris témoigné par bien des lettrés au
cinéma, dans lequel ils ne veulent voir qu'une collection d'images.
D'autre part, le même lettré, soucieux d'art complet, se rend
souvent compte que le théâtre est, parmi tous les arts, celui qui
fait appel aux éléments proprement artistiques les plus nombreux.
Le théâtre a, pour lui, le corps et la voix, la lumière, l'espace;
il se développe dans le temps comme une symphonie, il a la communication immédiate avec le public. Comme il serait séduisant
d'imaginer un théâtre pour gens intelligents, un théâtre presque
intellectuel, un théâtre où triompherait le langage! non pas certes
le langage oratoire, lyrique ou pathétique, aux effets trop faciles,
mais un langage qui n'exprimerait que des rapports intellectuels
bien centrés sur une action unique. Th. Maulnier, qui croit voir
dans le classicisme et notamment dans Racine ce miracle exceptionnellement réalisé, crie tout son dédain pour « les primitifs,
les romantiques ou les enfants » qui « montrent sur la scène des
monstres ou des meurtres, du sang, de brillants costumes, ou des
foules, ou des batailles ». Au théâtre comme ailleurs le langage
doit être roi! « La grandeur et la gloire de l'homme sont d'avoir
cessé de montrer parce qu'il a appris à dire. » Th. Maulnier a
cette absolue confiance du néo-classicisme moderne dans
le langage, « honneur des hommes », disait Valéry. Et sans doute
met-il bien l'accent sur un aspect essentiel du théâtre classique
qui est, avant tout, art du discours. Mais peut-être sa vision
est-elle un peu limitée, peut-être le théâtre classique a-t-il connu
le « spectacle » et peut-être est-ce sur la nature de ce spectacle
que s'est livrée la bataille romantique pour occuper la scène?

I. La confiance d'un rationaliste dans le langage.

Avant d'expliquer Racine et le théâtre classique, ce texte explique bien son auteur et toute une école qu'il représente.

1. Une intéressante et curieuse obsession de la Raison en art domine une importante lignée d'auteurs contemporains. La référence à Valéry n'est pas un hasard. Nous songeons aussi à Julien Benda, à ces esprits pour qui l'art n'est pas coïncidence avec la vie, mais traduction de la vie en signes intellectuels. Chez Th. Maulnier on sent d'autres parentés spirituelles, celle de l'*Action Française* et de Charles Maurras, du culte méridional de la Raison, d'Athéna. On pense même, plus lointainement, à la *Prière sur l'Acropole* de Renan.

2. Le texte est, en effet, nourri de cette haine pour le romantisme qui caractérise tous ces adorateurs du « logos ». Il est plein d'allusions à une imagerie populaire que méprisent ces aristocrates de l'intelligence. Ils ne peuvent pas supporter cette Italie ou cette Espagne de pacotille, ces déploiements de conjurés, cette foule qui acclame Cromwell, ces monstres simplistes et bons pour l'imagerie d'Epinal, ces bouffons difformes et généreux, ces traîtres monstrueusement et naïvement perfides, ces spectacles constitués par des cadavres qui s'entassent l'un sur l'autre au dénouement d'*Hernani*, l'empoisonnement collectif qui termine *Lucrèce Borgia*. Mais ce n'est pas l'École romantique seule qui est visée : c'est tout un snobisme qui s'extasie devant un art enfantin, « naïf », pourvu qu'il frappe l'imagination et les sens : le goût moderne du cinéma muet ou du mime, l'intérêt porté aux danses ou au théâtre primitifs, bref tout un retour à un art qui n'a rien à exprimer, qui ne sait pas expliquer, mais qui se borne à montrer.

3. Choqué par ce qui lui semble un signe de décadence, Th. Maulnier se tourne avec nostalgie vers une époque où le langage a eu la place éminente; même au théâtre, pense-t-il, il y a moyen de ne pas céder au goût populaire pour l'imagerie : alors que la tragi-comédie du début du xviie siècle est encore un spectacle fait de décors et d'aventures extraordinaires, le classicisme obtient que le théâtre soit l'expression d'une crise; mieux encore, au langage trop lyrique ou trop oratoire des tragédies du xvie siècle ou du début du xviie siècle (langage qui était encore un élément du spectacle fait pour toucher la sensibilité ou même les sens de l'auditeur), il substitue un langage qui n'est qu'une somme de liaisons savantes entre les termes choisis avec le minimum de force pour servir, au maximum, l'action et le conflit des passions. C'est alors un art qui ne fait que signifier et qui montre le moins possible.

II. Le théâtre classique, art du discours.

Il est inutile d'insister sur le côté un peu chimérique de cette vision. Si un art aussi intellectuel avait vraiment existé, il n'aurait connu aucun succès et surtout pas un succès théâtral. Il n'en est pas moins vrai que le théâtre classique est avant tout un art du langage, mais ce langage sert peut-être plus à l'ornementation que ne l'admet Th. Maulnier.

1. La prédominance des problèmes d' « écriture théâtrale » montre bien l'importance du discours : ainsi dans les moments les plus passionnés, il y a comme une convention entre les personnages pour se laisser terminer leurs tirades; celles-ci sont elles-mêmes logiquement organisées et articulées, quelle que soit la violence de la scène. Nulle contradiction du reste entre ces longues tirades et l'action. L'abbé d'Aubignac écrit : « Les discours doivent être comme des actions de ceux qu'on y fait paraître; car là, *parler*, c'est *agir*. » En effet, explique Marmontel, il suffit « de bien savoir quel est celui qui parle, quels sont ceux qui l'écoutent, ce qu'on veut que l'un persuade aux autres et de régler sur ces rapports le langage qu'on lui fait tenir ». Le discours est donc l'essentiel de l'action, si l'on peut dire : c'est l'action d'un plaidoyer. D'après les contemporains, c'est à ce moment-là qu'on faisait silence pour écouter le morceau de bravoure.

2. Le rôle du discours est encore plus net dans les récits. C'est surtout à eux que pense Th. Maulnier; « montrer » : c'est le spectacle, « dire » : c'est faire un récit. Ici aussi les règles de la dramaturgie, classique semblent lui donner raison : le récit n'est en général pas un ornement, il est pour ainsi dire une action qu'on ne peut point représenter sur la scène. Racine dit (Préface de *Britannicus*) : « Ne mettre en récit que les choses qui ne se peuvent passer en action. » Il faut donc que le récit s'introduise avec précision dans ce système de rapports intellectuels qu'est une tragédie. Celui qui raconte doit avoir « une raison puissante pour raconter et celui qui écoute juste sujet de savoir ce qu'on lui raconte » (d'Aubignac). Dans la composition même du récit, l'intérêt dramatique passe avant l'intérêt oratoire : par exemple, le récit d'une mort suivra l'annonce de cette mort, même si cette annonce n'est pas conforme aux nécessités de la rhétorique. Le récit de Théramène ne doit pas être regardé comme un ornement permettant à un acteur de briller : il vise à montrer la grandeur d'âme d'Hippolyte, ainsi que le caractère injuste et miraculeux de sa mort et tout le monde a les plus vives raisons d'écouter ce chant funèbre en son honneur. Bref, comme le pense Th. Maulnier, la tragédie est faite de paroles qui *signifient* et non qui *ornent;* un exemple caractéristique en est l'offensive contre le monologue, abondant dans le théâtre de la Renaissance, plus rare chez Corneille, presque absent chez les contemporains de Racine. A ce

monologue, Racine, il est vrai, sacrifie plus que ses contemporains, mais c'est sans doute pour y exprimer la poésie et la passion que précisément il n'a pas voulu mettre dans les tirades.

3. Et pourtant il faut bien reconnaître que, dans ce débordement verbal, tout n'est pas justifié par la logique de l'action : l'exemple même de Racine et de ses monologues de poésie et de passion est assez significatif. La tragédie classique a été très longue à renoncer aux stances (Racine en use encore dans *La Thébaïde*) et aux tirades lyriques; elle n'a jamais renoncé à ces invocations psychologiques par lesquelles un personnage s'adresse à ses sentiments. Le récit, l'abbé d'Aubignac le reconnaît, est souvent un ornement pathétique. Peut-être faut-il admettre que « l'écriture théâtrale » sert un goût profond du lyrisme et de la pompe : les pièces classiques, on s'en est aperçu assez récemment, sont divisées en quatrains et dans les passages de ton particulièrement élevé les vers sont volontiers groupés par quatre et non par deux. Bien d'autres procédés servent la pompe du spectacle : la sticho-mythie, la sentence, la répétition, etc.... Bref on peut se demander dans quelle mesure la poésie, le drame et l'éloquence n'étaient pas confondus dans un spectacle « pompeux ». Le récit lui-même, dont nous avons vu le rôle dans l'action, devait faire vive impression sur le spectateur, ce spectateur du xviie siècle épris de spectacle et que les grands classiques s'efforçaient de contenter sans renoncer aux exigences des bienséances et des règles.

III. Le déplacement d'intérêt dans le spectacle.

La tragédie classique est donc loin d'être ce discours désincarné qu'imagine Th. Maulnier.

1. Peut-être faut-il y voir un spectacle particulier au Grand Siècle, une sorte de parade majestueuse rehaussée d'une belle déclamation (on sait le goût des acteurs de l'époque pour le ton pompeux et chantant), de beaux habits, de la présence des seigneurs sur la scène. On ne courait pas sur la scène classique, trop petite, trop étroite, trop encombrée. C'était une affaire pour un acteur que d'entrer et de sortir : il le faisait toujours lentement. « Pompe, tristesse majestueuse », tels sont les termes par lesquels on définit volontiers la tragédie; mais elle est un spectacle et, si les bienséances interdisent de tout montrer, Racine n'en fait pas moins intervenir des foules dans *Athalie*.

2. On peut se demander si la réaction romantique n'a pas été dirigée contre la solennité de ce spectacle plutôt que contre un système dramatique : de celui-ci les auteurs gardent l'essentiel et livrent bataille surtout pour le mot propre, le mot familier et vulgaire. Vigny, dans *Le More de Venise*, lutte pour introduire le mot « mouchoir »; il a conscience que le problème est d'abord de trouver une langue théâtrale nouvelle et les « classiques » contemporains s'indignent de ces familiarités (cf. le « lion superbe et généreux »). Au fond, le drame romantique est la conquête, à l'intérieur d'une dramaturgie quasi classique, des droits de la vie et du réel. Tout le théâtre du xixe siècle se développe dans cette direction : ainsi, s'il n'est pas exact de dire que les romantiques ont introduit l'histoire au théâtre, il faut noter qu'ils en veulent une représentation naturelle et non stylisée.

3. Pratiquement, pourrait-on imaginer un théâtre qui ne soit pas spectacle? Racine nous a un peu faussé les idées parce que, presque toujours, il a réussi à donner un sens à tous les éléments qui composaient la pièce. Chez lui, tout *signifie* en vue de l'action psychologique. Mais le spectacle n'en existait pas moins : il ne faut pas le désincarner. Peut-être y aurait-il de nos jours davantage d'ouverture vers un théâtre qui refuserait l'imagerie et la parade. Mais il faut alors prendre comme exemples des tentatives tout à fait modernes et auxquelles ne pense certes pas Th. Maulnier. Le décor actuel suggère de plus en plus les traits essentiels : Jacques Copeau évoquait toute l'Espagne (pour *Le Carrosse du Saint-Sacrement*) avec quatre pots de fleurs, un paravent et trois projecteurs jaune citron. On pourrait songer aussi aux tentatives de Maeterlinck et du théâtre symboliste.

Conclusion.

Le théâtre oscille entre la suggestion et la représentation plus encore qu'entre le langage et le spectacle. En effet le spectacle peut devenir langage et le langage faire partie du spectacle. La dualité fondamentale est plutôt celle d'un art qui prétend représenter la vie et en même temps la concentrer. Au fond, le peuple voudrait que l'on représente, l'auteur préférerait styliser et concentrer : le classicisme est né d'un compromis analogue.

N. B. — On trouvera grand profit à consulter comme nous, à propos de ce devoir, l'ouvrage de J. Scherer, *La dramaturgie classique*. Cf. notamment pour I, 1 : pp. 226, 228 — pour II, 2 : pp. 237, 241-242, 245, 260 — pour II, 3 : pp. 297, 246, 302, 227 — pour la conclusion : p. 433. Nous signalons à ce propos l'intérêt que la critique moderne porte de plus en plus, pour aborder les questions théâtrales, à l'étude des procédés techniques des auteurs dramatiques, autrement dit à la dramaturgie. Laissant de côté l'histoire littéraire (trop extérieure à la chose théâtrale) et l'explication de texte (qui a trop tendance à réduire le théâtre au langage), se méfiant même des écrits des théoriciens, souvent trop généraux, la dramaturgie essaie de se placer au cœur même des difficultés de métier rencontrées par l'auteur, quand il écrit sa pièce. Sur cette méthode nouvelle, on lira avec fruit l'introduction de l'ouvrage de J. Scherer et on pourra considérer la IIe Partie du devoir ci-dessus comme une application élémentaire de la dramaturgie à la dissertation.

46

SUJET

Voltaire a reproché aux tragédies classiques d'être « de longues conversations partagées en cinq actes par des violons » (Epître des *Lois de Minos*, 1772). Commentez et discutez. (Baccalauréat.)

REMARQUES POUR UN PLAN

1. La plupart des matériaux pour traiter ce sujet se trouvent dans le corrigé précédent, mais l'orientation du devoir n'est pas la même. Voltaire accuse la tragédie d'être plus une joute oratoire qu'un spectacle ou une action.

2. Il faut donc considérer le jugement dans une perspective voltairienne. En 1772, Voltaire a presque toute son œuvre dramatique derrière lui. Il a essayé de renouveler le théâtre dans un sens qui annonce d'assez loin le romantisme : couleur locale des décors et des costumes, jeux plus expressifs et moins oratoires des acteurs, goût des civilisations orientales ou américaines, etc.... Aussi bien, c'est un peu au nom de son œuvre à lui qu'il juge la tragédie classique, qui lui paraît pâle et fade à côté de la sienne.

3. Voltaire pose incidemment un problème technique que nous n'avions pas à envisager à propos de Th. Maulnier : celui de la division en cinq actes. La pause de l'entracte lui semble un arrêt absolument arbitraire dans le flux d'une longue conversation : simplement, comme le spectateur doit être fatigué, on s'arrête et on lui joue un morceau de violon. Voltaire a tort de ne pas voir que les actes sont les étapes d'une crise et répondent à une technique de l'action dramatique, sans doute moins visible qu'un élément du spectacle, mais tout aussi réelle.

47

SUJET

A la fin de la première partie de *Psyché*, deux des « Quatre Amis » dont La Fontaine nous rapporte les propos, engagent un débat sur les mérites respectifs de la tragédie et de la comédie.

A Ariste qui affirme que « la comédie touche moins les esprits que la tragédie », Gélaste finit par répondre : « Comme la tragédie ne nous représente que des aventures extraordinaires et qui, vraisemblablement, ne nous arriveront jamais, nous n'y prenons point de part et nous sommes froids, à moins que l'ouvrage ne soit excellent.... La comédie, n'employant que des aventures ordinaires et qui peuvent nous arriver, nous touche toujours, plus ou moins, selon son degré de perfection. »

Ces propos de Gélaste vous semblent-ils rendre un compte exact et suffisant des différences qui séparent la tragédie et la comédie?

(Ce sujet a été, sous des formes légèrement différentes, proposé plusieurs fois au baccalauréat et à divers concours.)

RÉFLEXIONS PRÉLIMINAIRES

1. *Il est indispensable de relire toute la fin de la première partie de* Psyché *à l'occasion de ce devoir. Les études de divers critiques, celles notamment de Messieurs Bray et Demeure, ont démontré que les « Quatre Amis » ne peuvent être, comme on l'a cru longtemps, La Fontaine, Boileau, Racine, Molière. Diverses identifications ont été proposées, mais elles ne sont pas absolument certaines; il est même possible que La Fontaine n'ait voulu mettre en scène aucun de ses amis, mais qu'il ait seulement personnifié des tendances, des goûts littéraires. Ce qu'il y a de sûr, c'est que Gélaste, qui soutient, touchant la comédie, l'opposé de ce que soutient Molière dans* La Critique de l'École des Femmes, *ne saurait être Molière* (R. Bray).

2. *Il vaut mieux éviter de consacrer une première partie à la comédie et une deuxième à la tragédie ou inversement, car il serait à peu près impossible de sauvegarder l'unité de composition et on aboutirait sans doute à deux essais juxtaposés. Puisque les indications qui accompagnent le texte de La Fontaine pour « poser » le sujet offrent un plan, en attirant l'attention sur les propos de Gélaste (un compte exact et suffisant), le mieux est de les suivre pour étudier les différences qui séparent la tragédie et la comédie. Il sera assez aisé, à l'intérieur de chacune de ces deux grandes parties, de varier la présentation des faits et des arguments.*

3. *Vu l'ampleur d'un tel sujet, nous ne pouvons guère offrir ici qu'un cadre général pour une étude d'ensemble. Ce sera pour l'étudiant un exercice des plus utiles que de reprendre chacun des points que nous signalons, de le creuser et de l'élargir, en le précisant, en le nuançant, en le discutant à l'occasion; autrement dit, chaque paragraphe esquissé pourra lui fournir le point de départ d'un long paragraphe soigneusement rédigé et généreusement nourri de « preuves ». S'il se donne la peine de repenser et de refondre ainsi tout ou partie de l'étude à son usage personnel, il se sera préparé, tout en réfléchissant sur un thème extrêmement fécond, à aborder sans être surpris la plupart des devoirs qui appellent une comparaison entre la tragédie et la comédie.*

4. *On prendra prétexte du présent devoir pour relire le suggestif ouvrage de Bergson :* Le Rire, essai sur la signification du comique *(P. U. F., édit.). Quoique certaines de ses conclusions soient contestées par quelques critiques, il est indispensable de le connaître et impossible de ne pas lui demander des idées pour discuter du problème proposé.*

PLAN DÉTAILLÉ ─────────────────

Introduction.

De nos jours, on écrit des « pièces de théâtre », sans chercher une appellation plus précise pour caractériser les œuvres. Au xviie siècle, la séparation des genres était admise comme une vérité et une nécessité esthétique indiscutables : des théoriciens (Boileau, Fénelon...) s'attachent à préciser la nature exacte de la tragédie et de la comédie. Molière, si conscient de son art et de ses exigences, aborde la question dans *La Critique de l'École des Femmes*. La Fontaine y consacre plusieurs pages de *Psyché*, sous la forme d'une discussion entre les « Quatre Amis » qu'il met en scène. Ariste défend la tragédie et estime qu'elle touche bien plus les esprits que la comédie; Gélaste, défenseur de la comédie, lui répond : « Comme la tragédie ne nous représente que des aventures extraordinaires et qui, vraisemblablement, ne nous arriveront jamais, nous n'y prenons point de part et nous sommes froids, à moins que l'ouvrage ne soit excellent.... La comédie, n'employant que des aventures ordinaires et qui peuvent nous arriver, nous touche toujours, plus ou moins, selon son degré de perfection. » Ces propos semblent donner des limites singulièrement étroites aux différences qui séparent tragédie et comédie : en somme, ce ne serait qu'une question du plus ou du moins de distance qui sépare le spectateur de ce qu'il voit représenter devant lui. Ainsi posée, la différence apparaît même très discutable.

I. L'affirmation de Gélaste n'est exacte qu'en partie.

A. Pour la tragédie.

1. Il est exact qu'en apparence la tragédie ne représente que des aventures extraordinaires. Les conventions les plus extérieures de la tragédie exigent en effet qu'il en soit ainsi :

a) Pour les sujets : ils sont empruntés, soit à la légende (*Andromaque, Phèdre*), soit à l'histoire, profane (*Nicomède, Mithridate*) ou religieuse (*Polyeucte, Athalie*). Si le sujet se rapproche dans le temps, la distance apporte l'éloignement nécessaire (*Bajazet*, cf. la Préface). Les succès obtenus par Voltaire et de Belloy avec des « sujets nationaux » furent éphémères.

b) Pour les personnages : nécessité de personnages :
● dont les actes ont été purifiés par le temps et se prêtent ainsi plus aisément à la transposition esthétique, parce qu'ils sont devenus peu à peu des « symboles » (Andromaque et la fidélité conjugale, Phèdre et l'amour interdit...) et sont déjà plus ou moins familiers au spectateur;
● dont les actes échappent aux contingences de la vie ordinaire et mettent en question des « intérêts » importants (sort de tout un

peuple). Aussi ce sont des *grands* de toute sorte (rois, généraux, princes). Si on les remplace par de simples bourgeois dont la conduite n'affecte qu'une famille, on aboutit au *drame* du xviiie siècle.

c) *Pour les événements* : ils dépassent l'individu pour intéresser la collectivité et ils provoquent des catastrophes funestes (meurtres, suicides; cf. le destin des familles illustres de la légende grecque, et l'histoire). Déjà en 1572 Jean de la Taille demandait pour la tragédie de grands malheurs collectifs (« bannissements, guerres, pestes, famines »). *Bérénice* fait exception, mais il y est traité du destin de l'Empire romain, et « l'action en est grande » autant que « les acteurs en sont héroïques ». (Racine, Préface de *Bérénice*. Lire toute cette préface et méditer en particulier sur le passage consacré à la « tristesse majestueuse qui fait tout le plaisir de la tragédie ».)

Transition : Telles sont les apparences; s'il en est de même en profondeur, il y a de grandes chances pour que la tragédie, sauf réussite exceptionnelle (et encore!), nous laisse « froids ».

2. Mais en réalité la tragédie représente des aventures ordinaires. Il est ici nécessaire d'opérer la transposition sur laquelle tout tragique est en droit de compter de la part du spectateur : or, si nous dépassons, comme il se doit, le cadre extérieur pour considérer le tableau véritable, que trouvons-nous?

a) *Des sujets* qui sont ceux de la réalité quotidienne : jeux éternels des sentiments et des passions, aussi bien l'ambition (*Britannicus :* A moi la première place!) que l'amour et la jalousie (*Andromaque :* Aime-moi ou je te tue!). Cela est tellement vrai que le même sujet peut aussi bien être du domaine tragique que du domaine comique, selon les circonstances (le vieillard amoureux dans *L'École des Femmes* et dans *Mithridate*). Cela est vrai même pour les détails (Néron écoutant Junie et Britannicus — Orgon, sous sa table, écoutant Tartuffe. Cf. aussi *Mithridate*, acte III, scène v, et *L'Avare*, acte IV, scène iii).

b) *Des personnages* tourmentés par ces sentiments et ces passions, des bons et des mauvais, des volontaires et des irrésolus.... Les uns et les autres luttent sans cesse contre des obstacles, contre des résistances venues d'eux-mêmes ou de l'extérieur et que symbolise le *Destin*, la *Fatalité*. N'en est-il pas de même dans la vie quotidienne? Quand nous nous écrions : « Qu'est-ce que j'ai fait au Bon Dieu? » ou « J'en ai assez! Je renonce! » nous répétons, inconsciemment et sous une autre forme, le cri d'Oreste : « Je me livre en aveugle au Destin qui m'entraîne! » Aussi un Polyeucte est-il moins un seigneur arménien qu'un homme qui doit choisir entre sa famille et un devoir supérieur, et Néron est-il moins un empereur romain que le type du « monstre naissant » qui hésite entre la vertu et le vice et qui finit par choisir le vice.

c) *Des événements* qui sont tellement près de nous que les colonnes des journaux en sont remplies quotidiennement : crimes pas-

sionnels, catastrophes, carnages de toute sorte. Il n'est pas de
jour, hélas, qui n'apporte quelque tuerie semblable à celle qui
termine *Bajazet*, et qui choquait tant Madame de Sévigné.

Transition : L'opinion de Gélaste n'est donc exacte qu'en partie
pour la tragédie; qu'en est-il pour la comédie, dont il affirme le
caractère de vérité courante?

B. Pour la comédie.

1. Il est exact que la comédie n'emploie que des aventures ordinaires.

a) Les sujets sont empruntés à la vie ordinaire et contemporaine :
« Il faut, dit Molière, dans la scène VII de *La Critique*, peindre
d'après nature, faire reconnaître les gens de votre siècle. » Et on
peut dresser d'après ses comédies un tableau assez détaillé et
ressemblant de la vie au XVIIe siècle. C'est d'ailleurs là une des
causes du vieillissement rapide des comédies, quand les auteurs
sont incapables de dépasser leur époque (cf. sujet proposé n° 27).

b) Les personnages viennent de toutes les classes sociales (sauf la
classe dirigeante, malgré *Amphitryon*), surtout des « classes
moyennes » : bourgeois, médecins, commerçants, domestiques....

c) Les événements mettent en valeur les travers et les vices que nous
connaissons bien et que nous distinguons si lucidement chez
notre voisin : avarice, hypocrisie, pédantisme.... Ils racontent
en général *une journée* de l'existence d'un individu, avec tout ce
qu'il s'y mêle de papotages, d'intrigues amoureuses, de combinaisons plus ou moins louches : *Le Misanthrope* ou une journée
chez Célimène; *L'Avare* ou une journée chez Harpagon, etc....
Au contraire, la tragédie est le « grand jour », le jour auquel nul
autre n'a ressemblé ni ne ressemblera (cf. les débuts des tragédies;
par exemple, le début d'*Athalie* : « Je viens.... Célébrer avec vous
la fameuse journée »).

Transition : Il est donc exact que les aventures de la comédie
sont « ordinaires ». Mais cela ne signifie nullement que la comédie
représente toute la vie courante et qu'elle donne une idée complète
de tout ce qui peut arriver au cours d'une existence.

2. Mais la comédie opère un choix dans la réalité. Ce choix est différent de celui de la tragédie, mais il n'est ni moins arbitraire,
ni moins restreint :

a) Pour les sujets : elle ne dépasse pas le cadre familial et se borne
à la peinture d'un travers ou d'un vice avec ses conséquences
sur l'entourage immédiat. Elle n'aborde donc pas les problèmes
sociaux ni les questions internationales : ni celles-ci ni ceux-là
ne sauraient entrer dans le cadre comique; ils n'en existent pas
moins et notre vie en dépend.

b) Pour les personnages : d'une part, la nécessité de l'optique
théâtrale provoque un grossissement des personnages, une outrance
des caractères. Il n'est pas sûr qu'on ait plus de chances de rencontrer un sosie exact d'Harpagon ou de Tartuffe qu'un diplomate

qui assassine le chef d'État auprès de qui il est en mission ou un despote qui se débarrasse de tout ce qui gêne son ascension vers le pouvoir! D'autre part, se trouvent éliminés les puissants (qui ne tolèrent pas d'être tournés en ridicule), les criminels et les saints (qui vont jusqu'au bout de leurs actes). Or il y a des saints et surtout des criminels : nous pouvons en côtoyer, comme nous pouvons entendre parler des actes qu'ils accomplissent et que la comédie ignore, puisqu'elle ne peut faire place à leurs auteurs.

c) *Pour les événements* : tous ceux qui dépendent des personnages ci-dessus sont donc exclus; pas d'héroïsme, pas davantage de sang; rien de ce qui peut provoquer l'enthousiasme, les douleurs, les larmes :

> « Le comique, ennemi des soupirs et des pleurs,
> N'admet point en ses vers de tragiques douleurs »
>   (Boileau, *Art poétique*, III, 401-402).

Or, tout cela nous touche et nous menace : avons-nous, ici aussi, plus de chances de pénétrer dans le salon de Célimène que d'assister à un meurtre ou à un acte de bravoure, de voir une famille désunie par les manèges d'un faux dévot qu'un ménage bouleversé par une jalousie aussi invincible que dangereuse pour les partenaires?

Conclusion partielle : La tragédie, si l'on s'en tient aux apparences, est loin de nous et, prise comme telle, peut mériter les reproches de Beaumarchais : « Quel véritable intérêt puis-je prendre à la mort d'un tyran du Péloponèse, au sacrifice d'une jeune fille en Aulide? Il n'y a, dans tout cela, rien à voir pour moi. » Mais elle se rapproche de nous, si nous allons au fond des choses et constatons que les héros tragiques pensent, sentent, agissent comme les hommes du commun. La comédie s'inspire plus directement de la vie ordinaire; mais elle fait un choix dans cette vie, où peuvent nous arriver bien d'autres aventures que celles qu'elle nous représente. Autrement dit, chaque genre s'attache à un seul aspect de la réalité. Les différences profondes qui les séparent dépendent peut-être en partie du choix des sujets, mais tiennent beaucoup plus au but que se proposent l'auteur tragique et l'auteur comique, à la conception qu'ils ont du héros et à la peinture qu'ils nous font de la passion.

II. Il faut compléter l'affirmation de Gélaste (c'est-à-dire signaler les différences essentielles entre la tragédie et la comédie).

Remarque : Bien entendu, il faut négliger ici ce qui, par rapport au sujet, est accessoire : par exemple, la noblesse du ton tragique, la variété du ton comique, l'emploi obligatoire de l'alexandrin dans la tragédie (*Œdipe-Roi* traduit en prose reste une tragédie!), etc....

1. But que se propose chaque genre et moyens qu'il met en œuvre.
C'est la différence essentielle; celle dont les autres découlent.

a) *La tragédie* vise à créer dans l'âme du spectateur cette « purgation des passions », cette « catharsis », célèbre depuis Aristote, mais si difficile à analyser, en faisant naître en nous une « douce terreur » et une « pitié charmante », selon les termes de Boileau. (*A. P.* III, 18-19.) Or, dans la réalité, pleurs et rires voisinent et parfois se mêlent, « sublime et grotesque se croisent », dira V. Hugo dans la Préface de *Cromwell*. De cet incessant mélange, la tragédie extrait une action, l'isole, la met en valeur en laissant de côté, avec tout ce qui dissimule ou défigure « le caractère tragique de l'acte et du héros », tout ce qui ne la concerne pas. Par exemple, ses princes semblent n'avoir à s'occuper que de la femme qu'ils aiment, sans se soucier de « l'expédition des affaires courantes », ce que ne sauraient faire les princes qui gouvernent les nations, si amoureux qu'ils soient. Le rôle de l'art (y compris celui des règles, que l'on a tant critiquées parce qu'on n'y a vu que pur formalisme, alors qu'elles sont nécessité profonde) est primordial dans cette simplification et cette concentration : « La vie peut ébaucher des tragédies, l'art seul les achève. » (Chevaillier-Audiat-Aumeunier : *Les Textes français*, II, Hachette, édit. Cf. l'*Appendice*, passim, à qui nous devons diverses idées sur la tragédie et la comédie.)

b) *La comédie* vise, selon Molière, lucide théoricien du genre, « à corriger les vices des hommes », en faisant rire de qui est vicieux : « C'est une grande atteinte aux vices que de les exposer à la risée de tout le monde. On souffre aisément des répréhensions; mais on ne souffre point la raillerie. On veut bien être méchant, mais on ne veut point être ridicule » (Préface de *Tarfuffe*). Elle doit donc suivre une démarche analogue à celle de la tragédie, mais dans une autre direction, c'est-à-dire qu'elle doit laisser de côté tout ce qui peut émouvoir et mettre en valeur tout ce qui peut provoquer le rire. Or la peinture du vice risque de faire naître la « pitié » pour les victimes ou la « terreur » du pervers, car dans le vice il n'y a rien d'amusant : la conduite d'un père comme Harpagon ou d'un escroc comme Tartuffe est évidemment odieuse et redoutable. Aussi l'auteur est-il sans cesse obligé de préserver du tragique la matière comique. Comment y réussit-il?

2. La conception du héros.

a) *La comédie* choisit des personnages qui ne sont ni singuliers ni uniques. Ils appartiennent à une « catégorie » ou sociale (médecins, parvenus, etc.) ou morale (avares, menteurs, etc.), dont les membres sont, dans la vie réelle, tirés à un grand nombre d'exemplaires, sinon tout à fait semblables, du moins très ressemblants (il y a déjà là un élément comique, que le cinéma et le cirque ne se privent pas d'exploiter); ils nous paraissent trop anonymes ou trop étrangers pour solliciter et conquérir notre estime et notre sympathie, et nous pouvons donc les trouver comiques, parce qu'il ne nous paraît ni déplacé ni gênant de nous moquer de ces inconnus. Ausse est-il naturel que les titres des comédies soient, comme le remarqui Bergson, des noms communs qui désignent des « genres » : quand

un héros est assez vivant, il devient un « type » (cf. sujet traité nᵒ 8)
et son nom devient un nom commun (nous disons aussi bien un
« tartuffe » qu'un « hypocrite »). On comprend que les auteurs venus
après Molière aient cru habile d'intituler leurs œuvres *Le Distrait,
Le Joueur* (Regnard), *L'Ingrat, Le Médisant* (Destouches); mais
cette habileté un peu enfantine ne suffit évidemment pas! Il y faut
du génie.

Ces personnages sont *inconscients* : s'ils prenaient conscience de
ce qu'ils sont, ils cesseraient de prêter à rire, parce que, comme le
souligne justement Bergson, on cesse d'être ridicule dès qu'on
s'aperçoit qu'on l'est. Cela explique la portée des « mots de caractère », qui jaillissent du plus profond de l'être et jettent de singulières lueurs sur la mentalité de celui qui les prononce, parce qu'en
les prononçant il ne soupçonne pas le moins du monde leur véritable
portée. On étudiera, par exemple, de ce point de vue : *L'Avare*,
acte II, sc. v (le « Tant mieux » d'Harpagon) — *Tartuffe*, acte I,
sc. iv, etc., et l'on verra que de tels « mots » sont si odieux en profondeur qu'ils échappent à Harpagon et à Orgon uniquement parce
que ni le mari d'Elmire ni sans doute le père de Cléante et d'Élise
n'en sentent le contenu véritable; et le spectateur lui-même n'en
rit-il pas à la représentation, uniquement parce que, entraîné par
la force comique de l'atmosphère, il ne les saisit d'abord qu'en
surface?

b) *La tragédie* choisit des personnages qui sont singuliers et uniques,
et qui, faisant partie d'un mythe éternel et prestigieux, sont
déjà auréolés d'une noblesse particulière dont l'auteur se sert
pour accroître ses effets. Andromaque est le symbole de la fidélité
conjugale, mais elle n'en reste pas moins la veuve du prince troyen
Hector, à jamais différente de toutes les veuves; Phèdre est le
symbole de la femme torturée par un amour interdit, mais elle n'en
reste pas moins la « fille de Minos et de Pasiphaé », différente à
jamais de toutes les femmes amoureuses. Aussi l'auteur a-t-il le
droit de compter que nous connaissons déjà ses héros, tout en
s'efforçant de nous les faire connaître encore davantage, pour les
rapprocher de nous, pour nous amener à leur accorder notre estime
et notre sympathie[1] et pour nous expliquer leur comportement
présent (cf. sujet proposé nᵒ 20). On étudiera de ce dernier point
de vue le rôle des monologues et des « confidences » (voir, par
exemple, *Polyeucte*, acte I, sc. iii : tout ce que Pauline nous apprend
sur Sévère — *Britannicus*, acte I, sc. i : tout ce qu'Agrippine nous
révèle sur Néron, etc.). On s'apercevra aisément que l'auteur tragique, quoiqu'il n'ait pas, malgré tout, la possibilité de nous ren-
seigner avec autant de minutie que le fait le romancier sur la genèse
et les antécédents de ses personnages, nous renseigne infiniment

---

1. « Dites-moi, que veut un Corneille dans son *Cid*, sinon qu'on aime Chimène,
qu'on l'adore avec Rodrigue, qu'on tremble avec lui, lorsqu'il est dans la crainte de
la perdre, et qu'avec lui on s'estime heureux lorsqu'il espère de la posséder?... On
devient bientôt un acteur secret dans la tragédie » (BOSSUET, *Maximes et réflexions sur
la comédie*).

mieux que ne le fait l'auteur comique et il est naturel, comme le remarque encore Bergson, que les titres des tragédies soient des noms propres.

Ces personnages sont *conscients.* Ceux de Corneille ont, après une courte hésitation, une vision claire du but à atteindre et y appliquent lucidement leur volonté (il sera facile d'en trouver maints exemples). Ceux de Racine, même s'ils osent encore espérer, n'ignorent rien de leur malheur : « Je suis et je serai la seule infortunée », affirme Ériphile juste au moment où elle va tenter de perdre sa rivale (*Iphigénie*, vers 1126. Cf. encore les confidences d'Aricie à Ismène : *Phèdre*, vers 417 et suivants; etc.); ils sentent — et il faudra relire ici *Œdipe-Roi* de Sophocle, pour les comparer sur ce point avec les héros de la tragédie grecque, — tout le poids de la Fatalité, contre laquelle ils ne cessent de se révolter, quoiqu'ils pressentent que leurs efforts resteront vains. Les uns et les autres luttent au milieu de ces « douloureux conflits de sentiments qui précèdent et préparent les catastrophes » (Chevaillier,... *ibid*). Identifions-nous à l'un d'eux, celui qui est le plus près de notre cœur, dans cette lutte épuisante, souvent désespérée et solitaire, et nous éprouverons combien, n'en déplaise à Gélaste, un tel spectacle est digne de causer notre émoi!

3. La peinture de la passion.

a) La tragédie peint la passion au moment où est devenue inévitable une crise que le moindre choc fera éclater (« L'impatient Néron cesse de se contraindre » : *Britannicus*, vers 11). Elle décrit cette passion (ambition, amour...) « de l'intérieur », dans ce qu'elle a de commun chez tous les hommes et la pousse jusqu'à ses extrêmes conséquences, si atroces et si sanglantes que celles-ci puissent être. Cette logique dans le dénouement, dont la tonalité est en harmonie avec celle de la pièce, découle de la logique des caractères et des sentiments, qui détermine la marche de l'action (on pourra étudier sur ce point le rôle de la volonté chez un héros « cornélien », et chez Racine le rôle de l'amour, dont la tyrannie, chez Phèdre notamment, rejoint sans heurt l'atmosphère de Fatalité antique). Ce dénouement, inexorable et attendu, est possible parce que les héros sont devenus intemporels et dégagés à tous points de vue des contraintes sociales (J. Lemaître). En particulier, ils sont assurés de l'impunité : par exemple, Néron peut empoisonner Britannicus sans avoir de comptes à rendre à la police, tandis qu'Arnolphe ne pourrait faire empoisonner Horace sans avoir affaire à la justice du roi.

La *Comédie* peint un moment de la passion et cette passion continuera ensuite. Aussi un dénouement logique devient-il impossible quand l'auteur est un psychologue profond, car un tel dénouement ne pourrait plus rester dans la note comique. On jugera de ce point de vue les dénouements de Molière, contre la prétendue désinvolture desquels les critiques ont bien eu tort de s'indigner, vu qu'il se soucie uniquement de finir sa pièce et non de tirer les consé-

quences logiques de l'action, lesquelles seraient en général fort
attristantes. Cette passion est, en outre, décrite « de l'extérieur »,
dans les traits qui font que le passionné est différent des êtres parmi
lesquels il vit et qui ne sont pas atteints de la même passion. Par
exemple, Arnolphe choque par son amour les conventions sociales
ordinaires, tandis que Mithridate touche par l'humanité du sien.
Or, dans les deux cas, il s'agit d'un homme âgé amoureux d'une
jeune fille, qui lui préfère un homme jeune. (C'est là un exemple
révélateur, et à creuser, du parti que tire chacun de nos deux genres
d'une même situation, assez fréquente dans la vie réelle. On pourra
en même temps réfléchir à ce que devient cette situation dans un
drame, comme *Hernani*, ou dans de nombreux vaudevilles.)

b) *La tragédie* cherche l'explication du geste qui, du moins pour ceux
qui ne sont pas au courant, est en apparence inexplicable. Chaque
jour nous apprenons (en particulier par la presse) que tel individu,
qui s'était jusqu'alors conduit « normalement », s'est soudain
conduit comme un criminel et nous nous étonnons, surtout si nous
connaissons l'intéressé (« Qui aurait cru ça de lui? » disons-nous).
Tel dut être l'étonnement des administrés de Félix en voyant Polyeucte briser les idoles en plein temple, au cours d'une cérémonie
officielle; de même, quand Britannicus « tombe sur son lit sans
chaleur et sans vie », les convives s'épouvantent, et seuls « ceux qui
de la cour ont un plus long usage Sur les yeux de César composent
leur visage ». Ces derniers savent en effet ce qui depuis déjà longtemps se passe dans l'âme de Néron et pour eux « Cela devait arriver ». Il en est de même pour tous les gestes déconcertants en apparence : quand ils ne sont pas commis par des fous, ils sont le résultat d'une longue évolution intérieure et c'est cette évolution que
la tragédie se propose de reconstituer. En nous fournissant une
explication psychologique, fondée sur « le jeu des sentiments et
des passions », elle réussit dès lors à nous intéresser à l'action et
au héros : « le miracle de l'art » est même si grand que, tandis que
nous oublions sans délai le plus horrible des faits divers publié
par un quotidien, des générations successives de spectateurs se
transmettent un fait divers analogue incarné dans un « mythe »
traditionnel et porté sur la scène tragique.

La comédie ne cherche nullement l'explication du geste, mais
attire notre attention sur ce geste lui-même : son point extrême
d'aboutissement est le spectacle de marionnettes, lesquelles s'agi-
tent devant le spectateur comme des pantins sans âme. (Bergson
insiste beaucoup sur la distraction et la « raideur » du personnage
comique et il pense que le comique naît essentiellement du spectacle du « mécanique inséré dans du vivant ». Cf. *Le Rire*, ch. ii.)
Cela ne signifie évidemment pas que le héros comique manque
de profondeur psychologique, mais il ne se soucie pas de s'adapter
aux exigences de son milieu et de justifier devant nous son comportement, de s'observer et d'analyser ce qui se passe en lui (comparer de ce point de vue un monologue tragique et un monologue
comique), de nous prendre pour confidents et de nous ouvrir son

cœur sur des secrets ou des faits que nous aimerions connaître. (Quels étaient les sentiments de Célimène pour le mari qu'elle n'a plus? quelle éducation a reçue Tartuffe pour avoir acquis tant d'habileté dans la scélératesse? etc.) Aussi la qualité du plaisir esthétique est-elle tout à fait différente.

Conclusion.

C'est ce dont Gélaste ne tient pas un compte suffisant. Il est vrai que les auditoires, composés de gens de toute sorte, sont plus facilement conquis par la comédie que par la tragédie, même quand celle-ci atteint toute la pureté et toute la perfection qu'elle a chez Racine. Mais Molière a beau proclamer que la comédie demande encore plus de génie que la tragédie, on trouve aussi peu de réussites totales dans un genre que dans l'autre. Peut-être est-ce une des raisons qui poussèrent les romantiques à tenter des voies nouvelles avec le drame; mais là non plus, ce n'est pas le choix du sujet qui détermine essentiellement la nature et la portée de l'œuvre.

48

SUJET

Expliquez et discutez la conception de l'art dramatique qui apparaît dans les lignes suivantes :

« Quoi! Vous ne concevez pas l'effet que produiraient sur vous une scène réelle, des habits vrais, des discours proportionnés aux actions, des actions simples, des dangers dont il est impossible que vous n'ayez tremblé pour vos parents, vos amis, pour vous-même? Un renversement de fortune, la crainte de l'ignominie, les suites de la misère, une passion qui conduit l'homme à sa ruine, de sa ruine au désespoir, du désespoir à une mort violente, ne sont pas des événements rares, et vous croyez qu'ils ne vous affecteront pas autant que la mort fabuleuse d'un tyran, ou le sacrifice d'un enfant aux autels des dieux d'Athènes ou de Rome? » (Diderot, *Entretiens sur « Le Fils naturel »*, 1757, Troisième entretien, éd. de La Pléiade, p. 1284).

RÉFLEXIONS PRÉLIMINAIRES

1. *Texte impossible à séparer d'un moment de l'histoire du théâtre et de l'esthétique théâtrale de Diderot. Celui-ci propose une conception assez précise, il ne se borne pas à critiquer, il bâtit : contre la tragédie* *classique, et pour répondre aux besoins de réalité qu'éprouvait le XVIIIe siècle en matière de théâtre, il propose un genre nouveau qu'il appelle en d'autres passages de son œuvre le genre « sérieux » ou encore la « tragédie domestique et bourgeoise ».*

2. *D'où deux précautions indispensables pour traiter ce sujet : d'une part, ne pas l'envisager comme une simple critique et ne pas en faire un plaidoyer pour ou contre la tragédie classique, mais l'aborder franchement, positivement, sans détours, en examinant ce que Diderot propose; d'autre part, situer très soigneusement et comprendre à l'aide de l'histoire littéraire les allusions du texte.*

3. *En effet, malgré son caractère passionné, enthousiaste et un peu confus, ce texte présente une vraie dramaturgie complète en miniature : des conseils sur la mise en scène, sur le ton, sur le genre d'action; il suggère même quelques exemples de thèmes dramatiques. Tout cela est assez positif et doit être éclairé par l'examen de réalisations théâtrales au XVIIIe siècle.*

4. *Ce n'est pas à dire que ce texte ne débouche pas sur un problème général d'esthétique théâtrale, sur ce qu'on appellera plus tard le problème de la « tranche de vie » : quelles sont les possibilités qu'offre le théâtre pour une reproduction directe de la vie contemporaine? Problème particulièrement important, car il est l'envers de celui des « conventions » au théâtre.*

5. *Pratiquement, peu de pièces du XVIIIe siècle, du moins dans le genre sérieux, étant restées célèbres, où choisir les exemples pour raisonner?* On lira au moins le Turcaret *(1709)*[1] de Lesage, *les deux principaux drames de Diderot,* Le Fils naturel *(1757) et* Le Père de famille *(1758) et surtout un des succès les plus applaudis du genre :* Le Philosophe sans le savoir de Sedaine *(1765). On s'informera un peu sur les « comédies larmoyantes » de Nivelle de La Chaussée* (Le Préjugé à la mode, *1755), dont se délectaient les « âmes sensibles »; sur les progrès du mélodrame à la fin du XVIIIe siècle; sur les comédies bourgeoises de Mercier* (La Brouette du Vinaigrier, *1787, jouée dans toute l'Europe). On pensera aussi aux drames larmoyants de Beaumarchais, comme* Eugénie *(1767),* Les Deux Amis *(1770) et* La Mère Coupable *(1792).*

---

1. Nous savons sans doute combien *Turcaret* tient encore de la comédie classique : les types sont encore souvent à demi conventionnels (le Chevalier, le Marquis, la Baronne, etc...), le ton est féroce et non larmoyant, la critique des mœurs soutient une comédie de caractères, etc.... Il nous semble toutefois que, dans l'ensemble, la pièce est tournée vers le drame, parce qu'elle souligne un déplacement des fortunes et une ascension sociale à une époque déterminée : autant que la satire classique du partisan, la pièce est la montée du valet Frontin qui, lorsqu'il aura assez d'argent, « fera souche d'honnêtes gens » (Acte V, scène xiv). Ces « honnêtes gens », ce sera précisément la bourgeoisie, qui fournira des personnages à Diderot et à Sedaine.

PLAN DÉVELOPPÉ ───────────────

Introduction.

Périodiquement le théâtre éprouve le besoin de se dégager des conventions. Il n'y a pas encore si longtemps, Antoine réagissait contre le jeu un peu conventionnel des acteurs du xixᵉ siècle, en tournant le dos au public, en transformant la scène en un lieu pour présenter des « tranches de vie ». Au xviiiᵉ siècle, devant l'extrême artifice des représentations de pièces classiques, un mouvement se dessine en faveur d'un théâtre vrai. Même un Voltaire, au goût si conservateur, entreprend de faire débarrasser la scène des banquettes et des spectateurs qui l'encombraient. Sur un plan plus théorique et avec plus d'audace, Diderot plaide pour le genre sérieux, pour la « tragédie domestique et bourgeoise ». Il envisage une mise en scène plus naturelle : une « scène réelle », des « habits vrais »; un ton et une intrigue plus vraisemblables; des « discours proportionnés aux actions, des actions simples, des dangers dont il est impossible que vous n'ayez tremblé pour vos parents, vos amis, pour vous-même ». Enfin il suggère quelques-uns de ces sujets qui, selon lui, se rencontrent dans la vie quotidienne : « Un renversement de fortune, la crainte de l'ignominie, les suites de la misère, une passion qui conduit l'homme à sa ruine, de sa ruine au désespoir, du désespoir à une mort violente, ne sont pas des événements rares, et vous croyez, demande-t-il, qu'ils ne vous affecteront pas autant que la mort fabuleuse d'un tyran ou le sacrifice d'un enfant aux autels des dieux d'Athènes ou de Rome? » Il nous propose ainsi, dans l'un des *Entretiens avec Dorval*, contemporains de sa première pièce *Le Fils naturel* (1757), un véritable système dramatique, une sorte de dramaturgie pour un théâtre de la Vie. Toutefois le texte n'est pas sans équivoque, quand on pense à l'œuvre théâtrale de Diderot, et il prouve une certaine inexpérience théâtrale de la part de son auteur. Pour nous, il peut nous amener à une réflexion féconde sur le rôle des conventions à la scène.

I. Le système dramatique de Diderot d'après le texte.

Nous trouvons l'unité de ce système dans le troisième *Entretien avec Dorval* : le genre sérieux est le plus conforme *à la nature toute nue* (alors que la tragédie et la comédie, sortes de genres limites, constituent la nature *drapée* de diverses façons).

1. Une mise en scène réelle. « Une scène réelle » : au lieu des palais conventionnels de la tragédie classique, nous voyons le bureau d'un négociant (*Le Philosophe sans le savoir*), une pièce d'une maison bourgeoise (*Le Père de famille*), dans certains cas (chez Mercier) des ateliers ou des mansardes. Sur cette scène devenue

ainsi naturelle et familière, les personnages se groupent volontiers en tableaux scéniques un peu artificiels certes, mais qui
ont le mouvement de la vie (les personnages sortent tous enlacés,
dans une grande réconciliation familiale, à la fin du *Père de
famille*).

« Des habits vrais » : au lieu du costume conventionne « à
l'antique » (en réalité, une sorte de compromis théâtral entre la
reconstitution archéologique et les habitudes contemporaines), les
personnages sont habillés de la façon la plus naturelle et la plus
adaptée à leur condition dans le monde de l'époque. Généralement
ce sont des bourgeois, ce qui rendra encore leur costume plus
neutre et plus réel.

2. **Un ton et une intrigue naturels.** Les réformes précédentes sont
encore assez élémentaires et assez extérieures (Voltaire, qui pourtant ne veut pas toucher à la forme classique, a beaucoup fait pour
le naturel de la mise en scène); le plus difficile, c'est de modifier
le ton de la pièce et d'obtenir qu'on y parle et qu'on y agisse
comme dans la réalité. Révolution d'importance, car tout le
théâtre classique avait mis au point un certain ton dit « noble »
qui semblait propre à la haute condition des héros. Diderot
propose, non point tout à fait le langage naturel (il a développé dans d'autres endroits la nécessité d'un ton proprement
théâtral, qui n'eût rien à voir avec le ton familier et naturel),
mais un langage en harmonie avec l'action : par exemple, Monsieur d'Orbesson, cherchant à persuader Saint-Albin de ne pas
épouser Sophie, s'exprime en un langage à égale distance de la
violence tragique d'un Mithridate et de la familiarité d'un Harpagon; le ton est dans cette scène tour à tour amical, persuasif,
autoritaire, pathétique, triste, suivant le jeu des sentiments
(*Le Père de famille*, acte II, scène VI). De même l'action doit être
simple, non point tout à fait au sens racinien (« une action simple
chargée de peu de matière »..., car Diderot n'hésite pas à surcharger
ses intrigues, et, en général, ce n'est pas un mariage qui est en
jeu mais deux), mais parce qu'elle n'implique pas de grands
intérêts politiques, militaires, etc... : elle ne comporte que des
« dangers dont il est impossible que vous n'ayez tremblé pour vos
parents, vos amis, pour vous-même ». Cette dernière remarque
montre bien le ton que Diderot cherche pour ses pièces : nous
devons éprouver à l'égard des personnages du genre sérieux non
plus de la « tristesse majestueuse », mais une sorte de crainte
affectueuse et familière.

3. **Des sujets proches de nous.** Enfin Diderot va jusqu'à nous indiquer des sujets qui lui semblent particulièrement convenir à ce
ton naturel : il songe encore, comme les classiques, à étudier les
ravages de la passion, mais il s'intéresse moins à la passion abstraite
et universelle qu'aux conséquences les plus dramatiques de la
passion, et surtout il se propose des études sociales et matérielles
des « conditions » où vivent les héros. C'est ainsi qu'il introduira

dans le drame, les intérêts d'argent (la question d'argent avait déjà été traitée, pour en montrer la vilenie, par Lesage dans son *Turcaret* en 1709 et sera reprise, mais cette fois-ci à l'éloge du négoce et des négociants, par Sedaine dans *Le Philosophe sans le savoir* en 1765 et par Beaumarchais dans *Les Deux Amis* en 1770), les répercussions sociales des changements de fortune (« la crainte de l'ignominie »), etc.... Voilà toute une série de sujets qui nous touchent de près, qui touchaient notamment les hommes du XVIIIe siècle, intéressés par la montée des affaires et de la spéculation (pour la première fois au théâtre on entendait des termes techniques tels que lettre de change, remise, escompte, rescription, etc.) et par les conséquences sociales de ces renversements de fortune (le mot « fortune » signifie évidemment ici « destinée », mais étroitement liée à la situation matérielle). Ainsi s'ouvrent, selon Diderot, bien des possibilités pour un genre dramatique sérieux, qui serait le genre fondamental du théâtre.

II. *Équivoques et sous-entendus du texte.*

Mais ce système est-il aussi cohérent et aussi facile à appliquer qu'a l'air de le penser Diderot?

1. L'embarras pour le choix des sujets. Manifestement il est un peu embarrassé pour nous soumettre des sujets : il en est réduit à citer les « passions et leurs funestes conséquences », les bouleversements du sort, la honte, etc.... Mais voilà des exemples bien classiques et qui gardent notamment du classicisme une portée universelle peu conforme à la réalité, à la vérité quasi contemporaines et quotidiennes que Diderot propose. Dans d'autres textes (*Dorval et moi*, troisième entretien), il expliquera qu'il veut surtout peindre des « conditions » sociales. Aux « caractères » que peignait Molière, il prétendra opposer des hommes pris dans un ensemble de relations qui résultent de leurs « conditions » familiales, sociales, etc.... Mais n'est-ce point là encore une idée fort classique? (Molière fait-il autre chose que de placer l'homme dans les diverses situations que lui impose la vie sociale et ainsi d'en faire éclater le caractère profond?) Et d'autre part, cela ne risque-t-il pas de constituer une atteinte à un art qui se veut si réel et si vrai? L'homme social et familial n'est pas tout l'homme. On peut même penser qu'il n'est parfois qu'un homme assez artificiel. Enfin il y a des conditions qui ne nous émeuvent guère, et Diderot fait-il vraiment un grand pas dans le sens d'un réel qui nous touche, quand il prétend pouvoir nous intéresser avec la condition du politique ou de l'homme de lettres? A ce moment-là pourquoi ne serions-nous pas intéressés tout autant par les crimes d'un empereur? Il est du reste frappant de noter que ce public de négociants bourgeois qu'on prétendait intéresser fut souvent choqué de voir le négoce sur la scène : il ne fit aucun succès aux *Deux Amis* de Beaumarchais, pièce qui traite du problème de la « banqueroute ».

2. La restriction dans le choix des milieux. Diderot s'en rendait si bien compte qu'il n'a étudié aucune profession! Pratiquement les seules « conditions » que présente son théâtre sont des « conditions » familiales dans le milieu bourgeois. Il savait bien, au fond, que seules les « conditions » familiales sont susceptibles de nous toucher profondément : condition du fils quand elle n'est pas conforme à la loi (*Le Fils naturel*), condition du père quand elle offre toutes les difficultés qu'a à surmonter le Père de famille. D'où l'aspect un peu équivoque de notre texte : plaidoyer apparent pour la vérité et le naturel au théâtre, il est en fait un plaidoyer pour l'introduction de la bourgeoisie et de la famille (« vos parents, vos amis, vous-même ») sur la scène comme sujets privilégiés. Là, Diderot a vraiment l'impression que nous sommes tous concernés (« voilà qui doit nous toucher plus que la mort fabuleuse d'un tyran ou le sacrifice d'un enfant aux autels des dieux d'Athènes ou de Rome »).

3. La limitation des sources d'émotion. Diderot ne conçoit guère que nous puissions être émus par quelque chose à quoi nous ne sommes pas directement mêlés. Bourgeois et hommes de famille, nous devons tous être touchés par la bourgeoisie et par la famille. Il y a là une conception directe de l'émotion théâtrale assez caractéristique de Diderot. Il suffit de relire, pour s'en convaincre, les lignes qu'il écrit dans *De la Poésie dramatique* sur la morale au théâtre : il lui semble que le héros principal doit être un honnête homme, que les arts doivent « concourir avec les lois pour nous faire aimer la vertu et haïr le vice ». Pour cela il n'imagine qu'une seule voie, la voie la plus directe, « nous attacher au sort d'un homme de bien, nous associer à toutes les traverses par lesquelles il plaît au poète d'éprouver sa constance ». Saint-Albin et Sophie vertueux et persécutés, voilà vraiment pour Diderot un spectacle réel, qui nous affecte profondément, voilà des sources d'émotion directe, d'une émotion où nous nous sentons profondément engagés.

III. *Difficultés de cette conception.*

Le malheur, c'est que, deux siècles après ces pièces si « émouvantes », nous ne sommes plus du tout émus, nous rions même un peu. Les conventions théâtrales auraient-elles donc leur raison d'être? Une certaine transposition n'est-elle pas indispensable? Il ne s'agit pas, sans doute, de défendre la nécessité d'une optique théâtrale dont personne, même Diderot, ne nie l'existence[1], mais d'une sorte de recul que le spectacle théâtral doit prendre avec la réalité.

---

1. Il sera intéressant, pour nuancer le réalisme outrancier du texte qui fait l'objet de ce devoir, de lire le *Paradoxe sur le Comédien* et notamment le passage fameux : « Portez au théâtre votre ton familier, votre expression simple, votre maintien domestique, votre geste naturel, et vous verrez combien vous serez pauvre et faible... » (Ed. de la Pléiade, page 1042).

1. Caducité des « tranches de vie ». Les tentatives pour reproduire un milieu social sont vouées à la caducité, car les problèmes propres à un milieu ne sont généralement pas compris par le spectateur de l'avenir et, en tout cas, ne sont plus émouvants pour lui. Naturellement il n'est pas question d'interdire à un auteur comique la peinture des mœurs, mais, à en faire son thème essentiel, il court de grands risques. C'est ainsi qu'une bonne partie du théâtre du xixe siècle s'est effondrée pour s'être attachée à la peinture des milieux bourgeois sous Louis-Philippe ou sous Napoléon III. Au contraire, Molière est toujours vivant, parce que ses personnages sont à la fois de vrais personnages du xviie siècle et que pourtant ils sont stylisés conformément à des conventions théâtrales qui les arrachent à un monde trop particulier : quand Harpagon a des difficultés avec son fils, ce ne sont pas seulement celles d'un bourgeois du xviie siècle qui désorganise sa famille du fait de ses passions; elles sont aussi la conséquence de ce jeu théâtral par lequel un passionné doit toujours voir ses passions se retourner contre lui. C'est une convention qui assure un effet durable.

2. Difficulté d'un ton naturel. De même, le ton soutenu de la tragédie, autre convention théâtrale, contribue à permettre une émotion que, précisément, empêchent les changements de ton du drame bourgeois. Par une sorte de jeu théâtral, je ne suis pas choqué de voir Phèdre et tout son entourage s'exprimer noblement, mais je suis surpris et presque amusé d'entendre le Père de famille, au cours d'un dialogue simple et naturel avec son fils, devenir tout à coup grandiloquent et s'écrier : « Il y aura bientôt vingt ans que je vous arrosai des premières larmes que vous m'avez fait répandre. Mon cœur s'épanouit en voyant en vous un ami que la nature me donnait.... » Sans doute ces ruptures de ton sont-elles fréquentes dans la conversation courante, mais elles sont dangereuses au théâtre et, à moins de s'en faire une « manière » comme Musset ou Giraudoux, on ne peut guère les sauver du ridicule en disant qu'elles sont naturelles.

3. Nécessité de la stylisation. Diderot, voulant dégager le théâtre des conventions, méconnaît ici la stylisation théâtrale et ne comprend pas que celle-ci aboutit finalement à plus de naturel. Agamemnon évoquant les liens qui l'unissent à sa fille (Racine, *Iphigénie*, acte I, scène i, vers 111-120) est mille fois plus touchant, malgré la noblesse de sa langue, que le Père de famille attristé par son fils et ce, parce que le style général de la pièce le soutient. Et finalement, c'est Agamemnon qui est le plus naturel, malgré son style « noble » : ce n'est pas un hasard si, de nos jours, nous voyons les dramaturges revenir volontiers à un ton assez élevé, à des cadres antiques ou mythologiques, à des légendes prestigieuses, pour exprimer des inquiétudes très modernes, donc pour faire « vrai », pour nous toucher de façon humaine (Anouilh, Sartre, Camus, Th. Maul nier, etc...).

Conclusion.

Malgré tout, il faut bien reconnaître que l'histoire de la scène française allait s'engager dans la voie indiquée par Diderot. Non pas (au moins dans la page que nous étudions) qu'il annonce très directement le drame romantique (Diderot répugne vivement à l'alliance du sublime et du grotesque et il pense que le « genre sérieux » doit éviter le mélange des tons), mais l'on peut dire que la plupart des recherches scéniques allaient viser, à la fin du XVIIIe siècle et surtout au début du XIXe siècle, à introduire le plus possible de vie contemporaine sur la scène[1], tout en respectant l'essentiel de la dramaturgie établie (Hugo est, techniquement, plus conservateur que Diderot). Et justement certains principes de cette dramaturgie causeront bien des embarras. Garderait-on la tirade? le monologue? Diderot pense que c'est nécessaire, Sedaine les évite (ce qui donne plus de mouvement à sa pièce); au XIXe siècle, un Alexandre Dumas fils y revient volontiers. On peut dire que le théâtre va osciller entre les conventions classiques et le grand style qu'elles donnent à une pièce, d'une part, et, d'autre part, le naturel, la volonté de représentation directe de la vie qu'a prêchés Diderot. On voit donc l'importance historique et esthétique du texte qui nous a occupés.

N. B. — On ne doit pas négliger l'étude du XVIIIe siècle théâtral, car le XVIIIe siècle est l'époque par excellence où se confrontent les divers genres. On y verra en particulier que le drame ne sort pas de la tragédie classique et que ce serait plutôt la tragédie qui chercherait à s'enrichir des apports du drame (*Les Scythes* de Voltaire, 1767, sont une tentative pour faire tenir dans un cadre tragique tout ce qui peut entrer de « drame ») Il y aurait davantage collusion entre le drame bourgeois et la comédie, et l'œuvre de Marivaux (*L'Ile des esclaves*, 1725; *L'École des mères*, 1732; ...) serait un excellent lieu de rencontre à étudier. Penser aussi à Beaumarchais, dont J. Scherer (*La Dramaturgie de Beaumarchais*, Nizet, 1954) explique le théâtre comme une rencontre de la « parade » et du drame. On pourra consulter en outre : F. Gaiffe, *Le Drame en France au XVIIIe siècle*, Colin, 1910.

---

1. Sans doute le drame romantique, envisagé comme flamboiement de la couleur locale *Hernani*, *Henri III et sa Cour*, *Lucrèce Borgia*, etc.) n'est pas du tout dans le prolongement du drame bourgeois (on peut même dire en un sens qu'il rétablit — avec plus de couleur historique — les « grands intérêts » de la tragédie classique). Mais il est, au sein du drame romantique, une tout autre tendance qu'on méconnaît trop souvent et qu'on pourrait appeler la tendance « bourgeoise », celle où les auteurs présentent le héros romantique sur un fond moderne et familier (*Antony*, *Chatterton*, *La Dame aux Camélias*, etc). Cette tendance est, dramaturgiquement parlant, dans le prolongement direct de Diderot, bien que, naturellement, elle flétrisse ce milieu bourgeois que Diderot prétendait exalter. (Le « genre sérieux » répondait à la montée de la bourgeoisie, alors que le drame romantique répond en très grande partie aux revendications du prolétariat naissant : John Bell de *Chatterton* est l'exploiteur et non plus le bourgeois moralisant.) Mais, quoi qu'il en soit, c'est bien la lignée théâtrale de Diderot et les mêmes préoccupations.

49

SUJET

Expliquez et discutez, si vous le jugez nécessaire, cette opinion de Vigny : « Le genre *bâtard*, c'était la tragédie *faux antique* de Racine. Le drame est vrai, puisque, dans une *action* tantôt comique, tantôt tragique, suivant les caractères, il finit avec tristesse comme la vie des hommes puissants de caractère, énergiques de passion.

« Le drame n'a été appelé *bâtard* que parce qu'il n'est ni *comédie* ni *tragédie*, ni Démocrite rieur, ni Héraclite pleureur. Mais les vivants sont ainsi. Qui rit toujours, ou toujours pleure? Je n'en connais pas, pour ma part. » (*Journal d'un Poète*, 1836. Ed. de la Pléiade, pp. 1043-44.)

REMARQUES POUR UN PLAN ——————————

1. Attaquer ce sujet par quelques très solides considérations sur la *date* du texte et sur l'*évolution du théâtre* chez Vigny et les autres romantiques. Se rappeler que la bataille romantique, dans les années 1825-35, a surtout été une bataille de théâtre.
Rappel chronologique :

1825. 2ᵉ édition, remaniée et complétée, de l'essai de Stendhal : *Racine et Shakespeare* (1ʳᵉ éd., 1823).

1827. Hugo : *Cromwell* (précédé de la célèbre Préface). Non joué.

1828. Vigny : *Roméo et Juliette* (d'après Shakespeare). La pièce est reçue à la Comédie-Française, mais non jouée.

1829. A. Dumas : *Henri III et sa cour*. Le premier grand drame d'Alexandre Dumas; représenté en février.

1829. Hugo : *Marion Delorme*. Cette pièce, interdite par la censure sous le nom de *Un duel sous Richelieu*, ne sera jouée qu'en 1831.

1829. Vigny : *Le More de Venise*. Œuvre non encore originale, imitée de l'*Othello* de Shakespeare : sa représentation, le 24 octobre, est marquée par une sorte de bataille pour le mot propre, à propos du « mouchoir » de Desdémone.

1830. Hugo : *Hernani*. Représentation le 25 février, avec la bataille fameuse que l'on sait.

1831. Vigny : *La Maréchale d'Ancre*. Dumas : *Antony*.

1832. Dumas : *La Tour de Nesles*. Hugo : *Le Roi s'amuse*.

1833. Hugo : *Lucrèce Borgia* et *Marie Tudor*. Vigny : *Quitte pour la peur* (comédie).

1834. Musset : *Lorenzaccio*.

1835. Vigny : *Chatterton*. Hugo : *Angelo, tyran de Padoue*.

1838. Hugo : *Ruy Blas*.

1839. Vigny : *Shylock, marchand de Venise* (d'après Shakespeare). Pièce éditée dès 1828.

2. Ainsi Vigny, pour n'avoir pas obtenu de succès aussi bruyant que Hugo, joue un rôle aussi important que lui dans la bataille du théâtre. Voici quelques textes où il nous livre ses théories dramatiques : *Lettre à Lord*** sur la soirée du 24 octobre 1829*; Préface de *Chatterton;* d'assez nombreux passages du *Journal d'un Poète*, dont une note datée de 1836, sans contexte qui puisse l'éclairer, mais dont le ton suppose une attaque : « Le genre *bâtard*, c'était *le faux antique* de Racine..., etc. » On doit supposer (il l'indique d'ailleurs un peu plus loin) que le drame était appelé couramment « genre bâtard », c'est-à-dire genre mêlé de tragique et de comique, de « sublime et de grotesque », avait dit V. Hugo.... Mais comme ce mélange reproduit la vie, Vigny refuse cette épithète de bâtard; il affirme simplement : « le drame est vrai », ce qui signifie que comique et tragique ne sont pas deux genres artistiques différents dont le mariage serait illégitime, mais deux modalités de la vie. Quant à la tragédie, elle serait, elle, un genre « bâtard », parce qu'elle est fille de conventions artistiques mal mariées à la vie, dont ces conventions n'osent reproduire tous les aspects.

3. Vigny rejoint donc, à peu de chose près, la thèse de la Préface de *Cromwell :* puisque le drame veut peindre l'homme tout entier, le dramaturge « se mettra à faire comme la nature, à mêler dans ses créations, sans pourtant les confondre, l'ombre à la lumière, le grotesque au sublime, en d'autres termes, le corps à l'âme, la bête à l'esprit ».... Toutefois, malgré l'apparente similitude des deux déclarations, Vigny, qui a, en 1836, presque toute son œuvre dramatique derrière lui, est moins hardi que le jeune doctrinaire de la Préface de *Cromwell*. Il ne prétend pas représenter toute la vie, mais une *action* (c'est lui qui souligne) tantôt comique, tantôt tragique. Formule assez réservée : l'insistance sur le mot *action* rappelle qu'il reproche surtout à la tragédie ses longs discours, ses interminables conversations, ses multiples retardements (cf. sujets proposés nos 15 et 16), alors que, lui, il cherche, autant que possible, à réduire la tirade, et se méfie des décors trop flamboyants, chers aux drames romantiques. Il préfère des décors sobres, concentrés, significatifs, conformément à sa théorie que ce qui importe en art, c'est moins le vrai du 'fait que la vérité de l'idée (cf. sujet traité n° 13). On fera attention au sens de l'adjectif dans l'expression : « le drame est vrai »; on y voit apparaître sa conception théâtrale, assez abstraite, selon laquelle le spectacle n'est ni discours, ni somptueuse décoration, mais action chargée de signification, si bien que, malgré son apparente hostilité au classicisme, le théâtre de Vigny rejoint souvent le dessin sobre et pur des intrigues raciniennes.

4. On comprend également pourquoi Vigny, préoccupé de ne garder dans ses drames que le plus significatif, ne parle pas de reproduire toute la vie[1]. La truculence, la couleur de Hugo ne sont pas son fait. Même au théâtre, il reste le poète penseur (« si l'art est une fable, il doit être une fable philosophique ») et, s'il a l'air de tenir la balance égale entre le tragique et le comique, on sent très bien que sa préférence secrète va au tragique. Sa remarque sur ces « hommes puissants de caractère, énergiques de passion » dont la vie s'achève toujours dans la tristesse est révélatrice; au fond, pour lui, le sujet idéal d'un drame, c'est *un grand caractère symbolisant une grande passion qui va jusqu'au bout de sa destinée :* « la destinée, contre laquelle nous luttons toujours, mais qui l'emporte sur nous dès que le caractère s'affaiblit ou s'altère ». (Avant-propos de *La Maréchale d'Ancre.*) Ses héros par excellence sont Cinq-Mars, le Borgia de *La Maréchale d'Ancre*, Chatterton qui meurt de sa puissance poétique. Pratiquement il ne connaît guère le mélange des genres et ses idées sur la force de la destinée au théâtre rapprochent encore son art de la pureté classique.

Naturellement il ne faut pas le considérer comme un artiste en retard sur les exigences de son temps : nul plus que lui n'a le sens des problèmes du drame moderne et d'abord de l'assouplissement du ton (la bataille du *More de Venise* s'est livrée autour du mot propre, c'est-à-dire contre le ton uniformément noble de la tragédie classique). Donc étudier et discuter, si l'on veut, le problème du mélange des tons au théâtre, mais ne pas oublier la résonance très particulière des formules de Vigny : c'est lui-même qui, par les nuances de ces formules et par son œuvre, en fournit la meilleure discussion en nous suggérant que tragique ou comique n'ont aucune signification, s'ils sont des éliminations arbitraires d'une partie du réel, mais sont au contraire liés à l'essence même de l'art, s'ils constituent un effet de convergence en vue de l'illustration d'une idée. Ainsi Vigny définit *Chatterton :* « C'est l'histoire d'un homme qui a écrit une lettre le matin et qui attend la réponse jusqu'au soir; elle arrive, et le tue » (Préface). Dans la pureté tragique d'un pareil sujet, aucune place pour le comique (même les plaisanteries des jeunes lords ne sont pas comiques, car elles renforcent encore la solitude de Chatterton). Il faut reconnaître du reste que V. Hugo ne dit pas autre chose dans la Préface de *Cromwell :* « Le théâtre est un point d'optique.... Il faut choisir le caractéristique. »

1. Il nous semble à ce propos qu'on abuse un peu trop, quand on parle du drame romantique, de considérations sur son caractère énorme, informe. En fait, il y a surtout décalage par rapport à la tragédie classique de ce qui constituait l'unité de la pièce. Beaucoup de théoriciens du drame romantique sont à la recherche d'une nouvelle conception de l'unité : Beaucoup cherchent celle-ci dans une grande action historique, d'autres dans l'étude d'un grand caractère. (Cf. la réflexion de Vigny lui-même sur les « hommes puissants de caractère, énergiques de passion ». Cf. aussi le texte de B. Constant, sujet proposé n° 21.) Il semble, d'une façon générale, qu'ils cherchent à reporter cette unité — qui reposait auparavant sur une intrigue psychologiquement révélatrice — dans un grand intérêt historique. D'où la tendance inévitable du drame romantique vers le drame à idées.

SUJETS PROPOSÉS

Problèmes généraux du théâtre.

1. « La vérité psychologique est le propre de l'observateur et du penseur : la vérité conventionnelle celui de l'homme de théâtre. Le théâtre est un art essentiellement de convention : il obéit à des lois particulières, toutes différentes de celles des autres genres littéraires. »

Vous étudierez ce jugement rapporté par Henry de Montherlant dans *Notes sur mon théâtre*. Sans vous attacher particulièrement à définir les lois propres au théâtre, vous montrerez, à l'aide d'exemples pris dans les œuvres dramatiques et les romans que vous connaissez bien, en quoi cette opinion vous paraît fondée ou fausse.

(*C. E. L. G.*, Toulouse, juin 1952.)

2. Discuter ces lignes de Louis Jouvet dans ses *Réflexions du comédien* (Librairie théâtrale, 1952) : « Il n'y a pas, au théâtre, des problèmes, il n'y en a qu'un, c'est le problème du succès.... La réussite est la seule loi de notre profession. L'acquiescement du public, ses applaudissements, sont, en définitive, le seul but de cet art que Molière appelait le grand art et qui est l'art de plaire. »

(*C. E. L. G.*, Rennes, oct. 1950.)

3. « Quelle que soit notre humeur, si rétifs à la crédulité que nous puissions être, on planterait encore aujourd'hui un écriteau au milieu de la scène avec ces mots : *Ici, un fleuve et une forêt*, nous verrions la cime des arbres se refléter sur l'eau courante. On ne nous demande pas un tel effort d'imagination. Mais, souvent, il s'en faut de peu. Nous regrettons presque l'écriteau, devant des toiles écaillées où frémissent des montagnes, une ville, des palais, un océan. » (Bellessort, *Le Plaisir du théâtre*, Libr. Acad. Perrin.)

4. Molière écrit dans « L'Avertissement au lecteur », en tête de *L'Amour médecin* (1665) :

« On sait bien que les comédies ne sont faites que pour être jouées et je ne conseille de lire celles-ci qu'aux personnes qui ont des yeux pour découvrir dans la lecture tout le jeu du théâtre. »

Le grand acteur Louis Jouvet, affirme cependant que « l'essentiel d'une œuvre dramatique, c'est le texte », et que « tout l'art du comédien est un art de dire ».

Quel rôle le théâtre classique ménage-t-il, selon vous, à la représentation scénique ?

(*C. E. L. G.*, Paris, 1949.)

La tragédie : construction.

5. « Le poème tragique vous serre le cœur dès son commencement, vous laisse à peine dans tout son progrès la liberté de respirer et le temps de vous remettre, ou, s'il vous donne quelque relâche, c'est pour vous replonger dans de nouveaux abîmes et dans de nouvelles alarmes. Il vous conduit à la terreur par la pitié, ou réciproquement à la pitié par le terrible, vous mène par les larmes, par les sanglots, par l'incertitude, par l'espérance, par la crainte, par les surprises et par l'horreur jusqu'à la catastrophe. » (La Bruyère, *Caractères*, I, 51.)

6. Appréciez cette définition de la tragédie selon Voltaire : « Resserrer un événement illustre et intéressant dans l'espace de deux ou trois heures, ne faire paraître

les personnages que lorsqu'ils
doivent venir, former une intrigue
aussi vraisemblable qu'attrayante, ne rien dire d'inutile,
instruire l'esprit et remuer les
cœurs, être toujours éloquent
en vers, et de l'éloquence propre
à chaque caractère, parler sa
langue avec autant de pureté
que la prose la plus châtiée. »

7. Appliquez à une tragédie de votre
choix la définition du théâtre
classique par Sully-Prudhomme :

> Art sobre de parure,
> en tous points économe
> Du lieu, du temps,
> où gronde et frémit l'action,
> Plus jaloux d'évoquer
> l'éternel fond de l'homme,
> Que de flatter des yeux
> la frêle illusion.
> (Bac.)

8. « La tragédie est une crise faite
d'inquiétude, d'un paroxysme,
d'une solution. Cette crise est
précipitée par la parole; tout
vient d'une hâte de dire ce qu'il
faudrait taire. Il n'y faut pas
même le temps de respirer. Une
nuit ou seulement un repos calmeraient les passions. Il n'y a
que les vers qui fassent durer un
peu la tragédie. L'homme doit
se défier, dans les crises, des
paroles vengeresses et des franches
explications. D'où l'on comprend
la règle monastique du silence.
Au fond, c'est le monologue qui
est le plus dangereux de tout;
d'où le chant et la prière. La
poésie est un milieu entre le chant
religieux et le cri. » (Alain, *Définitions*, Gallimard édit.)

9. Expliquez et discutez ce jugement de Thierry Maulnier (*Racine*, page 61) : « Le théâtre vraiment classique sera celui où rien
n'a d'intérêt et de sens que dans
son rapport au dénouement. »

La tragédie, art de la fatalité.

10. « Ce qui me semble vraiment
tragique..., c'est d'être comme
enfermé dans une impasse dont
on ne peut absolument sortir
que par un effort exceptionnel
de volonté. » (Brunetière.)

11. On caractérise souvent par le
mot *fatal* l'atmosphère qui règne
dans les tragédies de Racine.
Mais on dit aussi que le héros
romantique est le héros d'une
fatalité. Enfin on parle aussi de
fatalité pour caractériser l'œuvre
d'un Maeterlinck. Quelles réflexions ces rapprochements vous
inspirent-ils sur le rôle de la
fatalité au théâtre? (D'après un
devoir donné au baccalauréat,
qui s'en tenait à Racine et au
héros romantique.)

12. Expliquer et discuter, en l'appliquant à *Cinna*, cette réflexion
d'un critique du xxᵉ siècle,
Edmond Jaloux (*Le Temps*,
4 novembre 1938) :

> « Les grands dramaturges...
n'ont jamais douté de la fatalité.
Leur domaine est là, dans cet
espace clos où l'homme court à
sa perte, souvent en ajoutant
à son supplice la douleur d'une
lucidité impitoyable. Pas d'issue, sinon l'abîme, sur cette
route bordée de précipices....
Seule notre scène, au xviiᵉ siècle, essaya de rendre à l'homme
sa liberté en face des dieux.
Partout ailleurs, il est entraîné
et pulvérisé. Cette résistance,
c'est la beauté de nos classiques. »
> (*E. N. S.* Saint-Cloud et
Fontenay.)

La tragédie, art du discours.

13. La Motte adressait, en 1730, les
reproches suivants à la tragédie
classique : « La plupart de nos
pièces ne sont que des dialogues
et des récits; et ce qu'il y a de

surprenant, c'est que l'action même qui a frappé l'auteur et qui l'a déterminé à choisir son sujet se passe presque toujours derrière le théâtre.... Combien d'actions importantes que le spectateur voudrait voir et qu'on lui dérobe sous prétexte de règle, pour ne les remplacer que par des récits insipides en comparaison des actions mêmes.... Mettez les actions à la place des récits, la seule présence des personnages va faire plus d'impression que le récit le plus soigné qu'on en pourrait faire. »

Étudiez, en prenant vos exemples dans une ou deux tragédies, la signification et la valeur de ce reproche. (Bac.)

14. « La tragédie française a été presque toujours une *suite de discours sur une situation donnée.* » (Vigny, *Journal d'un Poète,* 1842.)

15. « Le public français a fait jusqu'ici *des prodiges de respect.* Écouter la tragédie classique avec ses froides abstractions, telle qu'elle a été servie jusqu'ici, se résigner à entendre des vers dont le second est toujours faux à cause de la cheville, ce qui force l'esprit à en retrancher dix sur vingt, c'est prodigieux. Il n'est pas surprenant qu'il se lasse. » (Vigny, *Journal d'un Poète,* 1842.)

16. En 1829, Vigny écrivait au sujet de la tragédie classique : « ... Il fallait, dans des vestibules qui ne menaient à rien, des personnages n'allant nulle part, parlant de peu de chose, avec des idées indécises et des paroles vagues, un peu agités par des sentiments mitigés, des passions paisibles, et arrivant ainsi à une mort gracieuse ou à un soupir faux. »

Discutez cette opinion.

(Bac.)

L'émotion tragique.

17. « Nos auteurs tragiques, dit Maeterlinck dans *Le Trésor des Humbles* (Mercure de France, édit.), placent tout l'intérêt de leurs œuvres dans la violence de l'anecdote qu'ils reproduisent. Et ils prétendent nous divertir au même genre d'actes qui réjouissaient les barbares, à qui les attentats, les meurtres et les trahisons qu'ils représentent étaient habituels. Tandis que la plupart de nos vies se passent loin du sang, des cris et des épées, et que les larmes des hommes sont devenues silencieuses, invisibles et presque spirituelles. »

La tragédie classique vous paraît-elle mériter toujours une telle appréciation? Ne comporte-t-elle pas aussi un pathétique plus simple et même « quotidien »? (Bac.)

18. « La tragédie doit exciter de la pitié et de la crainte.... Or, s'il est vrai que ce dernier sentiment ne s'excite en nous par sa représentation que quand nous voyons souffrir nos semblables et que leurs infortunes nous en font appréhender de pareilles, n'est-il pas vrai aussi qu'il pourrait être excité plus fortement par la vue des malheurs arrivés aux personnes de notre condition, à qui nous ressemblons tout à fait, que par l'image de ceux qui font trébucher de leurs trônes les plus grands monarques?... »

(Corneille, Dédicace de *Don Sanche.*)

19. Parlant, dans la *Lettre à d'Alembert sur les Spectacles,* de la pitié qui est avec la terreur le fondement de la tragédie, J.-J. Rousseau définit ainsi ce sentiment tragique : « Une émotion passa-

D'où vient ce déc[...]
D'où vient aussi qu[...]
comédies y échappent[...]
malgré les siècles une[...]
jeunesse?

28. « Il ne faut pas qu'[...]
nage de comédie so[...]
spirituel; il faut qu'i[...]
sant malgré lui, et [...]
l'être. »

Qu'a voulu dire au[...]
taire? Dans quelle m[...]
raison? Appliquez s[...]
tion aux comédies [...]
connaissez.

29. « Les ridicules fins e[...]
sont agréables que[...]
petit nombre d'esprits[...]
public des traits plu[...]
Il faut des ridicules [...]
soient propres à l'intr[...]
(V[...]

30. Molière, à propos de [...]
fait dire à Dorante [...]
Critique de l'École des [...]
« Lorsque vous p[...]
hommes, il faut pein[...]
nature; on veut que c[...]
ressemblent. »

Vous apprécierez c[...]
en vous demandant si[...]
qu'il préconise est inc[...]
dans le genre comiq[...]
fantaisie.

Il va de soi que vo[...]
puiser vos exemples o[...]
semblera, depuis A[...]
jusqu'à Molière, de[...]
vaux jusqu'à Giraudo[...]
(*C. A. P. E. S.*,
Régime, Homme[...]

Le drame romantique.

31. « Les femmes ont [...]
vouloir être émues, l[...]
ont raison de vouloir [...]
gnés, la foule n'a p[...]
vouloir être amusé[...]

gère et vaine, qui ne dure pas
plus que l'illusion qui l'a produite. » Qu'en pensez-vous?
(*C. A.*, Classes élém., 1943.)

La psychologie tragique.

20. Un critique contemporain écrit :
« L'auteur tragique nous fait
connaître les personnages, évoque discrètement leur passé qui
commande le présent et l'éclaire,
nous met dans la confidence de
leurs sentiments les plus intimes.
Par là il rend les événements intelligibles, logiques, nécessaires.
Il convertit un fait divers en fait
humain. »

Vous illustrerez ce jugement,
en prenant pour exemple une
tragédie de Racine à votre
choix. (Bac.)

21. B. Constant écrivait en 1809 :
« Les Français, même dans
celles de leurs tragédies qui
sont fondées sur la tradition ou
sur l'histoire, ne peignent qu'un
fait ou une passion. Les Anglais
et les Allemands dans les leurs
peignent une vie entière et un
caractère entier ... (nos classiques) repoussent des caractères tout ce qui ne sert pas à
faire ressortir la passion qu'ils
veulent peindre : ils suppriment
de la vie antérieure de leurs
héros tout ce qui ne s'enchaîne
pas nécessairement au fait qu'ils
ont choisi. »

Ces remarques vous paraissent-elles justes? Nos classiques
ne savent-ils pas laisser entendre
ce qu'a été le passé et faire comprendre ce qu'est le caractère de
chacun de leurs héros?
(*C. E. L. G.* Clermont-
Ferrand, juin 1952.)

22. Un critique contemporain déclare à propos des personnages
de Racine : « Ces personnages
sont plus intelligents qu'ils ne le
seraient sans doute s'ils vivaient

réellement le drame où (Racine)
les plonge. Si humains par leurs
faiblesses, ils ont quelque chose
de surhumain par la façon dont
ils nous les exposent et c'est
ainsi qu'ils se présentent comme
des héros de la fable. Ils sont
vrais, pitoyablement, désespé-
ment vrais. Ils appartiennent à
un milieu social, ils ont des préjugés en même temps que des
principes et, cependant, ils do-
minent les contingences et leurs
propres erreurs, non sur le terrain moral mais par le don qu'ils
ont d'assister à leur drame et de
se juger. Ainsi, vivant et dis-
courant sur la scène, ils nous
montrent leur vie cachée. La
forme de cet art, l'ordonnance
des dialogues et des scènes, l'harmonie expressive de la langue et
des vers, ne sont que les instruments qui nous permettent
d'explorer l'âme humaine. »
(G. Jamati, *Théâtre et vie intérieure*.)

Vous étudierez ce jugement en
l'appliquant au « héros tragique »
en général.

Tragédie et comédie.

23. Ayant exposé en quelques lignes
le sujet d'une de ses pièces,
Beaumarchais ajoute : « Voilà le
fond dont on eût pu faire, avec
un égal succès, une tragédie,
une comédie, un drame, un
opéra, etc. » Et il conclut : « Le
genre d'une pièce, comme celui
de toute autre action, dépend
moins du fond des choses que
des caractères qui les mettent en
œuvre. »

En vous aidant d'exemples
pris dans le théâtre français du
XVIIe au XIXe siècle, vous commenterez et apprécierez cette
conclusion.
(*E. N. S.* Jeunes filles, 1951.)

24. Quelles réflexions vous suggère
ce fragment écrit à la date de
1663 :

« ... Quand, pou[...]
vous mettriez un [...]
la comédie, peut[...]
ne vous abuseriez[...]
je trouve qu'il [...]
aisé de se guinder[...]
sentiments, de br[...]
Fortune, accuser[...]
dire des injures [...]
d'entrer comme [...]
ridicule des ho[...]
rendre agréable[...]
théâtre les défa[...]
monde. Lorsque[...]
des héros, vous fa[...]
voulez. Ce sont [...]
plaisir, où l'on n[...]
de ressemblance;[...]
qu'à suivre les tr[...]
gination qui se d[...]
qui souvent lais[...]
attraper le me[...]
lorsque vous pe[...]
mes, il faut p[...]
nature. On veu[...]
traits ressembler[...]
vez rien fait, si [...]
reconnaître les [...]
siècle. En un [...]
pièces sérieuses,[...]
n'être point blâ[...]
choses qui soien[...]
bien écrites; ma[...]
assez dans les a[...]
plaisanter, et c'[...]
entreprise que c[...]
les honnêtes ge[...]
(Molière, *Critiqu*[...]

(E. N. S., G[...]

25. Ce jugement de[...]
paraît-il rendr[...]
compte de l'o[...]
tragédie et com[...]
« L'intérêt [...]
lequel on suit le[...]
personnage con[...]
die; la simple c[...]
laisse toute [...]
pour cent dé[...]
comédie »?
(C. E. L.[...]
Ferrand[...]

l'homme de son siècle et l'homme de tous les siècles. Le grand peintre doit surtout s'attacher à la ressemblance de ce dernier. Peut-être aujourd'hui met-on trop de prix à la ressemblance et, pour ainsi dire, au calque de la physionomie de chaque époque. Lorsqu'on jouait les personnages de Racine avec des perruques à la Louis XIV, les spectateurs n'étaient ni moins ravis ni moins touchés. Pourquoi? parce qu'on voyait l'homme au lieu des hommes. »
(Bac.)

36. Racine se réjouit dans sa préface de *Phèdre* (1677) d'avoir trouvé chez Euripide une héroïne « ni tout à fait coupable ni tout à fait innocente ». Victor Hugo, de son côté, pense que « le **caractère** du drame est le réel; le réel résulte de la combinaison toute naturelle de deux **types**, le sublime et le grotesque, qui se croisent dans le drame comme ils se croisent dans la vie et dans la création, car la poésie vraie, la poésie complète, est dans l'harmonie des contraires ». Quelles réflexions ces deux textes vous suggèrent-ils sur la nature du héros dramatique?

Le théâtre, art moralisateur et instructif.

37. Platon, dans sa *République*, développe à deux reprises cette idée que l'art du poète tragique **vise** avant tout à représenter **la partie** déraisonnable et instable de notre âme, et exerce **sur nous une** action d'autant **plus** puissante et pernicieuse **qu'il est** plus intimement accordé avec nos passions et nos faiblesses.
Ce jugement semble s'appliquer d'avance à Racine. En **effet**, si une idée commune se **dégage** de tout ce qu'ont dit les

critiques sur la cruauté ou la tendresse répandue dans son théâtre, sur le pessimisme ou le réalisme de son œuvre, c'est bien celle que la tragédie racinienne non seulement est une peinture des égarements de la passion, mais suppose même une intime complaisance pour la passion elle-même.
Vous paraît-il cependant qu'on définisse ainsi de manière parfaite le principe de sa beauté et la cause du charme qu'elle exerce? N'y a-t-il pas aussi en elle des éléments de purification, qui vous permettraient à la fois de nuancer l'idée qu'on se fait généralement de Racine poète tragique, et de défendre la tragédie et l'art contre la thèse austère du Sage de la *République?*
(Agrégation **féminine** des Lettres, 1946.)

38. On a dit du théâtre classique : « C'est un art civilisateur au premier chef, puisqu'il a pour base la vérité, pour but la morale, pour auditoire le monde entier. »
Vous étudierez cette pensée en l'appliquant aux *Femmes savantes*, à *Nicomède* ou à *Mithridate*, à votre choix.
(C. A. Classes Élémentaires, 1946.)

39. « La tragédie, telle qu'elle existe, est si loin de nous, elle nous présente des êtres si gigantesques, si boursouflés, si chimériques, que l'exemple de leurs vices n'est guère plus contagieux que celui de leurs vertus n'est utile, et qu'à proportion qu'elle veut moins nous instruire elle nous fait aussi moins de mal. Mais il n'en n'est pas ainsi de la comédie, dont les mœurs ont avec les nôtres un rapport plus immédiat, et dont les personnages ressemblent mieux à des hommes. Tout en est mauvais et pernicieux, tout tire à conséquence pour les spectateurs; et le plaisir même du comique étant fondé sur un vice du cœur humain, c'est une suite de ce principe que plus la comédie est agréable et parfaite, plus son effet est funeste aux mœurs. » (Rousseau, *Lettre à d'Alembert.*)

40. J.-J. Rousseau, avec Pascal et les prédicateurs chrétiens, voit dans le théâtre un divertissement dangereux, une « école de vice et de mauvaises mœurs ».

Voltaire écrit, par contre : « Je regarde la tragédie et la comédie comme des écoles de vertu, de raison et de bienséance. »

Expliquez ces deux opinions et donnez votre avis.

(Bac.)

41. « La principale règle du poème dramatique est que les vertus y soient toujours récompensées, ou pour le moins toujours louées, malgré les outrages de la fortune, et que les vices y soient toujours punis, ou pour le moins toujours en horreur, quand même ils triomphent. » (Abbé d'Aubignac, *Pratique du théâtre.*)

42. « Le théâtre renforce les mœurs ou les change. Il faut de nécessité qu'il corrige le ridicule ou qu'il le propage. » (Chamfort, *Maximes et Pensées*, ch. VII.)

43. Molière écrit dans la Préface de *Tartuffe* (1664) : « Le théâtre a une grande vertu pour la correction. Les plus beaux traits d'une sérieuse morale sont moins puissants, le plus souvent, que ceux de la satire, et rien ne reprend mieux la plupart des hommes que la peinture de leurs défauts. »

Expliquez et discutez cette opinion.

(Bac.)

44. « Quelque amusante que puisse être une comédie, c'est un ouvrage imparfait et même dangereux, si l'auteur ne s'y propose pas de corriger les mœurs, de tomber sur le ridicule, de décrier le vice et de mettre la vertu dans un si beau jour qu'elle attire l'estime et la vénération publique. » (Destouches, *Le Glorieux*, Préface.)

45. « Le théâtre vit de morale et meurt d'intention moralisante. Toute grande œuvre dramatique suppose une question morale et la suggère. Toute œuvre dramatique qui prétend traiter une question morale compromet dans sa propre chute, du moins dans son insuccès, la leçon qu'elle prétend donner. » (E. Faguet.)

46. « L'auteur de ce drame sait combien c'est une grande et sérieuse chose que le théâtre. Il sait que le drame, sans sortir des limites impartiales de l'art, a une mission nationale, une mission sociale, une mission humaine. Quand il voit chaque soir ce peuple si intelligent et si avancé, qui a fait de Paris la cité centrale du progrès, s'entasser en foule devant un rideau que sa pensée, à lui chétif poète, va soulever le moment d'après... il sent que, si son talent n'est rien, il faut que sa probité soit tout; il s'interroge avec sévérité et recueillement sur la portée philosophique de son œuvre; car il se sait responsable, et il ne veut pas que cette foule puisse lui demander compte un jour de ce qu'il lui aura enseigné. Le poète aussi a charge d'âmes. » (V. Hugo, **Préface** de *Lucrèce Borgia.*)

Un grand sujet global.

47. « Il y a deux manières de passionner la foule au théâtre : par le grand et par le vrai. Le grand prend les masses, le vrai saisit l'individu;

« Le but du poète dramatique, quel que soit d'ailleurs l'ensemble de ses idées sur l'art, doit donc toujours être, avant tout, de chercher le grand comme Corneille, ou le vrai, comme Molière; ou, mieux encore, et c'est ici le plus haut sommet où puisse monter le génie, d'atteindre tout à la fois le grand et le vrai, le grand dans le vrai, le vrai dans le grand, comme Shakespeare.

« Car, remarquons-le en passant, il a été donné à Shakespeare, et c'est ce qui fait la souveraineté de son génie, de concilier, d'unir, d'amalgamer sans cesse dans son œuvre, ces deux qualités, la vérité et la grandeur, qualités presque opposées, ou au moins tellement distinctes que le défaut de chacune d'elles constitue le contraire de l'autre : l'écueil du vrai c'est le petit, l'écueil du grand c'est le faux. Dans tous les ouvrages de Shakespeare, il y a du grand qui est vrai et du vrai qui est grand.

« Au centre de toutes ses créations, on retrouve le point d'intersection de la grandeur et de la vérité; et là où les choses grandes et les choses vraies se croisent, l'art est complet! Shakespeare, comme Michel-Ange, semble avoir été créé pour résoudre ce problème étrange dont le simple énoncé paraît absurde : « Rester toujours dans la nature tout en en sortant quelquefois. » Shakespeare exagère les proportions, mais il maintient les rapports. Admirable toute-puissance du poète! Il fait des choses plus hautes que nous qui vivent comme nous. »

(V. Hugo, Préface de *Marie Tudor*.)

Chapitre XV

LE ROMAN

50

SUJET

Vous expliquerez et discuterez cette page de Marcel Proust sur la nature de l'envoûtement romanesque :

« Tous les sentiments que nous font éprouver la joie ou l'infortune d'un personnage réel ne se produisent en nous que par l'intermédiaire d'une image de cette joie ou de cette infortune; l'ingéniosité du premier romancier consista à comprendre que dans l'appareil de nos émotions, l'image étant le seul élément essentiel, la simplification qui consisterait à supprimer purement et simplement les personnages réels serait un perfectionnement décisif. Un être réel, si profondément que nous sympathisions avec lui, pour une grande part est perçu par nos sens, c'est-à-dire nous reste opaque, offre un poids mort que notre sensibilité ne peut soulever. Qu'un malheur le frappe, ce n'est qu'en une petite partie de la notion totale que nous avons de lui que nous pourrons en être émus; bien plus, ce n'est qu'en une partie de la notion totale qu'il a de soi qu'il pourra l'être lui-même. La trouvaille du romancier a été d'avoir l'idée de remplacer ces parties impénétrables à l'âme par une quantité égale de parties immatérielles, c'est-à-dire que notre âme peut s'assimiler. Qu'importe dès lors que les actions, les émotions de ces êtres d'un nouveau genre nous apparaissent comme vraies, puisque nous les avons faites nôtres, puisque c'est en nous qu'elles se produisent, qu'elles tiennent sous leur dépendance, tandis que nous tournons fiévreusement les pages du livre, la rapidité de notre respiration et l'intensité de notre regard? Et une fois que le romancier nous a mis dans cet état, où comme dans tous les états purement

intérieurs toute émotion est décuplée, où son livre va
nous troubler à la façon d'un rêve mais d'un rêve plus
clair que ceux que nous avons en dormant et dont le
souvenir durera davantage, alors, voici qu'il déchaîne
en nous pendant une heure tous les bonheurs et tous
les malheurs possibles dont nous mettrions dans la vie
des années à connaître quelques-uns, et dont les plus
intenses ne nous seraient jamais révélés parce que la
lenteur avec laquelle ils se produisent nous en ôte la
perception. »

(*Du côté de chez Swann*, 1re partie, Gallimard édit., Coll. de La
Pléiade, texte établi par P. Clarac et A. Ferré, T. I. page 85.)

RÉFLEXIONS PRÉLIMINAIRES ─────────────

1. *Quel est le problème soulevé par le sujet? est-ce celui du personnage
romanesque? est-ce celui de l'envoûtement, comme le suggère la question? n'est-ce pas plutôt celui du personnage et du lecteur ou, plus
exactement, celui des aventures du personnage et du lecteur?*

2. *A quels personnages pense Proust? Le contexte nous apprend qu'il est
jeune (13 ou 14 ans) et qu'il lit surtout des romans d'aventures (ce qui
explique les expressions de notre texte : « joie, infortune », « tous les
bonheurs et tous les malheurs possibles »...). Pour les auteurs, lui-
même nous aide un peu : il a dit auparavant (ibid. p. 39) que sa
grand-mère lui avait acheté* La Mare au Diable, La Petite Fadette,
François le Champi, Les Maîtres Sonneurs. *Ce qui l'intéresse ici, c'est
donc le roman au sens le plus vulgaire du mot : le roman romanesque;
et son analyse ne prétend pas porter sur le grand roman, le roman
intellectuel, réaliste, psychologique, etc..., mais sur le phénomène
romanesque à l'état pur (« l'ingéniosité du premier romancier »).*

3. *Toute la page, qui n'offre ni une étude de la création romanesque
ni même un moyen de juger les bons et les mauvais romans, a d'ailleurs
un ton beaucoup plus philosophique que littéraire. La nuance est
importante pour traiter le devoir, car elle engage à ne pas trop faire
d'efforts pour se demander à quelle école rattacher la façon dont Proust
pose le problème.*

4. *En revanche, il importe d'être très attentif au vocabulaire psychologique, notamment au mot « image » (« image d'une joie ou d'une
infortune »). Qu'on se garde de croire que ce mot se rapporte au personnage romanesque et qu'il est en quelque sorte synonyme de peinture
concrète de ce personnage. Ce serait une erreur, comme le prouve plus
loin l'expression « quantité égale de parties immatérielles ». Rappelons-nous la définition, classique en psychologie, de l'image : « état
représentatif qui, ayant comme la sensation un certain contenu*

concret, ne nous apparaît pas comme constitutif d'un objet extérieur présent, mais nous semble se produire en l'absence de toute excitation externe » (*Manuel de philosophie de* F. Alquié, *page 287,* H. Didier, *édit.*). *Proust parle d'images de « joie ou d'infortune », ce qui élimine le contenu concret; mais l'essentiel, que nous avons à considérer, c'est que dans l'image on attribue une* représentation de la conscience à un objet quelconque. *Ici la conscience se* représente *un sentiment (comme toute représentation de sentiment, elle est à mi-chemin entre l'expérience interne et l'expérience externe).*

5. *Le devoir peut-il être centré sur l'analyse psychologique?* On serait tenté de le croire en pensant à l'œuvre de Proust : il est le romancier qui a voulu nous rendre des personnages tellement transparents, tellement peu « opaques », tellement « assimilables », qui a voulu faire leurs émotions tellement nôtres qu'il essaie pendant des pages et des pages de supprimer toutes leurs « parties immatérielles ». Mais à aucun moment il ne nous tient sous leur dépendance au point que « nous tournions fiévreusement les pages du livre », au point que nous vivions « pendant une heure tous les bonheurs et tous les malheurs possibles dont nous mettrions des années à connaître quelques-uns ». En réalité, ce n'est pas à son œuvre que pense Proust, il nous convie à l'analyse psychologique de l'état du lecteur du « roman idéal » (psychologie assez sommaire, personnages entraînés dans une action, et surtout identifiés à celle-ci et sans autre personnalité qu'elle). Dès lors, la composition du devoir devra nécessairement se placer d'abord dans une perspective proustienne, jouer le jeu de Proust et disserter sur : La Mare au Diable, Robinson Crusoë, Paul et Virginie, Manon Lescaut, Le Capitaine Fracasse. En somme, il faut être plus près de Dumas que de Balzac dans les exemples sur lesquels on raisonnera!

6. *Sans doute il y aura des limites à cette position de Proust, car dans la mesure où le roman s'est chargé d'autres prétentions, les rapports du lecteur avec les personnages romanesques se sont infiniment compliqués et la grande critique que l'on peut adresser à Proust, c'est, au fond, de pécher par simplification. Ces rapports se compliquent en effet si le roman prétend évoquer un monde dans le temps et dans l'espace, comme le veut le roman moderne (à ce moment-là l'envoûtement du lecteur porte sur l'atmosphère et non plus sur les aventures d'un personnage); ils se compliquent encore quand le romancier condense ses effets en vue de produire une impression fondamentale dans le roman à concentration d'effets; enfin ils se compliquent encore plus si le roman est à thèse. Proust procède un peu à la manière d'un mathématicien (d'ailleurs la langue du passage est un peu mathématique) qui, avant d'aborder les cas plus compliqués, commence par étudier le cas simple, « essentiel » : le roman conçu comme une suite d'aventures qui arrivent à des héros imaginaires.*

PLAN DÉVELOPPÉ ────────────────────────

Introduction.

Parmi les états provoqués chez un lecteur par les œuvres littéraires, l'un des plus curieux est le phénomène de l'envoûtement
romanesque. Alors qu'une période d'éloquence peut disposer
à l'action, qu'une poésie lyrique peut nous amener à rêver sur
notre vie, la lecture du « roman à l'état pur » (roman d'aventures,
roman romanesque) isole du monde réel ou, plus exactement,
suscite en nous des sentiments d'une singulière violence dans
un univers qui n'est ni faux ni vrai, dans un univers à part où
l'on peut littéralement se perdre (le cas de l'homme qui, tel
Don Quichotte, ou de la femme qui, telle Madame Bovary, se
perdent dans les romans est courant dans la littérature). Pour
résoudre le problème de cet envoûtement, Proust raisonne en
simplifiant la question et en étudiant le passage du courant
d'émotion du personnage au lecteur. Il remarque que nous n'avons
jamais, en matière affective, de contact direct avec le réel. Supposant une sorte de premier romancier idéal (et, bien entendu, sans
faire appel à l'histoire littéraire), il l'imagine supprimant ce réel
dans le sentiment et substituant à tout ce qui n'est pas sentiments
communicables au lecteur des éléments psychologiques assimilables : « La trouvaille du romancier a été, écrit-il, d'avoir
l'idée de remplacer ces parties impénétrables à l'âme par une
quantité de parties immatérielles, c'est-à-dire que notre âme peut
s'assimiler. » Dès lors, le romancier nous offre comme un condensé
de sentiments qui sont ou peuvent être les nôtres et le roman est
comme une sorte de machine à sentir plus et plus vite : « Il déchaîne
en nous pendant une heure tous les bonheurs et tous les malheurs
possibles dont nous mettrions dans la vie des années à connaître
quelques-uns. » Sans doute Proust raisonne-t-il sur un cas d'espèce
et nous devons d'abord le suivre dans cette analyse tout idéale : en
effet, comme dans tout raisonnement sur des cas extrêmes et par
conséquent simplifiés, Proust arrive à éclairer bien des problèmes
fondamentaux du roman. Mais comment nous empêcher de remarquer qu'il ne tient pas compte des formes si différentes de celui-ci,
qu'à force d'être simple son analyse ne porte en fait que sur bien
peu d'œuvres?

I. L'émotion romanesque dans le roman romanesque.

Il est frappant de constater que Proust place cette analyse de
l'émotion romanesque dans la partie du *Temps perdu* qu'il
consacre à l'enfance; et c'est bien une émotion presque puérile
qu'il étudie ici, celle de l'enfant envoûté par des romans
proprement romanesques.

1. En effet, à quelle lecture peut songer Proust? sans doute à celle des romans à émotions violentes, rapides, comme ceux de George Sand qu'il cite lui-même et d'autres qu'il est facile d'imaginer. Nous sommes conduits à concevoir un roman idéal où le rôle de l'intrigue est primordial, celui de la psychologie restreint, celui de l'atmosphère à peu près nul : ou, du moins, il ne peut guère y avoir d'atmosphère que provenant de la psychologie et de l'intrigue; en aucun cas, il ne saurait être question de la minutieuse description balzacienne de la pension Vauquer.

2. Nous devons donc étudier l'émotion romanesque sous une forme assez enfantine et par conséquent très subjective. En effet un adulte cultivé imagine volontiers le roman d'une façon objective, comme un genre qui le documente ou l'informe sur des milieux, attitude au fond médiocrement romanesque : le vrai lecteur de roman est assez enfermé en lui, assez peu soucieux d'en sortir, assez peu désireux de réalités concrètes (si ce n'est ce minimum nécessaire pour donner un corps à ses émotions).

3. A quoi est lié ce phénomène? au problème de la représentation des sentiments qui, d'après Proust, se fait par une image. Nous remarquons que philosophiquement ce mot implique l'absence d'un objet extérieur; et les mots « joie ou infortune », « bonheurs ou malheurs », « émotions », supposent des états affectifs assez élémentaires dont Proust note avec soin les manifestations physiques. D'emblée, il place le roman dans un domaine des plus subjectifs; en effet, dans l'expression « quantité égale de parties immatérielles », il n'implique nullement les raffinements d'une psychologie subtile (ce qui exigerait alors un effort d'objectivité et ne permettrait pas de parler « d'état purement intérieur »). De même il supprime, toujours dans le même dessein, l'opacité volontaire des portraits physiques, des résistances du réel, renvoyant en somme dos à dos le roman réaliste et le roman psychologique.

II. Quelques problèmes fondamentaux du roman.

Malgré la simplification extrême de cette analyse, il faut reconnaître qu'elle éclaire d'un jour singulier un certain nombre de problèmes romanesques.

1. En effet si le roman était avant tout atmosphère, art du temps, de l'espace, des grandes masses humaines, le meilleur serait le roman historique; tout au moins le roman serait né de l'histoire, ce qui, semble-t-il, n'est pas le cas (il y a au Moyen Age une tradition romanesque pure qui remonte aux romans grecs de basse époque, lesquels semblent profiter eux-mêmes d'un long héritage). Or, il se trouve qu'il n'y a guère de bon roman historique, et il paraît même impossible, si à la rigueur l'on peut donner à un roman un arrière-fond historique, de prendre comme protago-

nistes des personnages célèbres. C'est qu'il y aurait avec ces personnages trop de poids mort à traîner, trop de « parties impénétrables à l'âme ». Notre émotion ne pourrait, comme le dit Proust,
qu'exister dans une petite partie de la notion totale que nous
avons ou essayons d'avoir du personnage. Ceci nous rappelle les
difficultés qu'éprouve, dans *La Nausée* de Sartre, Antoine Roquentin quand il veut faire revivre M. de Rollebon : « Je sens bien
que mes hypothèses viennent de moi, qu'elles sont tout simplement une manière d'unifier mes connaissances. Pas une lueur
ne vient du côté de Rollebon. Lents, paresseux, maussades, les
faits s'accommodent à la rigueur de l'ordre que je veux leur
donner, mais il leur reste extérieur. J'ai l'impression de faire
un travail de pure imagination. Encore suis-je bien sûr que *des
personnages de roman auraient l'air plus vrai*[1] » (*La Nausée*, pp. 26-
27, Gallimard, édit.). En effet ils seraient les sentiments qu'Antoine
Roquentin leur attribue, et rien de plus, alors qu'avec Rollebon,
il s'agirait de soulever toute la réalité.

2. C'est ici que se place le problème, si essentiel dans ce qu'on peut
appeler « le roman pur », de l'intrigue. Proust n'est pas très clair
là-dessus, mais il y a dans sa page de singulières lueurs à ce sujet.
Non seulement la plupart des mots qu'il emploie supposent une
intrigue et même assez chargée (« tous les bonheurs, tous les malheurs »), mais encore il semble penser que c'est cette intrigue même
qui est la psychologie. Cela ne signifie pas exactement, comme on
dit quelquefois, que le personnage romanesque se peint par ses
actions (ce qui impliquerait qu'il y a en lui autre chose que ses
actions, donc un poids mort), mais plus précisément il *n'est* que
cette action et c'est pour cela qu'il est parfaitement transparent
(alors que dans la vie, « ce n'est qu'en une partie de la notion
totale que nous avons » de nous que nous pouvons, non seulement
être émus, mais même agir). Dans ce monde en effet nous avons
toujours l'impression d'être plus ou moins que nos actes. Dans le
roman romanesque Sigognac *est* celui qui part avec la troupe
de comédiens, celui qui aime Isabelle, celui qui la sauve de Vallom-
breuse.

3. Ainsi le roman n'est pas nécessairement pour Proust l'art qui
simplifie un héros, qui l'unifie d'une façon plus ou moins arbitraire, qui le rend cohérent, il est l'art qui donne aux aventures une
sorte de grâce par laquelle elles expriment ce héros. Pourquoi
donc cet art a-t-il dès lors pour nous un pouvoir de libération?
Ce n'est pas parce que les aventures nous semblent plus ou
moins croyables, et Proust a soin d'écarter ici le « critère » de la
« crédibilité » cher à Bourget. C'est parce que l'on nous présente
enfin des êtres à peu près analogues à nous qui peuvent avouer
leurs actes et leurs émotions et qui, ainsi, nous délivrent de toutes
ces émotions et de tous ces actes que nous n'avouons pas. De même

---

1. C'est nous qui soulignons.

que, d'après Valéry, la danseuse nous libère de la pesanteur, le romancier nous libère d'un monde où l'action « n'est pas la sœur du rêve » (Baudelaire) et où nous devons contenir nos émotions. Des Grieux et Manon vivent leur rêve, sont leur rêve et le mènent jusqu'au bout d'une façon suffisamment cohérente et complète. Nous ne les connaissons que par leurs rêves, que par l'image de leur joie ou de leur infortune. Ainsi donc ils contribuent à nous plonger dans « cet état intérieur où toute émotion est décuplée ».

III. Les formes littéraires du roman.

Évidemment le caractère si enfantin et si sentimental de cet art a empêché le roman d'en rester là, et l'analyse de Proust trouve sa limite dans tous les perfectionnements que le roman a reçus au xixe siècle. En effet le souci constant des romanciers sérieux, depuis *La Princesse de Clèves*, sera de rejoindre ce réel que le romanesque semble exclure ou du moins réduire au minimum ; si bien qu'à examiner les problèmes du point de vue de l'histoire littéraire, l'analyse de Proust semble mal fondée.

1. Avant même la fin du xviie siècle, on réagit contre les romans d'aventures et d'émotions en introduisant la réalité par le biais de la psychologie. Si l'œuvre de Madame de la Fayette offre une telle nouveauté, c'est qu'elle fait place dans un schéma romanesque au réalisme psychologique du classicisme. La princesse de Clèves nous surprend parce qu'elle agit suivant une lucidité et une morale dures et peu conformes à un état de rêve.

2. Ce n'était pas assez de la psychologie, car celle-ci peut encore favoriser « cet état intérieur où toute émotion est décuplée ». Le xviiie siècle et surtout le xixe siècle admettent le monde extérieur par le biais des choses, du portrait physique, du décor sans doute significatif et psychologiquement révélateur, mais enfin parfaitement opaque (cf. les portraits et descriptions de Balzac).

3. Mais comme si ce n'était pas assez encore de réalités, les romanciers modernes tendent de plus en plus à mettre dans le roman le monde entier dans le temps et dans l'espace, à embrasser les ensembles sociaux réels ; l'exemple vient de Balzac qui prétend peindre la société de la Restauration, se continue chez Zola qui prétend peindre celle du Second Empire, chez J. Romains qui prétend peindre celle d'entre les deux guerres, dans *Les Communistes* d'Aragon qui prétend peindre les troubles consécutifs à la guerre de 39-40, etc....

Ainsi le mouvement est exactement contraire à celui qui est suggéré par Proust. Né d'une suppression du réel, le roman veut assumer le réel tout entier. Sans doute lui impose-t-il un choix et une transfiguration, mais ce n'est là que loi élémentaire de toute œuvre d'art et non confirmation du mot de Proust.

Conclusion.

L'histoire du roman infirme la thèse de Proust; mais on peut se demander si toute l'évolution du roman moderne n'est pas plutôt une conséquence de l'absolue liberté du genre que de son essence même : l'adjectif « romanesque » (« qui comporte des aventures et des émotions vives ») garde bien un sens très précis et très voisin de celui auquel songe Proust. Son analyse s'efforce de porter sur cette essence, ce qui est assez difficile vu l'immense diversité du genre; mais, en se plaçant strictement à son point de vue, il semble impossible de nier le caractère intérieur du roman. Les romans courtois, les romans précieux se chargeaient, à travers des péripéties extraordinaires, des émotions les plus profondes de leurs contemporains. Lorsque Guenièvre, l'épouse du roi Arthur, obtient de Lancelot qu'à travers toutes les aventures il lui garde son infinie soumission, Chrétien de Troyes, en montrant un personnage qui n'était que « courtoisie » parfaite, décuplait chez toutes les dames qui le lisaient, l'émoi qu'elles attendaient de l'amour soumis de leur chevalier et même il le leur donnait, incomparablement plus intense que jamais chevalier réel ne pouvait espérer le leur procurer. Tel est, à proprement parler, l'état d'esprit romanesque.

51

SUJET

Commentez ce jugement d'André Bellessort : « Le succès des romans repose sur notre éternel besoin qu'on nous raconte des histoires où nous nous reconnaissons tels... que nous voudrions être. »   (Baccalauréat.)

ESQUISSE D'UN PLAN ————————————

I. Des héros tels que nous voudrions être....

Bellessort a raison :

1. parce que le héros de roman est très souvent un *être supérieur*, qui dispose de toutes les puissances intellectuelles ou physiques que la vie nous refuse : il est Lancelot, d'Artagnan, Vautrin, Jean Valjean, Sherlock Holmes. Il est le Subtil et le Fort, et générale ment il n'a pas à gagner son pain, il n'est pas empêtré comme nous dans les mesquins problèmes quotidiens;

2. parce que le héros de roman est un être qui *vit rapidement*, un être qui a des aventures. Celles-ci sont absentes de notre vie en ce sens que tout ce qui nous arrive est fragmentaire et n'a jamais l'unité romanesque qu'elles exigent. Au contraire, dans sa vie il n'y a pas de temps mort et il n'a d'existence que dans la mesure où il a des aventures;

3. parce que le héros de roman est généralement un être qui va *jusqu'au bout de ses possibilités*, soit dans le bien soit dans le mal. Alors que, dans la réalité, nous sommes, malgré nos résolutions, tour à tour un peu méchants et un peu aimables, il peut être totalement ce qu'il veut être, non pas que son auteur ne puisse lui inventer de défaillances (voir la défaillance finale de Julien Sorel), mais ces défaillances mêmes soulignent encore davantage la ligne qu'il a voulu suivre.

II. Discussion.

Mais Bellessort exagère :

1. parce que certains romans, nous dépaysant totalement, ne présentent *aucun rapport* avec ce que nous voudrions être : romans de pure fantaisie, romans policiers, etc...;

2. parce que certains romans choisissent précisément comme thèmes la *médiocrité*, les incertitudes, les mesquineries de l'homme : œuvres de Flaubert, Maupassant et surtout des romanciers russes;

3. parce que, très souvent, c'est le héros romanesque qui nous révèle sur nous un certain nombre de vérités qui, loin de nous plaire, *nous épouvantent* (personnages de Mauriac). Dans ces conditions, le roman, loin de nous offrir une image séduisante de nous-même, pratique une sorte de « purgation des passions », qui, en attribuant à d'autres nos passions, nous en débarrasse. Mais dans tous ces cas, il n'est pas question de nous voir « tels que nous voudrions être » !

III. Le roman et nous.

A la faveur de cette réflexion de Bellessort, réfléchir sur les rapports entre le roman et nous :

1. par rapport au *créateur :* très grande proximité du personnage romanesque, il est souvent ce que son auteur n'a pas pu être (Stendhal et Julien Sorel, Sainte-Beuve et Amaury, etc...). Aussi le roman est volontiers écrit à la première personne. Le héros romanesque est beaucoup plus *proche de son créateur* que le héros théâtral;

2. par rapport au *lecteur :* il est certain que c'est le seul genre capable de lui *faire vraiment vivre une autre vie*. Mais il est un peu simpliste de déclarer que c'est exactement la vie qu'il aurait voulu mener, que le personnage de roman est exactement celui qu'il aurait voulu être. Nous identifions-nous tout à fait au héros romanesque? En fait, celui-ci nous est surtout parfaitement transparent, parfaitement assimilable.

Nous retombons ici sur les développements du sujet n° 50.

$$\boxed{52}$$

SUJET

 Penserez-vous, avec Ferdinand Brunetière, que la vérité du roman « est faite surtout de l'intelligence des intérêts ou des sentiments des autres »?

 Approuvez-vous plutôt cette justification du roman personnel qu'on lit chez B. Constant : « On n'est bien connu que de soi. Il y a entre les autres et soi une barrière invisible »?

(E. N. S. Sèvres, 1943.)

RÉFLEXIONS PRÉLIMINAIRES ────────────

1. *Sujet très important, qui invite à réfléchir sur la distinction des* deux *lignées fondamentales de romans :*

 ● *le « roman des autres », où les héros sont extérieurs les uns aux autres,*

 ● *le « roman de soi », où les autres eux-mêmes n'ont d'intérêt que comme un moment de la vie intérieure.*

Autrement dit :

 ● *la lignée objective et théâtrale,*

 ● *la lignée introspective et lyrico-morale.*

Thème de recherches vastes et passionnantes! On n'indiquera ici que quelques directions d'étude.

2. *Nous soulignons, à titre d'exercice pratique, le célèbre parallèle du* Lys dans la Vallée *et de* Volupté, *cas privilégié où un romancier de la lignée objective (Balzac) entend « refaire » un roman introspectif (*Volupté *de Sainte-Beuve). Dans un devoir complet, il faudrait lui demander beaucoup d'exemples. Balzac a même joué avec la difficulté en faisant dire je au héros principal, exactement comme l'avait fait Sainte-Beuve. Et pourtant, malgré ce je, il sort bien de lui, il écrit vraiment un roman où éclate « l'intelligence des intérêts ou des sentiments des autres » : il serait donc très instructif de dégager ses procédés.*

3. *Nous signalons, non pas tout à fait sur ce sujet, mais sur un sujet voisin (le problème des « clefs » romanesques), les pénétrantes distinctions de M. Roger Pons entre les différents types de roman (étude parue dans* L'Information littéraire, *de janvier-février 1950, pp. 34-37). Nous devons beaucoup à cette étude, modèle de dissertation littéraire générale.*

——— *ÉLÉMENTS POUR UN PARALLÈLE ENTRE LE ROMAN OBJECTIF ET LE ROMAN INTROSPECTIF*

I. Les romanciers « de l'intelligence des intérêts ou des sentiments des autres ».

1. Ces romanciers reconnaissent tous que *les personnages s'imposent à eux comme « du dehors ».*

On peut distinguer trois manières de s'imposer :

a) *La hantise :* cas des très grands romanciers. Phénomène à peu près inanalysable. Balzac est hanté par un monde de héros imaginaires très différents de lui : beaucoup d'anecdotes racontent qu'il parlait de ses personnages comme on parle de gens réels. Plus ces personnages sont vivants et moins ils sont soumis au narrateur : « Que de fois m'est-il arrivé de découvrir, en composant un récit, que tel personnage de premier plan auquel je pensais depuis longtemps, dont j'avais fixé l'évolution dans les derniers détails, ne se conformait si bien au programme que parce qu'il était mort : il obéissait, mais comme un cadavre. Au contraire, tel autre personnage secondaire auquel je n'attachais aucune importance se poussait de lui-même au premier rang, occupait une place à laquelle je ne l'avais pas appelé, m'entraînait dans une direction inattendue. » (F. Mauriac, *Le Romancier et ses Personnages*, p. 127. Texte proposé au C. A. Lettres Modernes 1955.)

b) *L'accomplissement et le dépassement.* Le génie créateur nous échappe moins lorsque les héros sont ce que leur auteur aurait voulu être; l'exemple le plus typique est celui de Stendhal, qui se « refait » dans Fabrice ou Julien. Même la très subjective G. Sand déclare que ses personnages sont des « personnalités plus fortes, plus logiques, plus complètes, plus idéales », bref des types plus accomplis qu'elle-même (voir sujet proposé n° 9).

c) *Des antithèses.* Un cas encore plus fréquent peut-être est celui des auteurs obsédés par des personnages qui leur sont diamétralement opposés : étonnement proprement et spécifiquement romanesque qu'il y ait des êtres si différents de soi. Flaubert est intelligent, mais comme il est romancier et non critique, ce ne sont pas des personnages intelligents qui le passionnent, mais des médiocres (Homais, Bovary) et des imbéciles (Bouvard et Pécuchet). Maupassant aime la vie mondaine, luxueuse, les aventures sentimentales ou sportives, et sans doute il peint des gens du monde brillants, mais il est surtout hanté, en véritable romancier qu'il est, par les bourgeois ou les bureaucrates à la vie monotone, par les existences plates et sans passion. Tel est peut-être un des ressorts les plus secrets du réalisme français : essayer de comprendre une bêtise, une mesquinerie, une veulerie qu'on ne partage pas, mais dont précisément on veut forcer les secrets parce que le vrai romancier s'intéresse avant tout *aux autres.*

2. Composition et rythme romanesques. Cet intérêt engendre de profondes particularités dans la technique romanesque :

v) Importance des lieux, des décors, de l'époque, de tout ce qui
explique et suggère *les autres :* le roman se veut concret, incarné
(cf. Balzac).

b) Importance de l'unité de composition : pour présenter des
personnages extérieurs les uns aux autres, il faut solidement
construire l'intrigue, bien centrer autour d'un thème fondamental. Ainsi les différences s'expliquent mieux encore et prennent
encore plus de relief.

c) Importance des comparses, simplifiés certes, mais vigoureusement animés : ils sont par excellence *les autres.*

Des décors, une unité d'intrigue, des comparses accentués :
c'est le théâtre; et l'on sait combien tous les grands romanciers
(Balzac, Stendhal) ont eu la hantise du théâtre. Cette hantise
peut gagner leurs héros. J. Green déclare à propos de *Sud :*
« Ce sont mes personnages qui m'ont insensiblement conduit du
roman au théâtre. »

II. Romanciers de la « vie intérieure » et de la « barrière invisible ».

1. Des romanciers intelligents et préoccupés d'eux-mêmes. Valéry
l'a dit : un homme intelligent, et qui ne veut pas quitter le monde
de son intelligence, n'est pas un romancier (voir sujet proposé
n° 21 où on lira la déclaration de Valéry sur ces « états rudimentaires où toutes les bêtises se lâchent », états qui sont la pâture
essentielle des romanciers). Toutefois un homme intelligent
renonce-t-il à écrire des romans? Non. Valéry lui-même, avec
M. Teste, veut écrire le roman symboliste de l'intelligence qui se
regarde elle-même. M. Teste, c'est le roman d'un homme dont
« la bêtise n'est pas le fort ». Mais cette gageure d'un roman purement intellectuel n'a pas été tenue.

2. L'aventure unique. C'est plutôt vers les années sentimentales et
la jeunesse que se tournent les romanciers de la vie intérieure.
Ils n'ont généralement qu'un roman à écrire, précisément le
roman de leur grande aventure, de l'aventure qui les a marqués,
qui les a faits eux-mêmes ce qu'ils sont. Exemples innombrables :
René, Volupté, Adolphe, Dominique (voir étude de M. R. Pons,
cité plus haut, pages 35-36).

3. Le rythme lyrique. La technique romanesque est alors très différente de celle du roman objectif.

a) Lieux, temps, époque sont beaucoup plus vagues, puisque
le vrai cadre, c'est avant tout l'âme même de l'auteur (les lieux
sont très imprécis dans *Volupté* et les dates très difficiles à établir).

b) L'unité est beaucoup moins nécessaire, puisque le parti pris
de base, peindre et expliquer l'âme de l'auteur, y pourvoit. On

peut même dire au contraire que ce héros unique doit s'expliquer par des aventures variées et dispersées (Amaury se disperse entre des aventures amoureuses, religieuses, politiques, mais Amaury est lui-même une suffisante unité). Dès lors le rythme n'aura plus la progression théâtrale du roman objectif, il sera lent, plein de retours et de détours. Un style analytique et souvent lyrique lui conviendra parfaitement.

Ainsi de tels romans font songer surtout à la poésie ou à la critique : poésie, parce que ce sont des œuvres de la vie intérieure; critique, parce que c'est le regard d'un homme intelligent sur lui, à travers les choses et les êtres.

III. *Passages possibles d'un genre à un autre.*

En pratique, la distinction n'est pas absolue.

1. **De l'introspection à l'objectivité.** Poussée suffisamment loin, l'introspection peut mener *aux autres*. Exemple de Proust : c'est bien le roman de soi et pourtant ce sont *aussi* les amours de Swann et d'Odette, la psychologie d'Albertine, etc...; conception classique où l'introspection donne des révélations sur la « forme entière de l'humaine condition ».

2. **Les souvenirs du romancier objectif.** Inversement, dans le roman objectif il est rare qu'on ne décèle pas une grosse importance des souvenirs. Sans doute sont-ils transfigurés, élaborés, stylisés, mais ils sont tout de même la base. Peut-être quelques très grands romanciers créent-ils de toutes pièces? Mystère du génie. Ce sont là vraiment des demi-dieux.

3. **Personnage principal et personnages épisodiques.** Enfin, même chez ces très grands l'habileté technique est peut-être de ne pas étudier sur le même plan tous les personnages. Une sorte de postulat romanesque veut que l'auteur ait accès de l'intérieur au héros principal (ou à deux ou trois héros principaux) et de l'extérieur seulement aux comparses définis par deux ou trois traits objectifs (voir sujet proposé n° 11 d'après un mot de Malraux). Problème très important à creuser car, s'il en était ainsi, ce serait toujours par un demi-truquage que le romancier connaîtrait *les autres*. Le roman serait en somme la vie lyrique et introspective d'un ou deux individus en face de la vie objective et théâtrale des comparses. Idée très intéressante, mais c'est là l'objet d'une autre dissertation.

En définitive, tout cela est assez décevant : connaît-on vraiment *les autres?* ne les connaît-on pas seulement comme des marionnettes assez simplifiées? Nous avons vu que « le roman des autres » aboutirait au théâtre et qu'en un certain sens les romanciers de la vie intérieure ne sont pas de vrais romanciers. Univers un peu truqué, l'univers romanesque serait le lieu de rencontre de l'observation objective et de la vie introspective (cf. sujet proposé n° 2).

$$\boxed{53}$$

SUJET

« Le thème de tout roman, c'est le conflit d'un personnage romanesque avec des choses et des hommes qu'il découvre en perspective à mesure qu'il avance, qu'il connaît d'abord mal et qu'il ne comprend jamais tout à fait. »

Commentez à l'aide d'exemples précis cette pensée d'Alain (*Système des Beaux-Arts*, 8).

REMARQUE PRÉLIMINAIRE ─────────────

Pensée brillante, un peu systématique (c'est une sorte de recette pour fabriquer un roman : « Vous prenez un personnage, vous le mettez en conflit ... »), mais intéressante, bien axée sur la technique de la création romanesque; en tout cas, point de vue extrêmement fécond pour remettre à leur place bien des questions de l'optique romanesque. Bien l'expliquer, l'illustrer d'exemples, en tirer des conséquences, marquer quelques réserves, tel est en l'occurrence, semble-t-il, le plan le plus naturel.

PLAN SCHÉMATIQUE ─────────────

I. La recette de fabrication.

1. Personnage qui découvre et personnages à découvrir. Conception assez fortement centrée du roman : un personnage essentiel tient lieu de point de vue. Ce point de vue est d'autant meilleur que le personnage est jeune et ignorant, qu'il a tout à découvrir. Le roman idéal, ce serait donc toujours plus ou moins pour Alain : « Les Enfances Un Tel », les enfances de des Grieux (*Manon Lescaut*), les enfances de Julien Sorel (*Le Rouge et le Noir*), les enfances d'Amaury (*Volupté*), les enfances de Félix de Vandenesse (*Le Lys dans la Vallée*), les enfances de Jérôme (*La Porte étroite*). Sans doute il y a d'autres personnages que le jeune « explorateur », mais ce sont les hommes à « découvrir en perspective à mesure qu'il avance ».

2. Le conflit dû à la découverte. Or Alain suggère que cette découverte ne va pas être facile, il y aura même « conflit ». Loin de s'insérer aisément dans ce monde « des choses et des hommes », « le personnage romanesque » y amène, malgré son ignorance, ou peut-être à cause d'elle, des idées préconçues; rarement il est une « table rase ». Nombreux sont les exemples à l'appui de cette thèse : Julien Sorel voit la vie en forme de réussite ambitieuse, Mme Bovary la voit comme une réalisation de ses rêves romanesques, Michel, le héros de *L'Immoraliste*, comme une réussite intellectuelle. Chacun va confronter, souvent douloureusement, ses idées préconçues avec une réalité qu'il découvre.

3. Des découvertes imparfaites. Au terme de ce conflit, on ne trouve guère l'accord parfait; le décalage subsiste presque toujours à la fin du roman entre la réalité et le protagoniste. Parfois même celui-ci n'a rien compris : Mme Bovary se tue parce qu'elle comprend mal le monde, parce qu'elle ne veut pas le comprendre. La plupart dégagent de leur aventure une leçon indécise, très différente de celle à laquelle s'arrêterait le lecteur, juge impartial : Félix de Vandenesse comprend-il finalement Mme de Mortsauf, Jérôme comprend-il Alissa? On en doute.

II. Conséquences romanesques.

Non seulement beaucoup d'exemples confirment la thèse d'Alain, mais, à la manière d'un postulat mathématique, elle se vérifie surtout par ses conséquences.

1. Meilleure compréhension du héros et du monde. Le personnage romanesque est-il le produit du monde où il s'insère (thèse naturaliste)? Domine-t-il un monde qu'il forme à ses désirs (thèse idéaliste)? Alain nous montre qu'il est *jeté dans un univers qu'il a à découvrir*. Tout roman est plus ou moins une « éducation sentimentale », mondaine, religieuse, etc... : éducation de Julien Sorel, éducation de Rastignac, éducation de Mme Bovary, etc.... D'où *deux conséquences* :

a) le vieillard n'est pas, du moins uniquement comme tel, un héros de roman : ou bien il n'a qu'un rôle épisodique (Monseigneur Myriel) ou bien, s'il a le premier rôle, il est en proie à une passion qui n'est pas particulière à son âge, qui le tourmente depuis longtemps ou depuis toujours et à laquelle l'âge a seulement insufflé une particulière virulence (le père Grandet, le père Goriot); et encore dans ce dernier cas, surtout chez Balzac, le vieillard est-il entouré de jeunes gens et de jeunes filles pour qui il est ou un obstacle ou une leçon. Le roman de la jeunesse a été écrit maintes fois, le roman de la vieillesse est encore à écrire, s'il est possible (en revanche, beaucoup de « vieux » sont des héros de nouvelles, par exemple chez Maupassant et A. Daudet);

b) au contraire, les hommes mûrs sont volontiers agréés comme *pères*, pour incarner « l'essence de la paternité » et les femmes mûres comme *mères* pour incarner « l'essence de la maternité ». (A. Thibaudet, *Histoire de la Littérature française*, p. 230, à propos de Goriot et de Mme de Mortsauf.)

2. Le danger des héros trop intelligents. Pour qu'il y ait roman, il est nécessaire que les jeunes hommes qui sont formés par ces « pères » et ces « mères » ne soient pas d'une intelligence supérieure : on peut dire tout au moins qu'ils « sont à l'école » et qu'ils ont la

tête dure! Ils sont souvent longs à saisir les leçons de la vie.
Ce sont, dans les cas les plus typiques, ces passionnés de Balzac
qui, dans leur quête de l'Absolu, lancent avec une monotonie
désespérante leurs irréalisables désirs contre un monde dont le
sens leur échappe. Chez Stendhal, même les mieux doués, comme
Fabrice del Dongo, comme Julien Sorel, ont la compréhension lente.
Ainsi Julien s'est voulu un grand ambitieux. Or dans sa prison il se
rend compte, enfin, qu'il a eu tort de sacrifier l'amour à l'ambition : il a confondu la réussite sociale et la chasse au bonheur,
il s'est entêté à n'être pas lui-même, à mépriser l'art de jouir de
la vie (voir dans *L'Information littéraire* de mars-avril 1950,
p. 74, un article de M. P.-G. Castex sur *Le Rouge et le Noir*). Romanesquement, il ne pouvait pas comprendre vite : un personnage qui
comprend vite n'est pas un personnage romanesque. Celui qui
tire tout de suite la leçon des choses, c'est un « raisonneur »,
un héros de roman à thèse, de roman non romanesque, comme il
y en a beaucoup dans Bourget. D'où une des difficultés du roman
« moral » : le personnage profite trop bien et trop vite des aver-
tissements, des expériences, des enseignements de toute sorte.

3. L'amour, formation romanesque par excellence. A cette lente et
imparfaite formation, toutes les aventures peuvent contribuer;
mais l'aventure amoureuse est la plus romanesque, non pas seulement parce qu'elle multiplie les péripéties, mais parce que c'est
elle qui est la plus instructive, elle qui est la découverte par **excellence**. La plupart des romans sont avant tout des « éducations
sentimentales » : éducation sentimentale de Julien, d'Amaury,
de Félix de Vandenesse, et, dans le célèbre roman de Flaubert,
de Frédéric Moreau. L'amour forme particulièrement les héros,
parce qu'il symbolise le mieux leurs aspirations et leurs décep-
tions, le décalage entre ce qu'ils demandent au monde et ce que
le monde peut leur donner.

Toutes les perspectives ouvertes par Alain sont très fécondes
et permettent de saisir certaines différences du roman et du
théâtre : les héros de théâtre peuvent très bien être expérimentés
et intelligents; ce sont souvent des gens d'âge et, s'ils aiment,
pour eux l'amour représente une crise violente qui les secoue
profondément sans doute, mais ne constitue pas forcément une
leçon de vie.

III. *Nuances et réserves.*

Le mot d'Alain n'en est pas moins un peu systématique : il s'appuie
sur une conception du roman qui est assez classique et assez voisine de l'épopée (Ulysse, Énée se forment aussi par le contact
d'un monde qu'ils ne « comprennent jamais tout à fait » : voir
Énéide, livre IV, amour de Didon et d'Énée). Un certain nombre
de romans échappent à cette conception.

1. Les romans de la lignée introspective. Dans ces romans un personnage central, très doué, observateur avisé et critique, s'étudie lui et les autres et élucide tout fort bien; meilleur exemple : *Volupté* de Sainte-Beuve. On peut dire que, dans ces romans, le héros s'assimile très bien la leçon de la vie; mais peut-être ce ne sont plus là des romans au sens plein du terme.

2. Les romans à points de vue multiples. D'autre part, certains romanciers authentiques sont soucieux d'éviter le point de vue unique d'un personnage central. Grâce à divers artifices de composition, ils éclairent la même intrigue sous des jours différents : Balzac fait voir *Le Lys dans la Vallée* successivement par le récit de Félix de Vandenesse, par les lettres de Mme de Mortsauf, par la lettre finale de Natalie de Manerville.

3. Les romans symphoniques. Enfin le roman moderne, notamment sous l'influence du roman russe et du roman anglais du XIXe siècle, cherche à éviter toute unité (de composition, de point de vue, etc...) et tend de plus en plus à présenter des ensembles sans perspectives et sans points de vue privilégiés, depuis Zola surtout.

54

SUJET

    Bossuet loue Henriette d'Angleterre d'avoir préféré la lecture des ouvrages d'histoire à celle des romans : « Soucieuse de se former sur le vrai, dit-il, elle méprisait ces froides et dangereuses fictions. »
    Examinez et discutez ce jugement.

(Baccalauréat.)

RÉFLEXIONS PRÉLIMINAIRES

1. *Sujet, en apparence très simple, sur la valeur formatrice du roman. On se souvient que Bossuet, en cette même année 1670 où il prononce l'oraison funèbre d'Henriette d'Angleterre, est nommé précepteur du Dauphin. Il est tout naturel qu'à propos de la jeune Henriette, morte à vingt-six ans, dont il avait été le directeur de conscience, il se pose le problème de l'intérêt pédagogique des genres littéraires.*

2. *Toutefois Bossuet, sans faire la théorie du genre romanesque, est amené, à propos d'un jugement moral, à formuler un jugement littéraire : pour lui le roman est « fiction » et cette fiction est « froide », c'est-à-dire qu'elle ne contient rien qui soit susceptible de nous toucher profondément; elle est en outre « dangereuse » moralement, alors que l'histoire est vraie, nous touche personnellement (touche surtout les Grands de ce monde) et nous instruit des desseins de la Providence.*

3. *Donc ne pas simplifier à l'excès la pensée de Bossuet et en préciser d'abord les intentions et la richesse; ensuite, et avant de se précipiter sur une discussion trop tentante, montrer comment le moraliste rencontre en lui l'écrivain classique (théorie du vrai, capitale au XVIIᵉ siècle); enfin nuancer la discussion en n'oubliant pas que Bossuet ne peut, par la force des choses, connaître que les romans idéalistes et galants du XVIIᵉ siècle (La Princesse de Clèves est postérieure à l'Oraison funèbre d'Henriette d'Angleterre). C'est après lui qu'on s'apercevra, en matière d'esthétique romanesque, non seulement de l'intérêt qu'il y a à charger la fiction d'un poids de réalité, mais encore de l'utilité de la fiction pour arriver à plus de vérité.*

PLAN ─────────────────────

Introduction.

Le roman, œuvre d'imagination, est inutile pour la formation intellectuelle et pernicieux pour la formation morale, prétendent de nombreux éducateurs. De « bons esprits », tels que Cervantès (*Don Quichotte*) et Molière (*Les Précieuses ridicules*, *L'École des Femmes*), sont, pour des raisons diverses, du même avis. Nous ne pouvons donc être étonnés d'entendre Bossuet, le futur auteur des intransigeantes *Maximes et Réflexions sur la Comédie* (1694), s'écrier dès 1670 à propos d'Henriette d'Angleterre, dont il prononce l'oraison funèbre : « Soucieuse de se former sur le vrai, elle méprisait ces froides et dangereuses fictions. » Jugement de pédagogue, mais aussi jugement de « classique », dont la sévérité peut paraître excessive, alors que le roman est devenu ce genre privilégié que l'on sait.

I. Le jugement d'un moraliste et d'un pédagogue.

1. Le roman est fiction, c'est-à-dire mensonge. Sans doute tout art vit de fiction, mais plus ou moins. Le roman est la fiction par excellence, puisqu'il nous présente comme étant arrivé un récit inventé de toutes pièces; et le mensonge est d'autant plus grand qu'il prend *les couleurs de l'histoire* (Cela se passait au siècle dernier..., Madame de X... avait rencontré Monsieur de Z..., etc.). C'est donc à l'histoire *vraie* que Bossuet oppose le roman : à l'inverse de celui-ci, celle-là veut reconstituer le passé tel qu'il a existé et si un Bossuet ne dispose pas d'une méthode critique aussi sûre qu'aujourd'hui, il n'en a pas moins tous les scrupules du savant quand il s'agit d'établir des faits.

2. Cette fiction est froide. Pouvons-nous du moins croire que cette fiction nous touche profondément et dévoile à l'homme des choses essentielles sur sa nature? Bossuet ne le pense pas. Évidemment, il appuie son jugement sur les romans qu'il peut connaître, c'est-à-dire principalement sur les romans idéalistes et galants du temps : *L'Astrée* d'Honoré d'Urfé paru de 1607 à 1627, *Le Grand Cyrus* (1648-1653) ou la *Clélie* (1654-1661) de Mademoiselle de Scudéry. Dans un cadre conventionnel (le décor de la Pastorale, l'époque des Druides, un monde romain ou persan tout à fait fantaisiste) des héros romanesques vivent des aventures extraordinaires, inspirées des fameux romans courtois du Moyen Age : le thème le plus habituel est celui des couples séparés par des enlèvements ou des guerres et qui cherchent à se réunir au prix de mille prouesses. Sans doute tous ces personnages agissent-ils conformément à l'idéal galant assez épuré que la préciosité tentait d'imposer à la société du temps (voir dans *Clélie* la carte de Tendre); il n'en reste pas moins vrai que la vérité humaine est fort malmenée. En revanche, le plus médiocre et le plus plat des livres d'histoire parle de l'homme, nous instruit, nous touche. Un prince ou une princesse destinés à gouverner les hommes y trouveront leurs principales leçons, et notamment y verront le doigt de Dieu dans les choses de ce monde (dans son *Discours sur l'Histoire universelle* Bossuet explique le déroulement de l'histoire par l'action continue et visible de la Providence).

3. Cette fiction est dangereuse. Il y a plus grave pour Bossuet que de perdre son temps à lire des aventures extraordinaires, il y a surtout que ces aventures sont *moralement* dangereuses : Bossuet s'est beaucoup préoccupé de cette question à propos du théâtre (cf. ses *Maximes et Réflexions sur la Comédie*) et il a particulièrement développé cette idée, valable également pour le roman, que la représentation des passions amène le lecteur ou le spectateur à s'identifier avec le héros qui les éprouve. « On se voit soi-même dans ceux qui nous paraissent comme transportés par de semblables objets; on devient bientôt un acteur secret dans la tragédie; on y joue sa propre passion. » Ainsi il analyse, avec l'autorité d'un directeur de conscience, le mécanisme du mal littéraire, *morbus litterarius*. L'essence de ce mal est que la peinture des passions, si elle est réussie, nous fait éprouver comme du dedans ces mêmes passions : « On aime Chimène, on l'adore avec Rodrigue... et avec lui on s'estime heureux lorsqu'il espère de la posséder. » Ce problème se pose sans cesse dans notre littérature et un Molière, un Flaubert parmi bien d'autres dénoncent le mal romanesque chez les lecteurs peu avertis. Peut-être y a-t-il plus grave encore moralement, car, après tout, les romans idéalistes ne présentaient que des peintures fort décentes des passions; mais cette décence même, cette pureté tout abstraite et idéale d'un monde romanesque trop beau rendent l'âme trop naïvement exigeante et du même coup désarmée devant les laideurs du monde réel. En d'autres termes, le spectacle d'une société où tous les soupirants sont merveilleusement galants et discrets n'apprend pas à bien vivre dans une autre société où les mêmes soupirants sont souvent beaucoup moins galants et beaucoup moins discrets. Ce même reproche atteint de nos jours une cer-

taine littérature sentimentale très décente, mais précisément
trop ingénument idéaliste. Inversement, l'histoire est, dit Bossuet,
« l'art de représenter les mauvaises actions pour en inspirer de
l'horreur ». Sans doute « elle veut intéresser son lecteur dans
les actions bonnes ou mauvaises qu'elle représente », mais elle
porte toujours un jugement (le fameux « jugement de l'histoire »,
comme on dit) et ne souffre d'aucune équivoque : les passions
d'un roi n'y sont jamais que des faiblesses honteuses, indignes de
son rang élevé.

II. Les conceptions littéraires d'un classique.

Ainsi Bossuet juge essentiellement le roman en moraliste, mais
moraliste et auteur classique, n'est-ce pas un peu la même chose?
Quand il dit : « Soucieuse de se former sur le *vrai* », ne prononce-
t-il pas un des maîtres mots de l'esthétique classique?

1. **Il faut se défier de la pure invention.** Le classicisme se défie de
ce qui est inventé de toutes pièces, de l'affabulation purement
fantaisiste. Volontiers les dramaturges s'appuient sur l'histoire
pour donner quelque vraisemblance à leurs intrigues (voir les
théories de Corneille sur la tragédie historique in *Discours du
Poème dramatique :* « Les grands sujets... ne trouveraient aucune
croyance parmi les auditeurs s'ils n'étaient soutenus par l'autorité
de l'histoire... ») ou tout au moins ils reprennent une ancienne
fiction, évitant ainsi l'invention personnelle qui, en tant que
telle, ne trouve pas de crédit (voir Corneille, *ibid.*, à propos de
la fable d'Andromède : « C'est une fiction que l'Antiquité a reçue;
et comme elle l'a transmise jusqu'à nous, personne ne s'en offense
quand on la voit sur le théâtre. » Et il ajoute : « Il ne serait *pas
permis* toutefois *d'inventer* sur ces exemples »).

2. **Car la pure invention risque d'être trop individuelle.** Est-ce à dire
que le classique se défie de l'imagination et notamment de l'imagination romanesque? Oui, dans une certaine mesure. Imagination et passion désordonnées sont plus ou moins liées. Aussi la
passion théâtrale, plus ordonnée et plus composée que la passion
romanesque, est-elle déjà un moindre mal. Mais surtout le classique se refuse à l'invention individuelle, parce qu'elle risque
de nous livrer plutôt des rêveries personnelles qu'une œuvre
universellement valable.

3. **Et surtout l'invention personnelle risque de s'éloigner de la nature.**
Littérairement en effet, le plus grave pour un classique dans la
fiction personnelle est le danger de manquer ce que Bossuet
appelle le vrai, lequel est manifestement « ce modèle naturel
qu'il faut imiter » (Pascal, *Pensées*, éd. Brunschvicg, I, 33) et dont
les extravagances romanesques nous éloignent. A force d'appeler
une héroïne « merveille de nos jours », on perd de vue la nature,
pour peu qu'on oublie à quel point une expression baroque ou
précieuse est un jeu de l'esprit (voir Pascal, *ibid.*).

III. Mais le roman n'est pas nécessairement la fiction...

Mais, dira-t-on, toutes les critiques précédentes ne portent pas vraiment sur le genre romanesque, puisque au contraire celui-ci, délaissant progressivement la 'fiction, évoluera vers plus de vérité (cf. sujet traité n° 50, dernière partie).

1. Vérité de l'atmosphère. Dès *La Princesse de Clèves* (nous choisissons à dessein ce roman qui est de 1678 et donc postérieur de peu à l'Oraison funèbre d'Henriette d'Angleterre) les romanciers cherchent à donner un fond réel à leur œuvre. Madame de La Fayette évoque la cour de Henri II et, à travers elle, les élégances de la cour de Louis XIV.

2. Vérité des caractères. Aux héros galants et inconsistants, Madame de La Fayette substitue des héros plus humains; au lieu de terminer par un mariage banal, elle amène ses personnages à se séparer, comme souvent la vie sépare ceux qui s'aiment.

3. La tradition réaliste. Surtout Bossuet a l'air de méconnaître toute une tradition du roman réaliste, très vivace au xviie siècle (Ch. Sorel, Scarron, Furetière, etc...). Il est frappant de constater que cette veine réaliste prend souvent comme sujet le *danger du roman idéaliste* et parodie ce roman. Sorel dans son *Berger extravagant* tourne en ridicule le roman pastoral, et Furetière dans son *Roman bourgeois* (dont le sous-titre est : « ouvrage comique ») se plaît à railler les prétentions courtoises et romanesques des bourgeois parisiens; sa Javotte est une fervente lectrice de romans : « Javotte, en songeant à Céladon, qui était le héros de son roman, se le figura de la même taille et tel que Pancrace, qui était celui qui lui plaisait le plus de tous ceux qu'elle connaissait. Et comme Astrée y était aussi dépeinte parfaitement belle, elle crut en même temps lui ressembler. » Bref, le roman qui se moque de la maladie romanesque, c'est, dans le ton réaliste, *Le Roman bourgeois;* dans un ton plus dramatique, c'est *Madame Bovary.*

IV. ... et la fiction n'est pas nécessairement sans lien avec le vrai.

En admettant qu'il y ait des romans de pure fiction, doivent-ils toujours tomber sous le coup de la sévère condamnation de Bossuet? N'y a-t-il pas des fictions plus vraies, plus significatives, plus morales que la réalité?

1. La fiction permet la convergence. Alors que les leçons de la vie sont dispersées, la fiction permet de donner à celle-ci un éclairage plus concentré. Tout réalisme aboutit un jour ou l'autre à la nécessité de la concentration, de la convergence (voir Maupassant, Préface de *Pierre et Jean* : « vision plus complète, plus saisissante, plus probante que la réalité même »).

2. ... des destins plus complets. Cette convergence est particulièrement intéressante pour les personnages : dans une fiction pure,
ils ont un style plus cohérent, des destins plus complets. Ils vont
jusqu'au bout de leur destin, au bout d'eux-mêmes. Parfois cette
fiction est la condition même de leur existence : que l'on songe
par exemple à l'univers de Giraudoux, à la fois fictif et indispensable à l'existence de ses héros, cet univers si particulier du
roman que La Fontaine avait déjà entrevu dans *Psyché* (le discours
de Psyché au dragon, qui enchantait Giraudoux, est pure fiction,
et pourtant si joliment romanesque).

3. ... des « rapports éternels » (R. P. Sertillanges). Si Bossuet
était vraisemblablement inaccessible à de pareilles grâces, ne
pouvons-nous pas penser, d'un point de vue plus austère, que son
jugement est bien sévère? C'est à la fiction que s'adressent de
nos jours des écrivains fort sérieux (Bernanos, Mauriac, etc...),
pour exprimer leurs contradictions morales les plus intimes.
On peut se demander si les grands romanciers, même — et surtout — ceux qui ont recours à la fiction, ne réussissent pas à
atteindre de très profondes vérités morales, encore que leurs
intrigues soient pleines de passions déchaînées : certains théologiens vont jusqu'à croire qu'au niveau supérieur tout art d'imagination ouvre les voies spirituelles : « Tous les grands vols sont
à quelques égards une fréquentation du ciel. Tous les puissants
développements... ayant atteint à l'essentiel de la vie, au nœud
intime des rapports humains, aux solides attaches des choses,
poussent leurs fidèles proche des suprêmes explications, des rapports éternels et des authentiques devoirs » (R. P. Sertillanges,
cité in *L'Œuvre de Bossuet*, extraits présentés par G. Hacquard,
Classiques France, éd. Hachette).

Conclusion.

Bossuet parle surtout en moraliste, mais il est permis de penser que, même dans une perspective classique, sa vision est un
peu étroite : vingt-quatre ans après le présent jugement, ses
Maximes et Réflexions sur la Comédie ne feront que confirmer
cette étroitesse. Alors que les Jansénistes eux-mêmes avaient
admis qu'une pièce comme *Phèdre* était susceptible d'une interprétation chrétienne, Bossuet, membre de la célèbre Compagnie
du Saint-Sacrement, n'épargnera aucune œuvre d'imagination,
faisant preuve d'une vue vraiment un peu courte dans le grand
problème des rapports de l'art et de la morale. Toutefois, en ce
qui concerne le roman, nous ne dédaignerons pas l'avertissement du
grand pédagogue et nous n'oublierons pas que l'abus de la fiction
peut conduire des esprits non encore formés, ou qui sont portés à
la rêverie, à perdre le sens des réalités. C'est ainsi qu'au début des
Confessions, Rousseau nous apprend que les romans lus dans son
enfance lui « donnèrent de la vie humaine des notions bizarres et
romanesques ».

$\boxed{55}$

SUJET

Paul Bourget avait écrit (*Nouvelles pages de critique et de doctrine*, 1922) : « Il y a, outre l'élément de vérité, un élément de beauté dans cet art si complexe du roman. Cet élément de beauté, c'est, à mon sens, la composition. Si nous voulons que le roman français garde un rang à part, c'est la qualité que nous devons maintenir dans nos œuvres. »

« Les lois traditionnelles de la composition, répond Thibaudet (*Réflexions sur le roman*, parues en 1938-41), sont issues des nécessités de l'éloquence et du théâtre. Mais le roman ne gagne rien à verser dans l'oratoire ou dans le dramatique. Le vrai romancier se soucie moins d'imprimer une vigueur factice au développement de l'action et des caractères que d'imiter la nature elle-même : disposant de la durée, il vit avec ses personnages et se laisse conduire par leurs exigences de vie. »

Dans quelle mesure vous semble-t-il que les chefs-d'œuvre du roman français — parmi lesquels vous pouvez librement choisir vos exemples — donnent raison à l'une ou à l'autre de ces thèses?

(C. A., Lettres Classiques, Jeunes Filles, 1943.)

REMARQUES POUR UN PLAN ———————————

1. Les deux opinions, bien qu'elles soient opposées, ne sont pas exactement sur le même plan. Bourget est soucieux surtout de maintenir les exigences de l'art dans un genre dont il craint qu'il n'échappe à toutes les lois, à tous les codes (« cet art si complexe du roman »). Il se réfère manifestement à une conception classique de l'art et cherche à donner ses lettres de noblesse (« un élément de beauté ») au roman en montrant que rien n'empêche celui-ci de se rattacher à une tradition qui, pourtant, ne le comptait pas dans ses grands genres littéraires. Ainsi il suggère une sorte de conception aristocratique d'un genre, qui sans doute est chez nous relativement neuf, mais qui est l'héritier d'une vieille et noble famille. Que les lecteurs de Bourget se rassurent : à lire un roman français leur goût ne souffrira pas, ils y retrouveront notamment la vertu de la composition à laquelle leurs études classiques les ont habitués.

2. Au contraire, Thibaudet est soucieux de rompre toutes les filiations. Si le roman s'est constitué comme genre à part, c'est qu'il est dans son *essence autre chose* que le théâtre ou l'éloquence,

Or la composition, au sens d'équilibre des parties, est une vertu rhétorique et, au sens de convergence des effets vers une crise, est une vertu dramatique. Donc définir le roman par la composition est absurde : c'est définir un genre par les vertus d'un autre! Quel est donc cet élément *essentiel* qui est l'apport du roman? Thibaudet répond : c'est *la vie dans sa durée;* c'est là que le genre romanesque trouvera ses chances d'originalité et d'unité artistique.

3. Thibaudet est peut-être un peu exigeant : il songe à une sorte de *roman pur*, pour ainsi dire, de roman qu'on ne saurait confondre avec aucun autre genre. Mais c'est plutôt (du reste, la question posée nous y invite) à l'histoire littéraire que nous devons avoir recours pour clarifier le débat. On peut se demander s'il n'y a pas en réalité deux grandes tendances qui écartèlent quelque peu le genre romanesque.

En tant qu'il est *récit*, ce genre se borne volontiers à un épisode dont tous les détails convergent vers un effet central. Généralement les problèmes psychologiques se dénouent en une crise. La convergence est souvent renforcée par une thèse, exprimée ou — de préférence — insinuée. La limite, dans ce sens, c'est la nouvelle, et la nouvelle elle-même est au seuil d'un autre genre : le théâtre. C'est ce que d'ailleurs Thibaudet suggère : l'excès de composition fait sortir le roman de lui-même, et il n'est plus guère qu'un récit dramatique. On trouvera aisément des exemples dans ce sens chez Mérimée (au talent si dramatique), chez Vigny (notamment dans *Servitude et Grandeur militaires*, ou dans *Stello* dont un récit même devint très facilement une pièce de théâtre : *Chatterton*), chez Maupassant, etc....

Mais d'autre part le romancier, vu qu'il dispose d'une place matérielle qu'aucune contrainte formelle ne limite, subit la tentation de l'énorme, de la durée indéfinie. En ce sens, le roman prend une tout autre direction qui, en effet, lui appartient en propre : il n'est plus un récit, il peut se passer d'une convergence renforcée, il ne nécessite même pas des épisodes intéressants en eux-mêmes. Il suffit qu'il nous emporte suivant la *durée de la vie.* Genre nouveau, genre moderne (on pense à la *durée bergsonienne*), il crée des atmosphères très particulières et son unité est plus la coloration de la vie que l'unité de composition. Dans un univers balzacien par exemple, la vie a une certaine couleur dont découle la tonalité de l'ensemble. Mais ici la difficulté, c'est de rester dans les limites de l'art. En effet le mouvement de la vie a souvent une monotonie, une répétition dénuée de tout intérêt, que l'art ne peut directement assimiler. Le vieux rêve naturaliste de peindre les journées d'un employé de bureau dans tous leurs détails a pratiquement échoué. Force est de reconnaître que, de ce point de vue, certains romans sont un peu déconcertants pour un lecteur français : par exemple, *Guerre et Paix*, le célèbre chef-d'œuvre de Tolstoï, se déroule suivant des méandres et des recoupements qui peuvent en rendre la lecture suivie assez pénible. Dans notre littérature l'exemple le plus intéressant est évidemment celui de Balzac qui a compris que l'essentiel du roman, du grand roman, est d'accepter de porter un univers entier dans un lent déroulement temporel (cf. le procédé du « retour des personnages »). On peut aussi songer à Proust, véritable romancier du temps psychologique.

4. On fera un sort tout particulier au *problème du personnage :* le romancier, dit Thibaudet, « vit avec ses personnages et se laisse conduire par leurs exigences de vie »; remarque tout à fait essentielle, mais non sans quelque ambiguïté. En effet la plupart des romanciers sont d'accord pour reconnaître que leurs héros sont d'autant plus viables qu'ils résistent davantage à leur créateur et lui imposent les exigences de leur propre durée. Alors que le dramaturge ou l'auteur de récit précipite une évolution, le véritable romancier la respecte et lui laisse la primauté. Est-ce à dire, pour autant, qu'il cède à la vie, qu'il en reproduise tous les mouvements? Là-dessus la formule de Thibaudet est un peu dangereuse : il refuse toute « vigueur factice au développement de l'action et des caractères » et il prétend qu'il faut « imiter la nature elle-même ». Mais dans la réalité les personnages ne vont jamais au bout d'eux-mêmes, leur évolution est masquée par une apparente répétition, par une permanence extérieure de la personne sociale, etc.... Il semble difficile que le roman ne se livre à une certaine besogne de stylisation, et même s'il entend reproduire la monotonie de la vie, cette monotonie sera stylisée. Ainsi Madame Bovary s'ennuie dans son existence provinciale, mais cet ennui a un style, un sens, il mène l'héroïne quelque part (dans le réel il ne la mènerait nulle part, il serait simplement l'Ennui). S'il est bien exact que le roman tolère plus que les autres genres les lentes genèses, les évolutions sourdes, les éclats longuement préparés, la psychologie romanesque n'en est pas moins, incontestablement, œuvre d'art, sous peine de ne plus être du tout, car l'artiste est bien obligé de lui donner quelque « vigueur factice » : c'est là proprement la besogne artistique.

En somme, que le roman tende vers la concentration théâtrale ou vers la lente durée[1] de la vie, s'il veut rester œuvre d'art il est bien forcé d'imposer dans tous les cas un style et une unité au destin. Suivant le mot connu de Camus, « le roman fabrique du destin sur mesure ». Ses limites sont les nécessités mêmes de l'art.

---

1. Le cas de Proust est particulièrement intéressant à propos de cette question de la durée : Proust fait plus que suivre ses personnages dans le temps, il prend comme matière de son roman le temps lui-même, qui devient la « dimension » principale de son œuvre. Que l'on songe, par exemple, à la découverte faite par le narrateur quand il raconte avoir voulu retraverser, un jour de l'automne 1913, le Bois de Boulogne de son enfance. Il ne se borne pas à constater que le Bois a changé avec le temps, il a la sensation que c'est un autre Bois et il conclut : « Le souvenir d'une certaine image n'est que le regret d'un certain instant; et les maisons, les routes, les avenues, sont fugitives, hélas! comme les années. » (*Du côté de chez Swann,* fin. Ed. de la Pléiade, tome 1, p. 427.)

56

SUJET

« Je tiens, dit Duhamel, que le romancier est l'historien du présent. » Cette formule appliquée aux romanciers du XIXᵉ siècle, des romantiques aux naturalistes, vous paraît-elle exacte?

(C. E. L. G., Montpellier, juin 1952.)

REMARQUE PRÉLIMINAIRE ⸺⸺⸺⸺⸺⸺⸺⸺⸺

Le libellé de l'énoncé (notamment l'expression : « des romantiques aux naturalistes ») impose une restriction à la généralité de la phrase de Duhamel. Sans faire de plan chronologique, il sera préférable de tenir compte des limites assignées. De plus, ¹la formule ainsi .présentée (le « mot » de Duhamel, au complet, est : « Je tiens que le romancier est l'historien du. présent, alors que l'historien est le romancier du passé », Nuit de la Saint-Jean, préface, Mercure de France, édit.) implique que le devoir porte sur le roman et non sur l'histoire. Nous ne proposerons ici que quelques réflexions générales sur les rapports de ces deux genres, sans traiter le sujet proposé, pour déblayer quelques avenues. A partir de quoi on pourra, à titre d'exercice, construire un plan et rédiger entièrement la dissertation.

ÉLÉMENTS POUR UN PARALLÈLE ENTRE LE ROMANCIER ET L'HISTORIEN ⸺⸺⸺⸺⸺⸺⸺⸺

I. A l'état pur.

1. Les deux genres s'opposent.

a) *Roman* = fiction — *Histoire* = vérité.

b) *Roman* = évasion, dépaysement — *Histoire* = retour à la réalité humaine.

c) *Roman* : frivole — *Histoire* : sérieuse.

2. Certaines ressemblances s'amorcent.

a) Le souci moral.

b) Des protagonistes devant une toile de fond.

c) *L'histoire* est brillante; par exemple, chez Froissart elle illustre l'idéal romanesque et chevaleresque. Inversement, *le roman* se plaît dans un passé de fantaisie (Persans, Romains, Gaulois).

II. Lorsque le roman se charge de réalités.

1. L'objet : il devient presque identique. Il consiste à saisir l'homme dans la collectivité (*Le Rouge et le Noir* a pour sous-titre : *Chronique du XIXᵉ siècle*, ce qui présente tout à fait le romancier comme l' « historien du présent ». Voir de même, dans le passé, *Chroniques italiennes* de Stendhal, *Chronique du Règne de Charles IX* de Mérimée, etc...). Mais alors que l'historien se doit davantage aux grands événements et aux grands hommes, le romancier s'intéresse à la société, à la civilisation; si bien que, pour le présent, c'est le second qui l'emporte, alors que le premier ne peut raconter grands événements et grands exploits que pour le passé (le présent est réservé au journalisme, genre que l'historien méprise volontiers).

2. La méthode : elle repose sur des postulats presque analogues chez le romancier et chez l'historien.

a) *Croyance en une causalité matérielle :* les hommes sont le fruit de leur milieu. Les petits faits sont importants. (Se rappeler Pascal : « Le nez de Cléopâtre : s'il eût été plus court, toute la face de la terre aurait changé. » Et Maupassant : « ... groupement adroit de petits faits constants. »)

b) *Droit à l'hypothèse psychologique :* neuf fois sur dix l'hypothèse historique est une hypothèse psychologique; par exemple, elle vise à reconstituer l'état d'esprit qui a poussé les « thermidoriens » à faire tomber Robespierre. C'est exactement un travail de romancier. Le rapprochement est encore plus grand quand la conception de l'histoire est conforme à celle de Michelet, qui lui assignait comme but la « résurrection intégrale » du passé, ou à celle de Renan qui affirmait : « Dans des histoires... où l'ensemble seul est certain et où presque tous les détails prêtent plus ou moins au doute, par suite du caractère légendaire des documents, l'hypothèse est indispensable. » (*Les Apôtres,* Introduction.)

c) *Caractère romanesque du « fait historique » :* enfin la méthode qui consiste à découper dans le contenu du réel des « faits historiques » est profondément romanesque. En effet l'historien considère que le « fait historique » est le plus représentatif d'un temps : par exemple, la prise de la Bastille est un événement sans importance en lui-même, qui libère quelques fous et quelques fils de famille de l'Ancien Régime. Mais cet événement représente la fin de l'arbitraire monarchique. Le retenir comme « fait historique », c'est un travail de romancier.

En somme, on peut résumer la méthode commune de la façon suivante : au moyen de documents interprétés avec un minimum d'imagination, étudier l'homme dans la société.

3. Les moyens : ils sont presque semblables pour le romancier et pour l'historien. Les moyens du romancier sont à peu près les mêmes que ceux de l'historien; on peut dire que l'historien a comme idéal la plénitude des moyens auxquels a droit le romancier.

a) *Les ressources de l'analyse.* En effet dans un bon roman alternent des descriptions, des portraits, des analyses psychologiques, des lettres, des dialogues, etc.... Quand l'historien dispose de tous ces « procédés d'exécution », son œuvre n'est pas loin de la perfection.

b) *Des personnages représentatifs.* En outre, pour le romancier comme pour l'historien, le meilleur moyen de peindre une époque, c'est de trouver des héros « typiques ». On objectera que l'un les invente, alors que l'autre n'a pas le choix. Il n'empêche que l'historien dispose d'une certaine latitude entre les divers personnages que la réalité lui fournit : par exemple, Mirabeau est considéré comme très représentatif par les uns, comme sans importance par les autres. De plus, l'historien peut toujours décréter qu'un individu, même célèbre, n'est qu'une fausse gloire. Ce faisant, il agit exactement comme un romancier qui montre en Julien Sorel le type de l'ambitieux de la Restauration; au point même que, très souvent, les historiens, pour comprendre la psychologie d'un personnage réel, s'autorisent d'un personnage romanesque du même temps : tel d'entre eux étudiant la Restauration se réfère sans cesse à *La Comédie humaine* (cf. par exemple Lucas-Dubreton, qui écrit à propos du rôle de l'argent vers 1820-1830 : « Chacun ne songea plus qu'à rendre hommage au dieu moderne dont Balzac a été l'immortel historien ») et tel autre cite Monsieur Homais comme représentant de la bourgeoisie voltairienne et positiviste du xixe siècle. C'est ici le cas limite où est avoué le côté artistique et romanesque du travail historique.

III. Toutefois, lorsque le roman devient historique, les divergences éclatent.

1. La fiction ne doit pas doubler l'histoire. La fiction s'accommode mal d'un domaine réel. Il vaut mieux qu'elle constitue le sien propre, même quand ses méthodes se rapprochent de celles de l'histoire. En effet, malgré toutes les ressemblances, l'historien procède inductivement, le romancier déductivement : celui-là part de documents, celui-ci part de ses conceptions. La rencontre est délicate et se fait toujours difficilement.

2. Le roman vise l'homme, l'histoire vise la société. Ce serait donc un peu une question de mouvement de pensée :
● *le romancier* peut bien partir de la société; ce qu'il vise, c'est toujours l'homme;
● *l'historien* peut bien s'intéresser à des hommes; ce qu'il vise, c'est à comprendre une époque, une société, une civilisation.
Preuves et conséquences de cette opposition : le *roman* et *l'histoire* se marient fort bien quand *l'histoire* fournit les arrière-plans sociaux, et la *fiction* les protagonistes et leurs aventures. Telle est la formule des bons romans historiques : *histoire* et *fiction* ne s'y font pas de tort. Mais nous éprouvons une certaine gêne à la lecture d'une œuvre comme *Cinq-Mars*, parce que Richelieu et Louis XIII y sont trop historiques pour que nous acceptions de les transformer en de simples personnages représentatifs, de les réduire, comme dit Vigny, « à la Vérité de l'Art », au détriment du « Vrai du Fait » (voir sujet n° 13).

57

SUJET

Stendhal a écrit : « Depuis que la démocratie a peuplé les théâtres de gens grossiers incapables de comprendre les choses fines, je regarde le roman comme la comédie du XIXe siècle. »

Vous expliquerez ce passage et vous direz si le roman du XIXe siècle justifie l'affirmation de Stendhal.

(*C. E. L. G.*, Nancy, juin 1952.)

REMARQUES POUR UN PLAN ────────────────

1. Le problème soulevé par le mot de Stendhal peut sembler double :

a) un problème de *public* : est-il exact que les spectateurs, après la Révolution française, soient devenus incapables de comprendre les finesses de la comédie?

b) un problème de *création* : dans quelle mesure le but visé par le romancier peut-il se substituer au but visé par l'homme de théâtre?

Mais la question qui suit la citation précise bien que le sujet porte avant tout sur le roman : s'il n'est certes pas interdit de faire allusion à la qualité du public, ce serait s'égarer que d'y insister.

2. Bien entendu, on n'est pas invité à étudier dans son ensemble le roman du XIXe siècle, mais à réfléchir sur la façon dont la comédie de mœurs et de caractère a été, au XIXe siècle, remplacée par le roman. En effet l'étude des groupes humains et de leurs défauts avait été jusqu'au XVIIIe siècle l'objet du théâtre comique; or, si nous ne trouvons pas de grande comédie au XIXe siècle, en revanche un grand ensemble romanesque s'appelle *La Comédie humaine*. Tous les romanciers du XIXe siècle ont plus ou moins prétendu étudier un groupe humain à une époque donnée : il s'agit donc d'un aspect historique et assez précis des rapports du roman et du théâtre.

3. Une difficulté subsiste cependant : c'est le sens exact du mot *comédie*. Dans le français des XVIIe et XVIIIe siècles, le terme désigne toute œuvre théâtrale et on peut être tenté de lui conserver ici cette large acception. Mais pour quiconque connaît Stendhal, le doute disparaît : il s'agit seulement du théâtre comique. En effet Stendhal a été hanté (voir l'étude de Madame M.-J. Durry : *A propos de la « Comédie humaine »*, *Revue d'Histoire Littéraire de la France*, 1936, p. 96) par le désir de travailler pour la scène comique. Il montre combien il est obsédé par Molière quand il écrit dans un article (*La Comédie est impossible en 1836*) : « Quant à la comédie, il y a d'innombrables difficultés à vaincre pour aborder n'importe quelle scène, Molière est un maître désespérant. » La citation prend ainsi un accent plus personnel, plus brûlant et sonne un peu comme l'explication d'une démission.

4. Le problème de la décadence du théâtre classique en général est un problème important dans la pensée de Stendhal, ainsi qu'on le voit dans son *Racine et Shakespeare :* il cherche notamment à adapter le théâtre aux besoins de l'époque moderne. Sa fameuse définition du « Romanticisme » insiste sur la nécessité « de présenter au peuple les œuvres littéraires qui, dans l'état actuel de leurs habitudes et de leurs croyances, sont susceptibles de leur donner le plus de plaisir possible ». Notre texte ressortit à toutes ses réflexions relatives à la « modernité » qu'il souhaite pour l'art. De même que, pour la tragédie, la formule shakespearienne semble mieux adaptée au public moderne que la formule racinienne, de même, en matière comique, le roman semble plus adapté à ce public que la comédie proprement dite. Nous nous heurtons à un aspect de la position critique de Stendhal passablement ambiguë : reconnaître certains genres ou certaines œuvres comme dépassés tout en admettant qu'ils ont pu parfaitement convenir à leur temps, admirer Molière tout en considérant son œuvre comme démodée.

5. Estimer que « la Révolution a enlevé au public le goût des choses fines », c'est une réaction très stendhalienne de classique aristocratique et antiromantique. Impossible dès lors de plaire à la fois à une élite et à la masse des spectateurs et, si la comédie n'a plus sa raison d'être, c'est au roman qu'il faut s'adresser. Dans une note manuscrite jetée sur un exemplaire interfolié de son roman *Le Rouge et le Noir.* Stendhal reconnaît qu'il y a bien du vrai dans le propos que lui tenait un ami : « Il n'y a plus de vérité (c'est-à-dire de vérité psychologique) que dans le roman. »

Ces diverses préoccupations de Stendhal permettent de cerner le problème avec plus de vigueur.

6. Quelles sont donc les avenues du sujet?

Quittant les précisions de l'histoire littéraire, nous débouchons sur un problème général : le problème de la vérité des caractères et des mœurs. La substitution du roman à la comédie est en effet possible dans la mesure où l'un et l'autre genre visent essentiellement des personnages pris dans un milieu relativement familier (sommairement le processus de Molière est le même que celui de Balzac : le premier élève la comédie de mœurs au niveau de la comédie de caractère, le second peint les mœurs d'un milieu sur lequel il détache quelques héros); elle l'est encore par l'art de peindre les personnages principaux : dans l'un comme dans l'autre genre tous les détails du caractère sont en général orientés autour d'une passion, et d'une passion forte. Pour toutes ces raisons, les grands romanciers ont souvent eu la nostalgie du théâtre comique. Nous venons de le voir pour Stendhal; c'est encore plus vrai pour Balzac, qui prétendait souvent rivaliser avec Molière.

7. Discussion.

Il ne faut pas accepter sans réserve ce rapprochement, mais présenter des réserves théoriques et des réserves historiques.

a) *Réserves théoriques :*

Un terme employé par Stendhal nous inquiète un peu sur la valeur de son rapprochement : il dit « choses fines » pour définir la comédie, or la profondeur et la puissance de la comédie sont obtenues par le grossissement et non par la nuance, elle est la transformation du personnage tout entier en « un guignol à répétition ». Pourquoi? parce qu'elle n'a pas le *temps* de s'intéresser aux « choses fines », c'est-à-dire de créer la vie par l'accumulation des nuances. Le roman, lui, a le *temps* comme principal atout : son optique est celle des détails lentement accumulés, des milieux minutieusement et progressivement dépeints, et nous connaissons en général fort précisément et fort subtilement la formation de ses personnages.

b) *Réserves historiques :*

Historiquement on relève bien des erreurs dans cette petite phrase. On soulignera surtout les différences entre l'art du romancier et la comédie. *Cas typique :* celui de Balzac. Il a sans doute la hantise du théâtre, mais le titre de « Comédie humaine » ne semble pas faire allusion à l'art scénique. Il suggère plutôt une immense fresque, un univers fait de mille personnages et de milieux variés : Balzac est un « démiurge » et cette prétention, courante chez les auteurs du xixe siècle, de créer un univers (exemple de Zola, de Stendhal lui-même dont *Le Rouge et le Noir* est une « chronique du xixe siècle », etc...) les éloigne de la pensée de Stendhal. En aucun cas la comédie ne prétend assumer tout un univers.

D'ailleurs Stendhal semble se faire une conception étrange de la comédie. Le public de Molière, auteur qui a voulu plaire au parterre en même temps qu'à la Cour, était-il donc si capable de comprendre les « choses fines », et sa comédie est-elle vraiment faite de ces « choses fines »? Peut-être Stendhal songe-t-il davantage à la comédie du xviiie siècle, à cette comédie où Voltaire s'est essayé et où Marivaux a réussi, comédie fine, légère, nuancée, mais mince. Et nous, nous songeons surtout au propre humour de Stendhal, à cette ironie perpétuelle qu'il déploie à l'égard de ses personnages, à cette façon qu'il a de s'en détacher, de ne jamais prendre à son compte leurs enthousiasmes et leur énergie. C'est « chose fine » assurément que cette forme d'esprit, mais vraiment pas « chose comique » au sens habituel de l'expression!

Enfin on pourra montrer, pour achever de prouver la faiblesse historique de la position de Stendhal, que la comédie a survécu à l'essor du roman. Sans doute les chefs-d'œuvre comiques n'abondent pas au xixe siècle, mais les auteurs comiques trouvent un assez vaste public. Scribe et surtout Augier posent des problèmes de mœurs modernes avec un bonheur inégal, mais leur succès même prouve que le genre ne cessait de répondre à un besoin.

$$\boxed{58}$$

SUJET

D'après les œuvres de Molière et de Flaubert inscrites au programme, vous essaierez de déterminer les caractères distinctifs de l'esthétique du théâtre et de l'esthétique du roman et vous montrerez par quelques exemples étudiés en profondeur comment, avec les moyens propres au dramaturge et au romancier, et selon leur génie personnel, l'un et l'autre auteur ont représenté l'homme et la vie.

(Agrégation féminine des Lettres, 1947.)

RÉFLEXIONS PRÉLIMINAIRES ───────────────

1. *Il y a bien des points communs entre la dissertation traitant d'une question générale d'esthétique littéraire et la dissertation qui traite d'un ou de plusieurs écrivains précis ou qui est consacrée à une ou plusieurs œuvres déterminées. La différence ne vient guère le plus souvent que du fait que pour la première on choisit librement ses exemples, tandis que pour la seconde ils sont obligatoirement empruntés aux « auteurs du programme ». En pratique, bien des « problèmes particuliers » s'élargissent en « méditations générales » et, inversement, les « méditations générales » aident à poser bien des « problèmes particuliers » : nous en avons ici un exemple remarquable (nous en citons d'autres à l'occasion dans nos listes de sujets proposés; ils sont très fréquents dans les concours et examens[1], mais, vu notre propos dans le présent manuel, nous nous sommes volontairement bornés à un petit nombre). En effet, si les candidates étaient invitées à « étudier en profondeur quelques exemples » empruntés aux comédies de Molière et aux romans de Flaubert inscrits au programme de l'Agrégation pour 1947, elles devaient hardiment aborder de très vastes et très importantes questions d'esthétique littéraire (caractères distinctifs de l'esthétique du théâtre et de l'esthétique du roman, représentation de l'homme et de la vie avec les moyens propres au dramaturge et au romancier...). Autrement dit, pour ne pas être surpris par de semblables sujets, il n'est pas suffisant de connaître à fond son programme (les rapports des Jurys d'Agrégation mettent régulièrement les étudiants en garde contre cette illusion et déplorent non moins*

───────────────

1. Le sujet dont il est ici question est un sujet proposé à l'Agrégation; voici un sujet de même nature tout récemment proposé au Baccalauréat :
« Devenir classique, c'est décidément détester toute surcharge, c'est atteindre à une délicatesse d'âme qui rejette les mensonges, si aimables qu'ils se fassent, et ne peut goûter que le vrai; c'est, en un mot, devenir plus honnête. » Vous expliquerez ce jugement en l'appliquant, à votre choix et d'après des exemples précis, à l'œuvre de Boileau ou à l'œuvre de Molière (Bac., France Métropolitaine, Session de septembre-octobre 1953).

régulièrement que leurs conseils sur ce point restent la plupart du temps sans effet!), *il est encore indispensable d'avoir acquis une solide culture générale et d'avoir réfléchi sur les problèmes d'ensemble que soulève toute œuvre littéraire : aider à acquérir cette culture et soutenir cet effort de réflexion, telle est l'une des ambitions des travaux réunis dans ce livre.*

2. *Le cadre de ce livre ne nous permet pas des études sur tel ou tel auteur, qui ne pourrait être qu'arbitrairement choisi. Nous ne traiterons donc pas directement le sujet retenu, mais nous fournirons* quelques éléments pour un parallèle entre le roman et le théâtre. *On trouvera d'autres indications dans les sujets n⁰ 57 (le « roman est la comédie du XIXᵉ siècle »), n⁰ 55 (roman de composition et roman de durée), n⁰ 52 (roman objectif et roman introspectif), n⁰ 56 (roman et histoire), etc.... C'est là un exemple du travail de recoupement (toujours très fructueux) auquel on pourra se livrer entre certains sujets; pour le compléter, nous ferons quelques autres renvois au cours du parallèle que nous allons esquisser.*

ÉLÉMENTS POUR UN PARALLÈLE ENTRE LE ROMAN ET LE THÉÂTRE ⸻

I. Ressemblances extérieures.

1. Des personnages *devant un décor*, dans des lieux et dans une époque.

2. Des personnages qui se définissent par leurs *rapports mutuels*.

3. Des personnages *qui parlent* et qui, même lorsqu'ils agissent, « parlent leur action ». Voir sur ce point la déclaration de d'Aubignac citée dans le corrigé n⁰ 45, II, 1 (au théâtre, « parler c'est agir », et la rapprocher du texte de Mauriac : « Le monde des héros de roman... où les êtres humains s'expliquent, se confient, ... recherchent des scènes au lieu de les éviter... » (cf. sujet proposé n⁰ 2).

Historiquement, nombreuses rencontres entre le théâtre et le roman :
— au XVIIᵉ siècle, théâtre romanesque abondant (traces dans Racine, notamment dans ses premières pièces, comme *Alexandre*);
— au XIXᵉ siècle, obsession théâtrale d'un Balzac, d'un Stendhal et même d'un Zola.

II. Différences extérieures.

1. Le problème de la durée. Évidence matérielle : une pièce se joue en deux heures, un roman se lit en plusieurs jours.
D'où une double *conséquence* :

a) *Difficulté des évolutions théâtrales.* Le roman, c'est l'*évolution* d'une vie ou d'un grand pan de vie, alors que les dramaturges préfèrent les *crises.* Chez Racine les personnages sont pris au terme de leur évolution, il faut que « cela éclate », c'est la « fatale journée », la « fameuse journée », comme il est dit au 3e vers d'*Athalie.* Les débuts des pièces laissent volontiers supposer qu'*après* une lente et longue évolution est enfin arrivée cette journée :

> « Je me suis tu cinq ans et *jusques à ce jour*
> D'un voile d'amitié j'ai couvert mon amour. »
>
> (*Bérénice*, vers 25-26.)

> « *Le dessein en est pris*, je pars, cher Théramène. » (*Phèdre*, vers 1.)

Tel est le sens profond de l'unité de temps, unité avec laquelle très peu d'auteurs, même parmi les romantiques, ont vraiment pris de grandes libertés.

b) *Difficulté des fines analyses,* ou, comme on dit habituellement, nécessité de « l'optique théâtrale », nécessité de « faire passer la rampe » en grossissant (cela commence par le maquillage des traits). Difficulté, chez les auteurs comiques, de ces « ridicules fins et déliés... agréables à un petit nombre d'esprits », selon le mot de Voltaire, qui affirme aussi : « Il faut au public des traits plus marqués, des ridicules forts. » Il y a sans doute un théâtre précieux (Marivaux, Musset, Giraudoux), mais ce sont là exceptionnelles et curieuses réussites de virtuoses : les conclusions que l'on pourrait tirer de chacune d'elles ne seraient guère valables que pour son auteur. Chez Molière en tout cas les caractères n'ont jamais de défaillances dans leur unité psychologique. Tartuffe parle toujours le langage de la dévotion, même quand cela n'est pas indispensable à son hypocrisie. La Bruyère, oubliant les nécessités théâtrales, le lui reprochera, parce que, selon lui, l'hypocrite ne parle ce langage « qu'avec dessein »... « et jamais quand il ne servirait qu'à le rendre très ridicule » (*Caractères*, XIII, 24, portrait d'Onuphre). Nuance fort juste, mais qui ne peut pas être rendue au théâtre. De même, Harpagon n'a pas son moment de générosité, il n'offre pas de louis d'or à sa fille Élise, comme Grandet à sa fille Eugénie (à condition, il est vrai, qu'elle n'en dispose pas sans son consentement); sans doute Harpagon est-il amoureux, mais c'est une contradiction comique et, d'autre part, cette *contradiction ne le transforme pas* au point de le faire sortir de son univers de lésine et de ladrerie. C'est que Molière n'a pas le temps d'étudier des velléités de générosité, étude qui serait justement la finesse d'une analyse romanesque.

2. L'accès des âmes. Autre différence matérielle. Le dramaturge n'a pas accès à ses personnages de l'intérieur, il ne dispose pour les exprimer que des décors, des gestes et de la voix, alors que le romancier, par postulat, est un dieu qui « sonde les reins et les cœurs ». A la limite, le roman peut se borner à un simple « monologue intérieur » (invention du symboliste français E. Dujardin, dans son roman publié en 1888, *Les lauriers sont coupés*, reprise par James Joyce dans son *Ulysses*). Quand les paroles de son personnage lui semblent sonner faux, le romancier peut toujours faire un clin d'œil à son lecteur et lui faire observer qu'en réalité chacun sait à quoi s'en tenir.

Cas typique de l'hypocrisie : comme le dramaturge n'a droit qu'à un seul plan, celui de la parole extérieure, un hypocrite au théâtre doit être *tellement accentué que son hypocrisie n'est plus de l'hypocrisie*. Tout le monde la voit, sauf, par convention, sur la scène, les interlocuteurs qu'il s'agit de duper. De là vient que La Bruyère reproche à Molière de trop forcer la note et reprend le portrait de l'hypocrite : son Onuphre parle à peine; des scènes muettes et discrètes sont suggérées : « Il prie, il médite, il pousse des élans et des soupirs... il vient à ses fins sans se donner même la peine d'ouvrir la bouche; on lui parle d'Eudoxe, il sourit, ou il soupire; on l'interroge, on insiste, il ne répond rien; et il a raison, il en a assez dit. » Perspective manifestement romanesque, car au théâtre *il n'en aurait pas assez dit*. L'auteur des *Caractères*, qui a toutes facilités de commenter et d'apprécier les attitudes de son héros, peut se permettre une discrétion plus naturelle.

3. Public théâtral et public romanesque. Les attitudes d'un spectateur et d'un lecteur sont très différentes.

a) Public paresseux et lecteur courageux. Au théâtre, le public est nombreux, distrait (le spectacle est presque autant dans la salle que sur la scène), paresseux, peu décidé à faire un effort. Au contraire, le lecteur de roman est seul, assez attentif, concentré, décidé à faire un certain effort.

Conséquence : la progression romanesque est souple, nuancée, implique des transitions imperceptibles, des anticipations, des retours en arrière, etc...; le théâtre suppose une progression nette, rythmée, articulée, non seulement par la division matérielle des actes, mais encore par la division des scènes en « paliers ». Tous les acteurs savent qu'une scène est découpée en « temps » successifs qu'il s'agit de bien séparer; les moyens de ce découpage sont les répliques à effet (mots « cornéliens », « raciniens »), les tirades ou morceaux de bravoure, les traits d'esprit, quelquefois des gestes (un soufflet par exemple) ou des silences.

b) Public à préjugés et lecteur sans préjugés. Ce qui complique la question, c'est que, malgré sa paresse et sa distraction, le public théâtral apporte plus de préjugés sur ce qu'il attend d'un spectacle que le lecteur sur ce qu'il attend d'un roman. En face d'un roman en effet, bien qu'on soit en général assez attentif, on ne se fait pas d'idées préconçues de ce qu'on va y trouver, on est assez décidé à se laisser envoûter par l'atmosphère que le romancier saura y créer. Au contraire, l' « amateur de théâtre » (dont la psychologie est tout à fait particulière : cf. P.-A. Touchard, *L'amateur de théâtre ou la règle du jeu*, Le Seuil, 1952) sait d'avance ce qu'il considère comme du bon théâtre (il réagit toujours un peu en « connaisseur », en habitué). Il a son opinion sur le jeu des acteurs, sur la manière de l'auteur. Il est déçu s'il ne retrouve pas ce qu'il attend, si Sacha Guitry ne fait pas du Sacha Guitry, si Jouvet ne joue pas Jouvet, etc. Enfin sa colère peut être brutale et redoutable pour l'auteur et pour l'acteur. Il peut siffler (ce qui se faisait beaucoup autrefois), faire du bruit, sortir ostensiblement, etc.... D'où peut-être une certaine timidité dans les grandes révolutions théâtrales, la difficulté notamment pour des genres comme le naturalisme ou le symbolisme à s'imposer sur les planches. En revanche, l'auteur de romans n'a guère d'habitudes à respecter : il y a des romans de toute sorte et l'irritation éventuelle d'un lecteur consistera tout au plus à fermer le livre... quitte à le rouvrir quand il se sera calmé. Ainsi le romancier est beaucoup plus libre que le dramaturge.

Rapports très différents du public et des personnages. Au théâtre, le personnage est très proche physiquement du public, surtout au théâtre joué, où c'est un acteur en chair et en os; et pourtant il est très lointain, car il appartient au monde irréel et un peu falot des héros de la scène (voir sujet nº 42). Dans le roman, le personnage est très lointain physiquement, d'où notre surprise et notre déception quand nous *voyons* un personnage de roman transposé sur la scène; mais il est très proche de l'intérieur. Nous nous *identifions* plutôt au héros romanesque (voir sujet nº 50), alors que nous *jugeons* plutôt le personnage théâtral[1]. Nous *jugeons* Harpagon (par le rire), nous *jugeons* Phèdre, alors que nous *sommes* Rastignac ou d'Artagnan. On remarquera la difficulté plus grande pour le dramaturge : il offre des héros à juger, donc *a priori* antipathiques, le romancier offre des personnages à imaginer de l'intérieur, donc *a priori* sympathiques.

III. Ressemblances profondes.

Malgré tout, les deux genres ont un esprit et des buts fort voisins

1. L'esprit de dialogue. Le véritable roman est, comme le théâtre, un art de « l'autre » (voir sujet nº 52), un art du dialogue, des dualités et des conflits. Au théâtre, comme dans le roman, il y a des mots, des scènes; on parle de mots balzaciens, de scènes balzaciennes, alors que, dans *Volupté* de Sainte-Beuve, faux roman, il n'y a ni dialogue, ni scènes, ni mots.

---

1. Sans doute avons-nous vu que, d'après Bossuet, le danger moral du théâtre est comme pour le roman, cette espèce de tentation que nous éprouvons de nous identifier aux héros, lorsque ceux-ci sont en proie à de vives et sympathiques passions. Il nous semble toutefois que cette tentation est infiniment moins grave pour le théâtre que pour le roman. Il est certes vrai que tout un public jeune et sans expérience reporte ses passions sur les personnages de la scène et du cinéma, et davantage encore sur les acteurs qui les incarnent; mais il s'agit là, croyons-nous, d'une influence plus extérieure et plus superficielle que la lente imprégnation qui est le fruit de la lecture des romans. Peut-être ne s'imagine-t-on pas assez à quel point est puissante et dangereuse la séduction qu'exercent sur une jeunesse pourtant intelligente, mais insuffisamment cultivée, les héros idéalisés qu'elle retrouve jusque dans les livres de sa table de chevet.

2. Le sens du destin. Entre roman et théâtre, surtout tragique, profonde ressemblance de but : donner au spectateur ou au lecteur l'impression de lueurs brèves, mais décisives sur le sens de la destinée. Le bon roman et la bonne pièce de théâtre font dire, comme dit Félix de Vandenesse à la fin du *Lys dans la Vallée* : « Voilà la vie! la vie telle qu'elle est.... »

3. La constitution de types. Enfin les résultats du roman et du théâtre sont souvent voisins en ce sens qu'ils aboutissent l'un et l'autre à la création de types littéraires et qu'ils sont même les deux grands fournisseurs (sinon les uniques fournisseurs) de l'humanité particulière constituée par ces types : on dit un Tartuffe, mai, aussi un Renard; un Figaro, mais aussi un Tartarin; un Matamore mais aussi un Don Quichotte, etc. (cf. sujet n⁰ 8).

59

SUJET

Dans un conte de Voltaire, « Le Taureau blanc » un personnage s'exprime ainsi : « Les contes que l'on pouvait faire à la quadrisaïeule de ma grand-mère ne sont plus bons pour moi... qui ai lu « L'Entendement humain » du philosophe égyptien nommé Locke et la « Matrone d'Ephèse ». Je veux qu'un conte soit fondé sur la vraisemblance, et qu'il ne ressemble pas toujours à un rêve. Je désire qu'il n'ait rien de trivial ni d'extravagant. Je voudrais surtout que, sous le voile de la fable, il laissât entrevoir aux yeux exercés quelque vérité fine qui échappe au vulgaire. » Ce texte nous donne-t-il une définition satisfaisante du conte en tant que genre littéraire?

(*C. E. L. G.*, Bordeaux, 1950.)

RÉFLEXIONS PRÉLIMINAIRES

1. *Problème des* sous-genres : *on ne peut évidemment tous les envisager, mais il est bon de pousser quelques pointes de réflexion vers certains d'entre eux.*

2. *Problème du* conte : *genre mal défini. Le conte n'est pas la nouvelle, mais il peut tendre à la nouvelle. C'est une de ses limites, l'autre limite étant le récit purement fantastique. Voltaire, lui, propose comme un moyen terme : une sorte de fable, d'histoire mythique, pleine de sens allégoriques. Déceler la part de plaidoyer* pro domo.

ESQUISSE D'UN PLAN ───────────────

I. Le « philosophe » devant la fantaisie.

Replacer d'abord les problèmes du conte dans l'époque et l'œuvre de Voltaire.

1. La tradition du conte de fées.

a) *Une tradition populaire*, venue peut-être de l'Inde par l'intermédiaire de conteurs italiens, par transmission orale (*Ma Mère l'Oye*). C'est à cette tradition orale que se réfère La Fontaine quand il dit : « Si *Peau d'Ane* m'était conté, J'y prendrais un plaisir extrême. »

b) *Une tradition littéraire :* le conte en vers, de Perrault notamment (1694 : *Grisélidis, Peau d'Ane, Les Souhaits ridicules*).

c) *Une tradition semi-littéraire* du conte en prose (1697 : *Contes en prose* de Perrault). Mais Perrault n'est pas le seul; c'est une véritable mode à son époque. Entre 1677 et 1705, on trouve les *Contes* de Mme d'Aulnoy (*L'Oiseau bleu*), ceux de Mlle Lhéritier, etc....

d) *Les féeries exotiques.* Au moment où la tradition du conte populaire faiblit, le genre est renouvelé par un apport exotique : légendes merveilleuses et absurdes, comme dans *Les Mille et une Nuits*, traduites par Galland en 1704; histoires orientales ou pseudo-orientales qui provoquent un véritable engouement, que Montesquieu entre autres utilise dans ses *Lettres persanes* (1721).

2. La réaction de Voltaire. Elle est triple :

a) *Le classique*, au sens un peu étroit, qu'est Voltaire se méfie du conte fantaisiste, qu'il attaque au nom de la vraisemblance; il bannit l'imagination, l'extravagance, le rêve.

b) *L'amateur de contes gaulois* trouve fades et naïfs les contes de fées qui sont, en général, corrects et même plutôt idéalistes (cf. le mythe du « Prince charmant »). Il y oppose *La Matrone d'Ephèse*, vieux conte milésien de veuve joyeuse, que reprend Pétrone dans *Le Satyricon* et qui traversera tout le Moyen Age pour aboutir à Boccace, aux conteurs du XVIe siècle et aux *Contes* de La Fontaine. Voltaire ne renie pas cette tradition, il y contribue même avec son épopée *La Pucelle*. Mais cette tradition de conteurs s'oppose vivement à la féerie.

c) *Le philosophe* du siècle des lumières, celui qui a lu l'*Entendement humain* de Locke, ne saurait admettre qu'une histoire n'ait aucune portée philosophique. On peut même dire qu'il voit un progrès dans le conte moderne sur le conte ancien, parce que le conte moderne, tel qu'il le conçoit, est plus riche d'idées que le conte ancien. (Dans la querelle des Anciens et des Modernes, c'est prendre parti pour les Modernes.)

3. Le plaidoyer « pro domo ». Au conte fantaisiste, invraisemblable, purement divertissant, Voltaire oppose le conte philosophique, un tantinet gaulois et « intérieurement » vraisemblable (au moins dans une sorte de logique interne de l'absurde où, s'il y a invraisemblance par rapport à la réalité, il n'y a pas invraisemblance par rapport à l'enchaînement logique des faits). Conformément à sa théorie, on trouvera dans ses *Contes :*

a) *le voile de la fable.* Apparence extraordinaire de certaines histoires : Micromégas, géant qui vient de Sirius; la « pierre qui porte témoignage » dans *Zadig* (chap. x, intitulé : *L'Esclavage*) ou, à la fin du même conte, l'intervention miraculeuse de l'ermite; le pays d'Eldorado, dans *Candide,* où les pierres sont en or, en rubis ou en émeraude;

b) *la vraisemblance.* Dans cet univers fabuleux, il n'y a pas de mystère, tout s'enchaîne avec une sorte de logique absurde, mais conséquente, comme dans le dessin animé : voir l'enchaînement des aventures de Zadig ou de Candide;

c) *la gauloiserie.* Dans les *Contes* en prose de Voltaire, elle est ordinairement assez discrète : ce sont de brèves allusions où les personnages cèdent généralement à leurs vices avec une facilité et un naturel déconcertants! Mais Voltaire va moins loin dans ce sens que bien des conteurs du xviiie siècle (y compris Montesquieu et Diderot);

d) *mais surtout l'importance de la leçon philosophique.* L'aventure, qu'elle soit burlesque, paillarde ou vraisemblable, a toujours un sens; elle met par exemple en évidence l'absurdité des coutumes religieuses : l'Eldorado est une fiction qui rend ridicules beaucoup de nos coutumes sociales. On peut même dire que chaque conte de Voltaire a, dans son ensemble, une visée philosophique : c'est en général le problème du mal, posé de façon encore assez optimiste dans *Zadig* et de façon beaucoup plus pessimiste dans *Candide.* Dans *Micromégas,* ce problème se nuance d'une leçon de relativité. Presque toujours, ces questions sont posées et discutées par le biais d'un héros voyageur, aux yeux duquel tout paraît d'autant plus absurde qu'il a d'autres préjugés que les gens qu'il visite : préjugés contre préjugés, c'est une leçon d'esprit critique que nous donnent le Huron de Voltaire ou les Persans de Montesquieu. (Ne pas s'en tenir uniquement à Voltaire, car le sujet concerne le *genre* même du conte dans son ensemble et non tel ou tel « conteur » en particulier; Voltaire mérite cependant une place de choix, parce qu'il a fourni le mot à discuter et surtout parce qu'il est notre principal auteur de contes philosophiques.)

II. Les directions possibles du conte.

1. La direction rationnelle. C'est celle que nous venons de voir, celle de Voltaire : donner à tous les détails une signification qu'un lecteur avisé retrouvera. C'était déjà à peu près aussi la conception de Perrault qui semble avoir beaucoup réduit la part du merveil-

leux dans ses *Histoires ou Contes du temps passé*. Perrault n'a
pas, en effet, une conception moins classique du conte : il nous présente des paysans ou de grands seigneurs du XVIIᵉ siècle, il évite
le plus possible l'absurde, il laisse entendre que la magie elle-
même n'est qu'un symbole des passions humaines. C'est bien
déjà la direction rationnelle du conte.

2. **La direction fantastique.** Difficulté de la conception précédente :
le conte tend à se confondre avec la fable ou l'apologue. D'autres
écrivains, surtout aux époques romantiques, pensent que ce
genre est spécifiquement fantastique. Il n'a même pas à se préoccuper d'une signification quelconque ou plutôt il ne trouvera sa signification qu'au cœur même de l'absurde et du rêve.
Son essence même, c'est de faire la part à l'absurde et peut-être
par là de permettre des plongées d'une singulière portée dans des
réalités profondes ou surnaturelles de la nature humaine. Dès le
XVIIIᵉ siècle il y a une tradition du conte fantastique, notamment
sous l'influence de l'illuminisme, dont le représentant le plus connu
est Cazotte (*Le Diable amoureux*, 1772). Le romantisme favorisera
le ·développement de cette tendance, notamment avec Nodier
(*Smarra ou les Démons de la nuit*, 1821, *Trilby ou le Lutin d'Argail*,
1822, *La Fée aux miettes*, 1832), dont les conceptions montrent
bien ce qu'il faut attendre du conte purement fantastique :
une sorte de super-lucidité due au rêve, si bien que le fantastique
jette sur la réalité des lueurs plus profondes que la raison. Le
genre se maintiendra à travers tout le XIXᵉ siècle avec Nerval,
certaines nouvelles de Mérimée (*La Vénus d'Ille*), certains *Contes*
de Maupassant (*Le Horla*) et trouvera son épanouissement dans
le célèbre roman de Breton, *Nadja*. (Lecture recommandée sur
cette question : P.-G. Castex : *Le conte fantastique en France,
de Nodier à Maupassant*, Corti, 1951.)

3. **Contes et nouvelles.** Qu'il se dirige dans l'une ou l'autre direction,
le conte semble assez différent de la nouvelle. En effet la nouvelle n'est ni une fable symbolique ni un récit de rêve. Elle est
le récit d'une aventure présentée comme arrivée. Comme le roman,
elle est généralement enracinée dans un temps et dans un lieu,
et, si elle n'a pas pour elle la durée, elle bénéficie toujours de la
« crédibilité » romanesque. Toutefois la nouvelle, de par sa brièveté,
est fortement concentrée et, du fait de cette concentration, tend
à devenir significative et allégorique. Ainsi *Le Père Milon* de
Maupassant symbolise l'héroïsme sommaire et sublime du paysan,
Le Parapluie symbolise l'avarice bourgeoise, etc.... On retrouvera
même de ce biais ce que nous avons appelé la tendance rationnelle du conte : par exemple, de nombreuses histoires d'horreur
du même auteur sont rationnelles et la peur y naît d'une sorte
de logique terrible (*L'endormeuse, La Peur*).

Ces divers « genres » sont donc à la fois parents et distincts : on
pourra pousser plus loin l'étude des différences et des points communs

SUJETS PROPOSÉS

1. « Je ne crois pas vrai que le romancier doive créer *des personnages;* il doit créer un monde cohérent et particulier, comme tout autre artiste. Non faire concurrence à l'état civil, mais faire concurrence à la réalité qui lui est imposée, celle de « la vie », tantôt en semblant s'y soumettre et tantôt en la transformant, pour rivaliser avec elle. »
(A. Malraux, note à *Malraux par lui-même* de G. Picon, Éditions du Seuil.)

2. Expliquez et discutez ce texte de François Mauriac (*Le Romancier et ses personnages*) :
« On ne pense pas assez que le roman qui serre la réalité du plus près possible est déjà tout de même menteur par cela seulement que les héros s'expliquent et se racontent. Car, dans les vies les plus tourmentées, les paroles comptent peu.... L'essentiel, dans la vie, n'est jamais exprimé....

« Le monde des héros de roman vit, si j'ose dire, dans une autre étoile — l'étoile où les êtres humains s'expliquent, se confient, s'analysent la plume à la main, recherchent des scènes au lieu de les éviter, cernent leurs sentiments confus et indistincts d'un trait appuyé, les isolent de l'immense contexte vivant et les observent au microscope.

« Et cependant, grâce à tout ce truquage, de grandes vérités partielles ont été atteintes. »
(*C. E. L. G.*, Paris, oct. 1950.)

3. Dans la Préface de *Pierre et Jean* (1887) Maupassant donne au romancier réaliste ces conseils que vous commenterez : « S'il fait tenir dans trois cents pages dix ans d'une vie pour montrer quelle a été, au milieu de tous les êtres qui l'ont entourée, sa signification particulière et bien caractéristique, il devra savoir éliminer, parmi les menus événements innombrables et quotidiens, tous ceux qui lui sont inutiles, et mettre en lumière, d'une façon spéciale, tous ceux qui seraient demeurés inaperçus pour des observateurs peu clairvoyants et qui donnent au livre sa portée, sa valeur d'ensemble.... En se plaçant au point de vue même de ces artistes réalistes, on doit discuter et contester leur théorie qui semble pouvoir être résumée par ces mots : « Rien que la vérité et toute la vérité. »

« Leur intention étant de dégager la philosophie de certains faits constants et courants, ils devront souvent corriger les événements au profit de la vraisemblance et au détriment de la vérité, car :

« Le vrai peut quelquefois n'être pas vraisemblable. »

« Le réaliste, s'il est un artiste, cherchera, non pas à nous montrer la photographie banale de la vie, mais à nous en donner la vision plus complète, plus saisissante, plus probante que la réalité même.

« Raconter tout serait impossible, car il faudrait alors un volume au moins par journée, pour énumérer les multitudes d'incidents insignifiants qui emplissent notre existence.

« Un choix s'impose donc, ce qui est une première atteinte à la théorie de « toute la vérité. »
(Sujet donné à plusieurs reprises, sous des formes diverses, à différents concours.)

4. Un contemporain écrit : « La combinaison dans la même œuvre de toutes les réalités, n'est-ce point ce qui, chez nous, constitue le véritable romancier, rejoignant d'un côté l'histoire et la philosophie, de l'autre le drame et la poésie? »

A l'aide d'exemples empruntés à la littérature, discutez ce jugement.
(*C. E. L. G.*, Bordeaux, juin 1953.)

5. Selon la formule d'un écrivain naturaliste, l'art du roman réside essentiellement dans le « groupement adroit de petits faits constants ».

Par l'étude précise d'un roman ou d'une nouvelle choisie parmi les œuvres des écrivains réalistes et naturalistes ou précurseurs de ces deux mouvements, vous illustrerez cette définition.
(Bac.)

6. André Chaumeix a écrit (dans un article sur *Le romanesque et les romanciers, Revue hebdomadaire* du **11 février 1911**) : « Pour ce qui est des romans, il est bien vrai qu'il y a cent manières d'en écrire, mais il existe tout de même pour tous un principe essentiel : ils valent selon la réalité qu'ils enferment, selon ce qui est en eux d'humanité.... La valeur d'un roman se mesure à ce qu'il contient d'observation, non à ce qu'il contient d'imagination.... Si vous prenez au hasard cinq ou six romans célèbres et qui demeurent, depuis *La Princesse de Clèves, Gil Blas* et *Manon*, jusqu'à *Madame Bovary, Adolphe* et *Eugénie Grandët*, vous connaîtrez que, si divers qu'ils soient, leur commune beauté est d'être une peinture réelle de la vie. »

Expliquez et discutez ce jugement, en prenant des exemples à votre choix dans le roman français jusqu'à aujourd'hui.
(*C. E. L. G.*, Nancy, 1954.)

7. Après avoir affirmé : « Le but du roman n'est pas de connaître le monde, mais de le recréer, ni de définir la vie, mais d'en donner l'illusion », M. Jean Hytier pose le principe suivant : « Le roman doit *être faux*, comparé à la réalité, car autrement il se confondrait avec l'histoire, la géographie humaine ou d'autres sciences, et le roman doit *sembler vrai*, car créer l'illusion d'un monde est la fonction même de l'imagination du romancier ». (*Les arts de Littérature*, pp. 111-112, Charlot, édit.)
Discutez.

8. « Qu'est-ce qu'un roman? Très simplement un récit d'événements fictifs. Pourquoi avons-nous besoin de tels récits? Parce que notre vie réelle se passe dans un univers incohérent. Nous souhaitons un monde soumis aux lois de l'esprit, un monde ordonné; nous ne connaissons par nos sens que des forces obscures, des êtres aux passions confuses. Nous demandons au roman un univers de secours, où nous puissions chercher des émotions sans nous exposer aux conséquences des émotions véritables, où nous puissions trouver des personnages intelligibles et un Destin à la mesure de l'homme. Il semble donc qu'un roman doive, pour remplir son rôle, contenir deux éléments. D'une part, une image de la vie, un récit auquel nous puissions croire, au moins pendant le temps de notre lecture, faute de quoi celle-ci nous ennuierait et nous retournerions à nous-mêmes; d'autre part, une construction intellectuelle, groupant suivant un ordre humain ces images naturelles. » (A. Maurois, *Un essai sur Dickens;* cité par Michel-Droit, *André Maurois,* Éditions Universitaires.)

*   *   *

9. George Sand écrit, au début de l'*Histoire de ma vie* (1855) : « J'éprouvais, je l'avoue, un dégoût mortel à occuper le public de ma personnalité, qui n'a rien de saillant, lorsque je me sentais le cœur et la tête remplis de personnalités plus fortes, plus logiques, plus complètes, plus idéales, de types supérieurs à moi-même, de personnages de roman en un mot. »

Justifier cette définition des personnages de roman par l'analyse d'un caractère pris dans les romans de G. Sand elle-même ou de l'un de ses contemporains. (Bac.)

10. Mme de Staël écrit dans son *Essai sur les fictions* (1795) : « L'on a prétendu que les romans donnaient une fausse idée de l'homme.... Lorsqu'ils sont bons, rien ne donne une connaissance aussi intime du cœur humain que ces peintures de toutes les circonstances de la vie privée et des impressions qu'elles font naître; rien n'exerce autant la réflexion, qui trouve bien plus à découvrir dans les détails que dans les idées générales. »

Expliquez et, s'il y a lieu, discutez cette opinion. (Bac.)

11. « Le mot « connaître » appliqué aux êtres, m'a toujours fait rêver. Je crois que nous ne connaissons personne. Ce mot recouvre l'idée de communion, celle de familiarité, celle d'élucidation, et quelques autres. « Connaître les hommes pour agir sur eux », dit Stendhal; et pour chacun cette connaissance serait claire. Mais le romancier nous en apporte une bien différente lorsqu'il s'agit des personnages épisodiques, et qui n'est pas réellement intérieure lorsqu'il s'agit des héros.... Elle ne résout pas l'énigme de l'individu, elle la supprime. » (A. Malraux, note à *Malraux par lui-même* de G. Picon, Éditions du Seuil.)

12. « Le roman moderne est, à mes yeux, un moyen d'expression privilégié du tragique de l'homme, non une élucidation de l'individu. » (A. Malraux, *ibid.*)

13. Commentez, en vous fondant sur des exemples précis, ces lignes d'André Maurois : « Un personnage de roman est simplifié et construit. On peut le comprendre. Dans la vie réelle, les êtres vivants sont des énigmes dangereuses; leurs actions sont imprévisibles; leurs pensées semblent entrer en eux, puis s'enfuir avec une rapidité qui confond; dans ce désordre l'intelligence a grand-peine à trouver sa route. Nous sommes devant nos amis, devant nos ennemis, comme devant des drames infiniment complexes dont nous ne savons pas la fin, dont nous ne saurons jamais la fin. Au contraire, un personnage de roman est formé de ce que l'auteur y a mis; créé par une intelligence d'homme, il est accessible à une intelligence d'homme. Ce n'est plus cette divine et inépuisable multiplicité, c'est une relative et humaine simplicité. » (A. Maurois, *Aspects de la biographie.*)

(C. E. L. G. Nancy, 1955.)

14. « Il n'y a point de fatalité dans le roman; au contraire, le sentiment qui y domine est d'une vie où tout est voulu, même les passions et les crimes, même le malheur. » (Alain, *Système des Beaux-Arts*, 6.)

15. « C'est vraiment un des secrets du roman français que de savoir manifester en même temps un sens harmonieux de la fatalité et un art tout entier sorti de la liberté individuelle — de figurer enfin le terrain idéal où les forces de la destinée se heurtent à la décision humaine. Cet art est une revanche, une façon de surmonter un sort difficile en lui imposant une forme. On y apprend la mathématique du destin, c'est une manière de s'en délivrer. » (A. Camus, *L'Intel-*

ligence et l'Échafaud, in *Pro-blèmes du roman*, recueil collectif publié par la revue *Confluences*.)

★   ★   ★

16. On lit dans l'*Autobiographie* de Darwin : « Les romans qui sont des œuvres d'imagination, ceux mêmes qui n'ont rien de remarquable, m'ont procuré un prodigieux soulagement, un grand plaisir, et je bénis souvent les romanciers. Un très grand nombre de romans m'ont été lus à haute voix. Je les aime tous, même s'ils ne sont bons qu'à demi, et surtout s'ils finissent bien. Une loi devrait les empêcher de mal finir. » En vous appuyant sur vos propres souvenirs et en donnant quelques exemples précis, indiquez si vous avez pour le roman le même goût que Darwin; essayez d'en analyser les principales causes (de même dans le cas contraire). Enfin, examinez si le souhait final de Darwin est autre chose qu'une boutade.

(Bac.)

17. Vers 1740 Voltaire définissait le roman « la production d'un esprit faible décrivant avec facilité des choses indignes d'être lues par un esprit sérieux ».

Montrez comment le roman a évolué au XVIIIe et au XIXe siècle et comment il est devenu le genre littéraire le plus compréhensif.

(Bac.)

18. « Un ouvrage d'imagination n'est pas forcément une œuvre *amusante*, dans le sens banal et facile du mot, et telle étude de mœurs de Balzac ou de Flaubert est aussi sérieuse que n'importe quel livre de science, de philosophie ou d'histoire. En définitive, le roman est la grande forme littéraire d'un temps où les esprits sont moins ouverts qu'autrefois aux abstractions, aux idées générales, et c'est lui qui tient la place de tous ces volumes de pensées, de lettres, d'essais, de colloques dont se compose la littérature du XVIIe et du XVIIIe siècle. » (A. Daudet, *Pages inédites de critique dramatique*, 1876, Flammarion, édit.).

★   ★   ★

19. « Le roman moral, ce genre de littérature presque absolument inconnu à l'Antiquité, est presque l'expression la plus vivante et la plus fidèle de notre civilisation moderne : il est l'histoire de la société, tandis que l'histoire elle-même n'est que la peinture des hommes publics et des événements extérieurs. De plus, ce reproche fait par un homme d'esprit à la nation française, de n'avoir pas la tête épique, appartient un peu à tous nos peuples modernes, si entravés dans les intérêts matériels de la vie, si préoccupés de tous les soins de leur civilisation élégante et industrieuse. Il faut le dire, le roman éloquent, le roman passionné, le roman moral et vertueux est, sous certains rapports, le poème épique des nations modernes. » (Villemain, *Cours de littérature française au XVIIIe siècle*, t. II, XVIIe leçon.)

20. Chateaubriand a dit : « La société nouvelle, à mesure qu'elle présente moins de sujets à la comédie, fournit plus de matériaux au roman : ainsi la Grèce passa des jeux de Ménandre aux fictions d'Héliodore. Ces changements s'expliquent : lorsque la société bien organisée a atteint le dernier degré de goût et le plus haut point de la civilisation, les vices obligés de se cacher forment avec les convenances du monde un contraste dont la comédie saisit le côté risible; mais lorsque la société se déprave, que de grands malheurs la font rétrograder vers la barbarie, les vices qui se montrent à découvert cessent d'être ridicules en devenant affreux : la comédie qui ne peut plus les couvrir de son masque les abandonne au roman pour les exposer dans leur nudité. »

Étudiez sur des exemples précis cette différence entre la comédie et le roman.

(*C. A.*, Jeunes filles, Lettres, 1948.)

21. « Je ne suis pas fait pour les romans ni pour les drames. Leurs grandes scènes, colères, passions, moments tragiques, loin de m'exalter me parviennent comme de misérables éclats, des états rudimentaires où toutes les bêtises se lâchent, où l'être se simplifie jusqu'à la sottise; et il se noie au lieu de nager dans les circonstances de l'eau. » (P. Valéry, *Monsieur Teste*, Gallimard, édit.)

22. Montesquieu dit des romanciers, dans les *Lettres persanes*, qu'ils sont « des espèces de poètes qui outrent également le langage de l'esprit et celui du cœur », qu'ils « passent leur vie à chercher la nature et la manquent toujours ». A quels romanciers songeait-il vraisemblablement? Sa pensée vous paraît-elle confirmée par l'histoire du roman en France, depuis le commencement du xviie siècle jusqu'à nos jours?

On vous demande quelques exemples seulement, pourvu qu'ils soient précis.

(Bac.)

23. D'après George Sand (*Histoire de ma vie*, IVe partie, ch. xxviii « Le roman serait une œuvre de poésie autant que d'analyse : il y faudrait des situations vraies, des caractères vrais, réels même, se groupant autour d'un type destiné à résumer le sentiment ou l'idée principale du livre ».

Parmi les romans du xixe ou du xxe siècle que vous avez lus, vous choisirez un ouvrage qui vous paraisse susceptible d'illustrer ce jugement.

(Bac.)

24. « Nous avons un fade roman. Pourquoi? Parce que nous n'avons pas de poésie. »

(Michelet, *Bible de l'Humanité*.)

25. M. André Maurois estime que « l'infériorité du biographe sur le romancier » est dans « l'impossibilité » où est le premier de « réaliser la synthèse de la vie intérieure et de la vie apparente ». Expliquez et discutez.

26. Soucieux de bien distinguer « l'Art de la biographie » d'autres genres avec lesquels on tend parfois à l'assimiler à tort, M. A. Maurois affirme : « La biographie est un art, comme le roman. Cela ne veut pas dire qu'une biographie doive être un roman. Je pense au contraire que les méthodes les plus sévères de l'historien s'imposent au biographe.... Mais, les recherches faites avec tout le soin possible, commence le travail de l'artiste.... Le biographe a pour rôle de faire *vivre* un personnage. Il ne le peut qu'en composant son œuvre avec le même soin qu'un romancier. »

Quelles réflexions vous inspire cette affirmation? (Cf. pour ces deux derniers sujets, le livre de Michel-Droit, cité au n° 8.)

Chapitre XVI

LA CRITIQUE

60

SUJET

Renan déclare dans *L'Avenir de la Science* : « L'admiration absolue est toujours superficielle. Nul plus que moi n'admire les *Pensées* de Pascal, les *Sermons* de Bossuet ; mais je les admire comme œuvres du XVIIᵉ siècle. Si ces œuvres paraissaient de nos jours, elles mériteraient à peine d'être remarquées. La vraie admiration est historique. » D'autre part, Marcel Proust, répondant à une enquête sur le classicisme, soutient que nous pouvons goûter dans les chefs-d'œuvre du passé des nuances que les contemporains eux-mêmes ne pouvaient sentir : « Il nous est permis, dit-il, de goûter dans les tragédies de Racine, dans les Lettres de Madame de Sévigné, dans Boileau, des beautés qui s'y trouvent réellement et que le XVIIᵉ siècle n'a guère aperçues. » De ces deux opinions, en apparence contraires, laquelle vous semble la plus juste?

(Thème de dissertation maintes fois proposé à des examens et concours. Le mot de Proust est, enfin! venu redonner quelque relief au mot de Renan, bien souvent utilisé seul.)

PLAN SCHÉMATIQUE

Introduction.

Qu'est-ce qu'un chef-d'œuvre?

Deux réponses :

● Renan : c'est l'œuvre *qui exprime son temps.* Admirer un chef-d'œuvre, c'est admirer l'œuvre la plus expressive d'un temps.

● Proust : c'est l'œuvre *que son temps n'arrive pas à épuiser,* parce qu'elle le dépasse : il faut des générations pour comprendre toutes ses richesses et son auteur est le contemporain de tous les temps, « Tel qu'en lui-même enfin l'éternité le change. »

I. *Le point de vue de Renan.*

C'est un point de vue :

1. **scientifique.** Admirer, c'est expliquer; expliquer, c'est trouver la cause : celle-ci est relative à un temps (Renan s'oppose à l'admiration *absolue*, c'est-à-dire au nom de règles éternelles ou au nom d'un « bon goût » indépendant des circonstances);

2. **« historique ».** Renan ne veut pas dire qu'en replongeant l'œuvre dans son temps on l'éloigne de nous, mais qu'elle devient un *témoignage sur une civilisation.* Il le précise un peu plus loin : ce qui mérite l'attention, c'est l'histoire de l'esprit humain dont chaque civilisation est une étape; donc l'admiration historique est celle qui admire l'esprit humain à chacune de ses étapes;

3. **humain.** En effet ce qui intéresse vraiment Renan, c'est le renseignement sur l'homme et sur la nature humaine que constitue chaque chef-d'œuvre. L'intérêt des *Pensées*, c'est de faire saisir ce qu'était la foi d'un homme du xviie siècle; l'intérêt de l'*Odyssée*, c'est de montrer ce que représentait le monde méditerranéen pour un homme du xe siècle avant J.-C. Et à travers tous ces aspects de la nature humaine, on comprend mieux cette nature elle-même : « Au centre de la nature humaine (le bon critique) contemple... ses éternelles productions dans leur infinie variété » (Renan, *Avenir de la Science*).

II. *Le point de vue de Proust.*

C'est un point de vue :

1. **absolu.** Il conteste dans son fondement le relativisme critique. Il ne nie sans doute pas tous les rapports d'une œuvre avec son temps, mais il a l'air de suggérer que ces rapports sont plus extérieurs que profonds; ce n'est pas nécessairement son époque qui est la plus apte à comprendre un artiste. Du reste, Proust a une conception très élevée et très absolue de l'artiste : « Chaque artiste, écrit-il dans *La Prisonnière*, semble comme le citoyen d'une patrie inconnue, oubliée de lui-même, différente de celle d'où viendra, appareillant pour la terre, un autre grand artiste »;

2. **esthétique.** Ainsi s'explique que le chef-d'œuvre ne soit jamais épuisé par une génération, mais qu'il rayonne et livre progressivement son secret aux générations successives. Tel est le critère même du chef-d'œuvre : la vie, sans cesse renouvelée autour de lui, des interprétations diverses qui ne se contredisent pas, mais forment plutôt comme des harmoniques autour d'une note fondamentale. Par exemple, alors que le xviie siècle a suffi pour épuiser Quinault, peut-on dire que les interprétations successives aient épuisé *Phèdre?* Drame d'amour, tragédie de la fatalité, tragédie de la grâce, drame de l'hérédité, lutte du spirituel et du charnel, tragédie du refoulement et de la névrose, on a vu

tout cela dans cette pièce et, en un sens, on peut bien dire qu'elle est *constituée* par tout cela et peut-être par autre chose aussi, qui n'a pas encore été découvert! Le chef-d'œuvre est donc richesse indéfinie. Naturellement, l'époque de sa parution, préoccupée de ses propres problèmes, est incapable d'y voir tout ce que le créateur y a mis. Précisément, elle n'y verra que ce que le chef-d'œuvre lui doit (si bien qu'apparemment Renan a raison), mais le propre de l'artiste est souvent inaperçu d'elle;

3. **surhumain.** En réalité, le chef-d'œuvre dépasse son temps comme il dépasserait toute autre époque, car il est au-dessus de l'homme. Loin de penser comme Renan qu'il est un document sur un moment de l'esprit humain (thèse qui, du reste, rappelle un peu la position des Modernes dans la querelle des Anciens et des Modernes, et laisse supposer la possibilité d'un progrès en art), Proust est convaincu qu'il est hors de l'esprit, au-dessus de lui et de son histoire : conception semi-métaphysique de l'art, d'après laquelle le rayonnement du chef-d'œuvre est un rayonnement supérieur, le rayonnement d'un « phare » (comme dit Baudelaire) dont la lumière « vient mourir au bord de l'éternité ».

III. Dangers des deux positions.

1. **Dangers de la position de Renan.**
a) On ne voit pas pourquoi une œuvre serait un chef-d'œuvre plutôt qu'une autre. Or il y a peu de chefs-d'œuvre, alors que beaucoup d'œuvres expriment leur temps.
b) Aucune œuvre ne serait éternellement valable pour celui qui ignore l'histoire; c'est rendre le contact direct impossible avec le chef-d'œuvre et nécessaire un commentaire! Or il y a des auteurs qui ont un accent éternellement familier : humanité de Sénèque, conviction religieuse de Pascal, etc....
c) Enfin réduire l'œuvre à un témoignage sur un moment de l'esprit humain, c'est lui ôter tout ce par quoi elle dépasse l'esprit de son créateur. Or les grands écrivains ont généralement fait plus qu'ils n'avaient l'intention de faire : La Fontaine voulait amuser le Grand Dauphin, La Bruyère prétendait traduire Théophraste, etc....

2. **Dangers de la position de Proust** (position esthétique intéressante, mais position critique dangereuse).
a) On risque *l'apologie du contresens.* Sommes-nous sûrs, par exemple, que, lorsque nous parlons de névrose et de refoulement à propos de *Phèdre*, nous ne trahissons pas complètement les intentions de Racine? Mieux encore, les idées d'une génération ultérieure ne risquent-elles pas de fausser la portée de certains passages d'un « classique »? On attribue à Pascal une angoisse toute romantique (cf. le contresens célèbre sur : « Le silence éternel de ces espaces infinis m'effraie »), à Virgile une sensibilité toute moderne (cf. le contresens tenace sur « *Sunt lacrimae rerum* »).

b) On risque les *abus de l'intuition et de l'impression.* Valéry, dans *Variété I,* consacre une pénétrante analyse au vers célèbre de Racine : « Dans l'Orient désert quel devint mon ennui! » et il prend nettement position contre de tels abus : « Dans une âme de notre époque il se mélange merveilleusement à quelques-uns des plus beaux vers de Baudelaire. Il se détache d'Antiochus, il prend une généralité pure et nostalgique. Son élégance finie se transforme en beauté infinie : cet « Orient », ce « désert », cet « ennui », combinés sous Louis XIV acquièrent un sens illimité et la puissance d'un charme, par le fait d'un autre siècle qui ne peut plus les concevoir que dans sa couleur ». Quant à Racine, jamais, pense Valéry, il « ne s'est imaginé de peindre autre chose que l'ennui d'un amant ». Bref, le danger de la position de Proust est qu'on aboutisse au scepticisme esthétique.

Conclusion.

Par conséquent, le point de vue de Renan fournit une méthode de travail beaucoup plus solide, et le point de vue de Proust est brillant, mais d'application difficile. Toutefois demandons à la critique de type renanien d'être modeste, qu'elle sache bien qu'elle ne touche qu'à peine aux grands secrets de l'art. Peut-être pourrait-elle se perfectionner en nous montrant non seulement ce qu'un chef-d'œuvre était pour l'époque qui l'a engendré, mais encore quelles nuances les époques ultérieures ont cru pouvoir y discerner (cf. sujet proposé n° 17). Quoi de plus révélateur *et* sur *Polyeucte et* sur le xviiie siècle que de savoir que ce dernier voyait dans Sévère « l'honnête homme » libre penseur en face des valeurs surnaturelles? Ce conflit *est* incontestablement dans *Polyeucte* et pourtant le xviie siècle ne s'y est pas attaché. Ce déplacement d'intérêt ne peint-il pas le xviie et le xviiie siècle, tout en montrant l'étendue du rayonnement de *Polyeucte?*

N. B. — On devra faire quelques lectures à propos d'un problème si important. Les arguments en faveur d'une critique résolument historique sont bien connus et, depuis que Taine les a systématiquement exposés, il n'y a plus grand-chose à y ajouter. Sainte-Beuve lui opposa vite ses propres conceptions (*Nouveaux Lundis,* 1864), beaucoup moins rigides, mais qui devaient agacer Proust (*Contre Sainte-Beuve,* Gallimard, 1954). Plus vaste est le domaine de la critique, dite « impressionniste ». A. France fut considéré comme le maître de cette critique, un peu parce qu'en s'opposant à Brunetière, le « terrible grincheux », il prétendit n'avoir pas de méthode; il n'en suivait pas moins certains principes, dont on trouvera l'essentiel clairement présenté avec des citations caractéristiques dans les *Pages choisies d'A. France,* par J. Levaillant, p. 28 (Hachette, éd.). On lira aussi quelques articles de J. Lemaitre, « impressions sincères notées avec soin », et quelques *Promenades littéraires* de Remy de Gourmont, injustement oubliées.

$$\boxed{61}$$

SUJET

Le critique Sainte-Beuve a écrit (*Nouveaux Lundis*, tome IX, 7 décembre 1864) : « Où est-il le temps... où l'impression de la lecture venait doucement vous prendre et vous saisir?... Heureux âge, où est-il? et que rien n'y ressemble moins que d'être toujours sur les épines comme aujourd'hui en lisant, que de prendre garde à chaque pas, de se questionner sans cesse, de se demander sa c'est le bon texte, s'il n'y a pas d'altération, si l'auteur qu'on goûte n'a pas pris cela ailleurs, s'il a copié il réalité ou s'il a inventé, s'il est bien original et comment, s'il a été fidèle à sa nature, à sa race... et mille autres questions qui gâtent le plaisir, engendrent le doute, vous font gratter votre front, vous obligent à monter à votre bibliothèque, à grimper aux plus hauts rayons, à remuer tous vos livres, à consulter, à compulser, à redevenir un travailleur et un ouvrier enfin au lieu d'un voluptueux et d'un délicat qui respirait l'esprit des choses et n'en prenait que ce qu'il en faut pour s'y délecter et s'y complaire! Epicurisme du goût, à jamais perdu, je le crains. » Vous commenterez et, au besoin, vous discuterez ce passage.

(*C. E. L. G.*, Nancy, 1953.)

REMARQUES POUR UN PLAN ──────────────

1. Ce n'est pas tout à fait ici un sujet sur la critique, mais plutôt sur ce qu'on appelle aujourd'hui la « méthode critique » ou la « méthode érudite » : en opposition à l'acte élémentaire du « délicat » d'autrefois (« impression », « se délecter », « se complaire »), Sainte-Beuve présente la complexité de la nouvelle méthode et il en suggère quelques étapes particulièrement importantes. On soulignera donc ces allusions et on les explicitera.

Sainte-Beuve laisse entrevoir :

a) *Le problème de l'établissement du texte* (« se demander si c'est le bon texte, s'il n'y a pas d'altération ») sous son double aspect : découvrir le meilleur entre les différents manuscrits ou les différentes éditions (problème du classement des manuscrits par famille) et, une fois faite cette découverte, établir le texte, examiner s'il n'est pas « altéré » et pour cela comparer avec les manuscrits ou les éditions qu'on a éliminés (problème dit des variantes ou de l'apparat critique).

b) *Le problème des sources* (« si l'auteur qu'on goûte n'a pas pris cela ailleurs, s'il est bien original »). Appliquant à la littérature le postulat déterministe, on suppose qu'une œuvre est le produit d'influences. Aussi doit-on s'efforcer de remonter aux sources dont l'auteur est censé avoir disposé. On reconstituera notamment très soigneusement ses lectures, comme l'a fait Pierre Villey pour Montaigne. Mais ces influences ne sont pas uniquement livresques : sa nature, sa race, sa vie ont pu entrer en jeu et on les étudiera également.

c) *Le sérieux et la difficulté de ce travail* (« redevenu un travailleur et un ouvrier »). Plus encore qu'une méthode, est suggéré un *état d'esprit,* lequel nous est décrit avec un certain humour, humour que nous ne devrons pas oublier de signaler, car Sainte-Beuve se moque un peu de tout ce labeur minutieux. On sent bien que, s'il en montre les difficultés, il ne le prend pas tout à fait au sérieux : « être sur les épines », « se gratter le front », « grimper aux plus hauts rayons » de sa bibliothèque, « remuer tous les livres, consulter, compulser ». Il y a là une certaine ironie à l'égard de ce « travail de bénédictin » qui rappelle un peu la fameuse préface de *L'Ile des Pingouins,* quand Anatole France va prendre l'avis du savant érudit et que celui-ci meurt, étouffé sous ses fiches.

2. Ce serait un grave contresens que d'attribuer à Sainte-Beuve la paternité totale de la méthode ainsi décrite. On fera très attention à la date : en 1864, il est âgé de soixante ans, il n'a plus que cinq ans à vivre, il a vu paraître bien d'autres travaux critiques que les siens et notamment les premiers livres de Taine (1853 : *La Fontaine et ses fables* — 1856 : *Essai sur Tite-Live* — 1858 : les premiers *Essais de critique et d'histoire* — 1863 : *Histoire de la littérature anglaise*). De plus, le xixᵉ siècle a vu, notamment sous l'influence de la philologie allemande, se développer la méthode critique et érudite. Sainte-Beuve, l'aïeul, l'ancêtre, le grand critique romantique, *n'applaudit qu'avec quelque réserve aux travaux de ses enfants spirituels.* Sans doute il ne peut que se réjouir des progrès du sens historique en littérature, lui qui a substitué à la critique classique, qui se prononçait au nom du goût et des règles, la fameuse formule de l'arbre et du fruit, d'après laquelle il est difficile de juger une œuvre indépendamment de la connaissance de l'homme même. Mais on sent très bien les réticences, devant l'invasion de l'histoire, d'un esprit qui, au fur et à mesure qu'il vieillit, devient de plus en plus sensible au goût, au charme des belles œuvres, indépendamment de toute érudition.

3. Ainsi c'est Sainte-Beuve lui-même qui nous fournit les directions d'une discussion.

● Évidemment il est impossible de supprimer toute méthode critique, surtout en ce qui concerne l'établissement des textes : le mépris de cette exactitude matérielle a abouti à quelques contresens célèbres, tel celui de Victor Cousin s'extasiant sur le fameux « raccourci d'abîmes » de Pascal, alors qu'en réalité il fallait lire « raccourci d'atomes » !

● En revanche, on utilisera avec plus de discrétion la méthode des sources : celle-ci finit, dans certaines éditions critiques, par réduire une œuvre à la somme des influences qu'un auteur a subies, abus manifeste qui revient à dénier toute originalité au créateur.

● Surtout on n'oubliera pas que le but dernier de tous les travaux critiques et érudits est le plaisir raffiné et humain d'un lecteur, non sans doute d'un lecteur « voluptueux » et « délicat, qui respirait l'esprit des choses et n'en prenait que ce qu'il en faut pour s'y délecter et s'y complaire », mais d'un lecteur qui, après n'avoir pas reculé devant un certain effort pour approfondir les problèmes, sait se laisser aller à une communion humaine avec l'œuvre qui peut l'émouvoir.

$$\boxed{62}$$

SUJET

Expliquez et discutez ce propos de Maurras (*Prologue d'un Essai sur la critique*) : « La critique littéraire proprement dite consiste à discerner et à faire voir le bon et le mauvais dans les ouvrages de l'esprit, discernement qui suppose deux opérations, tantôt consécutives, tantôt simultanées : le sentiment et l'élection. Il n'est pas de bonne critique qui n'excelle ensemble à sentir et à choisir. »

REMARQUES POUR UN PLAN ———————————

1. Il n'est pas indifférent, pour les comprendre exactement, que ces phrases soient de Maurras. Notamment, on fera attention au sens exact des verbes « sentir » et « choisir ». En première analyse, on pourrait croire que Maurras oppose ici à la critique scientifique une critique d'impression (« sentiment ») et de choix purement subjectif (« élection »), mais sa doctrine, aussi bien en littérature qu'en politique, est dominée par la notion d'*ordre* et pour lui le rôle de la critique est d'introduire dans la littérature cet ordre qui est l'âme même de toute perfection. C'est donc en réalité l'antique critique classique que Maurras réhabilite : le critique n'est pas devant les œuvres un indifférent qui veut les expliquer ou en jouir; il est un défenseur, une sorte de policier de l'esprit et il a pour rôle d'éliminer tout ce qui ressemble à de l'anarchie, Maurras s'est notamment acharné à condamner en critique toutes les manifestations romantiques, comme en politique toutes les traces révolutionnaires. Le romantisme, c'est pour lui la révolution en littérature, donc la plus grave menace pour l'ordre.

2. Mais pourquoi le critique doit-il au préalable « sentir » l'œuvre qu'il étudie? Que veut dire au juste Maurras par « sentiment »? Ces termes n'ont pas de nuance affective; « sentir », c'est essentiellement repérer la logique profonde d'un ouvrage de l'esprit, sa vie, ses parentés spirituelles. Ainsi on doit commencer par saisir la « famille d'esprit » à laquelle appartient un auteur : Maurras admirait beaucoup la critique de Sainte-Beuve, sorte « d'empirisme moralisateur », comme il disait, qui analysait les œuvres pour les classer. Lui, Maurras, veut rattacher ces œuvres à l'attitude humaine qu'elles impliquent et approuver ou condamner cette attitude humaine, exactement comme en politique on doit éprouver un régime et le rattacher aux quelques grandes formes politiques possibles, afin de l'approuver ou de le condamner. Bref, le « sentiment », c'est une sorte d'intuition, qui favorise les classifications afin de préparer l' « élection ». Mais en aucun cas le « sentiment » ne doit entraîner l'âme et l'art, sinon c'est du romantisme, au sens le plus péjoratif du terme.

3. Discuter cette position, c'est tout simplement discuter une critique purement normative; c'est montrer l'étroitesse d'une méthode qui *impose ses choix*, au lieu de préparer celui du lecteur en se bornant à expliquer un ouvrage, et qui fait dépendre ses jugements d'un *système a priori* que le lecteur ne partage pas forcément; c'est supposer une assez grande *simplification* des positions esthétiques, alors que le lecteur peut avoir des goûts plus nuancés. Et l'on peut se demander si la nostalgie d'une critique classique est vraiment féconde : la critique est devenue *trop historique* et trop explicative pour tolérer aujourd'hui les exclusives d'un nouveau Boileau.

63

SUJET

Commentez ce jugement de Taine (*Nouveaux essais de Critique et d'Histoire*, 1865, Hachette, édit.) : « Du roman à la critique et de la critique au roman, la distance aujourd'hui n'est pas grande.... Si le roman s'emploie à nous montrer ce que nous sommes, la critique s'emploie à nous montrer ce que nous avons été. L'un et l'autre sont maintenant une grande enquête sur l'homme, sur toutes les variétés, toutes les situations, toutes les floraisons, toutes les dégénérescences de la nature humaine. Par leur sérieux, par leur méthode, par leur exactitude rigoureuse, par leur avenir et leurs espérances, tous deux se rapprochent de la science. » Taine vous semble-t-il rendre compte de l'évolution du roman et de la critique depuis son époque jusqu'à nos jours?

RÉFLEXIONS PRÉLIMINAIRES ─────────

1. *Ce texte soulève des problèmes assez voisins de ceux du sujet n⁰ 60, mais il est plus restreint. Alors que les citations de Renan et de Proust posent la question générale des rapports que nous entretenons avec les chefs-d'œuvre du passé, Taine se borne à envisager un problème de* technique de genre; *d'après lui, la généralisation de la méthode scientifique a profondément modifié la technique des genres les plus « psychologiques » : roman et critique.*

2. *On se gardera donc d'insister d'une façon formelle et trop rhétorique sur le parallèle qu'il a l'air de nous inviter à tracer entre le roman et la critique. On se rendra compte que,* plus qu'un parallèle, *Taine nous demande d'envisager un* point de convergence; *au fond, il ne cite critique et roman qu'à titre d'exemples de cette convergence, mais on sent qu'il aurait pu citer aussi bien l'histoire, la psychologie, etc.... L'essentiel du texte est une sorte de mouvement triomphal qui monte vers l'orgueilleuse formule finale : « tous deux se rapprochent de la science ».*

3. *Par conséquent, on centrera tout de suite la dissertation sur cette invasion de la* méthode scientifique. *En d'autres termes, on se saisira de l'idée directrice de la citation de Taine pour en faire l'idée directrice de la dissertation.*

4. *Est-ce à dire qu'il faille commencer par un exposé méthodique de la méthode scientifique telle qu'elle triomphe au XIXᵉ siècle? Ce serait assez maladroit, comme l'est toujours, s'il est conçu pour lui-même, l'exposé d'histoire littéraire dans une dissertation. On essaiera plutôt, en s'appuyant sur les mots du texte, de caractériser cette méthode. On notera bien que l'originalité de Taine est moins d'avoir foi en la science que d'appliquer au domaine humain le postulat déterministe propre aux sciences physiques. Voilà pourquoi il choisit comme genres d'application privilégiés les genres les plus humains, les plus psychologiques. On se souviendra qu'il est un psychologue en disponibilité, qui soumet à un système de psychologie expérimentale la critique, l'histoire et même le roman.*

5. *Le sujet est difficile à bien équilibrer : on évitera notamment, sous prétexte d'expliquer et d'illustrer la citation de Taine, d'exposer tout ce que l'on sait sur la critique positiviste et sur le roman expérimental. On ne retiendra que ce qui éclaire les mots du texte, en se gardant soigneusement de traiter séparément roman et critique.*

6. *On prêtera attention à la question jointe au texte : elle invite moins à une discussion théorique qu'à une étude d'histoire littéraire. Non pas que, là encore, il faille faire un exposé exhaustif des causes de l'échec de la critique et du roman positivistes, mais, au lieu de discuter théoriquement la réflexion de Taine, on s'attachera surtout aux arguments que les contemporains ont utilisés, non pas contre tout le naturalisme, mais spécialement contre l'abus de la méthode scientifique.*

7. *Enfin on évitera de faire trop doctement la leçon à Taine en l'accusant de n'avoir rien compris à l'avenir du roman et de la critique, et notamment de n'avoir pas su voir qu'une réaction impressionniste se préparait en critique et que le roman idéaliste ou psychologique, au sens classique du terme, s'apprêtait à reprendre de nouvelles forces : le roman gardera des traces indélébiles de l'aventure naturaliste et, en critique, le « lansonisme », toujours vivant, poursuit — avec certes beaucoup plus de souplesse — l'idéal scientifique de Taine.*

PLAN DÉVELOPPÉ

Introduction.

Les progrès de la méthode scientifique au xixe siècle sont tels que des esprits particulièrement systématiques comme Taine espèrent y soumettre non seulement des genres traditionnellement sérieux comme l'histoire ou la psychologie, mais aussi les créations les plus libres, les plus personnelles de l'esprit humain, celles qui semblent relever le plus du goût et de la libre invention : le roman et la critique. Mieux qu'un espoir, c'est, pense-t-il, une constatation et, jetant les yeux autour de lui, il écrit : « Du roman à la critique et de la critique au roman, la distance aujourd'hui n'est pas grande. » Non pas qu'il entende confondre leurs domaines : « Le roman nous montre ce que nous sommes, la critique ce que nous avons été »; mais il a l'impression d'une convergence vers une méthode commune, la méthode scientifique, dont roman et critique lui semblent avoir « le sérieux, ... l'exactitude rigoureuse ». Bien entendu, il ne s'agit pas de changer le domaine propre à ces « sciences humaines »; ce domaine reste l'homme, mais étudié systématiquement à l'aide d'une enquête sur « toutes les variétés, toutes les situations, toutes les floraisons, toutes les dégénérescences de la nature humaine ». Il nous faudra donc examiner avec précision la méthode que Taine nous suggère, son application dans la littérature et la critique contemporaines, et surtout, puisque Taine se pose en prophète, parle « d'avenir et d'espérances », nous demander si cet avenir, cet « avenir de la science », comme dirait Renan, devait être réalité ou chimère.

I. La méthode scientifique dans le roman et la critique.

1. A la base, la documentation, la récolte des faits. Taine parle d'*enquête,* ce qui suggère une recherche complète et méthodique des matériaux.

● *En critique,* on pense à la documentation érudite, aux « petits faits significatifs » de Taine, plus ou moins hérités de Stendhal. Mais c'est surtout en histoire qu'on trouverait le plus grand nombre d'exemples. D'ailleurs la critique évoquée par Taine, c'est plutôt la critique historique (ne dit-il pas qu' « elle nous montre ce que nous avons été »?). On sait l'importance de la documentation chez un Fustel de Coulanges, chez un Renan, chez un Taine lui-même : faire des « dénombrements complets » semble la base d'une telle méthode.

● *Dans le roman,* on pense au souci des réalistes et des naturalistes d'une abondante documentation, au sens le plus matériel du mot : Flaubert se documente sur les effets de l'arsenic pour représenter l'agonie d'Emma Bovary, les Goncourt tiennent des carnets où ils accumulent les matériaux pour des romans futurs; Zola visite des mines, voyage sur une locomotive, etc....

Dans le roman comme dans la critique le culte du fait semble donc la base de tout travail sérieux.

2. Le classement. Taine parle « d'étude des variétés de la nature humaine ». Comme dans toute science encore peu élaborée (et les sciences humaines n'en sont qu'à leur début), une étape intermédiaire est à envisager entre l'établissement des faits et l'établissement des lois : c'est le *classement.*

● *En critique,* Sainte-Beuve met au point vers la fin de sa vie ce qu'il appelle l' « histoire naturelle des esprits ». En d'autres termes, il veut dépasser les monographies pour classer les esprits en « familles ». Taine, avec sa théorie de la « faculté maîtresse », montre comment on peut rapprocher des esprits en apparence assez différents.

● *Dans le roman,* les héros de Zola se diversifient moins d'après leur caractère (on retomberait alors dans la psychologie classique) que d'après un classement des diverses espèces sociales : il y a le meneur, l'ouvrier alcoolique, etc.... Déjà Balzac donne à son œuvre des prétentions scientifiques en classant ses romans d'après une méthode qu'il veut analogue à celle des sciences naturelles.

3. Le postulat du déterminisme : Taine dit qu'il faut étudier des *situations* de l'homme.

En effet, pour pousser plus avant la méthode scientifique en matière humaine, il faut postuler (comme on fait en physique ou en biologie) que les faits humains dépendent de la *situation* où se trouve l'homme, en d'autres termes que l'homme est soumis à des causes; bref, qu'il relève du déterminisme, comme tout ce que la science prétend appréhender. En psychologie, c'est le grand apport de Taine de s'opposer au spiritualisme de ses maîtres (pour la philosophie de Cousin, l'homme découvre en lui les Valeurs, indépendamment de toute influence extérieure), pour poser qu'un fait psychologique s'étudie comme un produit chimique, autrement dit qu'il est soumis à des lois. C'est ainsi qu'en critique on nous montrera l'écrivain dépendant de sa « race », de son « milieu », de son « moment » et que les principaux romanciers de cette époque s'acharneront (Balzac le faisait déjà) à susciter des milieux, des situations, des ambiances qui expliqueront les personnages devant y évoluer : Zola n'étudie pas ses héros d'une façon abstraite, mais sous le second Empire, à travers des milieux déterminés, et au sein d'une famille précise.

4. Les lois de la nature humaine : « floraisons et dégénérescences ».

Par ces mots, Taine introduit une des lois essentielles que la critique et le roman scientifiques mettront particulièrement en valeur : l'évolution. Il s'agit là d'une découverte des sciences naturelles qui avait beaucoup impressionné le xixe siècle : en biologie, les lois ne sont pas immuables; en d'autres termes, le vivant évolue, non seulement pour son compte, mais pour le compte de l'espèce. Plus particulièrement, les lois de l'hérédité posent d'intéressants problèmes à la conscience intellectuelle du temps.

● *En critique*, ces lois sont particulièrement étudiées à propos des genres : Brunetière prétend montrer comment ces derniers évoluent, connaissent « floraisons et dégénérescences ».

● *Dans le roman*, Zola s'intéresse surtout au problème de l'hérédité et Bourget lui-même dans *L'Étape* soutient qu'une certaine hérédité intellectuelle et bourgeoise est indispensable pour aborder la culture sans risques de déséquilibre.

Mais plus que des lois, qui restent encore incertaines, c'est l'esprit général de la science qui guidera l'auteur du traité *De l'Intelligence :* un certain sérieux, un poids de rigueur et d'exactitude va dès lors peser sur le roman et la critique; ces genres faciles et aimables par essence vont devenir les très austères travaux d'un Taine, d'un Zola, d'un Goncourt. Il faut bien admettre qu'à nos yeux cette production sue quelque peu l'ennui. Curieuse génération que celle de 1870 où deux graves universitaires, Taine et Renan, sont les maîtres à penser de la jeunesse!

II. L'échec partiel.

Tout l'effort précédent repose, nous l'avons vu, sur une science ou plutôt sur une psychologie de type déterministe analogue aux sciences de la nature. Or cette méthode qui semblait promise à tant d'avenir est battue en brèche par un renouveau inattendu de la philosophie spiritualiste de Jules Lachelier, d'Alfred Fouillée, d'Emile Boutroux; mais c'est surtout en 1889 qu'éclate le grand coup porté au « système » de Taine : Bergson dans les *Données immédiates de la Conscience* nie que le domaine humain relève du déterminisme, et à une psychologie toute scientifique oppose une étude souple et intuitive de l'homme. Intéressante année 1889 qui voit paraître, à côté des *Données immédiates*, la palinodie des romanciers eux-mêmes : *Le Disciple* de Bourget, *Un Homme libre* de Barrès!

1. **Le problème de la vulgarité.** La principale attaque des contemporains porte sur la bassesse des milieux, des personnages, des sentiments que le naturalisme s'était cru obligé de peindre. Et sans doute peut-on retrouver ici un aspect de l'éternel débat de l'art et de la morale. En fait, c'était bien le postulat du déterminisme et la méthode scientifique qui étaient en question. En effet ce n'est pas un pur hasard si les romanciers scientifiques étudiaient de préférence des êtres peu évolués, des milieux inférieurs. Il est plus facile de faire jouer des lois à propos de ces derniers, parce que le milieu, la race, tous les facteurs matériels joueront bien plus sur un ouvrier alcoolique que sur un intellectuel parfaitement équilibré. D'où notamment la difficulté éprouvée par les naturalistes à peindre des héros supérieurs, que théoriquement ils n'excluent pas du roman, mais que pratiquement il est plus délicat de soumettre aux lois de l'hérédité, aux influences des forces physiques, etc...; d'où la très grande violence de cette véritable bataille livrée aux naturalistes sur le terrain de la vulgarité; d'où le retour d'un Bourget, d'un Barrès, d'un France à d'autres milieux sociaux (monde parisien, milieux provinciaux, milieux littéraires). Déjà Daudet s'intéressait à la peinture des artistes et des gens de lettres.

2. **Le problème de la psychologie obscure.** Renonçant à tout ce qui n'est pas scientifique dans la psychologie, les naturalistes renonçaient du même coup à l'étude des forces obscures, aux remous profonds et imprévisibles de l'être humain, bref à tout ce qui ne relève pas de la loi psychologique. Contre eux, souvent en même temps qu'eux d'ailleurs, en les ignorant parfois, tout un courant de romanciers, de Fromentin à Proust, se consacrait à l'étude non plus scientifique, mais artistique et intuitive des mouvements de la conscience humaine. Dénonçant l'incapacité de la science, Villiers de l'Isle-Adam s'amuse de « l'appareil pour l'analyse chimique du dernier soupir », parce que cet appareil ne connaîtra de la mort que des manifestations physiologiques, mais point l'état d'âme d'un mourant; or c'est cet état d'âme qu'il importe seul à un romancier de connaître. Sur un plan plus sérieux, cette psychologie recevra ses garanties philosophiques d'un Bergson et un peu plus tard d'un Freud (connu en France à partir de 1922), réhabilitant tout ce qui, dans le « moi », échappe à la conscience claire. Dès lors l'artiste, le romancier ou le critique en particulier, n'est-ce pas celui qui doit nous aider à écarter les idées toutes faites et les classifications sommaires d'une psychologie tout extérieure? Le romancier par excellence de cette nouvelle doctrine sera Proust avec son lent et minutieux travail de sondage du « moi ».

3. **Le problème de la création artistique.** Mais c'est particulièrement la critique qui allait être renouvelée par cette nouvelle psychologie. Puisqu'on ne considère plus désormais que créer une œuvre,

c'est obéir à la pression causale de circonstances extérieures, puisque cette création est un acte où l'écrivain se dépasse et se réalise, la critique va devenir l'étude à la fois respectueuse et sympathique du moment créateur; respectueuse, parce qu'on se gardera de l'irrévérence qui consiste à réduire ce moment à telle ou telle explication matérielle ou biographique; sympathique, parce que, sans ignorer ces circonstances, elle essaiera, dans la mesure du possible, de se mettre à la place de l'auteur, de coïncider avec son élan créateur, bref elle constituera une intuition recréatrice. Peut-être cette critique dite « impressionniste » est-elle moins importante chez un Jules Lemaitre ou chez un Anatole France (chez qui elle tient plutôt de l'humanisme et de la finesse littéraire) que chez un Bergson ou chez un Proust. Dans *Le Rire* (1900) Bergson nous montre comment un phénomène littéraire (par exemple le comique de Molière) s'explique par ce que le vivant demande au vivant : on attend la liberté, on trouve l'automatisme, le rire éclate. Plus littérairement, Proust sème son œuvre de pages critiques, où sans cesse il cherche à reconstituer le processus unique de l'artiste ou du spectateur (le jeu de la Berma, la création romanesque chez Bergotte, l'inspiration musicale[1], etc...). C'est sans doute chez Valéry que cette critique trouvera son théoricien le plus pénétrant : pour lui la critique est une poétique, c'est-à-dire, au sens étymologique, l'art d'étudier la création, l'acte même des Muses, car « les prétendus enseignements de l'histoire littéraire ne touchent presque pas à l'arcane de la génération des poèmes... l'acte même des Muses est indépendant des aventures, du genre de vie, des incidents et de tout ce qui peut figurer dans une biographie ». Ainsi la critique scientifique est-elle condamnée dans son principe même; on la remplacera par une étude beaucoup plus subtile, qui sait bien que « témoins et documents obscurcissent l'essentiel », mais qui s'adressera à ces faits « qui ne sont visibles que pour un seul, à ces événements incessants et impalpables qui sont la matière dense de notre véritable personnage », et qui se persuadera que la création est surprise souvent pour l'artiste lui-même : « Je me demande cette surprise, dit Valéry, je bâtis et je compte sur elle comme je compte sur ma certitude. J'ai besoin de mon connu et de mon inconnu. »

On notera en somme que la critique, même dans cette dernière perspective, ne cesse pas de se rapprocher du roman, l'un et l'autre d'ailleurs ne cessant de s'appuyer sur la conception de la psychologie à leur époque. Donc Taine n'avait peut-être pas tort de prévoir une convergence du roman et de la critique vers un troisième terme : mais alors qu'il avait prévu une évolution dans le sens de la psychologie scientifique, il y a eu plutôt évolution dans le sens de la psychologie intuitive.

---

1. Cf. *A la Recherche du Temps perdu*, toll. de la Pléiade, t. III, index des noms propres, pour avoir des références précises : Berma, Bergotte, Vinteuil, etc.

III. Ce qui survit de la méthode positive dans la critique et dans le roman.

Si Taine s'est trompé en prédisant à la critique et au roman un avenir appuyé sur la science, sommes-nous autorisés pour autant à croire qu'il ne reste rien dans la littérature moderne de cette sorte d'aventure scientifique qu'ont connue ces deux genres? En fait, reprenant les termes du jugement de Taine sans tenir compte de leur unité et de leur convergence, nous pouvons noter que par leur sérieux, par leur souci de vastes enquêtes, par leur absence de gratuité, roman et critique ont été fortement marqués par l'étape naturaliste et positiviste.

1. Le sérieux.

● *Dans le roman.* Le roman n'est plus, sauf exception, ce genre frivole si goûté des xviie et xviiie siècles mondains; il devient de plus en plus une œuvre lourde d'humanité, de questions sociales ou politiques; il contribue de plus en plus à poser les problèmes les plus graves. C'est par le roman qu'un Jules Romains, un Duhamel, un Camus, un Malraux, un Sartre, un Aragon prétendent exprimer la conscience de leur époque. Sans doute ne faut-il pas voir là le seul héritage du naturalisme, mais celui de toute l'évolution romanesque du xixe siècle. Il n'en reste pas moins vrai que le roman doit au naturalisme et notamment à Zola d'être devenu le genre de vulgarisation politique ou philosophique par excellence. Un Bourget, un France, un Barrès, un Romain Rolland l'utilisent pour traiter les cas les plus importants de la conscience nationale ou internationale. Dans ce genre qui était autrefois de pure imagination, voilà donc que s'est introduit le sérieux de la responsabilité : un romancier qui se trompe ou cherche à nous tromper nous semble presque aussi coupable qu'un historien défaillant.

● *Dans la critique.* Sans doute est-ce là un genre sérieux par nature, mais il gardera de l'héritage tainien un sérieux encore accru : la critique dite « universitaire » — telle que Lanson principalement en a fixé les règles — s'efforce de ne rien affirmer sans preuves et réclame volontiers le nom de science (« sciences humaines », comme s'intitule une importante revue universitaire, que nous recommandons dans notre Bibliographie générale); quant à la critique journalistique elle-même, malgré un brillant parfois un peu rapide[1], elle

---

1. On peut regretter une certaine coupure entre la critique "universitaire" et la critique "journalistique", coupure assez regrettable en effet car elle vaut à la première plus de respect que de diffusion, à la seconde un caractère brillant, mais un peu éphémère, né des conditions mêmes où travaillent les critiques. Parmi ceux-ci toutefois il en est qui, prolongeant la tradition de Sainte-Beuve, s'efforcent de concilier sérieux de la documentation et diffusion journalistique : Paul Souday, A. Thibaudet, A. Thérive, E. Henriot, R. Kemp, A. Rousseaux par exemple, et d'autres que la lecture des revues apprendra à connaître. Il est dommage du reste que le mérite de leurs travaux soit souvent emporté au gré d'une actualité qui rend difficile à un critique moderne de laisser une grande œuvre stable (d'autant plus que certains, par

dirige l'opinion d'une façon souvent profonde, se pose très sérieusement les plus grands problèmes de son temps, non seulement littéraires, mais encore religieux, politiques et philosophiques.

2. Le sens de l'enquête. Ainsi chargés de responsabilité, critique et
roman vont s'appliquer avant toute chose à recueillir des faits,
à s'informer solidement, sans doute avec un scientisme tout
différent de celui de Zola, mais non moins sérieusement à leur
manière.

● *Dans le roman.* Il paraît sans cesse davantage de ces grand
romans qui nous donnent l'impression d'être le résultat d'une vaste
recherche. Le roman moderne devient volontiers une somme.
Non pas que fiches ou carnets de notes aient survécu au naturalisme, mais il semble que de plus en plus le romancier veut nous
présenter comme le résultat d'une expérience globale. Déjà un
Proust nous offrait le fruit d'un minutieux examen psychologique
et social; un Jules Romains dans ses *Hommes de bonne volonté*,
un Martin du Gard dans *Les Thibault*, un Duhamel dans *Les
Pasquier* nous livrent les conclusions d'une vaste enquête sur la
société moderne.

● *Dans la critique.* Au moins dans la critique sérieuse, tout travail
doit être précédé d'une patiente documentation : la méthode
lansonienne a le goût de l'exhaustif, des dénombrements complets.

3. La survivance du déterminisme. Sans doute le romancier moderne
renonce-t-il à la prétention naturaliste d'établir des lois à l'aide
de tous les faits qu'il accumule. Plus subtil ou plus modeste, il
laisse cette tâche au psychologue et surtout au sociologue, au
spécialiste de l'Économie politique. Est-il possible néanmoins
de nier une certaine survivance du postulat déterministe dans la
mesure où le roman moderne se plaît à présenter des héros « en
situation », comme on dit, c'est-à-dire des héros dont on met moins
en évidence la pure liberté que les attaches fondamentales avec
un milieu dont ils sont l'expression? Il est piquant de constater que des romanciers assez hostiles au naturalisme et notamment à Zola ont bâti presque toute leur œuvre sur la nécessaire
liaison que l'homme doit garder avec sa famille, son milieu, sa
province, son pays. Qu'est-ce notamment que l' « enracinement »
de Barrès, si ce n'est la doctrine de Taine transformée en une
morale? Au lieu de *constater* que l'homme dépend de son milieu,
on lui *recommande* de rester en liaison avec ce milieu dont il tire
sa force et sa valeur morale (*Les Déracinés*). Ainsi Colette Bau-
doche, qui sait rester fidèle à sa ville de Metz et à sa Lorraine,
est et a raison d'être la plus pure expression de sa famille et de sa

modestie, ne réunissent que trop rarement en recueils leurs meilleurs articles). De ce
point de vue, Taine se trompe totalement : la critique semble de plus en plus devoir
renoncer à juger *sub specie aeterni*. Et ce n'est pas l'attitude "politique", de plus
en plus fréquente pour juger une œuvre, qui semble devoir redresser cet état de
choses.

race. De même, dans *L'Étape*, Bourget veut prouver combien le
professeur Monneron a eu tort de quitter ses origines paysannes,
provoquant ainsi les pires catastrophes dans sa famille. D'une
façon plus sérieuse, moins partisane, presque tous les romanciers
modernes nous présentent soigneusement les héros dans leur
milieu. Bourget nous peint la société mondaine de son temps,
France nous montre dans les quatre tomes de *L'Histoire contemporaine* les représentants de la province au moment de l'affaire
Dreyfus évoluant dans leurs milieux sociaux respectifs dont ils
ont le langage et les idées. Les exemples seraient faciles à multiplier; plus près de nous, citons simplement *Les Célibataires* de
Montherlant, satire réaliste de la petite aristocratie en décadence,
les romans de Mauriac dont le cadre landais représente et explique
partiellement les héros, les romans de Camus volontiers situés
dans une Afrique du Nord qui transmet aux personnages son
ardeur et sa mollesse, etc.... Il se peut que parfois l'individu
se révolte contre un cadre qui ne l'exprime pas, mais alors il
éprouve un étrange malaise dont certains romanciers tirent leur
œuvre; telle est en partie l'origine du malaise dépeint dans *La
Nausée* de Sartre, dans *L'Étranger* de Camus, par exemple.

Quant à la critique, elle suit des chemins analogues, puisque,
malgré Valéry, l'habitude ne semble guère se perdre, pour étudier
un écrivain, de le situer dans son milieu, dans sa famille, dans
les diverses circonstances matérielles de sa vie et, si l'on ne va
plus jusqu'à croire que celles-ci l'expliquent tout entier, on pense
tout de même bien qu'elles expliquent quelque chose. Le succès
des biographies consacrées aux grands écrivains et élevées par
A. Maurois à la dignité d'un véritable « genre littéraire », est
bien significatif de ce rapprochement, certes non prévu par Taine,
entre le roman et la critique, ce qui ne signifie pas que ces biographies méritent l'épithète de « romancées » que certains prétendent
leur appliquer.

Conclusion.

La formule de Taine nous choque sans doute par sa naïveté, son
dogmatisme, sa confiance aveugle dans la science, mais elle n'en
garde pas moins une portée profonde. Ce qui a reçu un violent
camouflet avec le roman idéaliste et la critique impressionniste,
c'est peut-être plus les excès d'un naturalisme trop scientiste que
quelques principes de méthode toujours valables. Que le romancier
et le critique doivent se documenter, qu'ils doivent nous présenter
de complexes liaisons entre les personnages et leur milieu, c'est
ce que l'évolution du roman et de la critique ne nous permet
guère de révoquer en doute, d'autant plus que les conceptions
modernes de l'histoire mettent de plus en plus en évidence le
rôle des éléments matériels et économiques sur les actions et les
idées des hommes. C'est une conception un peu étroite de la
science qui est démodée chez Taine, mais on peut se demander

si une conception plus élargie ne permettrait pas de rendre à sa pensée sa profondeur. Et quand le Surréalisme, entendant dépasser le Réalisme, proclame son alliance avec Freud, Bergson et la physique moderne, que fait-il d'autre que renouveler, en l'approfondissant, la confiance tainienne en l'identité des démarches scientifiques et littéraires de l'esprit?

SUJETS PROPOSÉS

1. Renan écrivait dans *L'Avenir de la Science* : « L'étude de l'histoire littéraire est destinée à remplacer en grande partie la lecture directe des œuvres de l'esprit humain. » Un demi-siècle plus tard, le critique et professeur Faguet s'écriait : « J'avertis les jeunes gens qu'ils doivent lire les auteurs plutôt que les critiques. »
Que vous en semble?

2. « Le critique par excellence est celui qui sait le mieux admirer ce qu'il y a de beau, et qui peut le mieux enseigner à admirer. »
De grands noms, et d'autres moins grands, jalonnent l'histoire de la critique littéraire : Aristarque et Zoïle dans une brumeuse Antiquité, puis Malherbe, Boileau, Voltaire lui-même, Chateaubriand, Lamartine, et au XIXᵉ siècle tant de professionnels de la critique.
En vous aidant de vos souvenirs, qui vous permettront d'illustrer d'exemples précis votre exposé, vous expliquerez l'opinion citée ci-dessus d'un philosophe moderne. (Bac.)

3. Madame de Lambert conseillait à sa fille : « Approuvez, mais admirez rarement; l'admiration est le partage des sots. » Hugo proclamait dans *William Shakespeare* (IIᵉ partie, IV, 2) : « J'admire tout comme une brute! »
Pour qui prenez-vous parti et pourquoi?
(Bac.)

4. Examinez et discutez l'affirmation de La Bruyère : « Le plaisir de la critique nous ôte celui d'être vivement touché de très belles choses. »
(*C. E. L. G.*, Caen, 1949.)

5. « Le bon critique est celui qui raconte les aventures de son âme au milieu des chefs-d'œuvre. »
(A. France, *La Vie littéraire*, 1ᵉʳ vol.)

6. « L'objet de la critique est d'apprendre aux hommes à juger souvent contre leur goût. » (Brunetière, *L'Évolution de la Critique.*)

7. Sainte-Beuve définit ainsi le rôle du critique littéraire : « Renouveler les choses connues, vulgariser les choses neuves, un bon programme pour un critique. »
Expliquer ce programme et montrer l'intérêt et l'importance du critique littéraire ainsi compris.
(Bac.)

★ ★ ★

8. Taine écrit (*Essais de critique et d'histoire*) : « Aucun âge n'a le droit d'imposer sa beauté aux âges qui précèdent; aucun âge n'a le devoir d'emprunter sa beauté aux âges qui précèdent. Il ne faut ni dénigrer ni imiter, mais inventer et comprendre. »
Vous commenterez ce jugement.
(*C. E. L. G.*, Toulouse, 1949.)

9. « Pour ne pas être injuste envers les chefs-d'œuvre de nos pères, ne les séparons pas, quand nous les jugeons, de la société dont ils furent les plus nobles décorations ; admirons-les sans les déplacer. »
(Sainte-Beuve.)

10. Vous connaissez les théories de Sainte-Beuve et comment, pour comprendre et juger un auteur ou une œuvre, il demande qu'on les replace d'abord dans leur époque.

Un critique d'aujourd'hui semble s'opposer vigoureusement à cette méthode et, à propos de Voltaire, par exemple, il écrit avec quelque indignation : « Dire ce qu'il a représenté dans le siècle ! Vous entendez bien : non pas ce qu'il est *in aeternum,* mais ce qu'il a été au passé, dans le temps où il est mort et qui est mort avec lui ! »

Vous confronterez les deux points de vue.
(*C. A.,* Jeunes Filles, Lettres, 1949.)

11. « La littérature, la production littéraire, n'est point pour moi distincte ou du moins séparable du reste de l'homme et de l'organisation ; je puis goûter une œuvre, mais il m'est difficile de la juger indépendamment de la connaissance de l'homme même ; et je dirais volontiers : *tel arbre, tel fruit.* L'étude littéraire mène ainsi tout naturellement à l'étude morale.... Connaître, et bien connaître, un homme de plus, surtout si cet homme est un individu marquant et célèbre, c'est une grande chose et qui ne saurait être à dédaigner. » (Sainte-Beuve, *Nouveaux Lundis,* t. III.)

12. Marcel Proust (*Contre Sainte-Beuve,* Gallimard, édit.) écrit à propos de Sainte-Beuve : « La fameuse méthode... qui consiste à ne pas séparer l'homme de l'œuvre, à considérer qu'il n'est pas indifférent, pour juger l'auteur d'un livre... d'avoir d'abord répondu aux questions qui paraissent le plus étrangères à son œuvre... à s'entourer de tous les renseignements possibles sur un écrivain,... cette méthode méconnaît ce qu'une fréquentation un peu profonde avec nous-même nous apprend : qu'un livre est le produit d'un autre moi que celui que nous manifestons dans nos habitudes, dans la société, dans nos vices. Ce moi-là, si nous voulons essayer de le comprendre, c'est au fond de nous-même, en essayant de le recréer en nous, que nous pouvons y parvenir. Rien ne peut nous dispenser de cet effort de notre cœur. »

Vous examinerez cette opinion en vous appuyant sur des exemples précis, et vous essaierez de déterminer dans quelle mesure et pour quelles raisons la connaissance de la vie privée ou publique d'un auteur est — ou n'est pas — nécessaire à l'intelligence et à l'appréciation de son œuvre.
(Concours d'entrée à l'E. N. S. de Sèvres, 1954.)

13. Après avoir rappelé que nous ne savons à peu près rien d'Homère ni de Shakespeare et que cette ignorance ne nuit nullement à la beauté de *L'Odyssée* et du *Roi Lear,* Paul Valéry concluait : « Une Histoire approfondie de la Littérature devrait donc être comprise, non tant comme une histoire des auteurs et des accidents de leur carrière ou de celle de leurs ouvrages, que comme une Histoire de l'*Esprit en tant qu'il produit ou consomme de la Littérature.* »

Que pensez-vous d'une telle conception de l'histoire de la littérature ?

★   ★   ★

14. Vous éclairerez au moyen de votre expérience littéraire et de vos réactions personnelles cette opinion de Boileau : (*Réflexions sur quelques passages du rhéteur Longin,* VII) :

« Il n'y a que l'approbation de la postérité qui puisse établir le vrai mérite des ouvrages. Quelque éclat qu'ait fait un écrivain durant sa vie, quelques éloges qu'il ait reçus, on ne peut pas pour cela infailliblement conclure que ses ouvrages soient excellents. De faux brillants, la nouveauté du style, un tour d'esprit qui était à la mode, peuvent les avoir fait valoir, et il arrivera peut-être que dans le siècle suivant on ouvrira les yeux et que l'on méprisera ce que l'on a admiré. »

N. B. — Le candidat pourra, s'il le désire, restreindre la portée du sujet, en l'appliquant au genre littéraire de son choix.

(*C. E. L. G.,* Toulouse, oct. 1949.)

15. « Puis donc qu'une pensée n'est belle qu'en ce qu'elle est vraie; et que l'effet infaillible du vrai, quand il est bien énoncé, c'est de frapper les hommes; il s'ensuit que ce qui ne frappe point les hommes n'est ni beau ni vrai, ou qu'il est mal énoncé : et que par conséquent un ouvrage qui n'est point goûté du public est un très méchant ouvrage. Le gros des hommes peut bien, durant quelque temps, prendre le faux pour le vrai et admirer de méchantes choses : mais il n'est pas possible qu'à la longue une bonne chose ne lui plaise. »

Dégagez la théorie exprimée dans ces lignes de la préface que Boileau mit à la dernière édition de ses œuvres (1701) et discutez-la en vous servant d'exemples tirés de l'histoire littéraire.

(Bac.)

16. « Rien ne serait plus déraisonnable que de s'appuyer du suffrage des siècles et des nations pour prouver la solidité d'un système de philosophie, et pour soutenir que la vogue où il est durera toujours; mais il est sensé de s'appuyer du suffrage des siècles et des nations pour prouver l'excellence d'un poème et soutenir qu'il sera toujours admiré. Un système faux peut surprendre le monde, il peut avoir cours durant plusieurs siècles. Il n'en est pas ainsi d'un mauvais poète. »

(Abbé Du Bos.)

★ ★ ★

17. Sainte-Beuve écrit dans l'article du 9 mars 1857 sur Taine :

« On peut, jusqu'à un certain point, voir dans une œuvre autre chose encore que ce qu'y a vu l'auteur, y démêler ce qu'il y a mis à son insu et ce à quoi il n'avait pas songé expressément. De même qu'il aurait certainement beaucoup à nous apprendre s'il nous était donné de le revoir, et que nous serions ramenés au vrai sur bien des questions où nous allons au-delà, on pourrait, je crois, lui apprendre sur lui, à lui-même, quelque chose de nouveau. Là (si on y réussissait) serait la gloire suprême du critique; là, sa part légitime d'invention. Aussi aimerais-je que, lorsqu'on écrit sur un auteur (et j'entends surtout parler d'un poète ou d'un artiste, d'un auteur de sentiment ou d'imagination), on se le figurât présent et écoutant ce que nous disons.... On serait animé par une idée bien flatteuse et par un puissant mobile, par la pensée qu'on l'instruit, lui aussi, qu'on lui fait faire un pas de plus dans la connaissance de lui-même et de la place qu'il tient dans la renommée.... On se mettrait d'abord, autant que faire se pourrait, à une sorte d'unisson; car il importerait surtout que le grand écrivain trouvât que nous entrons dans son sens assez directement pour consentir ensuite à entrer un peu dans le nôtre. On arriverait par degrés à l'endroit où l'accord cesse (s'il doit cesser); à la limite. On marquerait à l'un ce qu'il a dit sans le savoir, à l'autre ce qu'il a fait sans le vouloir. Le grand homme, jusque-là si bien mené par son guide, serait comme forcé d'avancer avec le lecteur : ce ne serait qu'un lecteur de plus, et le plus intéressé de tous. »

Étudiez, dans l'esprit de cette page et aux fins qu'elle indique, la tragédie de *Phèdre*.

(Agrégation Lettres, Hommes, 1942.)

18. « Le poète sent, choisit, assemble, ordonne d'après un rythme qu'il invente; enfin il fixe et il exprime ce qu'il a senti et créé. On retrouve chacun de ces mouvements en critique; il y faut ainsi, et au même degré, sentir, choisir, grouper, ordonner, créer, composer, finalement écrire. — Le critique, dit-on, ne tire pas tout de lui-même. — Mais, me montrera-t-on que le poète ait fabriqué de son propre fonds les fleurs, les fruits, les eaux, les étoiles et toutes les images dont il a rempli ses poèmes? Comme au critique, sa matière lui est donnée.

« Il semble pourtant que la matière du critique soit peut-être d'un grain plus fin. Le poète travaille sur l'ensemble des ouvrages de la nature qui se sentent, se voient, se rêvent. Le critique s'attache en particulier aux œuvres humaines. Le poète fait, si l'on veut, l'abrégé de la substance de l'univers. Il traduit, il nous rend sensibles les beautés possibles ou réelles du monde. Mais le critique extrait l'essence de cette essence de beauté. »

(Maurras : *Prologue d'un essai sur la Critique.*)

19. « Tout vers, toute phrase qui a besoin d'explication ne mérite pas qu'on l'explique », a écrit Voltaire.

Vous vous demanderez, en vous appuyant sur des exemples précis, si la littérature peut se contenter de cette formule.

(Bac.)

20. Étudiez ce jugement de Chateaubriand (*Mémoires d'Outre-Tombe*, I, 9) : « Nul, dans la littérature vivante, n'est juge compétent que des ouvrages écrits dans sa propre langue. En vain vous croyez posséder à fond un idiome étranger; le lait de la nourrice vous manque, ainsi que les premières paroles qu'elle vous apprit à son sein et dans vos langes; certains accents ne sont que de la patrie.... On soutient que les beautés réelles sont de tous les temps, de tous les pays; oui, les beautés de sentiment et de pensée; non, les beautés de style. Le style n'est pas, comme la pensée, cosmopolite : il a une terre natale, un ciel, un soleil à lui. »

(C. A. Jeunes Filles, Lettres, 1952.)

★   ★   ★

21. « *Le Savetier et le Financier*, disait Voltaire, *Les Animaux malades de la Peste*, *Le Meunier, son Fils et l'Ane*, etc..., tout excellents qu'ils sont dans leur genre, ne seront jamais mis par moi au même rang que la scène d'Horace et de Curiace, ou que les pièces inimitables de Racine, ou que le parfait *Art poétique* de Boileau, ou que le *Misanthrope* ou le *Tartuffe* de

Molière. » Voltaire peut-être a raison, et pourtant la postérité ne se pose point la question de la sorte ; elle ne recherche point ce qui est plus ou moins difficile ou élevé comme art, comme composition ; elle oublie les genres, elle ne voit plus que le trésor moral de sagesse, de vérité humaine, d'observation éternelle qui lui est transmis sous une forme si parlante et si vive. » (Sainte-Beuve, *Causeries du Lundi*, t. VII.)

Vous examinerez ce jugement. (*C. A.*, Lettres Classiques, 1946.)

22. « Nous nous étonnons des bonshommes du siècle de Louis XIV, mais ils n'étaient pas des hommes d'énorme génie ; on n'a aucun de ces ébahissements, en les lisant, qui vous fassent croire en eux à une nature plus qu'humaine, comme à la lecture d'Homère, de Rabelais, de Shakespeare surtout, non! Mais quelle conscience! Comme ils se sont efforcés de trouver pour leurs pensées les expressions justes! Quel travail! Quelles natures! Comme ils se consultaient les uns les autres, comme ils savaient le latin! Comme ils lisaient lentement! Aussi toute leur idée y est, la forme est pleine, bourrée et garnie de choses jusqu'à la faire craquer. Or *il n'y a pas de degrés : ce qui est bon vaut ce qui est bon.* La Fontaine vivra tout autant que le Dante, et Boileau que Bossuet ou même qu'Hugo.... » (Flaubert, 1853.)

« *SAVEUR DE LA LITTÉRATURE* »

Certains sujets, qui engagent la conception même que l'on peut se faire de la « chose littéraire », ont de multiples résonances et échappent à toute classification trop stricte. Nous en proposons un exemple pour terminer.

$$\boxed{64}$$

SUJET

Discutez cette réflexion de Sainte-Beuve : « La littérature ne me paraît jamais avoir plus de saveur que quand elle vient de quelqu'un qui ne se doute pas qu'il fait de la littérature. »   (Baccalauréat.)

RÉFLEXIONS PRÉLIMINAIRES ——————————

1. *Un tel sujet a presque l'air d'être une banalité du genre de : « C'est en ignorant ses propres mérites qu'on a le plus de mérite »; et on est tenté d'évoquer aussitôt la réflexion de M. Jourdain : « Il y a plus de quarante ans que je dis de la prose sans que j'en susse rien! » La position de Sainte-Beuve doit se nuancer du nom même de Sainte-Beuve et de l'école critique qu'il représente : Sainte-Beuve, dont le principe essentiel est de remonter à l'homme au-delà de l'œuvre; l'école de la critique romantique, qui entend supprimer la littérature en tant que domaine séparé de la vie.*

2. *Quels types de littérature Sainte-Beuve oppose-t-il l'un à l'autre? On songe tout de suite à l'opposition de la littérature inspirée et improvisée, d'une part, et, d'autre part, de la littérature travaillée conformément à des règles. Cette opposition n'est pas absolument fausse et d'ailleurs elle est suggérée par la position de Sainte-Beuve et le romantisme ambiant; mais elle simplifie un peu la question : Sainte-Beuve oppose précisément la littérature qui se prend elle-même comme but et où l'auteur veut créer une œuvre en quelque sorte détachée de lui, vivant d'une vie extérieure à sa vie, et la littérature qui n'a été, dans une existence, qu'un moyen pour exercer une certaine action liée à cette existence même. Si nous voulions prendre deux exemple, concrets, aux deux extrêmes, nous trouverions la proclamation de Napoléon et la tragédie classique. En d'autres termes, ce n'est pas une opposition de genre ou de travail; il y a des auteurs qui ont beaucoup travaillé et qui, pourtant, ne pensaient pas « faire de la littérature » : tel est le cas de Démosthène s'efforçant, au moyen d'une harangue, de persuader les Grecs de se défendre contre Philippe. Inversement, il y a des « œuvres littéraires » relativement négligées : tel est le cas des Satires de Mathurin Régnier.*

3. *Plus grave que cette simplification abusive du problème, serait la confusion qui consisterait à le concevoir comme une opposition entre la littérature objective et la littérature subjective. Il n'y a pas du tout un lien nécessaire entre littérature spontanée et vitale d'une part, et littérature de confidence d'autre part. L'homme d'action, malgré le caractère « vital » de ses œuvres, ne s'y livre pas forcément. Dans la littérature « savoureuse » à laquelle pense Sainte-Beuve, il y a place pour des écrits qui « déguisent » et masquent leur auteur, tels les* Mémoires *du cardinal de Retz. Inversement certains ouvrages, dont l'intention littéraire est toute volontaire, sont d'incontestables confessions : il suffit, pour s'en convaincre, de penser aux* Confessions *de Rousseau, aux* Mémoires *d'Outre-Tombe de Chateaubriand, au* Temps perdu *de Proust.*

4. *Il importe donc, avant tout, de bien comprendre le mot « saveur ». Ce mot ne désigne pas le charme quelconque d'une œuvre littéraire, mais comme un certain parfum lié directement à la vie et, en quelque sorte, à l'action. Par exemple, quand on lit du Saint-Simon, on a bien cette « saveur » dont parle Sainte-Beuve, parce qu'on éprouve l'impression, malgré les irrégularités de la langue, de toucher directement à des passions brûlantes et fort peu stylisées; or, c'est surtout à la stylisation que s'attaque Sainte-Beuve, qui pense, au fond en romantique, qu'on ne doit pas styliser la vie pour la transcrire. C'est en ce sens qu'on retombe d'une certaine façon sur le problème de l'inspiration et du travail, mais à condition évidemment qu'on ait affaire à une inspiration directe et ne comportant pas immédiatement une transposition. Or très souvent il y a au niveau même de l'inspiration une transposition artistique, donc une volonté de « faire de la littérature ». Gide fait dire à Oscar Wilde : « Je ne peux pas penser autrement qu'en contes. Le sculpteur ne cherche pas à traduire en marbre sa pensée; il pense en marbre directement » (*Prétextes, p. 279*). *C'est ce genre de contes, ce genre d'œuvres d'art que Sainte-Beuve appellerait « faire de la littérature ».*

PLAN

Introduction.

Une des séductions les plus tentantes de la littérature est de la considérer comme l'art qui peint le plus directement la vie chaude et passionnée. Or que sont la plupart du temps les œuvres littéraires? des monuments dont la stylisation laborieusement travaillée par son auteur à l'usage de la postérité nous irrite parce qu'elle nous semble loin de cette vie. Le Romantisme a été principalement une immense protestation pour rapprocher la littérature de la vie ou plutôt pour faire prédominer l'importance de la vie sur celle de la stylisation. C'est ainsi que Sainte-Beuve s'écrie : « La littérature ne me paraît jamais avoir plus de saveur

que quand elle vient de quelqu'un qui ne se doute pas qu'il fait
de la littérature. » Formule un peu vague, parce que nous ne
savons pas trop quels sont ces gens qui, tout en écrivant, ne se
doutent pas qu'ils « font de la littérature »; c'est en précisant les
termes de la pensée et la position de son auteur que nous arrive-
rons à dégager l'esthétique qu'elle implique : volonté moderne
de faire éclater la vie dans une œuvre, danger moderne de négliger l'élaboration artistique de la vie et d'oublier les distances
que doit prendre l'artiste à l'égard de son modèle.

I. *La position de Sainte-Beuve.*

La formule bien comprise est à elle seule tout un programme qui
rejoint les préoccupations fondamentales de Sainte-Beuve.

1. Remarquons tout d'abord le glissement de sens opéré sur le mot
   « littérature ». A la conception classique de l'œuvre élaborée à
   l'aide de règles et d'une certaine technique, et surtout élaborée
   extérieurement à la vie de son auteur, Sainte-Beuve substitue
   la conception de l'œuvre que son auteur produit spontanément
   comme un des moments de sa vie : sans doute pense-t-il à l'innom-
   brable production lyrique et confidentielle du Romantisme. Mais
   il pense surtout à l'attitude de l'homme qui vit au rythme de sa
   littérature. En effet le Romantisme a essentiellement substitué
   à la littérature comme art formel la littérature dont on vit soit
   sentimentalement (confessions) soit activement (volonté d'une
   poésie efficace). Attitude toute nouvelle : Chateaubriand essayait
   encore de laisser sa vie privée à l'extérieur de ses *Mémoires* et
   même les *Confessions* de Rousseau, malgré leur sincérité, étaient
   encore un projet littéraire suffisamment gratuit, peut-être indé-
   cent, mais qui sentait bien son homme de lettres.

2. Sainte-Beuve, et il l'a montré souvent dans ses *Portraits littéraires*
   (1836-1839) et ses *Portraits de Femmes* (1844), s'intéresse plutôt
   à ces auteurs qui n'en sont pas, ces auteurs pour qui des « mémoires » ont été, par exemple, une apologie politique (Villehardouin,
   Montluc, cardinal de Retz), une défense de leur foi (d'Aubigné,
   Pascal), un moyen d'entraîner les hommes (Démosthène, Napoléon), une coquette et désespérée poursuite d'un autre être (Madame de Sévigné écrivant à Madame de Grignan ou Julie de
   Lespinasse au comte de Guibert), un élément de progrès social
   (les « fusées volantes » de Voltaire). En somme, il s'agit de tous
   ceux qui ont cherché à mieux vivre en écrivant, ceux pour qui la
   littérature a été un moyen d'action, de persuasion, etc....

3. Mais soyons honnêtes et examinons bien la formule de Sainte-
   Beuve : il n'a pas la naïveté de mettre une lettre de Mademoiselle de Lespinasse au-dessus de la déclaration de Phèdre à Hippolyte. Il parle de « plus de saveur » : *saveur*, mot nuancé, qui implique
   non pas la valeur littéraire, mais comme un charme humain et

direct de vie. C'est cette *saveur* de témoignage relatif à l'homme que Sainte-Beuve, fidèle à sa doctrine, cherche à travers toutes les œuvres, même celles qui semblent « les plus littéraires ». On comprend que les œuvres écrites dans le feu d'une passion des plus vivantes soient celles qui se prêtent le mieux à sa méthode. En d'autres termes, il est plus facile de remonter des lettres de Julie de Lespinasse à leur auteur que de *Phèdre* à Racine. Et, de ce point de vue, des lettres sont plus intéressantes pour Sainte-Beuve qu'une tragédie.

II. La littérature comme expression de la vie.

Il semble impossible de récuser totalement le témoignage de Sainte-Beuve. La sensibilité moderne est trop directement vitale pour se contenter de « beaux monuments », comme dit Stendhal en parlant du *Misanthrope,* de ces palais splendides où l'on s'ennuie et « où le temps ne marche pas ».

1. Il est en effet historiquement remarquable que rares sont les auteurs qui ont prétendu faire de la « littérature pure ». Les classiques eux-mêmes, auxquels songe Sainte-Beuve, avaient tous des buts moraux ou distrayants. Et il est frappant que toute littérature qui se veut telle soit menacée par les dangers de l'académisme ou de la stérilité. Une œuvre risque, à se vouloir intemporelle, d'être dans le vide, alors qu'au contraire, souvent, l'œuvre vivante est celle qui ne s'est pas voulue éternelle, qui est née dans le mouvement de l'époque et de ses problèmes concrets. Les écrits de Voltaire en sont un exemple convaincant. Lorsqu'il « veut faire de la littérature » (ses tragédies, *La Henriade*), il ne connaît qu'un succès de goût et d'estime; lorsqu'il combat contre les abus, il ne pense sans doute pas à « faire de la littérature » et son œuvre est « savoureuse ».

2. C'est que la littérature, et telle est la source de son attrait, semble toujours plus ou moins être une rencontre. Tel écrivain moderne disait écrire pour toucher, dans la masse des lecteurs, un être à son image et qu'il pourrait aimer. En d'autres termes, au moins depuis le Romantisme, le matériel verbal semble passer après une certaine façon exaltante de vivre (cf. Deuxième partie, chap. xii, sujet proposé n° 7). Vivre plus en écrivant, tel paraît être le but d'un Gide, d'un Montherlant, etc... La poésie moderne nous fait généralement assister depuis Baudelaire à un drame très intérieur, et même si l'auteur sait qu'il « fait de la littérature », il veut nous donner la saveur de sa vie. Aussi notre époque est-elle par excellence celle de l'écrit inachevé non destiné à la publication, de la lettre qu'on publie sans que l'auteur se soit douté qu'elle serait un jour publiée. Même les « thèses de doctorat ès lettres », œuvres pourtant fort peu frivoles, se préoccupent du document inédit qui offre d'autant plus de saveur qu'il n'est pas d'intention littéraire.

3. Et qu'on n'objecte pas que la facilité guette cette littérature. Ce n'est pas parce que Napoléon adresse une proclamation pour entraîner ses soldats à la bataille qu'il l'a pour autant moins travaillée; c'est le contraire peut-être. Il n'est même pas sûr que dans cette perspective les règles de la technique ne retrouvent pas leurs droits : il y a des règles pour l'éloquence des Assises et pourtant quoi de plus concret, de plus pratique? Il n'est pas sûr non plus que cette littérature aboutira obligatoirement à la confession. Qu'est-il de plus secret que les lettres de Madame de Sévigné, elle dont la vie fut si triste et qui joue la folâtre? Mais il est certain que la volonté excessive de « faire de la littérature » a souvent paralysé les écrivains. Le poète de la *Chanson de Roland* veut avant tout peindre la défense de la civilisation chrétienne et féodale, Ronsard veut faire une épopée pour faire une épopée; le résultat est concluant : c'est le premier qui nous a laissé la véritable épopée.

III. Les limites et les dangers de la position de Sainte-Beuve.

Et pourtant cette position si séduisante ne provoque-t-elle pas en nous comme une sorte de gêne?

1. Sainte-Beuve ne nous propose-t-il pas une conception un peu simpliste de la sincérité et du caractère humain d'une œuvre? Évidemment il y a quelque piquant à voir une femme, qui a existé, implorer un homme qui ne l'aime pas. Mais cette saveur n'est-elle pas un peu anecdotique? Emportée dans le détail de son existence, Madame de Sévigné ne nous livre pas grand-chose d'elle-même, de ce veuvage précoce qui l'a séparée du jeune marquis débauché tué en duel pour une autre. En somme, dans une littérature faite pour la vie et dans la vie, on va rarement à l'essentiel de soi-même. Pourquoi Phèdre nous est-elle plus présente que Julie de Lespinasse? parce que Phèdre va à l'essentiel d'elle-même.

2. En effet les grandes œuvres, produits d'une inspiration lentement et consciemment élaborée pour atteindre la perfection littéraire, pénètrent beaucoup plus avant dans l'humain. Toutes les lettres d'amour effectivement écrites vont moins loin que le théâtre de Racine et tous les politiques rusés du genre de Commines ou de Retz sont moins présents que l'Acomat de *Bajazet*. Dans son effort de stylisation, de création d'un univers, l'auteur atteint une vérité infiniment plus vaste que la petite sincérité et les grandes fourberies que la réalité peut exiger.

3. Sainte-Beuve s'est parfois beaucoup trompé sur cette question de la sincérité. C'est ainsi qu'il a reproché à ses contemporains, parce qu'il connaissait leur vie, leur volonté d'être des littérateurs. Il les accuse alors d'être hypocrites et vides : il les préférerait véridiques. Et pourtant « il n'y a rien de plus trompeur que ces hommes véridiques, dit Valéry, tout ce qui compte nous est bien

caché ». Souvent ce sont les journaux intimes qui sont les œuvres les plus littéraires et, inversement, les œuvres les plus stylisées qui sont les plus révélatrices. Tel thème littéraire que son auteur a longuement médité et stylisé est évidemment très important et, quand Sainte-Beuve lui-même veut exprimer le désarroi de sa jeunesse, c'est au roman qu'il s'adresse : dans *Volupté* il a voulu « faire de la littérature ». Comme nous comprenons la tentation de sa pensée ! comme il serait séduisant si ceux qui agissent, qui conduisent le monde, qui mènent les guerres, savaient se raconter et surtout nous livrer leur secret essentiel ! Mais Don Juan séduit, les hommes politiques se justifient, les hommes de guerre entraînent et leur littérature même n'est qu'un moyen. En ces œuvres dont on attendait tant de saveur, on éprouve souvent une grande déception : c'est finalement le professionnel de la littérature qui dégage le mieux les grands thèmes de l'homme, parce qu'il leur donne « le style ». Et si quelques grands écrivains sont arrivés dans des œuvres en apparence non littéraires à laisser comme un portrait stylisé d'eux-mêmes, c'est qu'ils n'étaient pas vraiment des hommes d'action. Cicéron et Chateaubriand furent précisément de piètres hommes d'action parce qu'ils se souciaient sans cesse d'idéaliser leur image pour la postérité.

Conclusion.

En somme, il est impossible de nier ce que constate Sainte-Beuve : le caractère humain, sanglant même de la vraie littérature; mais il l'est tout autant de nier la nécessité de la stylisation des grands thèmes, des grandes œuvres, que seuls savent réussir quelques professionnels. La meilleure réponse à Sainte-Beuve serait l'examen attentif de quelques journaux intimes, de quelques lettres : on montrerait aisément combien, malgré leur caractère vital, ils renferment de fatras et de fadaises, et que, s'ils ont quelque valeur littéraire, celle-ci vient généralement d'une volonté consciente de « faire de la littérature ». Écrire à quelqu'un pour lui plaire, c'est offrir une image simplifiée et stylisée de soi-même dans un sens qui nous séduise et qui le séduise. Ces femmes qui écrivent indéfiniment sur elles font la plus littéraire des besognes et même assez consciemment : donner à son destin l'unité d'une aventure, le style en somme qu'il n'a pas. Camus estime que ce qui nous manque le plus pour vivre, c'est un destin : toute littérature présente l'homme comme ayant ce destin; et c'est pourquoi les meilleures des œuvres sont encore les plus stylisées et, au fond, si Phèdre nous est plus présente que Mademoiselle de Lespinasse, c'est que l'une a, plus que l'autre, un destin et un style.

INDEX ALPHABÉTIQUE

TABLE

INTRODUCTION GÉNÉRALE

PREMIÈRE PARTIE

DE L'ŒUVRE LITTÉRAIRE : LE LECTEUR, L'AUTEUR

DEUXIÈME PARTIE

DES ÉCOLES AUX TENDANCES

TROISIÈME PARTIE

LES GRANDS GENRES LITTÉRAIRES

Imprimé en France par Brodard-Taupin, Imprimeur-Relieur. Coulommiers-Paris.
51770-III-3-6221. Dépôt légal n° 5525. 1er trimestre 1957.